PERRI O'SHAUGHNESSY

Auf Treu und Glauben

Buch

In Lake Tahoe, Nevada, sind Scheidungen und Trennungen an der Tagesordnung, aber keine Trennung ist so glamourös und skandalträchtig wie die von Lindy und Mike Markov. Die Geschichte klingt zunächst wie viele andere auch: Mike hat eine Jüngere kennen gelernt und möchte Lindy verlassen. Das Problem ist nur, dass Mike und Lindy gemeinsam ein Unternehmen aufgebaut haben, das 200 Millionen Dollar wert ist. Und Mike möchte Lindy keinen Cent davon abgeben, denn das Paar hatte nie geheiratet, und das Unternehmen läuft allein auf Mikes Namen.
So schnell gibt sich Lindy jedoch nicht geschlagen; sie wendet sich an die Anwältin Nina Reilly und verspricht ihr im Erfolgsfall eine hohe Provision. Nina, die weder auf Familienrecht spezialisiert ist, noch je einen Fall mit einem so hohen Streitwert betreut hat, ist von der versprochenen Summe geblendet und sagt Lindy zu, sie zu vertreten. Aber die Dinge stehen nicht gut für Nina, denn Mikes Anwalt Jeffrey Riesner triumphiert vom ersten Tag der Verhandlung an. Dann gerät der Fall ganz außer Kontrolle. Und nach dem mysteriösen Tod eines Geschworenen wird Nina auf brutale Weise deutlich, dass in diesem Prozess nicht nur mit juristischen Mitteln gekämpft wird ...

Autorin

Perri O'Shaughnessy ist der Künstlername für das Autorenduo Pamela und Mary O'Shaughnessy. Mary O'Shaughnessy hat Literatur studiert und als Redakteurin gearbeitet, während Pamela O'Shaughnessy die Harvard Law School absolviert hat und als Anwältin tätig war. Beide Schwestern leben in Kalifornien und schreiben zusammen ihre höchst erfolgreichen Kriminalromane.

Von Perri O'Shaughnessy außerdem bei Goldmann lieferbar:

Mildernde Umstände. Roman (44209)
Zeugin wider Willen. Roman (45241)

Perri O'Shaughnessy

Auf Treu und Glauben

Roman

Aus dem Amerikanischen
von Astrid Becker
und Elvira Willems

GOLDMANN

Die Originalausgabe erschien 1998 unter dem Titel
»Breach of Promise«
bei Delacorte Press, Bantam Doubleday Dell Publishing
Group, Inc., New York.

Für Brad

Deutsche Erstausgabe 11/2002
Copyright © der Originalausgabe 1998 by Mary
O'Shaughnessy and Pamela O'Shaughnessy
Copyright © der deutschsprachigen Ausgabe 2002
by Wilhelm Goldmann Verlag, München,
in der Verlagsgruppe Random House GmbH
Dieses Werk wurde vermittelt durch die Literarische
Agentur Thomas Schlück GmbH, 30827 Garbsen.
Umschlaggestaltung: Design Team München
Umschlagfoto: Alan Ayers
Satz: deutsch-türkischer fotosatz, Berlin
Druck: Elsnerdruck, Berlin
Titelnummer: 45243
Redaktion: Ilse Wagner
BH · Herstellung: Katharina Storz/Str
Made in Germany
ISBN 3-442-45243-0
www.goldmann-verlag.de

1 3 5 7 9 10 8 6 4 2

Prolog

Im Alter von zehn Jahren las ich, während ich lauwarme Hafergrütze zum Frühstück aß, meinen ersten Zeitungsartikel, einen packenden Bericht auf Seite zwei, auf der sie die Sensationsgeschichten veröffentlichten. Meine Tante riss ihn heraus und hielt ihn mir unter die Nase. Auf dem Nachhauseweg vom Kino war ein Typ von einem Straßenräuber überfallen worden, hatte ihn totgeschossen und war selbst an einer Stichwunde gestorben.

Das Ganze wegen sechzig Dollar.

Zwei Idioten starben also für sechzig Mäuse, und zwei Idioten töteten dafür. Traurig, was? Das hat meine Tante sicher gedacht. Ich auch. Ich kannte einen der beiden toten Männer.

Für eine leicht zu beeindruckende Zehnjährige steckte darin eine Lektion, wie wenn man die gleiche Geschichte im Laufe eines Jahres mehrmals liest. Sieh dir das an!, sagt man sich. Er ist tot, und wofür?

Sechzig Dollar!

Also, das reicht heutzutage nicht mal, um in einem Restaurant essen zu gehen. Nicht genug, um die Miete für ein fensterloses Loch zu zahlen. Nicht genug, um dafür zu sterben!

An dem Morgen – meine Tante plapperte im Hintergrund über den tieferen Sinn der Geschichte – las ich die Geschichte noch einmal und fühlte mich wie jemand, der in einem Baumhaus sitzt und den Ameisen dabei zusieht, wie sie den Stamm hochkrabbeln. Jung, wie ich war, begriff ich sehr viel besser als meine Tante, der ich mit halbem Ohr zuhörte, die Bedeutung dessen, was passiert war.

Jetzt verstehe ich es sogar noch besser.

Dieser Straßenräuber nahm sich nicht die Zeit, zu überlegen, ob das, was er tat, klug war. Er war zu sehr damit beschäftigt, seine entnervenden körperlichen Bedürfnisse zu befriedigen. Wie Billie Holliday mal sagte: »Du musst etwas zu essen und ein bisschen Liebe im Leben bekommen, bevor du dir eine Predigt darüber anhören kannst, wie du dich zu verhalten hast.«

Sechzig Dollar reichten ihm, um ihn und seine Familie ein paar Tage zu ernähren, reichten für einen Schuss; reichten, um sich einen Kerl vom Hals zu halten; reichten, um jedes Risiko einzugehen und um über einen anderen unglücklichen Menschen herzufallen und ihm sein kostbares Leben zu rauben.

Jetzt, wo ich erwachsen bin, sehe ich den kurzen Kampf zweier Ameisen um einen Krümel noch deutlicher. Und wie Sie überrascht mich die Gemeinheit der Menschen immer wieder. Für sechzig Dollar würde ich nicht mein Leben riskieren; davor bewahrt mich meine Kultur. Außerdem habe ich, was ich brauche.

Unglücklicherweise liegt zwischen dem, was ich brauche, und dem, was ich will, ein weites, unfruchtbares Ödland. Und ich habe noch etwas anderes festgestellt.

Ich muss das bekommen, was ich will.

Jetzt denken Sie, Sie würden über all dem stehen. Ja, vielleicht. Aber tun Sie mir einen Gefallen, und versuchen Sie Folgendes. Wählen Sie einen Augenblick in einer dunklen Nacht. Stellen Sie sich vor, Sie liegen auf einer Matratze, die mit großen Geldscheinen gefüllt ist. Wie weich sich das anfühlen würde, wie sicher, wie sinnlich, wie wohltuend … wie angenehm! Wie kosmopolitisch, auf diesen Scheinen zu liegen, die durch so viele Hände gegangen und am Ende vom Himmel gefallen sind, um Ihr Nest zu polstern. Plötzlich wären Sie der glücklichste Mensch auf Erden. Nie wieder jemandem in den Arsch kriechen! Zur Abwechslung würden andere Ihnen in den Arsch kriechen.

Klingt toll, was?

Und lassen Sie sich noch auf einen anderen verqueren, kranken Tagtraum ein. Sie können all das Geld bekommen, das Sie sich je gewünscht haben. Sie müssen es nicht stehlen. Nein, das Geld gehört Ihnen, Sie können es haben, wenn Sie eines tun …

Sie würden die Gelegenheit beim Schopf packen. Klar würden Sie das.

Aber Sie würden Ihre Seele nicht billig verkaufen. Sie würden genug verlangen, um das stumme Brüllen Ihrer Wünsche ein für alle Mal zum Schweigen zu bringen. Ihr Betrag ist vielleicht ein anderer als meiner, aber es gibt einen Betrag.

Geben Sie es zu. Sie würden dafür töten.

Genau wie ich.

Heutzutage ist es besser, in einer Limousine zu fahren, als zu Fuß durch die Straßen zu gehen. Sie wissen nie, wen Sie da draußen treffen. Vielleicht jemanden wie meinen Vater, der ein Messer in der Hand hält und Ihr Geld braucht. Vielleicht jemanden wie mich. Tödlich, wie ich sein muss.

Das Leben hält harte Lektionen bereit. Sie möchten derjenige sein, der lebend davongeht … und reich.

Ruhe in Frieden, Dad.

ERSTES BUCH

Die Parteien

Also, sieh mal,
wenn du wirklich
überlegen wärst,
wirklich überlegen,
hättest du Geld,
und das wüsstest du.

D.H. LAWRENCE

1

Nina Reilly öffnete das Bürofenster im Starlake-Building am Highway 50. Warme Luft wehte den Geruch von Toast und trockenem Gras herein und mischte sich unter die Kälte aus der Klimaanlage. Der heiße Oktoberwind, der raschelnd durch die Papiere auf ihrem Schreibtisch fuhr, ließ auch draußen Rost und Gold in allen Schattierungen schimmern. In der Ferne leuchteten bunte Segel vor dem blauen Hintergrund des Lake Tahoe. Nina konnte einen Wetterumschwung spüren. Die schwüle Luft schmeckte wie der Rest einer Süßigkeit, wie Zitrone in gezuckertem Tee.

Sie beugte sich aus dem Fenster, um einen Sonnenstrahl abzubekommen, und beobachtete, wie ein Mann und eine Frau in makellos weißen Sportschuhen, die karierten Hemden um die Taillen gebunden, einander losließen, sodass die Frau ein paar karottenfarbene Blätter aufheben konnte. Sie hielt das Herbstlaub vor sich wie ein Bouquet und tanzte ein oder zwei schnelle Schritte vor dem Mann auf dem Bürgersteig her. Der Mann ging weiter, offensichtlich hatte er keine Lust auf dieses Spiel. Sie gab es auf und ging wieder neben ihm her, wobei sie die Blätter eines nach dem anderen fallen ließ wie Gretels Spur aus Brotkrumen.

»Auch eine Art, Energie zu sparen«, sagte Sandy von der Tür her, die Hände in ihre fraulichen Hüften gestemmt. Heute trug sie eine Fransenbluse und einen silbern schimmernden Concha-Gürtel, der bei jeder Bewegung klimperte, eine Khakihose und Cowboystiefel, in denen sie aussah wie eine hinterwäldlerische Rodeoreiterin. Sandy machte es Spaß, sich fürs Büro anzuziehen, aber sie würde nie die einer Anwaltsgehilfin entsprechende Kleidung tragen.

Zwei Jahre zuvor hatte sie als Archivkraft in Jeffrey Riesners Kanzlei gearbeitet, ein paar Kilometer weiter westlich auf dem Highway 50. Obwohl Riesner weder mit ihrer Arbeit noch mit ihrem Charakter, ihrem Aussehen und ihrer Selbstsicherheit zufrieden gewesen war, hatte Nina sie zur Eröffnung ihrer Kanzlei in South Lake Tahoe eingestellt. Einer ihrer geschickteren Schachzüge.

Sandy kannte buchstäblich jeden in der Stadt, und sie war erstaunlich zielstrebig; was sich ihr in den Weg stellte, vereinnahmte sie, oder sie walzte es nieder. Eine Anwältin, die eine Kanzlei in einer ihr unbekannten Kleinstadt eröffnete, musste wissen, woher der Wind wehte, und Sandy hatte die ausschlaggebenden ersten Mandanten herbeigeschafft, das Büro organisiert und sich selbst zu Ninas Wächterin berufen. Nina kannte sich in den Gesetzen aus. Sandy kannte sich mit den Menschen und der Gegend aus.

»Was für ein Tag«, sagte Nina. »Nicht, dass man es hier drin merken würde.«

»Über dreißig Grad?«, fragte Sandy. »Ist wohl einer der letzten warmen Tage dieses Jahr. Zu schön, um drinnen zu bleiben.«

»Stimmt. Komm, wir hauen ab. Es ist Viertel nach vier, und ich kann mich überhaupt nicht mehr konzentrieren.«

»Gleich. Du hast einen Anruf auf der zweiten Leitung.« Sandy zog bedeutungsvoll die Augenbrauen hoch.

»Wer ist dran?«

»Lindy Markovs Sekretärin.«

»Kenne ich Lindy Markov?«

»Wenn nicht, dann wird's Zeit. Sie will dich zu einer Party einladen, die sie dieses Wochenende gibt.«

»Was für eine Party?«

»Sie engagiert sich in Wohltätigkeitsvereinen und lädt in Gemeindeangelegenheiten oft zu sich ein. Dies ist eine Einladung zu einer Geburtstagsfeier ihres Mannes, Mike Markov.«

Nina schloss das Fenster und wandte sich wieder ihrem Schreibtisch zu. »Sag ihr, dass ich verhindert bin, Sandy. Sag ihr, es täte mir Leid.«

Aber als echte Washoe-Indianerin, deren Vorfahren seit Hunderten von Jahren hartnäckig Widerstand leisteten, ließ Sandy sich nicht anmerken, ob sie etwas gehört hatte. »Lindy und Mike Markov sind die größten Arbeitgeber in Tahoe. Sie leben in der Nähe der Emerald Bay. Dies ist *die* Gelegenheit.«

»Warum? Ich bin zu pleite, um irgendwelche karitativen Einrichtungen zu unterstützen.«

Mit ihrer dunklen, ruhigen Stimme erinnerte Sandy Nina an Henry Kissinger, der zu seinen Glanzzeiten ganze Staaten nach seiner Pfeife hatte tanzen lassen. »Und haargenau darüber solltest du dir Gedanken machen. Wir machen hier Geschäfte. Und es muss einfach mehr Geld reinkommen. Du hast dein privates Girokonto angezapft, um die Büromiete zu bezahlen, stimmt's?«

Was konnte Nina dazu sagen? Der allwissenden Sandy blieb nichts verborgen.

»Vielleicht brauchen sie eine gute Anwältin«, fügte Sandy noch hinzu.

»Zu solchen Anlässen gehe ich nicht gerne allein«, sagte Nina.

»Paul kommt dieses Wochenende. Er hat angerufen, als du heute Nachmittag im Gericht warst.«

»Er ist aus Washington zurück? Ich dachte, er wollte länger bleiben. Und überhaupt, was hat denn das mit …?«

Sandy zuckte die Schultern. »Ich hab die Party erwähnt. Er hat Lust darauf.«

»Verstehe«, sagte Nina.

»Er holt dich Freitag um sechs ab. Verspäte dich nicht.«

»Und wenn ich immer noch Nein sage?«

Sandy seufzte übertrieben, ihr Gürtel klimperte leise. »Dann muss ich an deiner Stelle hingehen. Eine von uns muss hier das

Netzwerk knüpfen. Wenn du die Miete zahlen willst und die Rechnung von Whitaker und die von Lexis, den neuen Computer und meine Gehaltserhöhung ...«

»Und was für eine Gehaltserhöhung wäre das?«

»Ich brauche schon eine kleine Erhöhung, wenn ich für dich zu Partys gehen soll.«

»Okay, Sandy, du hast gewonnen. Auf welcher Leitung ist sie?«

»Du musst nicht mit ihr sprechen.« Damit ging sie aus dem Zimmer. »Ich bestätige ihr, dass du dabei sein wirst.«

»Du hast ihr schon gesagt, dass ich komme?«

»Ich hatte mir gedacht, dass du wohl gehen würdest. Nachdem du Zeit hattest, es dir zu überlegen.«

»Warte mal. Wo ist diese Party denn?«

»Auf dem See«, sagte Sandy. »Sie chartern die *Dixie Queen*. Am Jachthafen Ski Run geht's los.«

Paul holte Nina an diesem Freitag sehr pünktlich ab. Seine Umarmung war schon fast obszön. »Drei Wochen«, sagte er. »Gott, wie mir das gefehlt hat, deinen süßen kleinen Hintern so durchzukneten.« Während seine Worte leicht dahergesagt schienen, spürte sie, wie genau er sie ansah. Drei Wochen waren gerade lang genug; sie hatten die Entfernung beide gefühlt.

Paul war gut zwanzig Zentimeter größer als sie mit ihren hundertsiebenundfünfzig Zentimetern, blond mit grau melierten Schläfen und hatte mit vierzig Jahren bereits zwei Ehen hinter sich. Nina schien es, als sei er schon immer Teil ihres Lebens gewesen. Als ehemaliger Kommissar der Mordkommission hatte er in Carmel eine Detektei eröffnet. Manchmal arbeiteten sie miteinander. Manchmal schliefen sie auch miteinander.

Manchmal brachten andere Männer sie vom Weg ab. Erst vor ein paar Monaten hatte sie intensiv mit dem Bezirksstaatsanwalt Collier Hallowell geflirtet, den sie immer respektiert hatte. Aber Colliers persönliche Probleme waren dazwischengekommen, und das war's. Also war sie wieder mit Paul zusammen, wo sie doch so lausig zusammenpassten und sich manchmal heftig stritten.

Aber ab und zu, wenn sie zusammen waren, trieben sie ganz weit nach unten, an einen Ort, der sie immer wieder zueinander zurückkehren ließ.

Auf dem Weg zum Jachthafen fragte Paul sie über ihre Aktivitäten der letzten Wochen aus. Nina erzählte ihm von dem Haus, das sie vor kurzem gekauft hatte und in dem sie mit ihrem Sohn Bob wohnte. »Wir richten es gemütlich ein«, sagte sie. »Wir wissen nur beide nicht so genau, wie das geht. Ich lege in jeder Ecke einen Papierstapel an. Hitchcock residiert in der Skikammer und verteilt sein Trockenfutter auf dem Küchenboden. Bob fährt im Erdgeschoss Skateboard.« Doch auf ihre Fragen reagierte er untypisch wortkarg. Er gab vor, ihr nicht viel über den Washingtoner Job erzählen zu können. Und was gab es über das Wohnen in einem Hotel schon groß zu sagen?

Paul zog sie nicht auf. Sie spürte, dass er mit seinen Gedanken woanders war, und fing an zu grübeln. Sie konnte sich alles Mögliche ausmalen, was man mit ihm in einem Hotel anstellen könnte, und einen Teil der Fahrt vergnügte sie sich damit, diesen Vorstellungen nachzuhängen, seine Nähe zu genießen und seine große, beruhigende Gegenwart.

Auf dem Parkplatz des Jachthafens, nicht weit von Ninas Büro entfernt, parkte Paul seinen Dodge Ram direkt neben einem cremefarbenen Jaguar.

»Das ist ja allerhand«, sagte Nina, als sie ausstieg. Auf dem Parkplatz standen eine Menge glitzernder Edelkarossen. »Ach du meine Güte. Schau mal, da drüben am Dock, das ist ja ein richtiges Chauffeurstreffen. Vielleicht hätten wir uns einen Luxusschlitten mit Fahrer mieten sollen.«

»Du siehst umwerfend aus in diesem aufreizenden blauen Ding«, sagte Paul und war plötzlich neben ihr. Er presste eine Hand an ihr Bein und drückte es sanft, um seinen Worten mehr

Nachdruck zu verleihen. »Und wenn es dich beruhigt, spiele ich auch deinen Chauffeur, zum Teufel noch mal. An meiner Kutsche kann ich nicht viel ändern, aber ich müsste da drinnen noch irgendwo eine Baseballkappe haben. Ich tue alles, wenn du nur aufhörst, so zu tun, als würdest du völlig neben dir stehen.«

Sie schüttelte sich leicht und zerrte an der Strumpfhose. »Du hast Recht, ich bin nervös. Wahrscheinlich komme ich langsam in die richtige Stimmung, da ich bereits ins erste Fettnäpfchen getreten bin, weil ich dein Auto heruntergemacht habe.«

»Das ist nicht das erste Mal, dass du dich mit Leuten unterhältst. Ich weiß es genau, denn ich hab dir dabei schon zugesehen. Worüber machst du dir solche Sorgen?«

»Ich bin ein bisschen eingeschüchtert«, gestand sie. »Die Markovs sind sehr wohlhabend. Ihr Unternehmen soll riesig sein. Sie vertreiben irgendwelche Sanitätsartikel. Mrs Markov schafft für die Schulen und Freizeiteinrichtungen in der Gegend säckeweise Geld heran.«

Paul nahm sie bei der Hand, und sie gingen zum Dock, wo ein weißer Heckraddampfer, blau geschmückt, sanft schaukelte. Am Bug, wo Nina und Paul an Bord gingen, begrenzten zwei schwarze Pfeifen mit goldenen Spitzen in der Form mittelalterlicher Kronen den Blick auf das Schiff. Silberne Leuchter hingen wie Eiszapfen von den drei Decks des Dampfers, und am Heck tropfte Wasser von einem enormen, rot gestrichenen Schaufelrad. Auf dem unteren Deck sah man durch eine breite Fensterfront eine Menge Partygäste, die zwischen roten Heliumballons zu einem Song tanzten, den Nina nicht kannte. Das tiefe Wummern der Bässe wurde zu ihnen heraufgetragen, wo es das Deck zu ihren Füßen grollend vibrieren ließ.

»Warst du schon mal auf so einem?«, fragte Paul, als sie die Gangway betraten, die zum unteren Deck führte.

»Einmal, nachdem wir hierher gezogen sind. Da habe ich mit Bob von Zephyr Cove aus einen Ausflug gemacht. Er war erst elf, und der Glasboden hat ihn stark beeindruckt, auch wenn es außer Sand und ab und an einer Bierflasche nicht viel zu sehen gab.«

»Hast du irgendwas davon gesagt, dass diese Leute dich engagieren wollen?«, fragte er, als sie auf das fantastisch dekorierte Partydeck zugingen. »Denn wenn sie das tun, dann sieht's ganz so aus, als hättest du deine Schäfchen im Trockenen.«

»Ich habe keine Ahnung, warum wir hier sind. Es ist eines von Sandys Komplotten. Komm, amüsieren wir uns einfach.«

Bevor sie weitergingen, sahen sie über den See hinüber zu den Farbspielen aus Türkis- und Orangetönen, die gerade begannen, den Himmel und das Wasser zu färben. »Wenn ich den See so sehe wie jetzt, so schön, denke ich an das Volk der Washoe, das an diesen Ufern gelebt hat«, sagte Nina. »Das ist noch gar nicht so lange her, vielleicht hundert Jahre oder so.«

»Ich bin mir sicher, die Verschandelung der Landschaft würde ihnen gefallen.« Paul deutete auf die Lichter der Casinos. Sie glitzerten im schwindenden Licht unter dem Abendglühen der hoch hinter ihnen aufragenden Berge.

»Von weitem«, meinte Nina, »finde ich es ganz hübsch.«

Eine auffallende Frau kam lächelnd auf sie zu. Lindy Markov war größer als Nina, und sie wirkte noch größer, als sie war. Gertenschlank, mit ausdrucksvollen Augen, ausgeprägter Nase und Kinn und Haaren von warmem Kupfer. Eine goldene, eng anliegende ägyptische Kette schmückte ihren Hals über einem rostfarbenen Kleid, das einen Körper verbarg, der so muskulös und drahtig war wie der eines Sportlers. Sie mochte in den Vierzigern sein. Sie hatte dieses gewisse alterslose Alter erreicht.

»Hallo, Nina Reilly. Ich habe schon so viel von Ihnen gehört. Ich kenne Sie natürlich aus der Zeitung. Sarah de Beers und einige andere Freundinnen haben mir gesagt, Sie hätten gute Arbeit für sie geleistet. Vielen Dank, dass Sie gekommen sind, um an der Überraschung für Mike mitzuwirken.«

»Wie wollen Sie ihn denn überraschen? Ich meine, dieses Boot …«

»Oh, er weiß nicht, dass lauter Freunde hier sind. Er glaubt, wir machen eine Dinnerfahrt, um seinen Geburtstag zu feiern.« Sie sah sich um. »Das wird ihm gefallen. Er mag Überraschungen«, sagte sie, aber sie sah nicht überzeugt aus, eher ein bisschen besorgt. Nina dachte, oje, hier stimmt was nicht.

»Ich hoffe, dass alle pünktlich sind. Mike kommt um sieben.« Sie sah unruhig zur Tür, als ein weiteres Paar eintraf, und wandte sich dann etwas entspannter an Paul: »Mr Van Wagoner.« Sie hielt seine Hand einen Moment zu lange fest. »Sie sind also Privatdetektiv.« Im Dämmerlicht sah sie ihn prüfend an: »Tanzen Sie?«

»Natürlich.«

Sie schenkte ihm ein breites Lächeln. Nina erkannte eine gestresste Lady, wenn sie eine sah. In diesem Lachen bemerkte sie fast panische Sorgen. »Reservieren Sie einen Tanz für mich.« Sie wandte sich wieder zur Tür. Weitere Gäste trafen ein, aber Mike Markov kam nicht. Lindy Markov entschuldigte sich, um die nächste Gruppe zu begrüßen.

Nina konnte sich nicht vorstellen, wie noch mehr Leute auf das Schiff passen sollten. Die Decks waren voller Gäste, die tanzten, tranken und Kanapees zu sich nahmen. Das Ausflugsschiff war verwandelt worden – Kellner in schwarzen Anzügen verbeugten sich, warme Köstlichkeiten auf silbernen Tabletts anbietend, vor den Gästen, und im Zentrum des mittleren Decks bogen sich weiß eingedeckte Tafeln unter silbernen Schüsseln und einem üppigen Büfett.

Es mussten Hunderte von Leuten sein, die sich murmelnd durch die Gänge schoben, traumgleich in der Dämmerung. Sowie sich ihre Augen an das Zwielicht gewöhnt hatten, begrüßte Nina ein paar von ihnen: Richter Milne, von dem es hieß, er wolle sich pensionieren lassen, Bill Galway, der neue Bürgermeister von South Lake Tahoe, und ein paar ehemalige Mandanten. Sie blieb dort stehen, wo sich der Richter in weitschweifigen Reden erging, während Paul weiterschlenderte. Sieben

Uhr vorbei, aber Mike Markov erschien nicht. Die Kellner achteten darauf, dass die Gläser rasch nachgeschenkt wurden. Das Boot lag am Dock, und Himmel und Wasser leuchteten im Feuer des Sonnenuntergangs.

Als der Ehrengast endlich auftauchte, hatten alle zu viel getrunken, auch Nina. Ein Posten rief eine Warnung aus, und plötzlich verstummten alle.

Mike Markov sah aus wie ein Mann, der an vieles zu denken hatte. Er lief direkt in Lindys geöffnete Arme. Er war kräftig, mit dunklem Teint, und etwa so groß wie Lindy. Er umarmte sie flüchtig, wobei er seine muskulösen Unterarme entblößte. »Es tut mir Leid, dass ich so spät komme«, sagte er. »Ich hatte schon Angst, das Schiff hätte längst abgelegt.« Er sah sich verwirrt um. »Ist sonst niemand an Bord?«, fragte er.

»Überraschung!«, schrie die Menge. Die Kellner ließen die Champagnerkorken knallen. Leute tauchten wie aus dem Nichts auf und klopften ihm auf den Rücken.

Ein Schatten des Entsetzens huschte über sein Gesicht. Gott, gleich bekommt er einen Schlaganfall, schoss es Nina durch den Kopf.

Ihn durchfuhr ein Schauder. In dieser einen Sekunde hatte er nur Lindy angesehen und ein unergründliches Gefühl unterdrückt. Dann drehte er sich zu seinen Gästen um, und wie durch Magie strahlte er plötzlich gut gelaunt. Er schlenderte durch die Menge, schüttelte viele Hände und nahm die herzlichen Glückwünsche entgegen.

»Mein Gott, Mikey. Fünfundfünfzig. Wer hätte je gedacht, dass wir da hinkommen?«

»Für so einen alten Burschen siehst du verdammt gut aus!« Das kam von einem kahlköpfigen Mann, der sich schwer auf seinen Stock stützte und wohl auf die neunzig zuging.

»Gute Entschuldigung, mal wieder so richtig einen draufzumachen, stimmt's, Mike? Wie in den alten Zeiten.«

Lindy trottete hinter ihm her, bis sie ihn einholte und ihren

Platz an seiner Seite einnahm. Nina blieb zurück, während man Mike auf den Rücken klopfte und gute Wünsche durch die Luft schwirrten.

Der Motor wurde angelassen. Das Schaufelrad am Heck wühlte das Wasser auf, und das tiefe, klagende Tuten des Horns übertönte alle Geräusche – die der Feier, des Windes, der Nachtgesänge der Vögel und der am Land zirpenden Insekten.

In dem Moment, in dem das Rad sich in Bewegung setzte und der große Dampfer langsam vom Dock ablegte, sah Nina, wie der letzte Gast eintraf.

Die junge Frau kam an Bord. Sie war Mitte zwanzig, und ihr schwarzes Haar war so lang, dass es fast bis auf den Saum ihres Kleides fiel. Sie trug Riemchensandalen, die sich wie Efeu an ihren Waden hochrankten. Nina fand, irgendjemand sollte sie begrüßen und ihr den Weg zur Bar zeigen, und machte ein paar Schritte auf sie zu. Doch nach einem kurzen Blick in die Runde warf das Mädchen ihren Mantel auf einen Stuhl in der Ecke, nahm sich ein Glas Champagner von einem Tablett, trank es mit einem Schluck fast aus und mischte sich unter eine Gruppe, die in der Nähe des Eingangs stand. Man schien sie zu kennen. »Rachel, Schätzchen, eigentlich hatten wir dich hier nicht erwartet«, kicherte ein Betrunkener boshaft.

Nina machte sich auf die Suche nach Paul, der zuschaute, wie das große Schaufelrad das Wasser aufwühlte.

Im geschlossenen Hauptdeck, einem großen dunklen, von tanzenden Körpern elektrisierten Raum, heizte eine Lifeband die Stimmung an. Nachdem der Ehrengast seinen Kuchen gegessen und einen wahren Schauer fantastischer Geschenke über sich hatte ergehen lassen, fing die Party erst so richtig an. Nina zerrte Paul zur Tanzfläche, wo sie tanzten und dann noch ein bisschen tanzten. Als ihr Kopf von einem Moment Klarheit erhellt wurde, drängelte sich Nina nach draußen, um etwas frische Luft zu schnappen. Irgendwo unterwegs kam ihr Paul abhanden.

Im vorderen Teil des Dampfers lehnte sie sich schwankend

neben einer Treppe gegen die Kabinenwand. Sie hatten die Emerald Bay erreicht, und das Schiff umrundete gerade die in der Mitte der Bucht gelegene Felsinsel Fannette.

Im Schatten der westlich aufragenden Berge hatte das Wasser einen indigoblauen Ton angenommen, durchzogen von grünen Streifen wie changierende Seide. Der mit Bäumen gesprenkelte Granithügel erhob sich in einsamer Pracht. Auf dem höchsten Punkt der Insel thronte über der Bucht die Ruine des Teehauses einer reichen Dame.

Nina hatte die winzige Insel schon immer mal besuchen wollen. In der erlöschenden orangeroten Glut des Sonnenuntergangs sah die Steinruine recht einladend aus. Nina stellte sich vor, wie das Teehaus in den Zwanzigerjahren ausgesehen haben mochte: rustikal mit Tisch und Stühlen möbliert, im Kerzenschein und mit prasselndem Feuer, und dazu Mrs Knight, die ihre Freundinnen aus der Stadt, die langen Kleider gerafft, zu dem steilen Aufstieg nötigte, den Kellnern mit ihren Tabletts und dem Tee zu folgen.

Auf dem Deck über ihr verschüttete jemand einen Drink und lachte, dann beklagte er sich über die Kälte. Die Stimmen entfernten sich, und die Nacht senkte sich über dem beruhigenden Plätschern des Schaufelrads und dem Geräusch des Schiffsmotors. Nina schloss die Augen und begann leicht betrunken über das süße Leben zu meditieren und darüber, was sie mit Paul nach der Party anstellen sollte. Diese Fragen drehten sich in ihrem Kopf, während die kühle Nachtluft sie wohltuend wie Balsam umfing.

Die Tür ging auf, und zwei Leute kamen auf Deck. In der Nische neben der Treppe konnten sie Nina nicht sehen. Nina war nicht danach, eine Unterhaltung zu beginnen, deswegen sagte sie nichts. Sie würde in einer Sekunde hineingehen, sowie sie herausgefunden hatte, wie sie ihren Schuh am besten binden sollte, damit er nicht so sehr an der frischen Blase scheuerte.

»Ich dachte, du wolltest am Jachthafen auf mich warten«,

sagte ein Mann ruhig. »Wir wären in einer Stunde wieder zurückgekommen.«

»Ich konnte einfach nicht warten«, sagte eine junge Frau. Es klang ein bisschen trotzig.

»Wusstest du etwas von dieser verrückten Überraschung?«

»Nein«, sagte das Mädchen. »Hast du es ihr schon gesagt?«

»Mitten unter all unseren Freunden?«

»Du hast es geschworen!«

»Schätzchen, wie stellst du dir das vor? Ich dachte, wir wären hier unter Fremden allein auf dem Schiff.«

»Lügner!«, sagte das Mädchen, den Tränen nah.«

»Ich sage es ihr, sobald das hier vorbei ist, später heute Nacht«, murmelte der Mann. »Ich verspreche es dir.« Das Gespräch brach ab. Nina wollte gerade aufbrechen, da hörte sie Geflüster. Die zwei umarmten und küssten sich. Na klasse.

Inzwischen spürte Nina die Kälte; sie wartete darauf, dass die beiden bald wieder hineingehen würden. Dann hörte sie einen Schrei und ganz in der Nähe Glas zerbersten.

Noch jemand hatte die Bühne betreten.

»O nein, Mike, oh, mein Gott, nein!« Nina erkannte Lindy Markovs Stimme. »Was ist denn hier los?«

O nein war schon richtig. Nina blieb außer Sichtweite hinter der Treppe, sie saß fest wie ein Fuchs in der Falle.

»Lindy, hör zu«, sagte Mike.

Die Stimme der ersten Frau, jünger und höher als Lindys, unterbrach ihn: »Sag's ihr, Mike!«

»Rachel?«, fragte Lindy zittrig.

Nina schaute vorsichtig um die Ecke. Niemand sah in ihre Richtung. Markov stand neben der dunkelhaarigen jungen Frau, die als Letzte an Bord gekommen war. Lindy war etwas mehr als einen Meter von ihnen entfernt, sie hielt sich die Hand vor den Mund und sah ihn unverwandt an.

»O Mike. Sie muss dreißig Jahre jünger sein als du«, sagte Lindy Markov.

»Mike und ich lieben uns. Stimmt's, Mike?« Das Mädchen wollte ihn an der Hand nehmen, aber er schubste sie weg.

»Sei ruhig, Rachel. Das ist hier nicht der Ort ...«

»Wir werden heiraten! Du bist draußen, Lindy. Wir wollten dich nicht verletzen ...«

»Ach Scheiße«, sagte Mike. »Scheiße!«

Nina hätte genauso gut unsichtbar sein können, so wenig Aufmerksamkeit zollten sie ihr. Sie gab ihm im Stillen Recht.

»Dich heiraten?«, fragte Lindy mit bebender Stimme. Nina konnte sich nicht daran erinnern, je so viel Wut in zwei Wörtern gehört zu haben.

»Genau«, sagte Rachel.

»Was für ein Schwachsinn ist das? Mike? Worüber spricht sie?«

»Schau dir das an«, erwiderte Rachel triumphierend. »Siehst du das? Ein Ring! Stimmt haarscharf! Ein dicker, fetter Diamant. Dir hat er nie einen Diamanten geschenkt, oder?«

»Verschwinde, bevor wir beide dir einen Tritt verpassen, bis dahin, wo der Pfeffer wächst!«, gab Lindy mit schwankender Stimme zurück.

Schweigen. »Lindy, ich habe versucht, es dir zu sagen«, sagte Mike schließlich. »Aber du hörst ja nicht zu. Es ist aus zwischen uns.«

»Mike, sag ihr, sie soll gehen, damit wir reden können.«

»Ich gehe nirgendwohin!«

»Beruhige dich, Rachel«, sagte Mike. Nina fand, dass er sich bemerkenswert gefasst anhörte. »Sieh mich an, Lindy«, sagte Mike. »Ich bin heute fünfundfünfzig Jahre alt geworden, und jeder einzelne Tag davon steckt mir in den Knochen. Ich habe ein Recht, glücklich zu sein. Ich habe das nicht geplant. Es tut mir Leid, dass es so passiert ist ... aber vielleicht ist es so das Beste.«

»Fünf Minuten mit dir allein, Mike. Das ist mein Recht.«

»Wir erwarten nicht, dass du das verstehst«, sagte Rachel.

»Wer bist du, dass du so mit mir sprichst? Mike liebt mich!«

»Oh, jetzt spielt sie das Spiel, in dem sie noch nicht mal die Nase im eigenen Gesicht sehen kann«, fuhr Rachel mit lauter werdender Stimme fort. »Dies ist das wirkliche Leben, Lindy. Pass doch einfach nur einmal auf.«

»Halt die Klappe!« Bemerkte nur Nina die Drohung in Lindys Stimme?

»Du hattest zwanzig Jahre! Fünf Minuten ändern auch nichts mehr. Komm, Mike, sag's ihr.«

Aber Mike hatte dem offensichtlich nichts mehr hinzuzufügen.

»Ich sagte, halt die Klappe!« Lindy lief auf die junge Frau zu und schubste sie kräftig gegen die Reling. Sie fiel nach hinten. Nina und Mike zuckten zusammen, als sie ihren Schrei hörten. Sekunden später schlug sie auf dem Wasser auf.

»Lindy!«, sagte Mike, »um Himmels willen!«

Nina suchte nach einem Rettungsring, um ihm dem Mädchen hinterherzuwerfen. Sie fand einen, aber der war mit einem Tau umwickelt, sodass sie erst mit klammen Fingern am Knoten herumnesteln musste.

Lindy und Mike standen an der Reling. Sie hatten Nina den Rücken zugekehrt und waren viel zu tief in ihre private Hölle abgetaucht, um mitzukriegen, was Nina tat. Mike beugte sich über die Reling und sah in die Dunkelheit. »Rachel kann nicht schwimmen!«, schrie er.

»Gut!«, sagte Lindy.

»Sieh dir an, was du getan hast, Lindy! Mein Gott, du denkst einfach nicht nach. Hör zu. Du behältst sie im Auge. Ich muss Hilfe holen!« Aber bevor er verschwand, rannte er an der Reling entlang und rief Rachels Namen, um sie zu beruhigen.

»Was ich getan habe?«, fragte Lindy, die direkt hinter ihm stand. Nina erkannte, dass sie jenseits aller Vernunft war, dass sie sich nicht mehr unter Kontrolle hatte. »Ich soll mir ansehen, was ich getan habe?«

Plötzlich fiel der Rettungsring in Ninas Hände.

»Mike!«, rief Nina und wollte ihm den Ring zuwerfen. Denn im Gegensatz zu ihr wusste er, wo Rachel sein könnte.

Mike drehte sich zu ihr um und streckte die Arme aus, um ihn aufzufangen.

Er war nicht auf Lindy gefasst, die sich bückte, seine Beine packte, sie mit einem Ruck anhob und ihn über Bord kippte. »Dann hol sie dir doch!«, schrie sie, und die Explosion von Verwünschungen ging in einem zweiten Aufprall auf dem Wasser unter.

2

Nina warf ihm den Rettungsring hinterher.

Wie sich herausstellte, rettete Mike Rachel nicht. Er paddelte zaghaft herum – Nina vermutete, dass er wegen des Champagners, den er getrunken hatte, nicht mehr nüchtern war –, rief undeutlich ihren Namen und war nur ein dunkler Fleck auf der dunklen Fläche des Sees.

Nina sah, dass Rachel sich nicht weit von Mike an den Rettungsring klammerte. Anscheinend konnte sie nur paddeln.

Lindy, die sich die Hände vor die Augen gehalten hatte, ließ sie sinken. »Mike! Es tut mir Leid, Mike!«, rief sie in die Dunkelheit, und schließlich hörten ihre Gäste die Schreie und scharten sich um sie.

»Na, was haben wir denn hier?«, sagte eine große, dünne Frau mit kurzem strähnchengefärbtem Haar, während sie zur Reling schlenderte und in die Nacht hinausschaute. Sie schien sich zu amüsieren. »Hey, Mikey!« Sie winkte. »Wie ist das Wasser?« Sie wandte sich zu Lindy um. »Was ist passiert?«

»O Alice. Ich hab sie reingeschubst!«

Alice legte den Arm um Lindy. »Sieh mal einer an. Schätze, du hast's ihm gezeigt. Wer ist die Frau? Ist da eine Frau?«

»Rachel Pembroke. Aus der Firma. Ich hab dir von ihr erzählt.«

»Haare bis auf die Hüften, fünfundzwanzig Jahre alt. Absolut klassisch«, sagte Alice und nickte.

»Mann über Bord!«, schrie ein erschrockener Mann in einem seidenen Jackett. »Alles in Ordnung da unten?«, rief er.

»Prächtig, prächtig«, war Mikes erstickte Stimme zu hören. »Halt durch, Kumpel!«

Ein großer, gut aussehender Mann mit einer schwarzen Krawatte und langem Haar drängelte sich zur Reling vor. »Rachel? Ich bin's, Harry. Bist du da unten?«

»Hilfe!«, antwortete Rachel, deren Stimme über dem Dröhnen des Schiffsmotors nur sehr schwach zu vernehmen war. »Holt mich hier raus, bevor mir die Beine abfrieren!«

Nina ließ Lindy bei ein paar besorgten Gästen stehen und lief los, um Hilfe zu holen.

Aber der Kapitän hatte die Rufe schon gehört. Das Schaufelrad kam langsam zum Stehen, das Dröhnen der Maschine erstarb, und das Schiff kam zum Stillstand. Mit einem Scheinwerfer – aus einem modrigen Schrank hervorgeholt und von Nina und einem jungen tätowierten Mann hochgehievt – wurde das nasse Paar keine hundert Meter entfernt in dem schwarzen See geortet, auf halber Strecke zwischen dem Schiff und Fannette Island.

Bevor Harry sich die Schuhe ausziehen und ihnen hinterherspringen konnte, ließ die Mannschaft ein Schlauchboot ins Wasser und ruderte rasch zu ihnen hinüber, zuerst zu Mike, der näher war, und schließlich zu Rachel, der das Haar am Körper klebte und auf ihrem Gesicht lag wie zerfetzte schwarze Lumpen.

Als das Schlauchboot zur *Dixie Queen* zurückkehrte und die beiden über eine Leiter in Sicherheit kletterten, hatte Nina den Scheinwerfer bereits an einen Mann von der Crew weitergegeben. Sie stand mit Paul zusammen in der ersten Reihe der Zuschauermenge.

Jemand legte dem zitternden Mädchen eine Wolldecke um die Schultern. Die Musik war verstummt. Die Gäste drängten sich zusammen, um Rachel und Mike Platz zu machen, bis auf den Mann, der Harry hieß und Mike, als dieser vorbeiging, einen wütenden Blick zuwarf. Lindy stand wie eine gleichgültige Zuschauerin ein Stück abseits, von dem Ereignis angezogen, aber unbeteiligt. Rachel hatte gerötete Augen, und die Wimperntusche lief ihr über die bleichen Wangen. Sie ging langsam zu Lindy hinüber und blieb vor ihr stehen.

Nina drängte sich zu Lindy vor und überlegte, ob Rachel so wütend war, wie sie es unter den gegebenen Umständen gewesen wäre. Das Mädchen atmete keuchend und musterte die ältere Frau. »Sie tun mir Leid«, sagte sie schließlich. Mike trat neben sie, hakte sich bei ihr unter, und sie gingen zusammen weg.

Lindy schaute ihnen hinterher.

Danach, es war sehr spät, lud Nina Paul auf einen Drink an der Bar des Caesar's ein, anschließend gingen sie nach oben ins Bett. Paul war verspielt und leidenschaftlich, und während Nina sich unbekümmert und glücklich treiben ließ, gelang es ihr nicht, ihre Gedanken ganz von den Ereignissen des Abends zu lösen. Als sie schließlich versuchte, sich aus seiner Umarmung zu befreien, und erklärte, sie müsste nach Hause zu Bob, zog Paul sie wieder an sich.

»Geh noch nicht. Ich muss dir etwas sagen«, meinte er.

Jetzt kam also endlich raus, was ihm den ganzen Abend auf der Seele gelegen hatte. »Was?«, fragte sie und setzte sich auf die Bettkante, während ihr ein Dutzend unerfreuliche Möglichkeiten durch den Kopf gingen. Eine andere Frau. Eine tödliche Krankheit. Er war bankrott. Er hatte einen Mord begangen ...

»Sie haben mir eine Stelle angeboten. Eine feste Stelle.«

»Sie?«, wiederholte Nina, während ihre Mutmaßungen kreischend zum Stillstand kamen.

»Ein Privatunternehmen. Worldwide Security Agency.«

»Aber ... du bist doch nicht nach D.C. gefahren, um dich um eine Stelle zu bewerben, oder?«

»Nein. Ich wurde engagiert, um die Firma beim Entwurf eines neuen Sicherheitssystems für einen riesigen Büro- und Ladenkomplex zu beraten, den sie in Maryland außerhalb der Stadt bauen. Dort habe ich zufällig einen Freund getroffen, mit dem ich vor Jahren in San Francisco zusammengearbeitet habe ...«

»Als du bei der Polizei warst.«

Er nickte.

»Und ...«

»Wir haben uns unterhalten, und dabei kam diese Sache zur Sprache. Zuerst dachte ich, auf keinen Fall. Dann habe ich gemerkt, dass es mich interessiert.«

Paul sah sie an, schob ein Kissen, das zwischen sie geraten war, zur Seite und setzte sich auf. »Sie möchten, dass ich alle Tests durchführe, das Personal einstelle und mit dem Systemdesigner arbeite, um sämtliche Fehler auszumerzen, bevor der Komplex irgendwann im Frühsommer eröffnet wird.«

Als sie schwieg, fuhr er fort: »Es ist ein großes Projekt, es geht um viel Geld, und es gibt 'ne Menge Probleme. Genau das, was mir liegt.«

»Was ist mit deiner eigenen Firma?«

»Ich habe einen Typen eingestellt, der sich einarbeiten soll, während ich in den nächsten sechs Monaten oder so zwischen D.C. und Kalifornien hin und her pendle. Ich will das Büro auf kleiner Flamme weiterlaufen lassen.«

»Bis ...«

»Bis ich zurückkomme.«

Ihr gefiel nicht, dass er dem Thema so geschickt auswich. »Was ist, wenn du dich in Washington ... verliebst? Du würdest alles, wofür du gearbeitet hast, verlieren.«

»Ich bin in Washington schon ... verliebt«, sagte er mit einem verstohlenen Grinsen. »Das bedeutet nicht, dass ich nicht zurückkomme.«

»Du sprichst, als hättest du dich bereits entschieden.«

»Tue ich das?« Er zog die Augenbrauen hoch. »Ich denke nur ernsthaft darüber nach.«

»Warum jetzt?«, fragte Nina.

»Ich wollte mit dir darüber reden. Ich könnte mehr Freizeit haben.«

»Freizeit? Für was?«

»Es gibt ein paar Dinge, die ich noch tun möchte, bevor sie mich in den Ruhestand schicken.«

»Zum Beispiel …«

»Lass gut sein.«

»Nein, wirklich. Erzähl mir, was du gerne tun möchtest und nicht tust.«

Er zuckte die Schultern. »Den Mount Everest besteigen, bevor ich abkratze?«

»Komm schon«, sagte sie. »Du machst das unheimlich gern, was du machst.«

»Klar«, meinte er, »aber die Arbeit ist nicht alles, meine liebe arbeitssüchtige Freundin.«

Beunruhigt fuhr Nina mit den Fingern über seinen Schnurrbart. »Was ist mit unserer Arbeit hier? Was ist mit … ich dachte … ich meine. Möchtest du nicht …«

»Nina, es ist nicht vorbei. Im Moment ist diese Arbeit in Washington zwar eine langfristige Angelegenheit, aber trotzdem zeitlich begrenzt.«

»Was bedeutet das?«

»Ich kann den Laden in Carmel am Laufen halten und vielleicht zurückkommen, wenn du mich brauchst.«

»Das wird nicht lange so bleiben«, meinte Nina. »Sie werden dich jede Minute in Beschlag nehmen.«

»Ich will wissen, was du davon hältst.« Er wartete schweigend, und nur die leichte Anspannung seiner Mundwinkel verriet ihr, dass seine Frage alles andere als ungezwungen war.

Sie stand auf und streifte den Hotelbademantel über. »Ich

weiß nicht, was ich sagen soll.« Sie zog ihr Partykleid und die Unterwäsche unter dem Bett hervor.

Paul griff nach ihr und hielt sie am Handgelenk fest. »Oh, nein. So leicht kommst du mir nicht davon.«

»Okay, Paul«, sagte sie, bemüht, unter dem Druck des Augenblicks nicht die Fassung zu verlieren. Sie fürchtete, das Falsche zu sagen, und wollte verflucht sein, wenn sie ihn bat zu bleiben. »Stell dir vor, du arbeitest unter einem Blödmann, mit vielen anderen Blödmännern. Stell dir vor, wie dir das gefallen wird, nachdem du jahrelang dein eigener Chef warst.« Immerhin war Paul auf Grund von Gehorsamsverweigerung aus dem Polizeidienst geflogen.

»Ach, aber damals war ich so viel jünger«, sagte er, und sein Tonfall war wieder ungezwungen.

Warum hatte er sie überhaupt gefragt, was sie von dem Angebot hielt? Er würde es ohnehin allein entscheiden, sie hatte in der Angelegenheit im Grunde nichts zu sagen. Sie ließ sich von ihm an sich ziehen, umarmte ihn und sagte: »Nicht …«, dann hielt sie inne.

»Was nicht, Nina?«, fragte er. Er hatte die Hände an ihre Hüften gelegt und den Mund an ihren Hals gedrückt, wo er sanft ein- und ausatmete. »Nicht weggehen?«

»Nichts«, sagte sie. Sie blieb lange genug, um ihn glücklich zu machen. Dann schlüpfte sie wieder in ihre Kleider und küsste ihn zum Abschied auf die Stirn. Sie konnte ihm nicht sagen, wie er sein Leben leben sollte. Sie waren Kollegen und Freunde, und er würde kommen und gehen, und so sollte es auch sein. Sie durfte sich davon nicht herunterziehen lassen. Gerade jetzt brauchte sie einen klaren Kopf und musste stark sein, um ihrer eigenen Verantwortung gerecht zu werden.

Am frühen Montagmorgen, allein im Büro, fühlte Nina sich wie eine Bildhauerin, die auf einen großen Block unbearbeiteten Marmors wartete: Sie überließ sich ihren nervösen Vorahnungen. Ein neuer Fall war dabei, Gestalt anzunehmen. Am Sonntag hatte Lindy Markov eine Nachricht hinterlassen, sie würde am Montagmorgen vorbeikommen, um sie in einer dringenden Angelegenheit zu sprechen, die die Party auf dem Schiff betreffe. Als Lindy Rachel angegriffen hatte, hatte sie aus einem privaten Problem ein öffentliches gemacht, und in Amerika endete ein öffentliches Problem gemeinhin damit, dass die Parteien sich vor Gericht wieder sahen.

Sie stapelte einen Arm voll zu bearbeitender Akten auf den Bücherschrank, rutschte auf dem Stuhl hin und her, bis sie gut saß, schob sich die Schuhe von den Füßen und griff nach dem Diktiergerät. Erster Fall: ein Bagatelldelikt. Ein Rentner war in Cecil's Market beim Ladendiebstahl einer Schachtel Camel erwischt worden. Sein Sozialhilfe-Scheck für den Monat war aufgebraucht. Fred, ein streitlustiger Mann in den Siebzigern, wollte mit der Sache vor Gericht gehen. Der Haken war nur, dass er nichts zu seiner Verteidigung vorzubringen hatte. Sie sollte zum Staatsanwalt gehen, ihm Honig um den Bart schmieren und ihm einen Handel vorschlagen. Vielleicht konnte sie erreichen, dass die Anklage fallen gelassen wurde.

Aber nicht heute. Es war Zeit, andere Dinge in Gang zu setzen. »Sandy, bitte mach mir für morgen einen Termin mit Barbara Banning im Büro des Bezirksstaatsanwalts«, sprach sie in das Diktiergerät und schaltete es ab, als ein leises Klopfen die Stille unterbrach.

Nina spürte einen Ruck in der Brust, als ihr Herz mit einem heftigen Pochen auf das Klopfen reagierte. Lindy Markov war da, wie der Duft ihres französischen Parfüms verkündete.

Und weil Nina genau darauf gewartet hatte – auf dieses angespannte Gesicht, das durch die Tür spähte, auf dieses sagenhaft gut geschnittene zinnoberrote Kostüm und dieses Bündel offiziell aussehender Papiere in einer schmalen, manikürten rechten Hand –, spürte sie, wie ein Schauder sie durchfuhr, und sie dachte: Gott, trotz allem liebe ich meine Arbeit als Anwältin.

Sie stand auf und bot ihrer Klientin einen Stuhl an, während sie freundlich mit ihr plauderte und ihr Kaffee einschenkte. Lindy Markov setzte sich, zog ein besticktes Taschentuch aus einer Lederhandtasche, schnäuzte sich kräftig und brach zusammen wie jemand, der einen sicheren Zufluchtsort erreicht hat.

Der Stuhl eines Anwalts war in etwa so sicher wie der Sitz des Kopiloten in einem brennenden Flugzeug. Dennoch war dieser Platz wahrscheinlich besser, als im Passagierraum zu sitzen, am Rauch zu ersticken und nicht zu wissen, was los war.

Nina saß Lindy gegenüber an dem Tisch. Schweigen breitete sich aus. Der Verkehr draußen war wegen einer roten Ampel zum Stehen gekommen, vielleicht war das die Erklärung, aber das Schweigen zwischen ihnen wirkte leicht verstohlen, als hätten sie einen Plan für etwas Illegales ausgeheckt und wären kurz davor loszulegen.

»Haben Sie irgendwas gehört? Geht's ihnen gut?«, fragte Nina schließlich.

»Rachel und Mike geht's gut. Bisher hat niemand Anzeige erstattet.«

Wieder entstand eine Pause. Lindy schien nicht zu wissen, wo sie anfangen sollte.

»Das hätten Sie nicht tun sollen, Mrs Markov«, sagte Nina sachlich.

»Nennen Sie mich bitte Lindy«, sagte sie. »Sie haben ja gesehen, was passiert ist. Sagen Sie nicht, Sie könnten nicht verstehen, warum ich es getan habe.«

»Ja. Ich nehme an, ich hätte die beiden auch baden geschickt.« Nina lächelte.

»Mein Temperament ist mit mir durchgegangen«, sagte Lindy. »Ich mag es gar nicht, wenn ich solche Sachen mache. Aber wissen Sie, was noch schlimmer ist? Hinterher ging's mir tatsächlich besser.« Sie zuckte die Schultern. »Und jetzt zahle ich den Preis – die habe ich gerade präsentiert bekommen.« Sie zeigte auf die Papiere, die auf dem Tisch lagen.

»Darf ich mal sehen?«, fragte Nina und griff nach den Unterlagen. Während Nina rasch ein paar Notizen auf die Papiere kritzelte, hörte sie, dass Sandy kam, gerade rechtzeitig, um den ersten Schwung Montagmorgenanrufe entgegenzunehmen. Gut. So konnte sie sich voll und ganz auf Lindy konzentrieren.

Lindy hatte zwei Schriftsätze zugestellt bekommen. Erstens eine Anordnung, Gründe darzulegen, warum Lindy ihren Wohnsitz in der Cascade Road nicht fristlos räumen sollte. In der beiliegenden Erklärung des Klägers behauptete Mikhail Markov, dass die Beklagte, Lindy Hawkins Markov, am oder um den zehnten Oktober, an einem Freitagabend, während eines gesellschaftlichen Ereignisses angefangen habe, sich launenhaft zu verhalten. Sie habe den Kläger bedroht, einen anderen Gast angegriffen und den Kläger in solche Sorge versetzt, dass dieser sich genötigt sah, sein Haus zu räumen und es der Beklagten zu überlassen.

Weiter wurde erklärt, dass der Kläger der einzige Eigentümer des Hauses sei, wie aus der beigefügten Anlage hervorgehe, die aus einem Grundbucheintrag für das Haus bestand. Und dass die Beklagte Lindy Markov kein Recht, keinen Titel und keinen Anteil daran habe und dort nur vorübergehend und nur als Gast des Klägers einige Zeit gelebt habe …

»Wie lange haben Sie in dem Haus gelebt, Lindy?«, fragte Nina, ohne aufzusehen.

»Neun Jahre – fast zehn«, meinte Lindy. Nina blätterte weiter. Lindys Name wurde im Grundbucheintrag für Haus und Grundstück nirgends erwähnt. Merkwürdig. Sie ging zurück zu dem Antrag und der Erklärung, die in dichter Juristensprache erklärte, dass Lindy sich jetzt trotz wiederholter Aufforderung weigerte, das Haus zu räumen. Das Gericht wurde gebeten, ein Urteil zu erlassen, in dem Lindy der gewaltsamen widerrechtlichen Vorenthaltung des Hauses für schuldig befunden wurde, das Büro des Sheriffs ferner aufgefordert wurde, das Haus zu sichern, und ein Unterlassungsurteil zu erwirken, das Lindy Markov verbot, sich dem Haus oder Mikhail Markov auf weniger als sechzig Meter zu nähern.

»Er versucht, Sie rauszuschmeißen«, übersetzte Nina.

Lindys Augen, die von einem ungewöhnlichen Bernsteingelb waren, füllten sich mit Tränen, aber sie blinzelte heftig und hob das Kinn. »Möchten Sie etwas über mich wissen?«

»Was?«, fragte Nina.

»Mein Vater hat mich nicht zur Heulsuse erzogen. Wir waren arm, und das macht einen stark. Wir haben gelernt, wenn ein Laster mit Höchstgeschwindigkeit auf uns zukommt, uns nicht hinzulegen und platt fahren zu lassen.«

»Ah ja«, meinte Nina.

»Ich gebe nicht kampflos auf«, fuhr Lindy fort. »Aber sagen Sie mir, kann er mir das wirklich antun?«

»Darüber reden wir gleich«, sagte Nina und überflog den zweiten Satz Papiere. Kündigung des Beschäftigungsverhältnisses stand auf dem obersten Blatt. Gemäß Artikel XIII und Satzung 53 von Markov Enterprises hatte Mikhail Markov als Direktor der Firma Lindy Markov ihrer Position als Vizedirektorin enthoben. Ebenso war ihr auch als Geschäftsführerin zweier Tochtergesellschaften gekündigt worden.

Die nächsten Papiere waren den ersten sehr ähnlich. Durch Mehrheitsvotum der Aktionäre von Markov Enterprises und ihrer Tochterunternehmen wurde Lindy hiermit ihrer Position als Verwaltungsratsvorsitzende enthoben und aufgefordert, jegliche Bücher, Aufzeichnungen und Dokumente auszuhändigen, die mit ihren Aufgaben und Pflichten in der bezeichneten gekündigten Eigenschaft zu tun hatten. Anlage eins, die dem Schriftsatz beigeheftet war, war der schriftliche Bericht über das genannte Mehrheitsvotum der genannten Aktionäre.

»Schnelle Arbeit.«

»Mike hatte es eilig.«

Nina blätterte um und sah sich die Anlage an. Einziger Aktionär aller Aktien der Muttergesellschaft: Mike Markov. Einziger Aktionär der Tochtergesellschaften: ebenfalls Mike Markov. Also war die Abstimmung rasch vonstatten gegangen.

Warum war Lindy keine Aktionärin? Warum stand ihr Name nicht auf den Urkunden? Aber bevor Nina danach fragen konnte, fing Lindy an zu sprechen.

»Ich traf heute Morgen gegen sieben in der Firma ein. Ein Wächter kam mir entgegen und brachte mich in mein Büro, wo die Sekretärin schon dabei war, meine Sachen in Kartons zu packen. Ich durfte nichts anfassen, und die Leute haben versucht, meinem Blick auszuweichen. Nein, warten Sie, nicht alle. Rachel war unten in der Halle. Sie hat mich beobachtet. Ich habe einen Schritt auf sie zugemacht, um sie zu fragen, wo Mike war, da kam ein zweiter Wächter herbeigelaufen. Sie haben mich rausgeführt wie eine Kriminelle. Zum Glück kam George vorbei, um mir beim Einpacken zur Hand zu gehen.«

»George?«

»Ein Freund in der Firma.«

»Hat man Ihnen dort auch die Papiere überreicht?«

»Nein. Am Sonntagmorgen kam ein Hilfssheriff ins Haus und hat sie mir zugestellt. Ich hab sie nur auf den Tisch in der Halle geworfen und bin wie immer laufen gegangen. Als ich zurückkam, ist mein Blick darauf gefallen, aber da war diese Wohltätigkeitsveranstaltung im Freizeitzentrum, bei der ich versprochen hatte, dabei zu sein, also sagte ich mir, ich würde sie später durchlesen. Ich hab's nicht getan. Heute Morgen bin ich aufgestanden und habe mich angezogen und gedacht, jetzt, wo wir Zeit hatten, uns zu beruhigen, würde ich als Erstes mit Mike reden.« Lindy atmete tief durch. »Nach zwanzig Jahren lässt er mich wegen einer anderen Frau fallen«, sagte sie, »und ich hab nichts geahnt.«

»Der Arsch«, sagte Nina, die ihre Zunge nicht unter Kontrolle hatte.

»Ja.«

»Aber … Sie lieben ihn immer noch?«

»Ja. Was glauben Sie, warum ich hier bin. Ich möchte, dass Sie mir helfen, ihn zurückzubekommen!«

Nina las noch ein wenig weiter. Irgendwas hatte sie während dieses kurzen Gesprächs mit Lindy beunruhigt. Ihr Unterbewusstsein hatte etwas registriert, das mit den Unterschriften auf den Papieren zu tun hatte. Sie richtete ihren Blick auf die letzte Zeile der Kündigung und dachte, verdammt, denn Mike war natürlich übers Wochenende zur größten Anwaltskanzlei in der Stadt gegangen und war, wie sollte es anders sein, vom größten Kotzbrocken am Lake Tahoe, Jeffrey Riesner, in die Zange genommen worden, dem einzigen Typ, der ihr den juristischen Spaß, den sie sich erhofft hatte, verderben konnte.

Jeffrey Riesner. Allein beim Anblick seines Namens auf einem Blatt Papier juckten ihr die Augen. Seit sie ihm das erste Mal begegnet war, als sie Sandy eingestellt hatte, hatte Nina vor Gericht ein paar heiße Kämpfe gegen ihn ausgefochten. Jeder Kampf hatte ihr ein bisschen mehr abverlangt. Riesner war von Natur aus räuberisch, aber wenn es um Nina ging, wurde er geradezu blutdürstig. Er kreiste über ihr wie ein Geier, der nach dem ersten Anzeichen von Schwäche Ausschau hielt. Dann stürzte er sich auf sein Opfer.

Alles, was sie getan hatte, war, einen Fall gegen ihn zu gewinnen, und natürlich hatte sie ihm einmal so etwas wie einen Mandanten abspenstig gemacht … Aber diese Gründe waren nebensächlich, nur Entschuldigungen, keine Motive für die gegenseitige Abscheu, die von einer sehr niedrigen, molekularen Ebene stammte.

Pech, dass er Mike Markov vertrat.

Lindy war wohl damit beschäftigt gewesen, ihre eigenen Gedanken zu sortieren, denn sie brach in einen leidenschaftlichen Wortschwall aus. »Mike ist nicht mehr er selbst. Sein Bruder ist vor kurzem gestorben. Er hat zu mir gesagt: ›Ich werde alt.‹ Er kontrolliert jeden Tag seine Haarbürste, um zu sehen, wie viele Haare ihm ausgegangen sind. Fünfundfünfzig ist nicht besonders alt. Er ist bei guter Gesundheit. Ich meine, wir gehen nicht mehr zusammen joggen, aber nur, weil er so viel zu tun hat.

Vor ein paar Monaten hat er, als er sich morgens für die Arbeit fertig gemacht hat, nach dem Rasieren im Spiegel seine Falten gezählt und macht sich völlig verrückt wegen jedem neuen Pigmentfleck ... Ich habe ihn gefragt, ob er es bedauert, dass wir keine Kinder haben. Er meinte, manchmal schon, aber er hätte immer gesagt, das Geschäft sei unser Kind, und das würde er immer noch so empfinden. Aber bevor er all das sagte, hat er gezögert. Manchmal weiß man, wenn Menschen nicht die Wahrheit sagen.«

»Was ist mit Ihnen, Lindy. Wollten Sie Kinder?«

»Sehr gerne, aber Mike wollte nie welche, und das habe ich akzeptiert. Er brauchte mich an seiner Seite, den ganzen Tag. Ich bin sehr auf meine Arbeit fixiert. Ich schätze, Kinder waren mir nicht so wichtig. Ich bin mit der Tatsache, dass ich keine habe, im Reinen.«

»Und was ist an dem Morgen passiert?«

»Er hat sich im Spiegel gemustert, als würde ihm das, was er da sah, ganz und gar nicht gefallen. Dann sagte er: ›Ich bin nicht glücklich.‹«

»Wie haben Sie reagiert?«

»Gar nicht. Wissen Sie, wie das ist, wenn einen in einem warmen Zimmer ein kalter Luftzug anweht? Der eisige Wind, der von ihm ausging, hat mich schier umgehauen. Aber ich dachte, das geht vorbei. Wir hatten so vieles gemeinsam durchgestanden. Wir hatten alles, was man sich wünschen konnte. Wie konnte er unglücklich sein? Aber ich habe mich getäuscht!« Sie atmete tief ein, als wollte sie ihre Gefühle wieder unter Kontrolle bringen.

»Ich bin froh, dass Sie Freitagabend gekommen sind«, sagte sie schließlich. »Die einzigen Rechtsanwälte, die ich kenne, erledigen Geschäfte für die Firma, und dann ist da Mikes Anwalt. Ich habe vorher noch nie einen persönlichen Rechtsbeistand gebraucht.« Sie trank einen Schluck Kaffee und lächelte zaghaft. »Sie können mir doch helfen, nicht wahr?«

In diesem verdächtig günstigen Augenblick klopfte Sandy an die Tür und trat ein, in der Hand eine Vereinbarung über einen Honorarvorschuss, den sie umständlich auf Ninas Tisch legte. »Hab vorhin vergessen, das reinzubringen«, sagte sie.

»Meine Sekretärin, Sandy Whitefeather«, sagte Nina.

»Hallo«, sagte Lindy.

»Ist mir ein Vergnügen«, antwortete Sandy. »Ich sehe, Sie haben Kaffee.« Sie glitt hinaus wie auf Rollerblades.

»Ist das die Sandy Whitefeather, die diesen Sommer die Casino-Nacht für das Frauenhaus organisiert hat?«, fragte Lindy und schaute ihr nach. »Und diesen Widerstand gegen den Kahlschlag im Staatsforst dieses Frühjahr?«

»Genau die.«

»Na, dann habe ich was über sie gelesen. Sie gehörte zu der Gruppe, die sich letztes Jahr im Juni mit dem Vizepräsidenten getroffen hat wegen der Rückgabe von Land, das den Vorfahren der Washoe-Indianer gehört hat.«

»*Dem* Vizepräsidenten?«

»Ganz genau.«

»Tatsächlich?« Sandy hatte es nie erwähnt.

»Es ist seit sehr langer Zeit der erste Hoffnungsschimmer für die Indianer. Sie können sich glücklich schätzen, dass sie für Sie arbeitet. Sie wird für einen der Ausschüsse gehandelt, in denen ich sitze.«

»Zweifellos.« Zweifellos würde Sandy in zehn Jahren den ganzen Lake Tahoe für die Washoe zurückgewinnen, aber in der Zwischenzeit kam Nina allmählich voran. »Bevor ich weiß, was ich tun kann, muss ich Ihnen ein paar Fragen stellen, Lindy. Erzählen Sie mir zunächst einmal ein bisschen mehr über Ihre Beziehung zu Mike.«

»Also, wir haben uns in Nevada kennen gelernt, in einem Club namens Charley Horse – das ist im Dezember zwanzig Jahre her. Mike war Rausschmeißer. Ich habe damals Talente engagiert, oder was wir zu der Zeit für Talente hielten. Größtenteils Tänzer und Komiker.

Ich war ziemlich gut. Wir konnten sogar Paul Anka für ein Wochenende verpflichten und Wayne Newton für einen Abend. Ich hatte ein bisschen was auf der hohen Kante, aber ich war einsam. Mike war auch einsam. Ehe wir es uns versahen, lebten wir zusammen. Wir wollten beide raus aus Ely, also beschlossen wir, nachdem wir eine Weile darüber nachgedacht hatten, unser eigenes Geschäft aufzumachen.

Mike war Boxer. Alles, was er konnte, war boxen. Der Fitnesswahn fing damals gerade an. Ich hatte die Idee, als Teil eines Fitnessstudios einen Boxring aufzubauen, um die Typen anzulocken. Nachdem wir kurze Zeit in einem Wohnwagen außerhalb der Stadt gewohnt hatten, zogen wir nach Texas, mieteten in der Innenstadt von Lubbock ein Lagerhaus und renovierten es von oben bis unten, und dann lief ich herum und verteilte überall Handzettel. Wir waren in null Komma nichts im Geschäft.« Sie schnalzte mit den Fingern. »Das Boxstudio lief so gut, dass wir noch eines aufmachten, und dann noch eines.«

»Wer brachte das Geld auf, damit Sie umziehen und anfangen konnten?«

»Ich. Wir haben auf meine Ersparnisse zurückgegriffen. Und auf einen kleinen Firmenkredit von der Bank.«

»Hat Mike etwas beigesteuert?«

»Nein, er war blank. Aber er wusste, wie man boxt. Er konnte einen Typ mit einem einzigen Schlag k.o. hauen, in der ersten Runde, bis ein paar Verletzungen ihn zwangen, sich aus dem Wettkampf zurückzuziehen. Sieben Jahre später wurden wir dort rausgedrängt, also zogen wir mit unserem Betrieb nach Sacramento. Zur Mittagszeit kamen Politiker aus dem State Capital Building die Straße runter, um bei uns ein bisschen zu boxen. Es gefiel ihnen. Das war ungefähr zu der Zeit, vor dreizehn Jahren, als ich mir den Solo Spa ausgedacht habe.«

»Was ist das?«, fragte Nina.

»Eine Kombination aus Whirlpool und Swimmingpool. Geformt wie eine große Blechdose, groß genug, dass eine Person darin stehen und sich ein bisschen bewegen kann, klein genug, um ihn im Haus aufzustellen, im Bad, im Anbau oder in der Garage. Man kann einfach darin baden, aber in erster Linie ist er für Wasseraerobic und Gymnastik zu Hause gedacht.«

Während sie über das Geschäft sprach, wurde Lindy lebhafter. Sie liebte ihre Arbeit ganz offensichtlich. »Mike hat einen Prototyp gebaut und ihn zum Patent angemeldet, und wir haben einen großen Kredit aufgenommen. Ich habe für die erste Broschüre gemodelt. Mike ließ mich im Bikini im Solo Spa herumplanschen.« Sie lachte ein wenig bei der Erinnerung daran. »Ziemlich altmodisch, was? Aber vergessen Sie nicht, das ist lange her.«

»Arbeiten Sie immer noch als Model?«, fragte Nina.

»Ich habe Trainingsvideos gemacht, um das Produkt vorzuführen, aber das mache ich schon seit Jahren nicht mehr. Nein, ich war für einen großen Teil der Planungen verantwortlich, aber Mike blieb im Vordergrund. Wir haben immer Witze darüber gemacht, dass er der obligatorische Mann war. Im Großen und Ganzen stimmte das auch. Selbst heute noch fühlen sich viele Menschen sehr viel wohler, wenn sie einem Mann einen Scheck ausstellen.«

»Hm«, meinte Nina. Vielleicht erklärte das, warum in ihrem eigenen Büro so selten Schecks eingingen.

»Zuerst schien sich kaum jemand besonders dafür zu interessieren, aber dann fingen die Krankenhäuser an, sie für Menschen zu empfehlen, die aus den unterschiedlichsten Gründen nicht in öffentliche Schwimmbäder gehen können. Es hat sich rausgestellt, dass der Solo Spa sehr gut ist bei Arthritis, Osteoporose und allen möglichen ähnlichen Leiden. Krankenhäuser in der ganzen Welt haben ihn für die Physiotherapie gekauft. Deshalb habe ich mir Phase zwei einfallen lassen. Wir haben ein kleineres, weniger schweres Modell entworfen und es auf breiter Basis vermarktet.

In dem Jahr haben wir auch das Haus gekauft. Seither wohnen wir dort. Mike hat das Erdgeschoss renoviert und darin seine Werkstatt eingerichtet. Wir haben es immer das Firmenhauptquartier genannt. Das Geld kam so schnell rein, dass wir es kaum zählen konnten.« Sie schüttelte ungläubig den Kopf. »Wir hatten kaum Zeit, es auszugeben. Wir arbeiteten beide sehr hart, um mit der Nachfrage Schritt zu halten.«

»Mike war der Direktor der Firma, Sie waren Verwaltungsratsvorsitzende.«

»Genau. Und Mike war der Vorstandsvorsitzende und ich die Vizedirektorin. Vor einigen Jahren haben wir die beiden Tochterfirmen gegründet, eine für den Spa und eine für die Fitness-Studios.«

Nina griff nach dem Aktienzertifikat, das an Lindys Aufforderung zum Auszug geheftet war, und stellte die Frage, die sie beunruhigte. »Warum lauten alle Aktien auf Mikes Namen? Warum besitzen Sie nicht die Hälfte?«

»Mike mag den Papierkram nicht. Er sagte, so wäre es einfacher.«

»Das kalifornische Recht über die eheliche Gütergemeinschaft wird Sie in dieser Hinsicht schützen«, sagte Nina. »Genau durch zwei geteilt, würde ich meinen. Ebenso wenig verstehe ich, wieso auch das Haus auf Mikes Namen eingetragen ist.«

»Alles läuft auf seinen Namen«, sagte Lindy, und ihre Selbstkontrolle geriet ins Wanken. »Die Wohnung in Manhattan, das Haus in St. Tropez. Das Einzige, was ich habe, ist mein Auto, ein Jaguar – sehr extravagant, Ledersitze, zwei Telefone …« Sie errötete. »Mein größtes Laster. Dann ist da noch der wertlose kleine Claim, den mein Vater mir hinterlassen hat, und mein persönliches Bankkonto, wo ich meine Gehaltsschecks einzahle – mein Taschengeld …«

»Ah, Sie bekommen ein Gehalt?«

»Ja – bis heute schon. Fünfundsiebzigtausend Dollar im Jahr. Mike hat sich den gleichen Betrag ausgezahlt. Unsere Buchhalter sagen, wir wären Angestellte der Aktiengesellschaft.«

»Haben Sie die ganze Zeit zusammengelebt?«

»Ja.«

»Keine Trennungen?«

»Nein. Mike war immer ein guter Mann. Treu. Und ich war ihm auch treu. Wir lieben uns. Wir haben uns vor Gott versprochen, einander beizustehen und gemeinsam durch dick und dünn zu gehen. Und das haben wir auch getan. Diese Sache mit Rachel … das sieht ihm gar nicht ähnlich.«

»Sie kennen sie offensichtlich.«

»Rachel Pembroke. Sie ist die Leiterin unserer Finanzabteilung. Sie bemüht sich schon seit Monaten um ihn, aber das hat mich nicht weiter beunruhigt, weil Mike und ich uns so nah waren. Er ist bestimmt nur verknallt in sie. Wechseljahre des Mannes, wie die Frauenzeitschriften das nennen.« Lindy musterte Ninas Tisch und konzentrierte sich angestrengt. »Ich muss ihn zurückbekommen. Er ist für mich wie Brot. Wie die Luft zum Atmen.«

»Ja«, sagte Nina.

»Ich mag es nicht, die Dinge allzu sehr zu analysieren. Meine Art, mit Schwierigkeiten umzugehen, ist zu handeln. Ich kann nicht dasitzen und nichts tun. Deswegen muss ich mit Mike sprechen, Nina. Dann kommt er zu mir zurück.«

»Ich hoffe es«, sagte Nina. »Aber haben Sie die Möglichkeit erwogen, dass er nicht zurückkommt? Das es aus ist zwischen Ihnen?«

»Ich denke gerade darüber nach.«

»Wie viel, glauben Sie, sind Ihre Firmen wert, Lindy? Haben Sie irgendeine Idee?«

»Hängt davon ab, wen Sie fragen. Bei unserer letzten Revision waren es insgesamt knapp zweihundertfünfzig Millionen Dollar, mit allem Drum und Dran«, sagte Lindy. »Mike würde eher hundert sagen, die Abnutzung der Ausstattung, Wertminderung und den ganzen Mist mit eingerechnet.« Aus ihrem Mund klang die Summe völlig normal.

Nina richtete sich auf. »Das ist ... ziemlich viel Geld.«

»Es ist nicht so, dass es überall gebündelt herumliegt. Mike nennt es die Lebensader unseres Geschäfts. Wir können es nicht persönlich ausgeben. Also, normalerweise jedenfalls nicht. Was meinen Sie? Wollen Sie mich vertreten?«

»Lassen Sie uns das gleich besprechen. Es gibt etwas, was ich Ihnen vorher sagen muss. Mr Riesner, der Anwalt Ihres Mannes, zieht gerne vor Gericht – es ist sein Geschäft, Prozesse anzustrengen. Wenn Ihr Mann ihn hinzugezogen hat, müssen wir die Möglichkeit in Betracht ziehen, dass Sie sich nicht mit Mike versöhnen – dass dies vielleicht die Eröffnungssalve für eine Scheidungsklage ist. Zumindest kann ich Ihnen versichern, dass wir mit dem fertig werden, was kommt. Das kalifornische Recht ist sehr eindeutig – aller Besitz, der während Ihrer Ehe erworben wurde, so wie Sie es beschreiben, gehört ebenso Ihnen wie ihm, auch wenn er seinen Namen überall draufgekritzelt hat.«

»Nein!«, sagte Lindy. »Das darf nicht passieren. Kein Prozess. Ich muss ihn nur sehen ...«

»Also, lassen Sie uns Schritt für Schritt vorgehen. Sie möchten mit Mike sprechen. Ich werde Mr Riesner anrufen und versuchen, ein Treffen zu vereinbaren. Auf dieser Zwangsräumung steht, dass für den ersten November ein Anhörungstermin angesetzt ist, in etwa zwei Wochen. Es gibt keinen Grund, warum Mike dort leben sollte und nicht Sie, oder? Es gehört zur Hälfte Ihnen, ganz egal, was auf den Dokumenten steht. Es ist gemeinschaftlicher Besitz. Was Ihre Kündigung und Ihren Rausschmiss aus dem Verwaltungsrat betrifft, so ist beides wahrscheinlich unrechtmäßig, da Sie eigentlich im Besitz der halben Firma sind. Ich kann nicht verstehen, wieso Sie zugelassen haben, dass er alles auf seinen Namen führt.«

»Er war ... in dieser Beziehung einfach empfindlich. Wir sind eine Einheit, Nina. Verstehen Sie? Was für einen Unterschied hätte es gemacht?«

»Keinen großen. Da Sie verheiratet sind und das Gesetz Sie schützt.«

Lindy beugte sich über den Tisch und schaute Nina mit geröteten Augen an.

Nina dachte, sie muss irgendwo hinter diesen müden Augen begreifen, dass er nicht zurückkommt. Aber es gibt einiges, was ich tun kann, um ihr zu helfen, all das durchzustehen. Ich kann mich um ihre juristischen Probleme kümmern. Es ist eine große Scheidung, und sie werden kämpfen, aber wenn es vorbei ist, ist sie eine sehr reiche Frau mit Millionen Dollar. Mit einem Berg von Millionen.

Endlich einmal ein großer, einfacher Fall, trotz Riesner. Harte Arbeit, Händchenhalten, ein beträchtliches Honorar, ein gewaltiges Honorar. Für einen Anwalt ein Glückstreffer. Nina spürte etwas, was ihr gar nicht gefiel: die ersten zarten Regungen von Habgier.

Während sie innerlich mit sich ins Gericht ging, sagte Lindy etwas.

»Tut mir Leid, was haben Sie gesagt?«, fragte Nina.

»Ich sagte, dass Mike ein guter Mann ist. Ein anständiger Mann. Er hat mir versprochen, dass wir immer alles teilen würden. Er wollte bloß nie ... ich kriegte ihn nie dazu ...«

Aufgeregt, wie Nina war, fühlte sie sich in der Lage, mit allem klarzukommen. »Was?«

»Was ich Ihnen zu sagen versuche, ist ...« Sie hielt mit offenem Mund inne. Dann schloss sie den Mund, schluckte und versuchte es noch einmal. »Mike und ich haben nie geheiratet.«

Man hätte eine Stecknadel fallen hören können. Oder einen Telefonhörer, als Sandy, die im Vorzimmer lauschte, ihren Hörer auflegte. Oder einen großen, einfachen Fall, der sich gerade als Fall entpuppt hatte, der nicht zu gewinnen war.

3

»Entschuldigen Sie mich einen Moment«, sagte Nina zu Lindy. Sie schlüpfte wieder in ihre Schuhe, schob ihren Stuhl zurück und ging an Sandys fragenden Blicken vorbei zur Tür hinaus und in die Damentoilette.

»Warum? Warum bloß«, fragte sie den Toilettenspiegel, der aber hartnäckig schwieg.

Nina spritzte sich kaltes Wasser ins Gesicht und trocknete es mit einem Papiertuch ab. Als sie mit dem groben Papier über ihre Wangen rieb, fing sie an zu lachen. Nur eine Nanosekunde lang, bevor Lindy die niederschmetternden letzten Worte herausgebracht hatte, hatte Nina gedacht, sie hätte ihre erste vermögende Mandantin vor sich, eine von der Sorte, die sich Experten und Beweisrecherchen, Detektive und Berufungen leisten konnte. Und Anwaltsgebühren. Sie hatte sich im Geist schon die Hände gerieben und dabei an die Gebühren gedacht wie ein gieriger alter Geizhals.

Doch statt mit einer vermögenden Mandantin sprach sie mit einer in einem schwarzen Loch, einer abgelegten Freundin, die ihre Rechte schon vor Jahren verwirkt hatte.

»Unterhalt«, sagte sie zu ihrem Spiegelbild. Es schnitt ihr eine Grimasse. Ihre Wangen glühten, und ihr langes, störrisches Haar schien zu wachsen und drohte, den ganzen Raum auszufüllen. Sie bemühte sich, es mit feuchten Händen zurückzustreichen.

Wie üblich war der Mann vorsichtig gewesen und die Frau verliebt. Lindy hatte keinen Beweis für ihre Absprache, alles zu teilen, sie hatte nur ihre Erinnerungen an süßes Liebesgeflüster über all die Jahre.

Unterhaltsfälle waren Gift, und jeder Familienanwalt wusste das. Sie hatte vor drei Jahren schon einmal einen Unterhaltsanspruch vertreten, als sie noch Berufungsverfahren in San Francisco bearbeitete, und sie hatte verloren.

Je länger sie dort an dem Waschbecken stand, ihr Haar zu glätten versuchte und darüber nachdachte, desto verrückter kam sie sich vor. Lindy hatte noch nicht begriffen, dass man ihr einen schnellen Tritt gegeben und sie vor die Tür gesetzt hatte. Sie redete immer noch davon, wie sehr sie den Typ liebte! Aber wie konnte sie auch nur im Entferntesten ahnen, was auf sie zukam?

Mike Markov und Jeff Riesner würden sie zermalmen, dann würden sie sich dazu herablassen, ihr ein schäbiges Angebot zu unterbreiten, um sie in Pension zu schicken, wenn sie versprach, ein gutes Mädchen zu sein und stillzuhalten. Mit etwas Glück hatte sie am Ende genug Geld und konnte sich den anderen Frauen mittleren Alters anschließen, die die Casinos und Tennisclubs bevölkerten, unfähig, sich eine lohnende Arbeit zu suchen, eine traumatisierte Überlebende, die nicht nur zwanzig Jahre Arbeitserfahrung, sondern auch noch den Lebenspartner verloren hatte.

Sie war wütend auf Lindy, weil sie eine solche Idiotin gewesen war, und auf sich selbst, weil sie nicht sofort nach dem Hochzeitsdatum gefragt hatte.

Das Schlimmste an der ganzen Situation war Riesner. Sie konnte den Fall unmöglich übernehmen, denn sie konnte sich Riesner und dem Team, das er zusammenstellen würde, nur stellen, wenn sie mindestens eine Chance von fünfzig zu fünfzig hätte. Er war zu gerissen, und er war scharf wie ein Pitbull. Sie hätte weder die finanziellen Mittel noch das Gesetz auf ihrer Seite. Sie würde verlieren. Sie wäre gedemütigt. Dies wäre Riesners Chance, ihre Anwaltskanzlei ein für alle Male in Grund und Boden zu stampfen.

Gib's zu, Nina, sagte sie zu sich, du hast Angst vor ihm und traust dich nicht, dich ihm zu stellen, außer wenn du dir ziemlich sicher bist, dass du ihn schlagen kannst. Er ist zu fies.

Auch die anderen Anwälte in der Stadt hatten Angst vor ihm. In Tahoe würde Lindy keinen guten Anwalt finden; niemand würde es mit Riesner aufnehmen wollen. Der einzige Jurist in der Stadt, der sich nicht vor ihm fürchtete, war Collier Hallowell, ein Staatsanwalt, den Riesner als den »ortsansässigen Oberidioten« bezeichnet hatte, wie Nina sich erinnerte. Doch Collier hatte sich beurlauben lassen, und als Staatsanwalt konnte er für Lindy sowieso nichts tun.

Sie stellte ihre Bemühungen an ihrem braunen Schopf ein, der ihr in allen Richtungen vom Kopf stand, und wusch sich die Hände, dann pumpte sie Lotion aus einem Spender und rieb sie ein. Dennoch war es verdammt entmutigend, eine gute Frau untergehen zu sehen. Verdammt entmutigend.

Sie lief den Gang hinunter und versuchte, sich zu wappnen. Lindy, die immer noch dort saß, wo Nina sie verlassen hatte, sah etwas besser aus. Was hatte Nina gesagt, bevor sie hinausgegangen war? O ja. Irgendwas in der Art wie: Sie sind gut abgesichert, es gibt keine Probleme. Nina ließ sich auf ihren Stuhl fallen. »Warum haben Sie nicht geheiratet?«, fragte sie.

»Er hatte schon eine hässliche Scheidung hinter sich. Deswegen zögerte er. Er sagte, wir seien in jeder Hinsicht, die zählen würde, verheiratet.«

»Und Sie?«

»Ich wollte ihn heiraten, und wir waren auch zusammen in der Kirche, da kannten wir uns noch nicht lange, das war etwas Privates, ohne Papiere oder so …« Tränen schossen ihr in die Augen. »Aber ich möchte Sie daran erinnern: Mike und ich, wir lernten uns in den Siebzigerjahren kennen. Von den Mädchen meines Alters heiratete kaum eine. Außerdem war meine Scheidung auch quälend gewesen. Vor etlichen Jahren waren wir einmal nah dran. Mike schien bereit. Dann musste er für zwei Wochen verreisen. Und als er zurück war, kam er mit einer Ausrede nach der nächsten an.

Ich glaube, mit der Zeit war das Eisen einfach nicht mehr heiß genug. Es gab keinen zwingenden Grund zum Heiraten. Und er hat eine Million Mal zu mir gesagt, dass wir doch alles teilten, Arbeit, Haus, Liebe. Wir würden nichts gewinnen, wenn wir das rechtskräftig machten.«

»Sie erwähnten, Sie seien in der Kirche gewesen?«

»Wir knieten in einer Kirche nieder und versprachen uns, uns für immer zu lieben und zu ehren. Unser Leben miteinander zu teilen.«

»Kein Pfarrer oder Pastor?«

»Nein.«

»Aber sie tragen denselben Nachnamen.«

»Ein paar Monate, nachdem wir zusammengezogen waren, fing ich an, den Namen Markov zu benutzen. Wir versuchten, das Geschäft in Texas in Gang zu bringen, und hatten mit all diesen Bankiers zu tun. Alle dachten, wir seien ... wissen Sie. Die Leute glauben das immer noch.«

»Hat er sie anderen gegenüber als seine Frau vorgestellt?«

»Natürlich. Ich bin seine Frau.«

»Lindy, hören Sie zu, das ist wichtig.«

»Ich höre zu.« Lindy klammerte sich am Schreibtisch fest.

»Vergessen Sie, was ich vorhin gesagt habe. Ihre Situation ist sehr heikel.«

»Er ist einfach nicht er selbst. Im Moment benimmt er sich wie ein Verrückter. Das gibt sich schon wieder«, sagte Lindy.

»Hören Sie mir zu. Mike hat Sie verlassen. Er hat Sie entlassen und ist kurz davor, Sie auch aus Ihrem Haus zu werfen. Glauben Sie im Ernst, dass sich das gibt?«

»Das wird er nicht tun. Das kann er nicht machen.«

»Doch, das kann er«, sagte Nina. »Außer, wenn Sie einen Brief, einen Vertrag, irgendetwas Schriftliches oder aber glaubwürdige Zeugen haben, die unter Eid aussagen, dass Mike Ihnen gesagt hat, die Hälfte von allem gehöre Ihnen.« Sie wartete, die Finger im Geist gekreuzt.

Vergeblich. Lindy hustete und rutschte auf dem Stuhl herum. »So was habe ich nicht. Aber er hat mich immer als seine Frau bezeichnet. Wir waren verheiratet in den Augen ...«

»Nicht in den Augen des Staates Kalifornien. Kalifornien erkennt Ehen ohne Trauschein nicht an. Man braucht eine Heiratsurkunde.«

Irgendwas schien durch den Nebel des Leugnens gedrungen zu sein. Plötzlich signalisierte jede einzelne nervöse Faser von Lindys Körper Besorgnis. »Meinen Sie ... Könnte ich wirklich alles verlieren?«

»Die Beweislast läge bei Ihnen, Sie müssten belegen, dass Mike und sie eine solche Vereinbarung getroffen haben. Das ist aber schwer, denn es wird davon ausgegangen, dass die auf seinen Namen eingetragenen Vermögenswerte auch sein Eigentum sind.«

»Das würde Mike nicht zulassen.«

»Ich vermute, dass er Ihnen etwas anbieten wird«, sagte Nina. »Wir haben es hier mit etwas zu tun, was oft Unterhaltsanspruch nach Beendigung einer Ehe ohne Trauschein genannt wird, auch wenn Sie das in keinem Gesetz finden werden. Es ist in diesem Land nichts Ungewöhnliches, dass eine Frau mit einem Mann zusammenlebt, ohne verheiratet zu sein, und es ist auch nicht mehr unüblich, dass sie nach der Beendigung der Beziehung Vermögensansprüche stellt.

Aber mir fallen etliche Leute ein, die die Reichen und Berühmten verklagt haben und sich nach dem Prozess wie Titanic-Überlebende fühlten, nur ärmer. Normalerweise verlieren sie. Zufälligerweise habe ich vor einer Weile ein paar Mal an ähnlichen Fällen gearbeitet, und ich kann mich an Beklagte in weiteren Fällen erinnern.« Sie nannte ein paar von denen, die einem sofort einfallen: Lee Marvin, Rod Stewart, Merv Griffin, Martina Navratilova, Clint Eastwood, William Hurt, Joan Collins, Bob Dylan, Alfred Bloomingdale und Van Cliburn. »Jerry Garcias Vermächtnis wurde erst nach seinem Tode angefochten.«

»Verlieren die immer?«

»Nicht direkt. Die meisten Fälle enden mit einer außergerichtlichen Abfindung, oder sie werden fallen gelassen, oder der

Berufung wird nicht stattgegeben«, sagte Nina. »Oft liegt das Problem darin, dass der ganze Fall darauf hinausläuft, dass ein Wort gegen das andere steht, und das ist einfach nicht genug, um die Anforderungen der Beweislast zu erfüllen.«

»Ich habe all die Jahre mit ihm geschlafen! Ich war in jeder Hinsicht seine Frau. Hat das denn gar nichts zu bedeuten?«

»Es tut mir Leid, so direkt sein zu müssen, aber eine Vereinbarung, wonach für sexuelle Leistungen Geld gezahlt wird, ist nicht einklagbar. Eine solche Beziehung deckt die Rechtsordnung nicht ab.«

»Aber er hat mir versprochen, wir würden alles teilen. Er hat auch versprochen, mich eines Tages zu heiraten. Davon bin ich immer ausgegangen. Das ist Wortbruch!«

»Wenn Sie Mike tatsächlich verklagen, geht das nicht aus diesem Grund. Leider ist es in Kalifornien nicht gestattet, eine Klage auf einen solchen Wortbruch einzureichen«, sagte Nina. Lindy wurde immer niedergeschlagener.

»Ich kann das alles nicht glauben«, sagte Lindy. »Wir sind uns immer so nah gewesen. Um John Lennon zu zitieren, was Mike dauernd getan hat: ›Ich bin er.‹ Wir sind praktisch eine Person. Alles, was uns trennt, geht vorüber«, sagte sie stur.

»Was Sie sehen müssen«, sagte Nina freundlich, »ist das, was im Moment passiert. Sie können durchaus Recht haben, was Mike angeht. Menschen ändern sich. Unterdessen müssen Sie sich entscheiden, was Sie tun wollen, falls Sie etwas tun wollen.«

»Ich kann mich doch nicht einfach zurücklehnen. Wenn das heißt, dass ich gegen ihn kämpfen muss, dann werde ich es tun«, sagte sie. »Ich kämpfe für das Recht.« Sie sah Nina an. »Es gibt noch etwas, was ich Ihnen wahrscheinlich sagen sollte. Als ich heute Morgen in der Firma war, hat mich einer von meinen Freunden beiseite genommen, um mir zu sagen, dass Mike Unternehmenswerte verschiebt. Ich hab ihm keinen Glauben geschenkt, aber wenn Sie Recht haben und er sich auf einen Rechtsstreit vorbereitet …«

»Das ist ein weiterer Hinweis darauf, dass er das wohl gerade tut.«

Lindy schien eine Entscheidung zu treffen. »Hören Sie, ich habe etwas Geld. Ich möchte, dass Sie das hier in Gang bringen. Sich jemanden dazuholen. Was immer Sie brauchen.« Sie nahm ein Scheckbuch aus der Tasche. »Wie wär's mit hundert Riesen Vorschuss? Ich weiß, dass Sie nach und nach mehr brauchen, wenn Sie Leute engagieren. Entwerfen Sie einen Vertrag mit einer Aufstellung der Ratenzahlungen, und ich unterschreibe ihn.«

Nina nahm den Scheck unter die Lupe. Hunderttausend Dollar. So viel Geld. »Lindy, ich …«

»Bitte, Nina. Um die Wahrheit zu sagen, ich glaube nicht, dass es sehr lange dauert, bis er zu mir zurückkommt. Er braucht mich. Sowie er wieder zu Verstand kommt, wird er sich daran erinnern. Aber ich kann mich nicht zurücklehnen und zulassen, dass seine Idiotie mich ruiniert. Es ist nicht richtig von ihm, alles zu nehmen. Es ist nicht richtig, dass ich um die Krümel betteln muss. Und überhaupt, hier geht es nicht nur um mich. Ich wette, viele Frauen sind in einer ähnlichen Situation.«

»Es tut mir Leid, Lindy«, sagte Nina, so schonend es ging, »aber ein solcher Fall kostet ein Vermögen. Und Sie haben keinen Zugriff mehr auf ihre alten Geschäftskonten.« Sie gab ihr den Scheck zurück.

Lindy wurde aschfahl. Sie konnte vor Nina nicht mehr mit ihrem Scheckbuch wedeln und bekommen, was sie wollte. Ihr ganzes Leben hatte sich in einem Augenblick verändert.

»Woher wollen Sie solche Summen nehmen?«, fragte Nina.

»Warten Sie«, sagte Lindy und zog ein anderes Scheckbuch heraus. »Ich habe etwa zwanzigtausend Dollar auf meinem privaten Konto. Nehmen Sie die.«

»Das kann ich nicht. Das brauchen Sie, um zu leben.«

»Bitte.«

»Ich muss erst etwas recherchieren«, sagte Nina, »und ein

paar Sachen überdenken, bevor ich Ihnen meine Entscheidung mitteilen kann.« Sie konnte den Fall nicht übernehmen, aber Lindy brauchte etwas Zeit, um sich an die neue Situation zu gewöhnen. »Mir ist bewusst, dass Sie auf dieses Schreiben schnell reagieren müssen. Ich rufe Sie heute Abend, spätestens morgen früh an.« Sie stand auf und wandte den Blick ab.

Lindy saß da, ihr war die Luft ausgegangen wie bei den roten Heliumballons auf dem Schiff. »Okay. Wenn das notwendig ist«, sagte sie. Es widerstrebte ihr, eine Auseinandersetzung zu beenden, die sie nicht gänzlich für sich entschieden hatte, und sie brauchte lange, um ihre Sachen einzustecken und zu gehen. Sandy, die vor der Tür herumgestrichen war, führte sie hinaus.

Dann kam sie in Ninas Büro, setzte sich auf den Stuhl, den Lindy gerade freigemacht hatte, und heftete ihre dunklen Glutaugen auf Nina, ihr breites Gesicht so flach und glatt wie ein abgeschliffener Felsbrocken. Heute war ihr geflochtener Zopf von einem Lederband durchzogen. Im Vorzimmer klingelte das Telefon, aber sie ließ nicht erkennen, ob sie es hörte.

»Und?«, fragte sie. »Gute Party? Hat sie Arbeit für uns?«

»Ich wusste, dass es ein Fehler war, zu dieser Party zu gehen«, sagte Nina. »Und tu bloß nicht so, als ob du nicht zugehört hättest.«

Ein fast unmerkliches Anheben der Schultern signalisierte Nina, dass sie richtig geraten hatte. »Ich habe viel verpasst, aber den niederschmetternden Höhepunkt habe ich mitbekommen«, sagte Sandy. »Und was nun? Man kann sich ja nicht von einem Mann scheiden lassen, den man nie geheiratet hat.«

»Rate mal«, sagte Nina. »Es fängt mit einem U an.«

»Geht es um eine Umschichtung in der Firma?«

»Nicht schlecht. Aber das ist im Moment nicht der Punkt.«

»Hm. Gib mir noch eine Minute.«

»Ich muss um zehn im Gericht sein und muss los.«

»Ich hab's«, verkündete sie, als Nina die Hand schon am Türknauf hatte. »Jetzt wird sie übermütig. Sie nimmt sich einen Liebhaber und zeigt es Mike so richtig.«

»Nun, es ist nicht ganz das, woran ich gedacht habe, aber es wäre durchaus möglich.«

Die Glutaugen strahlten. »Doch nicht Unterhalt?«

»Bingo.«

»Aber bei solchen Fällen gewinnen die Kläger nie!«, sagte Sandy. »Wenn wir mal nur vom Geld sprechen, was wir öfter tun sollten, stehst du auf der falschen Seite.«

»Ja, stimmt«, gab Nina zu.

»Wer ist der Glückliche, der Mike Markov vertritt?«

»Der Glückliche ist Jeffrey Riesner.«

Ein dunkler Laut kam irgendwo aus der Gegend ihrer Kehle. Sandys Augen verengten sich zu Schlitzen.

Während sie sich noch mit dieser letzten abscheulichen Wendung der Ereignisse auseinander setzte, floh Nina zur Tür hinaus.

Am Nachmittag durchforstete Nina zuerst die Online-Quellen, dann fütterte sie die Kopiermaschine mit ihrem gesammelten Kleingeld und hortete alles, was sie nach einer flüchtigen Sichtung in der juristischen Bibliothek fand.

Unterhaltsforderung nach dem Ende einer Ehe ohne Trauschein. Davon war in den Siebzigerjahren viel die Rede gewesen, als Michelle Triola den Filmschauspieler Lee Marvin nach einer Beziehung ohne Eheschließung auf einen Anteil seines Einkommens verklagt hatte. Zu Ms Triolas Unglück wurde die Entscheidung der Geschworenen in der Berufung widerrufen und ihr lediglich etwas Geld zur »Rehabilitation« zugestanden. Sie bekam nichts, aber durch Marvin vs. Marvin war der Begriff auf der juristischen Landkarte aufgetaucht, und das war fast so gut wie die Schaffung eines Präzedenzfalles.

Nina überflog viele Fälle, von denen sie die meisten schon kannte. Liberace' Erbengemeinschaft war von seinem Liebhaber verklagt worden, einem jungen Typ, der sich sozusagen kaltgestellt fühlte. Es gab eine Grauzone frivoler Fälle, wo die trauernden Hinterbliebenen einfach befanden, sie hätten einen Anspruch auf irgendetwas, nachdem ihre Partner verstorben waren oder sich von ihnen abgewandt hatten. Die Fälle boten alles, was die bunten Blätter lieben: romantische Affären und berühmte Leute.

In Anbetracht der riesigen Summen, um die es hier ging, würden sie den Fall goutieren.

Eine Zeit lang verlor sich Nina in der Anklageschrift des Models Kelly Fisher, die vor Prinzessin Diana mit Dodi Fayed zusammen gewesen war. Es war ihr tatsächlich gelungen, ihn auf Grund des Bruchs des Eheversprechens vor einem französischen Gericht zu verklagen. Wie Nina Lindy schon gesagt hatte, im kaltschnäuzigen Kalifornien würde sie nicht so viel Glück haben. Hier musste es irgendeinen wie auch immer gearteten Vertrag darüber geben, dass man Einkommen und Vermögen teilen wollte, und dieser Vertrag musste nachweisbar sein. Jedenfalls war in der Vergangenheit so entschieden worden.

Sie saß am großen Konferenztisch in der Bibliothek und überanstrengte ihre Augen mit der kleinen Schrift der Urteilsbegründungen. Das Wort »Liebe« hatte sie auf keiner der vielen tausend Seiten kalifornischer Gesetze gelesen. »What's love got to do with it«, summte sie beim Lesen vor sich hin.

Liebe war Yin, traditionell die Domäne der Frauen, weiblich, subjektiv. Recht war Yang, männlich, objektiv. Lindys Position bereitete Nina Unbehagen. Zeig mir das unanfechtbare Beweisstück, sagte die Rechtsanwältin in ihr. Eheversprechen, Sex, Liebesgeplauder, Midlife-Krisen, Affären – mit solchen Sachen machte der Gesetzgeber sich die Hände nicht schmutzig. Sie selbst wollte auch nicht mit derart sentimentalen, emotionalen Angelegenheiten in Verbindung gebracht werden. Als Frau musste sie in ihrem Beruf besonders viel Wert darauf legen, objektiver zu bleiben als alle anderen.

Und doch waren diese Dinge nun unentwirrbar mit einer riesigen Summe Geld verbunden, und Mike Markov nutzte das Gesetz, um dieses Geld in seinem Besitz zu behalten. Das war nicht richtig. Der Ärger nagte an ihr, und wie immer suchte er ein produktives Ventil. Aber was konnte sie denn ganz allein im Kampf gegen diese großen Jungen erreichen?

Sie blätterte gedankenverloren im Zivilgesetzbuch und überflog die Abschnitte über Ehe. Das war alles nicht auf Unverheiratete übertragbar, aber was waren Lindy und Mike, wenn sie nicht verheiratet waren? Lindy war viel mehr als seine Freundin.

Wir brauchen mehr Gesetze, um das abzudecken, dachte Nina frustriert, aber sie stoppte sich gerade noch rechtzeitig. Ihre ganze Bürowand war mit den Gesetzeskommentaren des Staates Kalifornien bedeckt, und jedes Jahr kamen so viele neue hinzu, dass niemand auf dem Laufenden bleiben konnte.

Na gut, dann müssen wir alles daransetzen, dass ein altes Gesetz passt. Wieder las sie die Gesetze durch. Ihr Blick blieb an einer bescheidenen kleinen Bestimmung hängen, die wahrscheinlich als veraltet aufgehoben werden würde, sowie sie dem Gesetzgeber auffiel: In Absatz 1590 des Zivilrechts stand: *Wenn eine Partei einer beabsichtigten Eheschließung in diesem Staat der anderen ein Geschenk auf der Grundlage oder in der Annahme macht, dass es zu einer Heirat kommt, kann ein solches Geschenk zurückverlangt werden … im Fall, dass der Beschenkte sich der Verehelichung verweigert …*

Nina wiederholte das für sich. Sie dachte an Aussteuern, an gut aussehende Männer mit hochgeschlossenen Kragen, an sitzen gebliebene Verlobte.

Nehmen wir einmal an, Paul würde mir einen unglaublich teuren Diamantring schenken, dachte sie, und am Ende würde ich mich doch weigern, ihn zu heiraten. Dann müsste ich den Ring zurückgeben. Jedenfalls könnten die Geschworenen ihm den Ring zuerkennen, wenn er mich vor Gericht bringen würde.

Vorausgesetzt, sie gab ihm etwas. Ich gebe dir mein Vermögen, wenn du mich heiratest, sagte sie vor sich hin. Sie versuchte, das Gesetz in einfachen Worten wiederzugeben. Sie verstand es noch immer nicht ganz und versuchte es noch einmal. Ich verspreche dir etwas, und im Gegenzug heiratest du mich oder versprichst mir, mich zu heiraten. Ja. Wenn man es in einfachen Worten auszudrücken versuchte, stand genau das in dem Gesetz.

Sie dachte wieder an ihr Gespräch mit Lindy und an das, was Lindy gesagt hatte.

Als sie auf ihren Block hinabsah, auf dem mehr Kritzeleien als Notizen waren, bemerkte sie, dass sie zwei mit einer Schleife zusammengebundene, von Noten umringte Hochzeitsglocken gezeichnet hatte.

In ihrem Kopf hatten die Glocken jedenfalls zu läuten begonnen.

Sie drückte einen Kuss auf den altertümlichen Satz, bevor sie ihn abschrieb.

Um fünf Uhr klappte sie das letzte Buch zu. Dann fuhr sie zu ihrem Bruder Matt, um ihren Sohn abzuholen. Matt und seine Frau Andrea wohnten mit ihren Kindern in einem Viertel namens Tahoe Paradise, nur ein paar Straßen von Ninas Haus entfernt. Im Sommer betrieb Matt ein Parasailing-Unternehmen und im Winter einen Abschleppdienst. Andrea arbeitete im örtlichen Frauenhaus, eine Zwischenstation, durch die sich ein Strom misshandelter Frauen und Kinder ergoss.

Auf einer Lichtung stand eine Blockhütte mit einem Steinkamin, der den größten Teil des Jahres qualmte. Dort lebten sie, wie schon vor hundert Jahren die Leute in Tahoe gelebt hatten. Das einzig erkennbare Zugeständnis an die Vorstadt war der vernachlässigte Rasen, den der viele Regen der letzten Zeit in ein seidenes, grün schimmerndes Stückchen Land verwandelt hatte.

Sie parkte den Bronco vor dem Haus, zog die Schuhe aus und

marschierte quer über das feuchte Gras. Das wollte sie noch genießen, denn der Winter stand vor der Tür.

Andrea öffnete, bevor sie klopfen konnte. »Nina! Wir hatten dich zum Mittagessen erwartet«, sagte sie.

»Es tut mir Leid. Ich hatte zu tun. Ist Bob noch hier?«

»Troy und er sind oben. Sie arbeiten am Computer.«

Nina drückte Andreas Arm. »Wie geht's euch? Beschäftigen sie sich damit, seit sie von der Schule zurück sind?«

»Mehr oder weniger.«

»Hat Bob seine Hausaufgaben gemacht?«

»Das bezweifle ich.«

»Oje. Dann wird es 'ne lange Nacht.«

»Sie arbeiten unheimlich hart. Er musste einfach mal aus dem Alltagstrott raus.«

»Ich wünschte mir nur, er wäre zum Spielen nach draußen gegangen. Es ist so schön in dieser Jahreszeit«, sagte Nina, sog den Pinienduft ein und genoss die Brise.

»Wie die Mutter, so der Sohn«, sagte Andrea und ging ihr ins Haus voran. »Steck sie in ein dunkles Zimmer mit einem Computer, und sie sind so glücklich wie Bill Gates.«

»Wir bleiben nicht zum Abendessen. Ich muss ihn nach Hause bringen.« Nina ging nach oben, um Bob zu holen.

Abgesehen von ihrer Größe, sahen sich die Jungen von hinten in ihren kalifornischen Schuluniformen zum Verwechseln ähnlich. Sie trugen zweifarbige Wildleder-Turnschuhe, T-Shirts mit dem Schulabzeichen, weit geschnittene karierte Shorts und eine Art abgewandelte Mönchstonsur. Troy, der ein Jahr jünger als Bob war, drehte sich um und sagte hallo, als sie hereinkam. Bob starrte weiter wie hypnotisiert auf den Bildschirm.

»Hey, Mom, kommst du mal?«

Sowie er sprechen konnte, hatte Bob verlangt, dass sie jede einzelne seiner Handlungen beobachtete und für gut befand. Sie fragte sich, ob das für Jungen typisch war. Bobs Cousine Brianna, die jünger war, wirkte viel selbstgenügsamer als die beiden

57

Jungen. Nina bewunderte die verbesserte Website, dann bestach und bedrohte sie ihn so lange, bis er schließlich aus der Haustür war und zum Auto lief. »Wo ist Matt?«, fragte sie Andrea.

»Er packt die letzten Parasails zusammen, und wie ich ihn kenne, zollt er dem Ende der Sommersaison mit einem kleinen Flug um die Emerald Bay Tribut. Hey, warst du nicht gerade am letzten Wochenende auf der *Dixie Queen* dort?«

»Ja.« Nina beschrieb ihr die Party und auch deren großes Finale, ohne die Namen der Betroffenen zu nennen.

»Hast du auch die kleine Insel Fannette in der Mitte der Bucht gesehen?«

»Ja.«

»Letzte Woche habe ich von einer Frau, deren Großvater einen Teil der schmiedeeisernen Beleuchtungsvorrichtungen in Vikingsholm angebracht hat, ein ganz interessantes Gerücht gehört.«

»Ist das das skandinavisch aussehende Herrenhaus gegenüber der Insel?«

»Richtig. Ein Auftrag von Lora Knight, die auch das Teehaus auf der Insel bauen ließ.«

»Was für ein Gerücht?«

»Bevor das Teehaus errichtet wurde, meißelte ein Seemann eine Gruft in die Felsen.«

»Für wen?«

»Sich selbst.«

»Liegt er dort?«

»Nein, er ist im See ertrunken. Seine Leiche wurde nie gefunden. Du weißt doch«, sagte sie, »der Lake Tahoe ist zu kalt, als dass Leichen wieder hochgetrieben werden.«

»Und was ist aus der Gruft geworden?«

»Sie sagte, Touristen hätten sie besucht, aber zu der Zeit, als das Teehaus gebaut wurde, wusste niemand mehr, wo sie war oder was aus ihr geworden war.«

»Willst du mir Gruselgeschichten erzählen?«

»Es ist die reine Wahrheit.«

»Gut, dann sollten wir eines schönen Tages Matt dazu bringen, das Boot flottzumachen, und uns die Insel mal ansehen. Kann man da anlegen?«

»Es gibt keinen Steg mehr. Man muss vom Boot aus hinschwimmen oder mit dem Kajak hinfahren. Außerdem ist sein Boot chronisch unpässlich.«

»Das gehe ich mir bei der erstbesten Gelegenheit ansehen.«

»Ach, du gehst nirgendwohin. Ich kenne dieses Glimmern in deinen Augen. Dir ist irgendwas Niederträchtiges über den Weg gelaufen.« Andrea taxierte sie. »Du siehst immer am glücklichsten aus, wenn du an einem schrecklichen Problem arbeitest.«

»Das ist wahr«, sagte Nina. »Schreckliche Probleme sind genau mein Fall.«

Andrea lachte mit ihrem mädchenhaften Sopran, der gut zu den lockigen roten Haaren, den Bluejeans und dem Flanellhemd passte.

»Andrea, hast du Lindy Markov mal kennen gelernt?«, fragte Nina.

»Klar. Sie engagiert sich bei einigen Wohltätigkeitsorganisationen in der Stadt und veranstaltet Benefizpartys bei sich zu Hause. Alle gehen hin, zum Teil nur, weil sie neugierig auf ihr Haus sind. Für ihre Anliegen tut sie alles.«

»Bist du auch mal dort gewesen?«

»Ja. Hat mich zweihundert Scheine gekostet. War für eine gute Sache, sehr verdienstvoll, aber wir hatten das Geld damals nicht.« Andrea zog ein Gesicht. »O Gott, Matt hat ganz schön gestöhnt. Für die Collegestiftung, die sicherlich über jeden Zweifel erhaben ist, waren das ja nur Peanuts. Matt hat fast geweint. Manchmal gehen dringendere Probleme einfach vor.«

»Andrea, du bist so ein guter Mensch.«

»Nein. Ich habe Hilfe gefunden, als ich verzweifelt war.« Andrea hatte eine harte Ehe mit ihrem ersten Mann überstanden, dem Vater ihrer beiden Kinder, und ein Frauenhaus wie das, das sie nun managte, hatte ihr geholfen, sich aus dieser Ehe zu befreien. »Da siehst du es wieder: Für einen Pfennig kriegst du zehn zurück.«

»Wo leben die Markovs denn? Und wie ist das Haus?«

»In der Nähe der Emerald Bay an der Cascade Road in einem der grandiosesten Anwesen am See. Das Grundstück zieht sich bis zum See hinunter. Mrs Markov ist sehr großzügig zum Frauenhaus. Ich wünschte mir, es gäbe mehr von ihrer Sorte. Sie hat vielen Frauen unter die Arme gegriffen, die Hilfe brauchten.«

»Ach, hätte ich doch bloß nicht gefragt. Wenn man dir so zuhört, könnte man meinen, sie sei eine Heilige.«

»Sie ist keine Heilige. Nur großzügig.«

Sie hörten die Hupe des Bronco. »Ich muss los.«

»Warte. Steckt Mrs Markov in Schwierigkeiten? Hat das was mit der Szene zu tun, die du an Bord beobachtet hast?«

»Du weißt doch, dass ich darüber nicht sprechen kann, selbst wenn es so wäre.«

»Na ja, ich möchte nur sagen, dass du mich wissen lassen sollst, wenn ich irgendwas tun kann, um ihr zu helfen. Sie ist was ganz Besonderes.«

Bob hupte noch mal. Nina trabte zum Auto. Er saß auf dem Fahrersitz, sein Scheitel berührte schon fast den Autohimmel. In drei Jahren würde er selbst fahren. Der Gedanke war entsetzlich.

»Mom, bald ist Weihnachten«, sagte er, als sie an der Ecke Kulow Street waren.

Das ließ sich nicht leugnen. Es waren noch zwei Monate, und sie hatte noch gar nicht darüber nachgedacht. Bob, wie die meisten Kinder, hingegen schon.

»Es gibt ein Computerprogramm, das ich gerne hätte. Troy und ich könnten es bei unserer Website verwenden, um sie dreidimensional zu machen.«

»Hört sich gut an«, sagte sie und lenkte den Bronco in ihre Auffahrt. »Das solltest du dir unbedingt vom Weihnachtsmann schenken lassen.« Natürlich wusste Bob über den Weihnachtsmann Bescheid, aber er beließ es gerne bei dem Märchen, weil er die wenigen Familientraditionen wahren wollte.

»Es ist ziemlich teuer.«

»Ach ja?«

»Ungefähr dreihundert Dollar.«

»Oh.«

»Ich hoffe einfach, dass es mir der Weihnachtsmann schenkt, und wenn nicht, bin ich auch nicht enttäuscht.«

»Bob, wir haben dieses Jahr das Haus gekauft und müssen uns etwas einschränken. Wünschst du dir denn sonst gar nichts?«

»Nur eines, und das wünsche ich mir wirklich.«

»Was ist das?«

»Du willst es gar nicht wissen.« Er stieg aus und knallte die Tür zu. Nina sah, wie Hitchcock am Fenster hochsprang und zur Begrüßung bellte.

»Doch, natürlich. Was wünscht du dir wirklich?«

»Ich will meinen Dad besuchen.« Er rannte zur Tür, fischte den Schlüssel unter dem Blumentopf hervor und schloss die Tür auf, während sie noch immer in der Auffahrt stand und sich fühlte, als sei eine Lawine auf sie niedergegangen.

Bobs Vater Kurt, den sie mal geliebt, aber nie geheiratet hatte, lebte jetzt in Deutschland. Ein Ticket dahin würde sie ruinieren.

Dies würden wieder einmal Ferien werden, in denen sie sich Sorgen machte, dass sie Bob nicht gerecht wurde. Sie arbeitete zu hart und zu lange, sie wohnten in einer Hütte, und sie konnte nicht beides zugleich sein, Mutter und Vater. Und sie konnte es sich nicht leisten, ihm das zu schenken, was er sich wirklich wünschte.

Um halb neun, als Bob gerade unter der Dusche stand, klingelte das Telefon.

Sandy war dran, die Nina normalerweise nie zu Hause anrief. »Ich habe gesurft«, sagte sie mit vollem Mund. Nina fragte sich nicht zum ersten Mal, wo Sandy wohnte. Sie war noch nie eingeladen worden, um es herauszufinden. »Ich habe über diese Mrs Markov nachgedacht.«

»Und was hast du gefunden?«

»Einen Fall. Ich bin mir nicht sicher, ob du davon gehört hast. Maglica vs. Maglica.«

»Sagt mir überhaupt nichts.«

»Unten, in Orange County. Aber Maglite kennst du?«

»Die kleine Taschenlampe? Ich nehme sie, wenn ich abends mit dem Hund rausgehe.«

»Genau. Der Bursche hat sie erfunden. Er und seine so genannte Ehefrau haben dieses gigantische Unternehmen aufgebaut. Nachdem sie sich getrennt haben, hat sie ihn verklagt.«

»Auf welcher Grundlage?«

»Vertragsbruch. Sie wollte die halbe Firma. Im Gegensatz zu den anderen Fällen in deinen alten Schriftsätzen wurde dieser Fall von einem Geschworenengericht entschieden.«

»Und?«

»Die Geschworenen gestanden ihr vierundachtzig Millionen Dollar zu, im Wesentlichen für ihre Arbeit für das Unternehmen.«

»Toll!«

»Natürlich musst du bedenken, dass ich nur eine schlecht bezahlte Tagelöhnerin bin, die keinen Grips hat und immer alles durcheinander bringt!«

»Ach, hör doch auf damit, Sandy! Das klingt interessant. Gib mir mal die Web-Adresse, dann seh ich's mir an, bevor ich ins Bett gehe.« Sandy gab sie ihr.

»Übernimmst du den Fall?«, fragte Sandy.

»Ich bin noch am Überlegen. Die Zeichen stehen eher auf Nein, aber in der Jurabibliothek hatte ich den Keim einer Idee. Es ist noch zu früh, um darüber zu sprechen. Der Fall, den du ausfindig gemacht hast, zeigt immerhin, dass wenigstens einmal jemand einen ähnlichen Prozess gewonnen hat.«

»Markov ist auch ein Maglica«, sagte Sandy.

»Was ist denn an diesem Fall so besonders, dass du deinen Abend mit Recherchieren verbringst?«

»Vor ein paar Jahren hat Lindy Markov einigen meiner Freundinnen geholfen, ohne dass sie endlose bürokratische Prozeduren über sich ergehen lassen mussten. Jetzt ist sie diejenige, die Hilfe braucht.«

»Ach, noch was«, sagte Nina. »Sie braucht eine Kanzlei in Sacramento oder San Francisco mit den Möglichkeiten und dem Kapital, den Fall zu übernehmen. Es geht um sehr viel Geld.«

»Aber …«

»Stell dir doch mal vor, was irgend so ein dahergelaufener Straßenräuber für fünfzig Dollar machen würde …«

»Lieber nicht«, sagte Sandy.

»Jetzt multiplizier das mit ein paar Millionen … dann kannst du dir ausrechnen, wie weit unser Freund Jeffrey Riesner gehen würde, um Lindy Markov zu prellen.«

»Genau das habe ich auch gedacht«, sagte Sandy. »Vor einer Weile hatte er draußen in Placerville einen Unterhaltsfall. Weißt du, was er damals gemacht hat?« Wie manche Leute, die den Namen des Leibhaftigen nicht über die Lippen bringen, sprach Sandy Riesners Namen nie aus. »Er hat sich mit diesem feinen Stenz aus L.A. zusammengetan, der all die Leute aus Hollywood vertritt. Winston Reynolds. Das wird er für diesen Fall auch wieder tun wollen.«

»Wenn wir ihm nicht zuvorkommen«, sagte Nina.

»Ja, wär das nicht schön? Ihm die große Knarre wegzunehmen, bevor er überhaupt merkt, dass du die Hände in seiner Tasche hast?«

»Mom!«, brüllte Bob aus dem Badezimmer. »Bring ein Handtuch, schnell! Bring einen ganzen Stapel!«

»Bleib dran, Sandy«, sagte sie. »Was ist denn los?«, rief sie mit der Hand über der Sprechmuschel.

»Oh, Mann«, sagte er, »zu spät! Oh, Mann, oh, Mann!«

Eine Stunde später, nachdem die Flut im Badezimmer aufgewischt war und Bob endlich im Bett lag, zog Nina sich einen Pullover über und ging mit dem Hund zum letzten Mal an diesem Tag nach draußen. Der mondlose Nachthimmel war voller Sterne, ein Anblick, den sie, als sie in San Francisco lebte, nie zu sehen bekommen hatte, in der Zeit, bevor sie geschieden wurde. Sie konnte kaum glauben, dass sie schon das zweite Jahr ihre eigene Kanzlei führte, dass sie die Sache durchhielt und sich sogar langsam einen Namen machte.

Hitchcock rannte voraus. Die Nase dicht am Boden, schnüffelte er an den Bäumen und den Fundamenten dunkler Hütten. Wegen seines schwarzen Fells war er kaum zu sehen. Kassiopeia und Orion leuchteten am Himmel. Den ganzen Tag über war sie erwartungsvoll gewesen, jetzt war sie fast sicher, eine Sternschnuppe zu sehen. Wie kam es bloß, dass man nie einen dieser silbern funkelnden Streifen über den dunklen Himmel schießen sah, wenn man es wollte? Einen von der Art, die am Rand des Sichtfeldes ohne jede Warnung vorbeisausen.

Zu Hause angekommen, rannte sie los, um das Telefon abzunehmen.

»Nina«, sagte Lindy. »Ich konnte nicht bis morgen früh warten. Eine Freundin hat mir Ihre Telefonnummer gegeben. Ich weiß, dass es spät ist. Ich verspreche, es kurz zu machen.«

»Eine Freundin, ja?« Eine Freundin mit Augen wie Feuersteinen und einer Statur wie der Fels von Gibraltar, jede Wette. Sie hatte Sandy streng untersagt, ihre private Telefonnummer weiterzugeben, aber Nina begriff allmählich, wie sich die Welt für so außergewöhnlich erfolgreiche Leute wie Lindy darstellen musste. Die üblichen Regeln galten für sie nicht. Sie glitten sanft über Hindernisse hinweg, oder sie warfen etwas Geld vor die Füße anderer, dann öffneten sich die Türen. »Was kann ich für Sie tun?«, fragte Nina und versuchte, den kurz angebundenen professionellen Unterton anzunehmen, den ein im Flur bellender Hund leicht zu vertreiben vermochte.

»Ich habe mir noch etwas mehr Geld geliehen«, sagte Lindy. »Fünftausend. Könnten wir damit anfangen? Ich bin vielleicht pleite, aber ich habe immer noch Freundinnen. Alice Boyd hat ihr Scheckbuch gezückt und mir einfach einen Scheck ausgestellt, und einige andere Frauen haben sich anerboten, zu tun, was sie können.«

»Aber Lindy, ich arbeite allein in meiner Kanzlei. Es tut mir wirklich sehr Leid, aber das wird nicht genügen.« Sie fühlte sich entsetzlich. Sie wollte Lindy wirklich helfen, aber mit fünftausend wären noch nicht einmal die Startkosten dessen gedeckt, was auf sie zukam. Nina konnte nicht erkennen, wie sie den Fall unter diesen Umständen annehmen konnte, ohne selbst den Bankrott zu riskieren.

»Ich glaube, ich könnte vor dem Gerichtstermin noch weitere zwanzigtausend, vielleicht sogar dreißigtausend zusammenbekommen. Und wenn wir dann gewinnen …«

»Sie meinen *falls*.«

»Wenn wir gewinnen«, sagte Lindy fest, »zahle ich Ihnen zehn Prozent dessen, was ich vom Gericht zugesprochen bekomme.«

Die Worte klingelten in Ninas Ohren. Zehn Prozent. Wenn das Gericht ihr die Hälfte des Markov'schen Vermögens zusprach, waren das um die zehn Millionen Dollar. Wenn man das, nur um realistisch zu bleiben, halbierte, kam dabei immer noch eine unglaubliche Summe heraus.

Sie umklammerte den Hörer und konnte nicht sprechen. Jetzt schoss sie also über den dunklen Himmel. Ihre große Chance. Ein Fall, der ihr zu Herzen ging, und eine Angelegenheit, die im kalifornischen Recht noch nicht gelöst worden war. Es könnte sogar zum Präzedenzfall werden für andere Frauen wie Lindy, die hinter den Kulissen gearbeitet hatten, nur um irgendwann mit leeren Händen dazustehen. Ein Fall, der sie reich machen konnte.

Ein Fall mit einem großen Makel: einer Mandantin ohne Geld.

Selbst wenn Nina irgendwie genug Geld zusammenkratzen konnte, um sich während der Prozessvorbereitungen über Wasser zu halten, wie konnte sie es rechtfertigen, ein solches Risiko einzugehen? Wenn Lindy verlor, konnte auch Nina alles verlieren. Andererseits würde sie nie wieder so eine Gelegenheit bekommen.

Sie selbst hatte etwas Geld zurückgelegt. Es musste doch Wege geben, um an das Geld zu kommen, das sie brauchte. Vielleicht konnte sie einen Partner mit hinzuziehen, der gegen eine großzügige Beteiligung einen Teil des Risikos trug …

Lindy sprach weiter. »Die Menschen sind erstaunlich. Alle tun für mich, was sie nur können.« Sie klang bewegt. »Ich schätze meine Freundinnen sehr.«

»Ich nehme an, sie schätzen Sie auch.«

»Wenn das wahr ist, habe ich Glück«, sagte Lindy. Sie sagte nichts weiter. Sie wartete auf Nina.

»Kommen Sie morgen früh um neun in mein Büro«, sagte Nina. Sie hängte auf und ignorierte ein nagendes kleines Gefühl, das ihr sagte, sie sollte die Finger von diesem Fall lassen.

4

Fünfzehn Tage später stand Nina auf, als Richter Curtis E. Milne vom Superior Court von El Dorado County aus der Wand hinter seinem Podium auftauchte. So wirkte es zumindest. Eigentlich verdeckte nur eine unscheinbare, mit Sackleinen bespannte Trennwand seine eigene Tür zum Gerichtssaal. Er kam lediglich heraus und setzte sich hinter seinen hohen Tisch, aber der Effekt war der einer magischen Materialisation. Ein Baraka-Häuptling aus dem Kongo hätte diese zu abergläubischer Hochachtung zwingende Inszenierung sicher zu schätzen gewusst.

Leider erfuhren viele kalifornische Richter heutzutage in dem Amt, das sie bekleideten, keine Achtung mehr – sie mussten sich mit Anwälten herumschlagen, die sich nicht die Mühe machten, ihre Wutanfälle zu kontrollieren, und Angeklagten, die ihnen offen ins Gesicht logen.

Richter Milne, ehemaliger Staatsanwalt mit fünfzehn Jahren Erfahrung als Richter, war eine Ausnahme. Sein Gerichtsdiener, Deputy Kimura, war durch den Gerichtssaal gegangen und hatte sorgfältig Kaugummis und alte Zeitungen eingesammelt, bevor Milne hereinkam. Wenn Milnes Gericht tagte, bedeutete jede Störung und jeder andere Verstoß gegen das Protokoll Verweisung aus dem Saal oder Schlimmeres. »Der Richter«, wie er von der Gemeinde der Anwälte von Tahoe genannt wurde, die regelmäßig vor ihm erschienen, war eigentlich ein kleiner älterer Herr mit beginnender Glatze, aber in Ninas Vorstellung stand er drei Meter groß in seiner schwarzen Robe da, und seine Stimme explodierte wie ein Vulkan.

Als der Richter hereinkam, wurde es bis auf das stete Brummen der Lüftungsanlage still im Gerichtssaal, und alle erhoben sich. Obwohl der Termin zur Anhörung der Klagegründe vom vormittäglichen Sitzungsplan genommen und extra für zwei Uhr angesetzt worden war, war der Raum dicht gedrängt mit Reportern und anderen Zuschauern. Fotografen standen in der Eingangshalle vor dem Gerichtssaal herum, und vor dem Gerichtsgebäude warteten mehrere Übertragungswagen von Fernsehsendern. Die Markovs waren Privatleute, aber sie waren ungeheuer reich. Alle wollten diese Familienfehde hautnah mitverfolgen.

Am Tisch des Anklagevertreters stand Jeffrey Riesner in einem Tausend-Dollar-Anzug mit Mike Markov, während Nina mit Lindy an dem anderen Tisch Platz genommen hatte.

Nach ihrer Unterredung mit Lindy hatte Nina mehrere Tage lang versucht, mit Riesner wegen des Treffens, um das Lindy gebeten hatte, zu sprechen. Sie bekam aber nur Riesners Sekretärin an den Apparat, der es sehr Leid tat, aber Mr Riesner war unabkömmlich.

Markov, in einem kohlengrauen Anzug, der sich um seine Oberarme spannte, hatte Lindy kaum angeschaut, als sie hereingekommen war. Sie trug ein schlichtes braunes Kostüm über einer weichen beigefarbenen Bluse. Sie hatte versucht, mit Mike zu sprechen, aber Riesner hatte ihn am Arm gefasst und energisch zu seinem Stuhl geführt.

Vielleicht war es besser so. Markov war auf hundertachtzig, seine zusammengebissenen Zähne und hervortretenden Augen machten das allzu deutlich. Erst wenige Tage zuvor waren ihm Lindys Unterlagen mit ihren Antworten zugestellt worden. Offensichtlich hatte ihm nicht gefallen, was er gelesen hatte.

Rachel Pembroke saß in der ersten Reihe der Zuhörer, nah genug bei Markov, um mit ihm zu flüstern. Sie hatte die Beine in einem sehr kurzen Rock auf die unbequeme Weise übereinander geschlagen, bei der Beine am besten zur Geltung kommen, und sie genoss die Aufmerksamkeit der Reporter, die die meisten anderen Sitzplätze einnahmen. Ein langhaariger Mann in ihrer Nähe hatte nur Augen für Rachel.

»Das ist Harry Anderssen«, erklärte Lindy Nina mit leiser Stimme, »das Model unserer neuen Kampagne. Rachels Exfreund.«

Nina erkannte ihn als den Mann vom Schiff, der Rachel etwas zugerufen hatte, als sie bei Mike Markovs Party über Bord gegangen war. Sein Haar war kürzer und dunkler als das des Supermodels Fabio, aber da endete der Unterschied zwischen den beiden auch schon.

Der Richter nahm mit einer schwungvollen Bewegung Platz. Als alle sich setzten, merkte Nina, dass ihre Hände zitterten. Das war die zusätzliche Tasse Kaffee zum Mittagessen, sagte sie sich. Lindy neben ihr schaute stur geradeaus, stolz aufgerichtet, die Hände fest auf dem Tisch verschränkt. Lindys Freundin Alice, die Nina auf dem Schiff gesehen hatte, machte in der ersten Reihe hinter Ninas Tisch ein großes Getue um ihre Unterstützung, indem sie die Daumen demonstrativ in ihre Richtung hochhielt und sie anlächelte. Nina sah Riesner verstohlen an. Augenblicklich richtete er den Blick auf sie, als sei er darauf programmiert, auf den geringsten Kontakt zu reagieren.

Er lächelte sein hämisches, irgendwie dreckiges Lächeln, das ihr stets das Gefühl gab, er hegte irgendwelche sadistischen sexuellen Fantasien, in denen er es genoss, sie zu erniedrigen. Wenigstens hinderte der Anwaltstisch ihn im Augenblick daran, ihren Körper zu mustern. »Puh«, murmelte Nina und richtete ihren Blick wieder auf Milne.

»Markov gegen Markov«, sagte Richter Milne und schaute durch seine Halbbrille auf die Akte auf seinem Tisch. »Anwesende?«

»Jeffrey Riesner von Caplan, Stamp & Riesner als Vertreter des Klägers, Mikhail Markov, Euer Ehren«, sagte Riesner und richtete sich ruckartig auf. Der berühmte Kanzleiname trug zu der erwünschten Illusion bei, er und sein Mandant hätten eine ganze Armee hinter sich.

»Nina Reilly, Anwaltskanzlei Nina Reilly, als Vertreterin von Mrs Lindy Markov, der Beklagten und Gegenklägerin«, sagte Nina und erhob sich.

»Nun, dann lassen Sie mich mal sehen, was wir hier haben, in diesen Bergen von Schriftsätzen«, sagte Milne. »Wenn ich es richtig verstehe, dann hat Mr Markov Schritte unternommen, um Mrs Markov aus einem Haus, Cascade Road Nummer dreizehn, zu entfernen. Er sagt, sie ist in seinem Haus nur Gast oder bestenfalls eine jederzeit kündbare Mieterin, und er sagt, sie hat ihn bedroht. Liege ich so weit richtig, Mr Riesner?«

»Das ist richtig, Euer Ehren. Lassen Sie mich gleich zu Anfang einen bedeutenden Punkt klarstellen. Diese Dame, die sich

Mrs. Markov nennt, war zu keinem Zeitpunkt die Ehefrau meines Mandanten ...«

»Einen Augenblick noch, Herr Anwalt. Jetzt, Ms Reilly. Sie haben im Namen Ihrer Mandantin eine Erwiderung auf die bevorstehende Räumung eingereicht, in der Sie behaupten, dass Ihre Mandantin nicht gewaltsam vertrieben werden könne, da sie Mitbesitzerin des Hauses sei. Sie haben eine ziemlich ausführliche Erklärung Ihrer Mandantin eingereicht, um diese Behauptung zu stützen. Das verstehe ich. Es scheint, als hätten sie auch eine Gegenklage gegen die bevorstehende Zwangsräumungvorbereitung, die dazu geführt hat, dass das ganze Verfahren vor der nächsthöheren Instanz verhandelt wird.«

»Das stimmt, Euer Ehren. Wenn ich ...«

»Nun, diese Gegenklage erweitert die Palette der zu klärenden Fragen beträchtlich, wenn ich sie richtig verstehe. Ihre Mandantin scheint Mr Markov wegen unrechtmäßiger Kündigung verklagen zu wollen, wegen arglistiger Täuschung, Verletzung von Treu und Glauben, Bruch eines angenommenen Treuhandverhältnisses, Vertragsbruch, vorsätzlicher Zufügung emotionaler Schmerzen, *quantum meruit,* Klage auf Ruhen des Titels, Teilung auf Grund einer Buchprüfung, Einsetzung eines Zwangsverwalters, Rechtsakt mit deklaratorischer Wirkung ... ist das alles? Habe ich sämtliche Klagegründe aufgeführt?«

»Ja, Euer Ehren. Natürlich kann die Gegenklage ergänzt werden, um zu gegebenem Zeitpunkt zusätzliche Klagegründe hinzuzufügen.«

»Ich würde denken, das wären schon reichlich viele«, sagte Milne, was im Saal leises Gelächter auslöste. Sein Räuspern war lange und laut genug, um es zum Schweigen zu bringen, und dann sagte er: »Ich nehme Ihre Erklärung zur Kenntnis, dass es um eine Summe von ungefähr zweihundertfünfzig Millionen Dollar geht.« Augenblicklich erstarb das leise Lachen. Im Gerichtssaal wurde es totenstill.

Nina ließ die respektvolle Stille einen Augenblick nachklingen, bevor sie fortfuhr. »Der aktuelle Wert von Markov Enterprises kann irgendwo in diesem Bereich angesiedelt werden«, sagte sie mit ruhiger Stimme. »Wir gehen davon aus, dass Mrs Markov die Hälfte des Vermögens gehört, das sich das Paar in einer zwanzigjährigen Beziehung erarbeitet hat, einschließlich diverser Immobilien und der Firma Markov Enterprises.«

»Dann sprechen wir hier nur von hundertfünfundzwanzig Millionen Dollar?«

»Das ist in etwa die Summe, der Nachweis steht noch aus.«

»Das ist sehr viel Geld, Frau Anwältin.«

»Nein, verdammter Mist«, sagte Mike Markov hörbar auf der anderen Seite. Milne sah zu ihm hinüber, und Riesner machte »pst«.

»Darf ich, Euer Ehren?«, fragte Riesner.

»Fahren Sie fort, Mr Riesner. Bitte erklären Sie, was wir in der halben Stunde, die uns heute noch zur Verfügung steht, noch erreichen können.«

»Das ist ganz einfach«, sagte Riesner. »Ich fordere das Gericht auf, nicht zuzulassen, dass diese massive und schikanöse Gegenklage hier für Verwirrung sorgt. Was mein Mandant heute braucht, ist eine einstweilige Verfügung, dass Mrs Markov das Haus unverzüglich zu räumen hat. Beide können dort nicht wohnen, Euer Ehren, das geht aus den von uns eingereichten Unterlagen deutlich hervor, und das Haus gehört Mr Markov.

Unsere einzige andere Bitte ist, dass das Gericht Ms Markov auffordert, sich in angemessener Entfernung von Mr Markov und ihrer ehemaligen Arbeitsstelle zu halten und davon abzusehen, Kontakt zu Mr Markov aufzunehmen. An dieser Situation ist nichts Außergewöhnliches, Euer Ehren. Eine Beziehung endet, und einer der Beteiligten kann nicht loslassen. Nur darum geht es.«

»Ms Reilly? Sind Sie damit einverstanden? Sind das die Fragen, um die es heute hier geht?«

»Ich pflichte Ihnen bei, dass einige einstweilige Verfügungen alles sind, was wir im Augenblick brauchen, Euer Ehren. Aber wir sind der Ansicht, das Gericht sollte anders lautende Verfügungen erlassen. Ms Markov ersucht darum, dass man ihr allein das Haus der Parteien überlässt, vorbehaltlich weiterer Verfügungen des Gerichts. Ferner …«

»Dann lassen Sie uns über das Haus sprechen. Mr Riesner?«

Riesner stürzte sich in seine Beweisführung. Er räumte ein, dass es eine lange Beziehung war, aber alle guten Dinge enden einmal. Ms Markov hatte sich hartnäckig geweigert, das Haus zu verlassen, und es gehörte Mr Markov. Sie hatte niemals Miete gezahlt, also stand das nicht zur Debatte. Mr Markov brauchte eine einstweilige Verfügung, weil ein Großteil seines Geschäfts von einem Büro im Haus aus geführt wurde. Außerdem befand sich dort eine Werkstatt, in der er an einem neuen Produkt mit einer knappen Produktionsfrist arbeitete.

Milne nickte, während er ihm zuhörte. Diese gewichtigen, objektiven Gründe drückten logisch die Beweggründe aus, Lindy vor die Tür zu setzen.

Riesner fuhr fort. Mr Markov war großzügig bereit gewesen, Ms Markov die nächsten sechs Monate eine Wohnung oder ein Hotelzimmer in der Stadt zu zahlen, aber es war offensichtlich, dass Ms Markov entschlossen war, Mr Markov dranzukriegen, sodass dieses Angebot zurückgezogen worden war. Mr Markov war bereit, Ms Markov achtundvierzig Stunden zu geben, um ihre persönliche Habe zu entfernen, aber auf Grund der eifersüchtigen und aggressiven Haltung von Ms Markov, die dazu geführt hatte, dass sie eine Freundin von Mr Markov sowie Mr Markov selbst angegriffen hatte, sollte eine weitere Verfügung erlassen werden, die ihr untersagte, das Haus – offen gesagt – zu verwüsten. Ein Sicherheitstrupp von Markov Enterprises sollte sie beim Packen beaufsichtigen.

In einem Schauer von Schlagworten entwarf Riesner seine Vorstellung des Falls. Die verstoßene, unberechenbare, eifersüchtige Freundin. Der wichtige Geschäftsmann. Ergreifende, tränenreiche Szenen, gefolgt von Drohungen, als ihr klar wurde, dass er es ernst meinte. Sentimentale weibliche Gefühle, die nicht vor Gericht gehörten.

»In Ordnung«, sagte Milne. »Ms Reilly? Ich nehme zur Kenntnis, dass Ihre Mandantin nicht behauptet, mit Mr Markov verheiratet zu sein. Ich entdecke in den Unterlagen auch keine schriftlichen Beweise dafür, warum sie einen Besitzanspruch an dem Haus geltend macht. Würden Sie bitte zuerst auf diese Punkte eingehen?«

»Obwohl die Parteien nie einen Trauschein erwarben, haben sie sich als verheiratet betrachtet, Euer Ehren. Ms Markov ist seit zwanzig Jahren Mr Markovs Frau in jedem Sinne des Wortes, mit Ausnahme des formaljuristischen.«

»Aber der formaljuristische Aspekt ist der, mit dem wir uns beschäftigen, oder?«

»Keineswegs«, sagte Nina. »Die Klage beruht auf einer anderen Grundlage. Ms Markov besitzt die Hälfte des Hauses, weil die Parteien sich vor zwanzig Jahren einig waren, beim Aufbau von Markov Enterprises als Partner zusammenzuarbeiten und die Früchte ihrer Arbeit fünfzig-fünfzig zu teilen. Das Haus wurde von den Parteien gemeinsam gekauft, und Ms Markov hat genauso lange dort gelebt wie Mr Markov. Auch sie lebt dort und verfolgt ihre geschäftlichen Interessen von dort aus.«

Riesner unterbrach sie. »Durch die Behauptung wird es nicht wahr, Euer Ehren. Sie hat kein einziges schriftliches Beweisstück dafür vorgelegt, dass ihre Mandantin Geschäftspartnerin von Mr Markov war. Und, ich bin ungern so schroff, aber welche geschäftlichen Interessen verfolgt diese Dame denn? Da sie nicht mehr bei Markov Enterprises arbeitet …«

»Das wird sich noch herausstellen«, sagte Nina.

»Da sie im Augenblick arbeitslos ist«, sagte Riesner lauter und übertönte Nina, »wüsste ich gerne, über welche geschäftlichen Interessen wir hier sprechen, abgesehen von den sehr offensichtlichen, Mr Markov zu schröpfen …«

»Zumindest versuche ich nicht, die Frau zu zerstören, die mir half, mich unterstützte und mich zu dem machte, was ich bin«, sagte Nina laut.

»Oh, bitte. Euer Ehren, kommt jetzt so eine Art emotionaler Ausbruch? Wird die Rechtsanwältin jetzt weinen, bis sie ihren Willen bekommt?«

Nina klammerte sich so fest an den Anwaltstisch, dass ihr die Knöchel wehtaten. Sie war so wütend, dass sie kein Wort herausbekam.

Es spielte keine Rolle. Milne hatte sich schon entschieden. »Frau Anwältin«, sagte er in ungewohnt freundlichem Ton zu Nina, »das Einzige, was hier als Beweis für den Besitzanspruch vorliegt, ist ein Grundbucheintrag für das Haus. Einer solchen Urkunde muss großes Gewicht beigemessen werden. Sie wiegt mehr als bloße Worte. Das ist einer der Grundsätze des Grundbesitzrechts. Die Parteien können eindeutig nicht mehr zusammenleben. Zumindest bis es eine abschließende Lösung für die Forderungen gibt, die Sie in Ihrer Gegenklage aufgestellt haben, muss einer von beiden gehen. Derjenige, der bleibt, muss derjenige sein, auf dessen Namen das Haus im Grundbuch eingetragen ist.

Das Gericht gibt dem Gesuch, das auf der Aufforderung, die Klagegründe vorzutragen, basiert, statt. Und ich gebe auch dem Antrag auf einstweilige Verfügung statt, um in einer, wie es scheint, sehr brisanten Situation für Frieden zu sorgen. Und jetzt lassen Sie uns fortfahren. Was haben wir noch?«

Ohne großes Getue zog sich Lindy einen goldenen Ring vom Finger und ließ ihn in ihre Handtasche fallen. Mike Markov beobachtete sie von gegenüber. Nina sagte: »Wir fordern, dass Mrs Markov erlaubt wird, weiterhin bei Markov Enterprises zu arbeiten, bis in dieser Sache ein Urteil ergeht.«

Milne hob eine Hand, um sie zu unterbrechen, und sagte: »Ich glaube nicht, dass wir das hier lange erörtern müssen, Frau Anwältin. Ich habe Ihre Argumente hierzu gelesen und finde sie nicht überzeugend. Falls Mrs Markov unrechtmäßig gekündigt wurde, wird das zu gegebener Zeit vom Gericht in umfassender Weise berücksichtigt und das bis dahin ausstehende Gehalt ausgezahlt.«

»Eigentlich ist sie keine Angestellte, Euer Ehren. Sie ist Miteigentümerin.«

»Mr Riesner? Was sagen Sie dazu?«

»Das ist nur ein weiterer Appell an Ihr Mitleid, Euer Ehren. Die Aktienzertifikate befinden sich in Ihren Akten. Sie besitzt nicht einen einzigen Anteil.«

»Wir machen dagegen geltend, dass dem so ist, weil Mr Markov sie betrogen hat, Euer Ehren!«

»Also, ich nehme Ihr Argument zur Kenntnis«, sagte Milne. »Leider ist dieser Sachverhalt strittig. Auf Grund dessen, was mir heute vorliegt, ist es nicht sehr wahrscheinlich, dass Ihre Mandantin in diesem Punkt gewinnen wird. Dem Gesuch der Beklagten, weiterhin arbeiten zu können und ihr Gehalt ausgezahlt zu bekommen, wird nicht stattgegeben, solange das Verfahren anhängig ist. Ich glaube, damit wären die einstweiligen Fragen geklärt, die in ihrem Antrag aufgeworfen wurden, Mr Riesner. Jetzt, Ms Reilly. Ich glaube, Sie hatten um eine weitere Reihe von Verfügungen ersucht. Verbunden mit der Behauptung, dass zwischen den Parteien eine Partnerschaft existiert. Fahren Sie fort. Die Zeit wird knapp.«

Riesner schenkte dem Richter sein altbekanntes kriecherisches Lächeln. Markov richtete sich in seinem Stuhl auf, beobachtete die Verhandlung und warf ab und an einen raschen Blick auf Lindy, als wollte er ihre wahre Absicht ergründen. Alles, was Nina noch blieb, war ein kühner Versuch. Sie nahm sich einen Augenblick Zeit, um ihre Gedanken zu sammeln. Sie war sich der runden Leuchten, die den höhlenartigen Raum mit seiner Täfelung, den grün gestrichenen Wänden und der unruhig hin und her rutschenden, schweigenden Menge von Zuschauern in ein kränklich gelbes Licht tauchten, allzu bewusst.

»Gut«, sagte sie. »Dem Gericht liegen eine Urkunde und ein paar Aktienzertifikate vor, und Ms Markov kann zu diesem Zeitpunkt in Bezug auf diese Streitfragen kaum etwas anderes vorweisen als ihr Wort. Aber es gibt noch eine Streitfrage, mit der wir uns beschäftigen müssen, Euer Ehren, und zwar dringend und ernsthaft.«

»Zur Hölle!«, sagte Markov verächtlich vom Anwaltstisch, und wieder lehnte Riesner sich zu ihm hinüber und sagte: »Halten Sie den Mund!«, bevor Milne dazu kam.

»Sehr dringend«, wiederholte Nina. »Es ist Folgendes, Euer Ehren. Ms Markov hat erfahren, dass Mr Markov Vermögensgegenstände veräußert. Er hat letzte Woche Verträge unterzeichnet, um zwei Lagerhäuser und eine Wohnung in New York an eine Holdinggesellschaft in Manila zu verkaufen, die so neu ist, dass ich bei der Börsenaufsicht nicht die geringsten Informationen darüber bekommen konnte, Euer Ehren. Wenn er in dem Tempo weitermacht, hat er zu dem Zeitpunkt, zu dem eine abschließende Verhandlung zu all diesen Angelegenheiten stattfindet, einen Großteil des Vermögens von Markov Enterprises ins Ausland transferiert. Damit verliert Mrs Markov das Recht, dass diese Angelegenheiten in einem Gerichtsverfahren entschieden werden.«

Nina fuhr mit ihrer Beweisführung fort. Sie erklärte Milne, dass sie wenig über diese Transaktionen wusste, weil sie kaum einen Einblick hatte, was bei Markov Enterprises vor sich ging. Sie hatten keine Zeit gehabt, zu untersuchen, was Mike Markov im Schilde führte. Nach dieser Anhörung würde Lindy keinen Zugang zu den Geschäftsakten haben, mit Ausnahme der Unterlagen, die man Nina Stück für Stück im Laufe ihrer Ermittlungen herausgeben musste. Diese Informationen wären aber zensiert und unvollständig. Selbst wenn das Gericht ein Unterlassungsurteil erließ, das es Mike Markov verbot, Teile des Vermögens ins Ausland zu transferieren, sollte die riesige Summe, um die es ging, genügen, um das Gericht davon zu überzeugen, dass Lindy Markov ein Recht hatte, dass das Vermögen geschützt wurde, bis gerichtlich über ihre Forderungen entschieden war.

Milne sah in offensichtlicher Erwartung seiner nachmittäglichen Pause auf die Uhr an der Wand über der Geschworenenbank. Nina gefiel es nicht, ihre Zuhörerschaft zu verlieren.

»Daher ersuchen wir das Gericht, anzuordnen, dass Markov Enterprises vorläufig einen Zwangsverwalter bekommt«, sagte sie lauter als gewöhnlich, in dem Versuch, die Aufmerksamkeit des Richters zurückzugewinnen, »einen amtlich zugelassenen Wirtschaftsprüfer von der Liste, die wir dem Gericht zur Verfügung gestellt haben, um eine Aufstellung des Umsatzes und der Verbindlichkeiten des Unternehmens zu erstellen und dafür zu sorgen, dass kein Geld verschwendet wird«, sagte Nina.

»Mr Riesner?«, sagte Milne.

Riesner lächelte nur, obwohl Mike Markov aussah, als wäre er bereit, mit bloßen Fäusten auf Nina loszugehen. »Nun«, sagte Riesner mit einer wegwerfenden Handbewegung, als verscheuche er eine lästige Fliege, »ich weiß kaum, was ich darauf erwidern soll, so kapriziös ist dieser Antrag. Das würde sich sehr nachteilig auf die Firmen auswirken und dient offenkundig nur dem einen Zweck, meinen Mandanten zu schikanieren und zu quälen …« Er wusste, er hatte es so gut wie in der Tasche, und nahm den Tonfall anmaßend weltmännischer Gewandtheit an, bei dem Nina ihm am liebsten jedes Mal ihr Gesetzbuch auf den Kopf geknallt hätte.

Stattdessen machte sie Notizen.

Dann unterbrach Mike Markov, der auch zu glauben schien, sie hätten die Sache erfolgreich erledigt, seinen Anwalt. »Das ist ein Haufen Scheiße«, übertönte er Riesners Stimme.

Alle Blicke richteten sich auf ihn. Er zitterte vor Wut.

Riesner erstarrte mitten im Wort, und Milne fragte scharf: »Was haben Sie gesagt, Sir?«

Rachel Pembroke beugte sich vor und berühre Mike am Arm,

eine vergebliche Geste, um ihn zu beruhigen. Als er den Arm mit einem Ruck wegzog, zuckte sie erschrocken zurück.

»Das ist Scheißdreck«, sagte Mike. »Das ist es. Lindy will nicht meine Firma. Sie will mich zurück. Das kann ich akzeptieren. Aber glauben Sie nicht, ich wüsste nicht, wer dafür verantwortlich ist, ihr diese Idee in den Kopf zu setzen.« Er warf Nina einen wütenden Blick zu, dann drehte er sich um, sodass er den Richter und das Publikum gleichermaßen im Blick hatte. »So funktioniert es. Wenn ich meine Firma für einen Elefanten an den König von Siam verkaufen will, dann mache ich den Handel. Niemand, aber auch wirklich niemand außer mir führt meine Firma. Lieber sorge ich dafür, dass ich Bankrott gehe, bevor ich das zulasse. Das ist meine Antwort.«

Jemand im Publikum applaudierte und sagte: »So ist's recht!« Riesner bückte sich und redete flüsternd auf Mike ein.

Milne sah von Mike zum Publikum. Dann stand er langsam auf und beugte sich vor. Nina hatte noch nie erlebt, dass er die Geduld verlor.

»Sie machen also damit, was sie wollen?«, sagte er bedächtig zu Mike, als habe er vor, ihn noch weiter zu treiben.

»Da haben Sie verdammt Recht, genau das mache ich«, sagte Mike und stand auf.

Riesner zog ihn wieder auf seinen Stuhl zurück, und obwohl er immer noch vor streitlustiger Wut kochte, schien Mike endlich zu begreifen, dass er einen großen Fehler gemacht hatte.

»Ich möchte für Mr Markov um Entschuldigung bitten«, setzte Riesner an, aber Milne unterbrach ihn.

»Sie werden diesen treuhänderischen Zwangsverwalter bekommen, Mr Markov«, sagte Milne. »Der Zwangsverwalter wird dafür sorgen, dass keine Geschäftsanteile verkauft oder transferiert werden, bis auf weitere Anweisung des Gerichts. Der Zwangsverwalter wird eine Abrechnung über jedes Zehn-Cent-Stück erstellen, das Sie einnehmen oder ausgeben. Haben Sie das verstanden, Sir?«

»Euer Ehren, bitte – das ist nicht fair –, wir ersuchen darum ...«, flehte Riesner verzweifelt.

»Ist das klar, Mr Markov«, fragte Milne, ohne sich die Mühe zu machen, ein Fragezeichen dahinter zu setzen.

»Sehr klar«, antwortete Riesner.

»Hiermit wird der Gerichtsbeschluss verkündet. Das Gericht vertagt sich auf Viertel vor vier.«

Wieder erhoben sich alle im Gerichtssaal. Riesner setzte sich. Er sah Mike Markov an. Nina griff nach Lindys Arm und sagte: »Kein Wort, bis wir draußen sind.« Lindy nickte. Die Reporter stürmten auf sie zu, und Deputy Kimura wies mit dem Kopf auf die Tür neben der Geschworenenbank, die zu einem der Öffentlichkeit nicht zugänglichen Flur und an den Büros der Justizbeamten vorbei zu einem Seitenausgang führte. Nina und Lindy liefen zu der Tür, verfolgt von mindestens einem Dutzend Menschen. Sobald sie draußen waren, schloss der Deputy die Tür hinter ihnen.

Sie gelangten in die Halle, plauderten mit den Justizbeamten, dann gingen sie, ohne weiter belästigt zu werden, hinaus zum Parkplatz und stiegen in Ninas Bronco. Als sie losfuhren, bemerkte sie einen Tumult an der Ausfahrt am südlichen Ende des Parkplatzes.

»Was ist denn das für ein Geschrei?«, sagte Lindy. »Oh, nein! Sehen Sie!«

Nina reckte den Hals und sah, dass einige Autos dort stehen geblieben waren. Alle Fernsehkameras waren auf zwei Männer in Anzügen gerichtet, die sich gegenüberstanden. »Das sind Mike und Harry, Rachels Exfreund«, sagte Lindy.

Mike Markov stand absolut reglos auf einem freien Platz zwischen Bäumen, und Harry schrie ihm ins Gesicht.

»Harry sah im Gericht heute ziemlich wütend aus«, sagte Lindy und kurbelte ihr Fenster runter. »Was für eine Vergeudung. Er muss immer noch viel für Rachel übrig haben.«

Nina erblickte Rachel in der Menschenmenge, die sich um

die beiden Männer gebildet hatte. Sie drängte sich nicht in den Mittelpunkt, hörte aber konzentriert zu.

»Sie dämlicher Schläger«, sagte Harry voller Verachtung zu Mike. Sie konnten jedes Wort deutlich verstehen.

»Harry«, sagte Mike, »warum halten Sie nicht das Maul? Das ist nicht der richtige Ort zum Streiten.«

»Armer Mike«, sagte Lindy. »Er wird Typen wie Harry nie verstehen. Für Harry ist eine Kamera eine Einladung.«

»Sie und Ihr gottverdammtes Geld«, sagte Harry. »Sie glauben, Sie hätten's geschafft. Sie glauben, Sie könnten sie kaufen!«

Mike schwieg, doch seine angeschwollenen roten Halsmuskeln verrieten Nina und Lindy, wie wütend er war.

»Wie viel geben Sie ihr, Mike? Eine Million? Mehr? Wie viel versprechen Sie ihr, damit sie ein ganzes Jahr lang das Frauchen an Ihrer Seite mimt? Bekommt sie einen Bonus, wenn sie es zwei Jahre aushält? Machen reiche alte Scheißer das heutzutage nicht so mit hübschen jungen Dingern? Kaufen sie?«

»Sie machen einen Fehler, Harry.«

»Nein, Sie machen den Fehler. Weil sie nämlich mich liebt, Mike. Ihr Geld wird daran auf lange Sicht nichts ändern. Sie kommt zu mir zurück, wenn sie ein bisschen erwachsener geworden ist und erkennt, auf was sie sich da eingelassen hat. Aber Sie begreifen's nicht, bis sie geht, nicht wahr? Weil Sie alt sind und eitel und viel zu viele Schläge auf die Birne bekommen haben, um zu begreifen, wie es wirklich ist.«

So schnell, dass sein Arm fast vor ihren Augen verschwamm, holte Mike zu einem Schlag aus, aber bevor er Harry traf, griffen zwei uniformierte Polizisten nach ihm. Sie zogen ihn zurück und führten ihn weg. Auf dem Patio vor dem Gerichtsgebäude blieben sie stehen und setzten ihn auf eine Bank. Einer stellte sich vor ihn, verschränkte die Arme über der Brust und sagte irgendetwas. Nina konnte sich vorstellen, welche Lektion er ihm erteilte.

»Sieht nicht so aus, als würden sie jemanden verhaften«, sagte Lindy erleichtert.

Ein anderer Polizist begleitete Harry zu seinem strahlend gelben Auto. Ein paar Sekunden später schoss er an Nina und Lindy vorbei und sah dabei so schön aus wie die schnell vorbeifliegenden Farben einer Plakatwerbung.

»Worum ging's bei dem Ganzen?«, fragte Nina.

»Rachel. Sie haben sich um Rachel gestritten. Sie ist jetzt der Mittelpunkt.«

»Harry hat Glück, dass Mike keinen Schlag auf seinem makellosen Kinn gelandet hat«, meinte Nina.

»Das wäre seiner Karriere als Model nicht gerade zuträglich«, hänselte Lindy.

»Arbeitet er nicht bei Markov Enterprises?«

»Nicht mehr. Er war mein Marketingassistent, aber Mike hat ihn vor kurzem rausgeworfen. Ich schätze, er hat rausgefunden, dass zwischen Harry und Rachel was läuft.«

»Haben Sie nicht gesagt, er hat bei Ihrer neuen Werbekampagne gemodelt?«

»Ja! Er hat bei uns nicht als Model angefangen, aber es ist kaum zu übersehen, wie gut er aussieht. Vor ein paar Jahren haben Mike und ich eines Abends darüber nachgedacht, wie man ein paar Wege abkürzen könnte. Wir begannen, Fotos von Harry in all unseren Printmedien zu benutzen, und da kam das Geschäft richtig auf Touren. Andere Firmen sahen ihn und fanden ihn auch gut. Inzwischen ist er sehr gefragt. Wir haben gerade noch ein paar Spots fürs Fernsehen fertig gedreht, bevor Mike ihn rausgeworfen hat.« Lindy schaute in den Seitenspiegel. »Lassen Sie uns fahren. O Gott. Da kommen die Ü-Wagen vom Fernsehen«, sagte sie.

»Einen Moment.« Nina bog in eine Straße ein und fuhr in Richtung Al Tahoe, den Rückspiegel immer im Auge behaltend. Sie fuhren im Zickzack durch die Einkaufsstraßen und auf einem anderen Weg wieder zurück.

»Ein anregender Tag«, meinte Lindy.

»Ja. Dramatischer als gewöhnlich, sogar vor Gericht«, sagte Nina und stellte erleichtert fest, dass ihnen niemand zu folgen schien. Sie dachte an das, was tagsüber passiert war. Markov und Milne hatten beide verloren. Und wenn sie nicht über sentimentale Gefühle nachgedacht hätte, hätte sie sich nicht auf die Wut konzentriert, die dort wie ein Sturm getobt hatte und die immer im Gerichtssaal kreiste, wie ihr jetzt, wo sie darüber nachdachte, klar wurde. Aber Wut fand niemand sentimental, weil Wut sehr männlich war.

»Sie werden ganz schön emotional«, sagte Lindy, »nicht wahr?«

Nina lachte. Die nächsten paar Blocks lauschten sie dem Radio, während Nina grübelte und Lindy sich müde zurücklehnte.

»Heute hat niemand gewonnen«, sagte Lindy und unterbrach das Schweigen. »Ich habe mein Zuhause verloren, und er wird die Kontrolle über das Geschäft verlieren.«

»Das stimmt.«

»Mit anzusehen, wie Mike vor Gericht explodiert ist, hat mich ganz schön schockiert. Kein Wunder, dass er Harry hinterher fast das Gesicht zerschlagen hat. Er ist wie ein Fremder, nur ab und zu blitzt noch etwas von dem alten Mike auf. Ein Zwangsverwalter wird ihn in den Wahnsinn treiben. Er will immer alles im Griff haben.«

»Ihre Interessen werden gewahrt«, sagte Nina. »Das war richtig.«

»Vielleicht juristisch gesehen. Aber plötzlich geht es nicht mehr um Mike und Lindy«, sagte sie traurig. »Alles reduziert sich nur aufs Geld.«

Darauf hatte Nina keine Antwort, also konzentrierte sie sich auf das Fahren.

»Nina?«, meinte Lindy.

»Ja?«

»Habe ich wirklich nur zwei Tage Zeit, um auszuziehen?«

»Ich fürchte, ja.«

»Würden Sie mir dann bitte einen Gefallen tun?«

»Natürlich.«

»Kommen Sie morgen vorbei. Ich möchte Ihnen etwas zeigen.«

5

Nachdem sie Lindy am Firmenparkplatz abgesetzt hatte, wo deren Auto stand, fuhr Nina gleich weiter zu ihrem nächsten Termin. Das erste Mal seit Monaten schaltete sie die Heizung ein und kurbelte die Fenster gegen den staubtrockenen Geruch des Herbstes hoch. Auf dem Parkweg zwischen der Straße und dem See bewegte sich ein gleichmäßiger Strom von Joggern und Skatern. Die hohen Zirruswolken ließen nur wenige Sonnenstrahlen durch, und die Oberfläche des Sees wurde vom Wind gekräuselt.

Sandy wartete nach dem Mittagessen mit einigen Mandanten auf sie. Sie folgte Nina in deren Büro und sagte: »Endlich hat Winston Reynolds Assistentin zurückgerufen. Sie sagt, er kann dich heute Abend erst um acht Uhr treffen.«

»Er ist hier in der Stadt?«

»Er ist in L.A.«

»Das kann doch nicht klappen. Der Flughafen in Tahoe ist für kommerzielle Flüge gesperrt, selbst wenn es Direktflüge geben würde. Bis zum Flughafen in Reno sind es achtzig Kilometer. Soll er morgen mit mir sprechen.«

»Er steckt mitten in einem Prozess. Seine Assistentin sagt, er bemüht sich sehr, das Abendessen heute freizuschaufeln, aber du musst runterfahren.«

»Ich könnte eine Maschine chartern«, sagte Nina. Von Natur

aus sparsam, sträubte sich alles bei dem Gedanken, andererseits war es nicht die Zeit, um Pfennige umzudrehen. »Ruf den Flughafen an, und frag, ob ich eine Maschine chartern kann.« Sie ging an ihren Schreibtisch und fühlte sich großartig, dann zog sie ihre geschäftlichen Kontoauszüge hervor, die gar nicht so großartig aussahen. Wie lange würden fünfundzwanzigtausend Dollar reichen? Wie konnte sie Riesner Winston Reynolds wegschnappen, ohne einen großen Packen Geld auf den Tisch zu legen?

Sie brauchte ihn. Sie würde sich etwas ausdenken.

»Sechshundert hin und zurück«, sagte Sandy. »Um achtzehn Uhr. Du bist um neunzehn Uhr da. Der Pilot wartet im Flughafen von Los Angeles, bis du fertig bist.«

Nina raste zur Schule und riss Bob aus einem Straßenhockeyspiel, das er mit Freunden auf einem Asphaltfeld spielte. Natürlich wollte er nicht mitkommen und schmollte auf dem Weg nach Hause, und als sie ihm eröffnete, dass er bei Matt und Andrea übernachten würde, knurrte er sie an. »Da gibt es keinen einzigen ruhigen Platz, an dem ich meine Hausaufgaben machen kann«, sagte er. »Troy hat immer weniger auf als ich, und dann spielt er mit Bree. Ich hab da keinen Schreibtisch. Ich bin alt genug, um allein zu Hause zu bleiben.«

»Aber nicht über Nacht«, sagte Nina automatisch. »Und es tut mir Leid, dass das an einem Wochentag sein muss. Aber ich mache es am Wochenende wieder gut.«

»Wie?«, fragte Bob, als sie vor dem Haus anhielten.

»Wie wär's mit einer Radtour um das Baldwin- und das Pope-Haus?«

»An welchem Tag? Ich hab noch ein Projekt für Bio.«

»Sonntagnachmittag. Versprochen. Versuch, dein Projekt am Samstag fertig zu machen.«

»Mom, versprich nichts, was du nicht halten kannst. Wie stehen die Chancen?«

»Alter Zyniker«, sagte sie. »Du hast ja Recht. Es ist kein Versprechen, aber ich werde mein Bestes tun. Tue ich das nicht immer?«

Bob lenkte ein, und zusammen stiegen sie die Stufen zur Veranda hoch. Sie hängte ihr neues, teures himmelblaues Kostüm in ihren Kleidersack, warf ein paar Strumpfhosen und passende Pumps hinterher und half Bob, seinen Rucksack mit Büchern voll zu stopfen. Dann rief sie Andrea an, aber Matt war dran.

»Matt, es ist mir peinlich, euch darum zu bitten, aber ich sitze in der Klemme«, sagte sie ohne weitere Einleitung.

»Hi«, sagte Matt. »Und wie geht es dir?«

»Bin in Eile. Tut mir Leid.«

»Was ist los?«

»Kannst du mir einen Gefallen tun?«, fragte Nina. »Mir kommt's so vor, als ob ich dich dauernd um etwas bitten würde.«

»Du hörst dich so schuldbewusst an.«

Sie war schuldbewusst. Sie hatte Andrea und Matt noch nicht gesagt, wie unendlich dankbar sie für alles war, was die beiden für Bob und sie getan hatten, seit sie nach Tahoe gekommen waren – ohne Freunde und mehr oder weniger mittellos. Sie hatten ihnen das gegeben, was in ihrer Situation das Beste war: ein Zuhause für die allein erziehende Mutter und den verwirrten Jungen.

»Ich würde nicht darum bitten, aber bei euch ist es einfach am besten für Bob. Ich muss heute Nacht geschäftlich weg.«

»Weißt du, wenn du sagst, du würdest nicht darum bitten, dann fühle ich mich schlecht. Wenn wir irgendwas nicht wollen, dann sagen wir es dir, versprochen. Und du musst versprechen, dass du uns immer wieder bittest, jederzeit und um alles, okay?«

Lindy schätzte ihre Freundinnen, aber Nina schätzte ihre Familie. »Du bist der Beste. Kann ich ihn um vier bei euch absetzen?«

»Sag ihm, heute ist Taco-Abend. Das wird ihm gefallen.«

Eine Pilotin, freundlich und höflich, flog die sportliche kleine zweisitzige Cessna. In den Ledersitz gelümmelt und aus dem Fenster auf die Lichter des Tahoe-Tals blickend, die sich funkelnd unter ihr ausbreiteten wie ein edelsteingeschmückter indianischer Teppich, beschloss Nina, nie wieder Economy-Klasse zu fliegen. Sie könnte sich an so ein Leben gewöhnen ...

Sie war entspannt, als sie in Los Angeles aus dem Flugzeug stieg. Nachdem ein Angestellter der Autovermietung ihr sagte, dass es eine kleine Verspätung geben würde, schnappte sie sich in einer Bar, die sich als Restaurant ausgab, eine große Cola. Sie setzte sich auf einen Hocker an den schwarzen Fenstern, die auf die Landebahnen hinausgingen, und beobachtete ein paar einsame Geschäftsreisende, die sich an ihre Drinks schmiegten wie an eine Geliebte, sah zu, wie ein Dutzend Flugzeuge startete und landete, ohne abzustürzen, und staunte über all die zerbrechlichen kleinen Menschen, die dort hineingestopft worden waren.

Sie ging zur Damentoilette, zog ihre übliche Reisekleidung aus – weiche Leggings und einen Pullover – und streifte das enge Kostüm, die Nylonstrümpfe und Pumps, die sie mitgebracht hatte, über. Vor dem Spiegel trug sie reichlich Make-up und einen roten Lippenstift auf. Da sie in L.A. war, würde sie es halten wie die Leute in L.A. Überhaupt machte es ihr ab und an Spaß, sich in eine schillernde Fremde zu verwandeln.

Sie stellte sich bei der Autovermietung an und sah sich eine Karte des Irrgartens von Schnell- und Ausfallstraßen an, die sie auswendig lernen musste, wenn sie sich mondän nur ein wenig verspäten wollte. Das Auto, ein strahlend blauer Neon mit türkisfarbener Innenausstattung, lag flach auf der Straße und war spritzig wie ein Sportwagen. Sie mischte sich unter die Millionen Autos, die durch diese Arterien in die Nacht flossen, ein weiteres buntes Blutkörperchen des Lebenssaftes von Los Angeles.

Sie drehte das Radio auf und ließ die Musik, einen Song mit tiefen Bässen, durch sich hindurchfließen, bis zu den Zehen in den hochhackigen Schuhen. Ihr ganzes Leben war sie eine Leiter hochgeklettert, rein aus Gewohnheit und ohne groß drüber nachzudenken, und dabei war sie öfter abgerutscht, als ihr recht gewesen war. Zum ersten Mal hatte sie nun einen Blick auf die Spitze erhascht. Und dort, ganz oben, wartete die Belohnung, schimmernd und leuchtend, ein glänzender Berg aus Gold – das Geld der Markovs.

Ein Teil dieses Geldes, und sie hätte ausgesorgt. Sie könnte das Haus gleich kaufen, oder vielleicht ein größeres und besseres, und schließlich doch ein etwas beständigeres Leben führen, wie Bob es brauchte. Sie könnte weniger arbeiten, mehr für ihn da sein, vielleicht auch offener für eine Beziehung sein, und ein Mann könnte dauerhaft in ihr und Bobs Leben treten. Sie könnte Bob all die Sachen kaufen, die sie sich jetzt nicht leisten konnte, die teuren Sportschuhe, die er sich wünschte, die Software, die außerhalb ihrer Möglichkeiten lag, und all die Tickets, die er sich wünschte, um seinen Vater in Europa zu besuchen. Vielleicht würde sie sich sogar in die Mutter verwandeln, die sie sein wollte: geduldig, großzügig und aufmerksam.

Sie parkte vor dem Hotel, in dem das Yamashiro Restaurant residierte, und händigte dem Hotelboy die Schlüssel aus.

Der Oberkellner erwartete sie bereits. Er führte sie am regulären Restaurant vorbei – wo Gläser klirrten und Leute sich gedämpft unterhielten und die Geräusche und Farben so zurückhaltend und ausgewogen waren wie in einem japanischen Tempel – in einen durch Bambusrollos abgetrennten Raum.

Ein etwa hundertneunzig Zentimeter großer schwarzer Mann, jedenfalls mindestens dreißig Zentimeter größer als sie, erhob sich und streckte ihr eine große, mit einem Diamantring geschmückte Hand entgegen.

»Ich weiß es zu schätzen, dass Sie sich für mich Zeit genommen haben«, sagte sie.

»Oh, ich bitte Sie.« Ein Hauch von Rasierwasser und Hemdstärke umgab ihn. »Auf diese Art komme ich dazu, an etwas anderes zu denken als den aktuellen Fall. Wir stehen seit zwei Wochen vor Gericht. Ich hatte vergessen, dass es da draußen auch eine Welt gibt und schöne Frauen, die etwas von mir wollen, und sei es auch nur juristischen Beistand.«

Mit seiner tiefen, bezwingenden Stimme und seinem athletisch kräftigen Körperbau flößte Winston Reynolds sofort Vertrauen ein. Er trug eine Brille mit einem silbernen Gestell, einen dunkelblauen Anzug und eine purpurrote Krawatte, das übliche Outfit vor Gericht. Mit seinen etwa fünfundvierzig Jahren hatte er leichte Geheimratsecken, die eine hohe braune Stirn freilegten. Die auf eine Serviette gekritzelten Notizen ließen erkennen, dass er sich beschäftigt hatte, während er auf sie gewartet hatte, zweifellos notierte er nach dem langen Verhandlungstag Einzelheiten, die er nicht vergessen wollte, aber er schien nicht so erschöpft zu sein, wie sie erwartet hätte. Tatsächlich hatte er ihr in die Augen gesehen, seit sie durch die Tür getreten war. Sie sah sein Interesse und wischte es beiseite. Er gab zu viele sachliche Gründe dagegen, heute Abend ihren Charme spielen zu lassen.

»Dies ist ein wunderbares Restaurant«, sagte Nina, zog ihren Rock zurecht und stellte den immer gegenwärtigen Diplomatenkoffer ab.

»Ja, allerdings. Damit verwöhnen Sie mich wirklich. Bitte danken Sie Ihrer großzügigen Mandantin in meinem Namen.« Er hatte bereits Wein bestellt, schenkte ihr ein Glas ein und sah sie offen und bewundernd an. »Lassen Sie mich jetzt gleich sagen, wie sehr ich es zu schätzen weiß, dass Sie hierher geflogen sind, nur um mich heute zum Abendessen auszuführen.« Er trank einen Schluck Wein. »Meine Mama hätte ihre helle Freude an dieser Situation, eine Frau wie Sie, die mich umwirbt. Dad auch, Friede sei seiner Frauen liebenden Seele.«

Ein Kellner erschien nahezu lautlos, bevor sie ihm antworten konnte, und sie bestellten. Das Restaurant hatte eine große Auswahl frischen Fisch zu bieten. Nina hätte gerne Shrimps genommen, aber die waren manchmal so schwierig zu essen. In der

Hoffnung, sich dann besser auf Reynolds konzentrieren zu können und nicht darauf, dass sie sich nicht ihr bestes Kostüm mit Sauce bekleckerte, bestellte sie Rindfleisch. Reynolds nahm Ente.

Er lehnte sich zurück, schwenkte den Wein in seinem Glas, blickte in die tiefrote Flüssigkeit und schenkte ihr ein kleines Lächeln. »Erzählen Sie mir von dem Markov-Fall«, sagte er.

»Ich werde Ihnen das erzählen, was ich kann, ohne die gesetzliche Schweigepflicht des Anwalt-Mandanten-Verhältnisses zu brechen. Lindy Markov lebte mit Mike Markov als seine Ehefrau zusammen. Sie arbeiteten zwanzig Jahre lang Seite an Seite und bauten aus dem Nichts ein Unternehmen auf. Diese beiden wesentlichen Fakten sind unbestritten.«

»Ich dachte, alles liefe auf seinen Namen. Ihre Sekretärin hat meiner Assistentin gegenüber ein paar Einzelheiten fallen lassen. Ich hoffe, es macht Ihnen nichts aus.«

»Er hat alles auf seinen Namen eintragen lassen, und sie war damit einverstanden, weil sie sich geeinigt hatten, alles zu teilen.«

»Sagt sie.«

»Ja, und das wird sie vor Gericht unter Eid aussagen.«

»Hat sie irgendwas Schriftliches?«

»Sie müssen verstehen, dass wir erst dann über Einzelheiten sprechen können, wenn Sie sich verpflichten, den Job anzunehmen.«

»Ich verstehe. Sie wollen, dass ich mich darauf einlasse, ohne mir eine Chance zu geben, den Fall zu beurteilen?«

»Nein, überhaupt nicht. Hier sind die Aussagen der Prozessparteien, eine Zusammenfassung der Kernprobleme und die wesentlichen Tatsachen über die Beziehung der Markovs.« Noch im Sprechen zog sie ihren Diplomatenkoffer heran, öffnete ihn und reichte ihm eine braune Mappe über den Tisch. Reynolds sah sie in ein paar Minuten durch, wobei er ab und zu an seinem Weinglas nippte. Er war ein schneller Leser.

»Haben Sie noch ein paar Kaninchen im Hut?«, fragte er, als er fertig war. »Das können Sie nur mit Zauberei gewinnen.«

»Nun, es gibt einen Fall, der genug mit unserer Situation gemein hat, um möglicherweise hilfreich zu sein«, sagte Nina.

»Maglica vs. Maglica«, sagte Winston. »Das geistert hier seit Jahren herum. Wir sind alle gespannt darauf, wie sie sich bei der Berufung machen wird. Aber ich glaube, die Dame in dem Fall war älter. Sie hatte ihr ganzes Arbeitsleben dem Aufbau des Unternehmens gewidmet. Dass Ihre Mandantin relativ jung ist, könnte das Ergebnis negativ beeinflussen.«

Nina lächelte, froh, dass er den ersten Test bestanden hatte.

»Ja, aber Mr Maglica hatte bereits gute Leistungen als Geschäftsmann vorzuweisen. Die Firma Maglite war sein zweites Unternehmen. Ich bin der Ansicht, Lindys ausschlaggebende Rolle bei der Entwicklung dieses Unternehmens, des einzig erfolgreichen der Markovs, wird für uns leichter nachzuweisen sein.«

»Das hört sich gut an«, sagte Winston.

»Obwohl wir kaum Präzendenzfälle gefunden haben, die uns ermutigen könnten, sind wir dennoch zuversichtlich, dass Lindy Markov ein substanzieller Anteil der Markov'schen Firma zusteht. Wir haben unsere ersten Erhebungsbögen verschickt und wir haben Mr Markovs eidliche Zeugenaussage für Dezember festgesetzt.«

»Sie kommen voran.«

»Der Superior Court in El Dorado County ist sehr effektiv, Mr Reynolds. Die Verhandlung wird in sechs oder sieben Monaten stattfinden, trotz der Dimension des Falls. Mr Markov ist über den Zwangsverwalter, den das Gericht ihm vorgesetzt hat, verärgert, und Ms Markov ist in finanziellen Schwierigkeiten.«

»Sie glauben nicht, dass Sie damit fertig werden?«

»Mr Markov hat sich Jeffrey Riesner genommen. Ich glaube, Sie kennen ihn?«

»Ja.«

»Dann wissen Sie, wogegen wir anzugehen haben. Er ist ein Hardliner und geht keine Kompromisse ein.«

»Und das ist erst der Anfang.« Er machte sich über sie lustig.

»Er kann Vergleiche nicht ausstehen. Und meine Mandantin will etwas, das sie nicht bekommen wird.«

»Und das wäre?«

»Markov. Sie will eine Versöhnung mit ihm, aber ich glaube nicht, dass das drin ist. Der Prozess wird sie noch weiter entzweien.«

»Also ist Kampf angesagt. Unterhaltsfälle sind äußerst schwer zu gewinnen«, sagte Reynolds, »aber das wussten Sie schon, stimmt's, Ms Reilly?«

»Klar«, sagte Nina enttäuscht. Sie hatte es gewusst, aber sie hatte gehofft, sie hätte nicht einen Abend und tausend Scheine auf den Kopf gehauen, nur um zu hören, wie der letzte Sargnagel in ihren Fall gehämmert wurde. »Klar weiß ich es, aber ich werde es durchfechten, mit Ihnen oder ohne Sie, Mr Reynolds.«

Er lachte. »Na ja, zumindest sind Sie nicht hier runtergeflogen, um mir einen Haufen Schwachsinn aufzutischen. Ich weiß das zu schätzen.«

»Sie glauben nicht, das man den Fall gewinnen kann?«

»Das habe ich nicht gesagt. Man kann jeden Fall gewinnen, aber nur, wenn man ihn vor ein Geschworenengericht bringt. Das ist der schwerste Teil. Wenn man den Fall vor die Geschworenen bekommt, hat man immer eine Chance. Übrigens haben sich Kollegen von uns, und ich werde hier keine Namen nennen, mit Ms Markov in Verbindung gesetzt, um ihr ihre Dienste anzubieten.«

»Tatsächlich? Wo ihr Fall doch so aussichtslos ist?«

Er starrte sie an wie eine Schwachsinnige, bei der er sich nicht sicher war, ob sie auch nur einen Funken Verstand hatte. Dann schüttelte er den Kopf. »Geld. All das Geld, zum Greifen nah. Genug Geld, um einen vernünftigen Mann vor Gier schier verrückt zu machen. Genug Geld, damit sich Anwaltsbüros in ganz Amerika fragen, wie sie Ihnen den Fall wegschnappen können. Verstehen Sie?«

Sie nickte. Zum ersten Mal, seit sie sich mit dem Fall beschäftigte, spürte sie die schiere Macht, die von so viel Geld ausging. Gut, schon auf dem Weg hierher hatte sie gespürt, wie ihr eigenes Begehren nach Geld sie gekitzelt hatte.

»Es ist ein großer Fall«, sagte er. »Zu groß für Sie, aber das wissen Sie. Deswegen sind Sie hier.«

»Na ja«, begann Nina, aber Reynolds war noch nicht fertig.

»Wollen Sie wissen, was ich heute im Racquetball-Club gehört habe? Ich habe gehört, was Ms Markov getan hat, als die Konkurrenz bei ihr angeklopft hat«, sagte er. »Sie hat ihnen gesagt, sie sollen sich verpissen. Sie werde bereits hervorragend vertreten.« Er lachte herzlich. »Sie könnte Recht haben. Sie haben vor Gericht einen guten Start hingelegt, und Sie haben eine loyale Mandantin. Ich hätte es nicht besser machen können.«

Nina schlug die Augen nieder, damit er ihre freudige Erleichterung nicht bemerkte. Dass andere Anwälte diesen Fall haben wollten, sollte sie eigentlich nicht überraschen, aber es überraschte sie doch. Sie hatte wirklich geglaubt, sie tue Lindy einen Gefallen. Allmählich sah sie den Markov-Fall in einem völlig anderen Licht.

»Haben Sie schon einmal einen richtig großen Prozess geführt, Nina?«

»Ich hatte in Mordprozessen mit Geschworenen zu tun«, sagte Nina. »Ich bezweifle, dass es schlimmer werden könnte als das.«

»Haben Sie je einen Geschworenenprozess in einem Zivilverfahren geführt?«

»Nein«, sagte sie.

»Ich versuche nicht, ihr Selbstvertrauen zu untergraben. Ich möchte nur sehen, ob Sie zu würdigen wissen, was ich für Sie tun könnte. Ich führe Geschworenenprozesse in Zivilverfahren. Fälle, die dem Ihren ähneln. Ich mache nur das. Wissen Sie noch, wie Mel Belli genannt wurde? Der König der schweren Jungs. Nun, mich nennen sie hier den Ritter der Unterhaltsgeprellten.«

»Ich hätte mich nicht so aufgetakelt und mich in so einem Restaurant in L.A. mit Ihnen getroffen, noch dazu zu einer Uhrzeit, zu der ich eigentlich meinen Sohn ins Bett bringen sollte, wenn ich nicht zu würdigen wüsste, was Sie für mich tun können«, antwortete Nina.

»Nun denn. Was haben Sie vor?« Gedankenverloren strich er über den Rand seines Weinglases und sah sie mit seinen braunen Augen ruhig an. »Wollen Sie, dass ich das Gerichtsverfahren übernehme?«

»Nein. Ich übernehme das Verfahren. Ich möchte Sie als Co-Anwalt hinzuziehen, aber ich behalte mir das letzte Wort vor, was die Strategie angeht. Mir ist bewusst, dass Sie normalerweise nicht die zweite Geige spielen, Mr Reynolds, aber selbst mit der zweiten Geige könnten Sie reich werden, wenn wir den Fall gewinnen. Ich arbeite auf der Basis eines niedrigeren Stundenhonorars, zusätzlich dazu zehn Prozent der Summe, die es uns einzutreiben gelingt. Ich trete die Hälfte dieser zehn Prozent an Sie ab und zahle Ihre Rechnungen monatlich, und zwar zu einem Stundensatz von hundert Dollar.«

Reynolds zog die Augenbrauen zusammen und senkte den Kopf. Normalerweise berechnete er dreihundert Dollar die Stunde, das wusste sie, aber normalerweise hatte er auch keinen Goldesel in Aussicht. Nina ließ das, was sie gesagt hatte, kurz wirken, dann fügte sie hinzu: »Wenn wir nur die Hälfte ihres Unternehmens einklagen, beläuft sich unsere Forderung auf über hundert Millionen Dollar.«

Er nickte. »Ja, das nenne ich Geld«, sagte er. »Fünf Millionen für jeden von uns, falls wir so viel zugesprochen bekommen. Ich könnte die ganzen Steuern zurückzahlen, die das Finanzamt von mir verlangt. Ich könnte das Haus in Bel Air abzahlen und für die Alimente aufkommen. Ich könnte den Urlaub nehmen, den mir mein Arzt verordnet hat. Aber …«

»Aber?«

Er verschüttete ein paar Tropfen Wein. »Man soll den Tag nicht vor dem Abend loben«, sagte er. »Irgendwie scheint die Summe, die ich wirklich brauche, um all meine Probleme zu lösen, immer gerade außerhalb meiner Reichweite zu schweben, all meinen gewonnenen Prozessen zum Trotz. Ist Ihnen das schon mal aufgefallen? Wie eine dunkle Macht, die sich zwischen uns und unser wohlverdientes Dessert stellt, die uns bis in alle Ewigkeit mit wässrigem Mund voller Appetit grübelnd stehen lässt. Selbst wenn wir den Fall gewinnen, dauert die Berufung Jahre. Und niemand geht je mit Taschen voll Geld aus einem Berufungsverfahren.«

»Diesmal nicht. Wenn wir zusammenarbeiten, können wir dafür sorgen, dass es wahr wird. Wenn das jemand kann, dann wir. Alle sagen mir, Sie seien der Top-Anwalt in diesem Fach.«

»Das sind freundliche Worte«, erwiderte er. »Vielen Dank. Sie haben wahrscheinlich schon erraten, dass ich mir gerne schmeicheln lasse, selbst wenn es nicht notwendig ist.«

Er machte sich über sie lustig. Aber sie ging ihm nicht auf den Leim. »Ich bezweifle, dass Ihnen Jeff Riesner so ein großzügiges Angebot gemacht hat.«

»Ah, Sie haben es also erraten. Ja, Jeff und ich haben letztes Jahr an einem Fall in Sacramento zusammengearbeitet. Er hat in den letzten Tagen ein paar Mal in meinem Büro angerufen.«

»Sie haben nicht mit ihm gesprochen?«

»Nein.«

»Wussten Sie, dass er wegen des Markov-Falls anruft?«

»Das hat er ausrichten lassen …«

»Also …?«

»Ich kann den Typ nicht ausstehen«, sagte Reynolds lächelnd. »Selbst wenn er derjenige sein wird, der gewinnt.«

Jetzt war sie beleidigt. »Mr Reynolds«, sagte Nina, »verschwende ich meine Zeit? Ich gewinne nämlich langsam den

Eindruck, dass Sie mir nicht zuhören. Und wenn Sie mich nicht ernst nehmen, sollte ich wohl besser gehen.«

»Nein, warten Sie«, gab er zurück, »ich hänge an Ihren Lippen. Sie bieten mir an, einige Zeit am Lake Tahoe zu verbringen, den ich sehr liebe, und um ganz viel Geld zu pokern, was eine meiner unwesentlicheren Schwächen anspricht, wie Sie vielleicht schon gemutmaßt haben. Und ich glaube, wir haben etwas gemeinsam. Wir vertreten beide lieber den Underdog. Ich möchte mich entschuldigen, wenn ich Ihnen einen falschen Eindruck vermittelt haben sollte. Es ist eine schlechte Angewohnheit, die daher rührt, dass man gewohnheitsmäßig Menschen verunsichert. Selbst wenn ich nur die zweite Geige spielen darf, ich würde alles dafür tun, diesen Fall zu übernehmen.« Er hob sein Glas. »Einen Toast auf Sie!«

Auch Nina hob ihr Glas. »Dann sind Sie dabei?«, fragte sie.

»Darauf können Sie wetten!«

Als das Essen serviert wurde, auf erlesenen Tellern so fantasievoll angerichtet, dass sie es eigentlich gar nicht anrühren wollte, hatten sie den Wein ausgetrunken, ihre Vereinbarung in groben Strichen skizziert und duzten sich. Sie bot ihm das gegenüberliegende Büro an, und er sagte, er käme, sowie sein Prozess vorbei sei.

»Ich habe eine Jury-Beraterin für uns, die vielleicht gerade frei ist. Jung und das Heißeste, was hier so herumläuft. Sie heißt Genevieve Suchat«, sagte er, als sie ihr Eis aus grünem Tee probierten.

»Ich glaube, ich habe von ihr gehört, aber …«

»Also, es ist jetzt nicht an der Zeit zu knausern. Du musst Geld ausgeben, um an Geld zu kommen.«

»Winston, ich …«

»Sie hat ein leichtes Hörproblem, aber das behindert sie überhaupt nicht. Sie trägt so ein kleines Ding im Ohr. Du kommst mir allerdings nicht wie jemand vor, der das gegen sie verwenden würde.«

»Natürlich nicht!«

»Sie hat mit mir an dem Fall in Long Beach gearbeitet. Sie ist so geschmeidig und so kühl wie dieses Eis.«

»Habt ihr gewonnen?«

»Ja. Sie hat fast jeden Fall gewonnen, mit dem man sie in Zusammenhang bringen kann.« Er trank einen Schluck Wasser und schob das Eisschälchen zur Seite. Endlich wurde er etwas langsamer.

»Jury-Berater brauchen sehr viel Zeit für Recherchen, nicht wahr? Ich muss darauf achten, unsere Kosten gering zu halten«, sagte Nina.

»Einen Moment mal. Es ist von den Kosten her nicht sinnvoll, sie in jedem Rechtsstreit einzusetzen, aber wenn so viel Geld auf dem Spiel steht, wärst du verrückt, keine Beraterin zu engagieren. Ich habe noch nie von einem Fall in dieser Größenordnung gehört, in dem die gegnerischen Parteien ohne Jury-Berater ausgekommen wären. Nina, wenn du gewinnen willst, musst du alles geben. Und du weißt, dass unser Freund Riesner die Besten haben wird.«

Auch wenn er nicht »wieder« sagte, dachten sie es beide. Es sah ganz so aus, als wüsste er schon jetzt, wie er mit ihr umzugehen hatte.

»Warum unterhalten wir uns nicht mit ihr?«, fuhr er fort.

»Schön«, willigte sie ein. »Ich spreche mit ihr. Vielleicht können wir ihr Engagement eingrenzen …«

»Beherzte Schritte«, sagte Winston. »Keine Grenzen. Dieser Fall ist zu groß. Wir setzen alles auf eine Karte, mit Genevieve, mit allem. So machen es die echten Gewinner. Du weißt, dass ich Recht habe.«

Er hatte Recht, aber der Spruch mit dem »alles auf eine Karte setzen« klang lauter nach als alles andere, was er gesagt hatte. Ihr Vater hatte das immer gesagt, und eines Tages war er aufgewacht und bankrott gewesen.

»Ich rufe ihr Büro an und mache gleich einen Termin aus«,

sagte er, dann bestellte er noch eine Flasche Wein. Er sprach über seine Kindheit, über sein Fußball-Stipendium an der University of California in Los Angeles, den Schock seiner Lehrer und Trainer, als er damit aufhörte, über sein Jurastudium in Yale, seine beiden Exfrauen und die drei Kinder, die er unterstützen musste. Er war ganz von sich eingenommen, aber vielleicht hatte er ein Recht dazu. Sie konnte nicht anders, sie mochte ihn.

Der Kaffee wurde zusammen mit der horrenden Rechnung gebracht. Ihre Uhr zeigte elf. »Du musst mich entschuldigen«, sagte sie. »Mein Flugzeug wartet. Ich rufe dich morgen an.« Sie machte eine Pause, dann fügte sie hinzu: »Ich find's toll, mit dir zusammenzuarbeiten, Win.« Sie streckte ihm die Hand hin.

»Aschenputtel«, sagte er und ergriff sie mit beiden Händen. »Mach dich fein zum Tanz. Wir haben einen langen Weg vor uns, wenn wir nicht in der Küche zwischen deinen Linsen enden wollen.«

6

Am nächsten Morgen rief Nina Sandy an, um ihr zu sagen, dass sie wahrscheinlich erst nach dem Mittagessen ins Büro kommen würde. Sandy sagte, dass Genevieve Suchat, die Jury-Beraterin, am Nachmittag vorbeikäme. Winston war offensichtlich wild entschlossen, Nina davon zu überzeugen, sie anzuheuern, und hatte diesen Termin mit beeindruckender Effizienz verabredet.

Nachdem Nina zwei weiße Tabletten geschluckt hatte, um das Hämmern in ihrem Kopf zu dämpfen, fuhr sie direkt zum Haus der Markovs in der Cascade Road. Regen prasselte auf die Straße, und ihre Scheibenwischer zogen einen sinnlosen Pfad durch den Wasserfall, der sich über die Windschutzscheibe ergoss. Auf der unbefestigten kurvenreichen Straße am Seeufer kam sie in einer Haarnadelkurve unerwartet ins Schleudern und musste langsamer fahren.

Ein schmiedeeisernes Tor mit goldenen Pfeilspitzen stand offen, dahinter fiel Ninas Blick auf eine prächtige burgähnliche Villa in einer Anlage, die so gepflegt war, dass die Pflanzen aussahen wie aus der Fabrik.

Sie fuhr auf einen Parkplatz am Haus. Der ganze Prunk schüchterte sie ein, und sie überlegte, dass man sehr viel Geld brauchte, um in Kalifornien so etwas zu kaufen, dazu noch am Ufer des begehrtesten Sees des ganzen Staats.

In der Schachtel mit den Notfallutensilien unter dem verdreckten Rücksitz fand sich kein Schirm, also rannte sie zur Haustür, wo sie nur mit knapper Not auf der glitschigen Türstufe Halt fand, und klingelte. Das riesige Haus ragte in dem unerbittlichen Regen über ihr auf wie Felsbrocken, die jeden Augenblick in einem Erdrutsch zu Tal gehen konnten. Selbst der See, dessen Grau mit dem Himmel verschmolz, hatte einen bleiernen Sog, als übte das schwere graue Wasser eine größere Anziehungskraft aus als der Rest der Erde.

Lindy öffnete ihr. Sie trug einen weit geschnittenen Kimono über einem schwarzen Bodystocking und sah erschöpft aus. Trotz ihres tadellos frisierten Haars und des perfekten Makeups entdeckte Nina Spuren der erlittenen Demütigungen.

»Danke fürs Kommen«, sagte Lindy. »Geben Sie mir Ihre Jacke. Sie können die Stiefel hier stehen lassen.« Sie zeigte auf eine gemauerte Bank, unter der die saubersten Schuhe standen, die Nina außerhalb eines Schuhgeschäfts je gesehen hatte. Neben der Bank stapelte sich ein Dutzend Kartons.

Lindy führte Nina einen Korridor hinunter, an zwei achteckigen Foyers vorbei und durch einen Raum mit Eichenparkett, der so groß war wie ein Ballsaal. Über ihnen hingen Kristallkronleuchter, die, in einer unsichtbaren Brise leicht hin und her schwingend, gegen den düsteren Tag anstrahlten.

Sie gingen weiter. Da viele Durchgangskorridore mit geschwärztem Schiefer ausgelegt waren und der Regen an den Fenstern herunterrann, konnte selbst die hellste Beleuchtung eine schaurige Atmosphäre nicht ganz aus dem Haus vertreiben.

In einem Zimmer mit Blick auf den See entschuldigte Lindy sich und bat Nina, eine Minute zu warten. Die Sonne war hinter Wolkenbändern verborgen.

Lindy verließ den Raum, und Nina setzte sich auf eine Bank, die die ganze Länge des Raums einnahm, mindestens dreißig Meter. Einige Sportgeräte und Dinge, die sie nicht genauer identifizieren konnte, füllten eine kleine Nische. Der Rest des Raums, dessen eine Wand verspiegelt war, diente wohl als Tanzstudio. Das Haus, in dem sie und Bob wohnten, hätte locker in diesen einen Raum gepasst.

Lindy kam zurück. »Tut mir Leid. Ich habe unsere Haushälterin, Florencia, gebeten, mir beim Packen zu helfen.«

»Das Haus ist echt toll«, sagte Nina. »Es tut mir Leid um all das, Lindy.«

»Sie sind nicht dafür verantwortlich. Sparen Sie sich die Vorwürfe für Rachel auf. Das tue ich jedenfalls.«

»Wie ist das?«, fragte Nina plötzlich. »Ich meine, reich zu sein?«

»Was für eine komische Frage.«

»Vergessen Sie's. Ich wollte nicht unhöflich sein.«

»Nein, es ist interessant.« Sie durchquerten den Raum. In der Ecke mit den Geräten blieb Lindy stehen. »In Wahrheit fand ich es unheimlich toll, einen Haufen Geld zu haben, vielleicht, weil wir so wenig hatten, als ich klein war. Es macht süchtig, genau wie jede andere Droge, von der man high wird. Geld glättet die harten Kanten, besänftigt die Seele und gibt einem das Gefühl, etwas Besonderes zu sein, und mächtig. Es gibt auf der Welt nichts Verführerischeres.

Haben Sie ein Problem? Schmeißen Sie genug Geld darauf, und ich verspreche Ihnen, es verschwindet. Sie machen sich

Sorgen um die Umwelt? Finanzieren Sie eine Säuberungsaktion. Traurig? Planen Sie einen fabelhaften Urlaub. Wenn Sie genug Geld haben, haben Sie das Gefühl, Sie könnten alles tun, und es gibt noch eine ganze Reihe von Sachen, die ich in meinem Leben tun möchte.«

»Sie haben über Macht gesprochen.«

»Sie macht high und ist leicht zu kaufen. Menschen auch.«

In diesem Teil des Raums standen ein Trainingsfahrrad, ein Laufband, ein Ständer mit einem Satz glänzend silberner Hanteln und eine Reihe merkwürdiger Dinge, die Ninas Aufmerksamkeit erregt hatten, während Lindy sprach. Das größte Gerät war ein transparentes zylindrisches Becken, fast so groß wie Nina, mit Wasser so klar und schön wie ein türkisfarbenes karibisches Meer.

»Also möchte ich mein Geld haben«, sagte Lindy und streckte ihre Hand über den Beckenrand. Sie wirkte zufrieden. »Und meistens glaube ich auch, dass ich es verdiene.«

»Sie haben hart dafür gearbeitet, Lindy.«

»Mike sieht das anders. Eine Menge anderer Leute auch. Aber Geld ist nur ein Grund, warum ich Mike verklage. Der andere Grund ist der, dass dieser Prozess ihn dazu zwingt, sich mir zu stellen und seine Versprechungen zu halten.«

»Kein System der Welt kann jemanden, der Ihnen Unrecht getan hat, zwingen, bei Ihnen zu bleiben oder Sie wieder zu lieben«, sagte Nina. »Geld ist die einzig verfügbare Entschädigung, der einzig objektive Maßstab. Verlust muss irgendwie in Zahlen ausgedrückt werden. Und Gefühle … kann man nicht in Zahlen ausdrücken.«

»Ich weigere mich, alles auf Zuruf aufzugeben. Ich weigere mich einfach.«

»Lindy«, sagte Nina langsam und plätscherte mit ihren Fingerspitzen im Wasser. »Was Sie vorhin gesagt haben … Glauben Sie zufällig, dass Sie mich gekauft haben?«

»Natürlich nicht.« Lindy sah verletzt aus. »Sie wissen, dass dieses Thema wichtig ist für alle Frauen, nicht nur für mich. Und Sie machen die Arbeit, weil Sie mir persönlich helfen wollen. Das sind die richtigen Gründe. Jetzt sind wir ein Team. Nein, die Menschen, die man kaufen kann, sind von einem ganz anderen Schlag.«

»Von was für einem?«

»Für diese Menschen ist Geld wie ein Gott.« Sie trocknete sich die Hände an einem Handtuch, als wollte sie auch körperlich ausdrücken, dass sie mit diesen widerwärtigen Gedanken fertig war, und trat einen Schritt vom Becken zurück. »Hab vergessen, Ihnen zu sagen, Sie sollten einen Badeanzug mitbringen.« Sie kramte in einem Schrank neben dem Spa.

»Oh, ich wollte noch erwähnen, dass ich einen der besten auf Unterhaltsklagen spezialisierten Anwälte im Staat engagiert habe, um mir bei Ihrem Fall zu helfen.« Nina beschrieb Lindy einige von Winstons letzten Siegen. »Und heute Nachmittag habe ich eine Unterredung mit einer potenziellen Jury-Beraterin.«

»Klingt großartig. Wir werden gewinnen, was immer es auch kostet«, sagte Lindy. Sie reichte Nina einen Badeanzug. »Ungefähr Ihre Größe. Springen Sie ins Becken.«

Als Nina den Kopf schüttelte, sagte Lindy: »Nina, es würde mir sehr viel bedeuten, wenn Sie sehen, was ich mache. Was ich gut kann.«

Ach, warum eigentlich nicht, dachte Nina. Sie würde reinspringen und wieder rauskommen, und dann könnten sich alle zufrieden wieder an die Arbeit machen. Sie zog den einfachen schwarzen Badeanzug, den Lindy ihr gegeben hatte, so schnell wie möglich an und stellte sich vor, was Sandy, die im Büro saß und wütende Anrufer besänftigte, wohl sagen würde, wenn sie sie jetzt sehen könnte.

Ein paar Stufen führten zum Becken hoch. Nina stieg hinauf und schaute ins Wasser, sie hatte Gänsehaut am ganzen Körper.

»Rein mit Ihnen«, sagte Lindy. »Oder soll ich Sie reinschubsen?« Plötzlich wurde ihr bewusst, was sie gesagt hatte, und ihr nervöses Kichern verhinderte nur knapp einen Tränenausbruch.

Nina glitt mit den Füßen zuerst hinein. Das Wasser umschloss sie warm und geschmeidig wie Samt. Das Becken war zu klein, um unterzugehen. Sie steckte gerade bis zum Hals im Wasser, aber sie konnte die Arme ausstrecken. Vom Boden stiegen Luftblasen auf.

»Es ist … ein senkrechter Whirlpool.« Sie überlegte, ob sie auf der Luft schweben würde. Die Blasen stiegen um sie herum auf und platzten wie winzige Ballons. Sie schwebte nicht, aber sie fühlte sich, als würde sie nur zehn Pfund wiegen.

»Das stimmt.« Lindy drehte die Musik leiser.

Die Luftblasen und das Wasser fühlten sich fantastisch an.

»Machen Sie sich bereit«, sagte Lindy. »Ich drehe die Brandung auf.«

Was, zum Teufel, sollte das? Wasserstrahlen schossen nach oben. Nina hatte Mühe, die Füße unten zu halten. »Hey!«, sagte sie. »Hey, Moment mal!«

Die Brandung verebbte. Lindy lächelte sie von der Treppe neben dem Becken an. »Ist das nicht toll?«

Das Wasser hatte ihren Lebensgeistern Auftrieb gegeben, und Nina hatte angefangen, auf und ab zu hüpfen. »Es ist … erstaunlich. Und jetzt muss ich Wassergymnastik machen?«

»Das ist ein wesentlicher Teil des Ganzen. Wir haben dazu eine ganze Reihe von Videos produziert. Eigentlich mehrere Serien, alle paar Jahre ein neues. Möchten Sie ein paar Übungen lernen?«

»Lindy«, sagte Nina, dann unterbrach sie sich. Sie konnte den Augenblick genauso gut nutzen. »Okay, vielleicht eine.«

»Dauert nur ein paar Sekunden, Ehrenwort.« Lindy machte ein paar Übungen mit ihr. Bei einer trieb Nina den ganzen Körper nur mittels Bewegungen der Zehen auf und ab, die Arme nah am Körper, sodass sie durchs Wasser schnellte.

»Aqua-Dynamik«, sagte Lindy. »Sie bewegen sich schneller

und trainieren die Knöchel. Jetzt versuchen Sie, auf Ihren Knien zu hüpfen. Sie müssen die Luft anhalten und untertauchen, um die Knie auf den Boden zu bekommen. Dann stoßen Sie sich so fest wie möglich ab. Machen Sie sich keine Sorgen über Spritzer. Das Becken ist extra so geformt.«

Es dauerte eine Weile, bis sich Nina an die Übungen gewöhnt hatte. Sie musste sich abmühen, damit ihre Knie den Boden berührten, und sich in der Hüfte beugen, damit sie das Manöver ausführen konnte, aber nach ein paar Minuten merkte sie, was für ein toller Spaß das war.

»Sie können natürlich auch hundertfünfzig Kilometer joggen oder sich dehnen und strecken wie eine Primaballerina. Der Solo Spa ist auch großartig für Menschen, die Kraftübungen machen müssen, ohne dass sie dabei die Gelenke belasten. Wir haben viele behinderte Kunden und Menschen, die versuchen abzunehmen.«

»Sie sagten, man könnte in diesem Spa noch was anderes machen als Übungen.«

»Das stimmt. In den letzten paar Jahren haben wir den Spa nicht nur als Übungsgerät vermarktet. Wasser hat seit jeher Heilkraft, und um eine angeschlagene Psyche zu heilen oder das kreative Feuer zu schüren, gibt es nichts Besseres, als in diese warme Gebärmutter einzutauchen. Die Menschen suchen spirituellen Trost. Was könnte tröstlicher sein als diese Verschmelzung des Körpers mit der Psyche? Es wird Ihnen gefallen.« Sie drehte einen Knopf, und Luftblasen stiegen auf.

Nina fühlte sich schwerelos. Sie hörte auf, sich zu bewegen, und schwebte auf den Luftbläschen im Wasser. »Bei Worten wie Trost, Heilen und Spiritualität sehe ich normalerweise zu, dass ich Land gewinne, aber ich verstehe genau, was Sie meinen. Dies ist ein warmes Schaumbad für die Götter.«

Lindy sah glücklich aus. »Ich sehe, wir haben eine Bekehrte.«

»Sind alle durchsichtig wie dieser hier?«

»Nein. Dies ist ein Demonstrationsbecken für die Videos.

Wir verkaufen meistens holzverkleidete wie ganz normale Whirlpools für draußen.«

»Meistens?«

»Also, einige Casinos in Reno haben ein paar Spezialanfertigungen bestellt, mit zwei Schichten Glas und Acryl mit blinkenden Lämpchen dazwischen, für ihr Unterhaltungsprogramm.«

»Meine Güte!«

Irgendwo in der Ferne klingelte ein Telefon, und Lindy verschwand um eine Ecke. Nina schloss die Augen und entspannte sich in dem warmen Wasser. Einen Augenblick später öffnete sie die Augen wieder und erschrak so über den Anblick eines kräftigen Mannes, der sie beobachtete, dass sie einen spitzen Schrei ausstieß.

Sie hörte auf, sich zu bewegen, und hing in dem durchsichtigen Becken. Als er nichts sagte, sagte sie: »Hallo.«

»Sie sind Lindys neue Anwältin?«, fragte er. Er nahm die Hände aus den Taschen seines schmutzigen Overalls und stützte sie auf den Spa.

»Ja. Und Sie sind?«

»Ein Freund«, sagte er und musterte ihren Körper. »Ich bin froh, dass ich Sie hier erwischt habe.«

Das konnte man von Nina nicht behaupten. Keineswegs. Sie überlegte, ob sie aus dem Becken rausklettern sollte, fand aber, dass sie sich dann noch verletzlicher fühlen würde.

»Ich will, dass Sie eines wissen.« Er sprach langsam und malte mit einem Finger im feuchten Kondensat an der Außenseite des Beckens einen Kreis mit einem kleineren Kreis darin.

Wie eine Zielscheibe, dachte Nina.

»Ich weiß, dass sie das nur wegen des Geldes machen«, sagte er und erstarrte plötzlich. Sein Gesicht war so nah am Becken, dass es von seinem Atem beschlug.

»Wer sagten Sie, sind Sie?«, fragte Nina, der sein Tonfall und der merkwürdige Blick seiner dunklen Augen Angst einjagten.

»Ich weiß ein paar Sachen über euch Anwälte. Und ich will,

dass Sie wissen, wenn Sie sie im Stich lassen oder ihr wehtun oder heimlich Schmiergeld von diesem Schwein Mike kassieren, um die Sache fallen zu lassen, dann werde ich …«

Lindy kam zurück. »Oh, George, hier bist du. Das war Alice. Sie wird in einer Minute hier sein, um mir ihre Schlüssel zu bringen.«

In dem Augenblick, in dem Lindy den Raum betrat, fiel alles Bedrohliche von dem Mann ab. Er schlenderte zur Tür. »Dann fang ich mal an.«

»Wer ist das?«, fragte Nina.

»George Demetrios. Er arbeitet in der Firma.«

»Unheimlicher Typ«, sagte Nina und machte sich daran, eine durchsichtige Acrylleiter am Becken hinaufzusteigen.

»Wer, George?« Lindy lachte. »Ja, ich schätze, manchmal wirkt er so, aber wegen ihm müssen Sie sich keine Sorgen machen. Er ist mir treu ergeben. George ist wirklich nur ein liebenswerter Dummkopf. Er hilft mir heute, ein paar Kartons rüber zu Alice zu schaffen.«

Als Nina am Fuß der Stufen angekommen war, reichte Lindy ihr ein Handtuch und einen weißen Bademantel. Nina trocknete sich ab. »Lindy, vielen Dank für die Vorführung. Das ist ein tolles Produkt.«

»Nur eines von vielen. Unser Kernstück. Und jetzt zeige ich Ihnen, wie wir unsere Spas vermarkten. Es dauert nur eine Minute, dann ist es warm im Ausstellungsraum.« Der Ausstellungsraum lag eine Wendeltreppe tiefer und präsentierte nicht nur verschiedene Becken, wie Nina erwartet hatte, sondern war ein intimer, mit weichem Teppich ausgelegter Raum mit Sesseln für zehn Personen und einer ein Meter fünfzig großen Leinwand.

»Das ist eine Kurzfassung«, meinte Lindy. »Die Trainingsvideos sind länger.«

Sie sahen eine Reihe unterschiedlicher Menschen in Badeanzügen in den Pool steigen, leichtfüßig wie Astronauten, die in der Schwerelosigkeit eine Reihe von Übungen machen und sich rhythmisch zu flotter Musik bewegen.

»Zuerst haben wir nur junge, hübsche Mädchen genommen. Es war meine Idee, alle möglichen Typen zu zeigen. Normale Menschen kommen allerdings immer unbeholfen und ungelenkt rüber, das hier sind alles Schauspieler. Sie sehen toll aus, nicht wahr? Wie ganz normale Menschen, nur einen kleinen Tick besser, sodass man sich gerne mit ihnen identifiziert.«

Nina sagte nichts. Die Schauspieler sahen toll aus, aber Geschäftsleute machten Nina nervös, wenn sie so unbekümmert über die subtilen Kräfte sprachen, mit denen sie Nina manipulierten und zum Kauf animierten.

Als der Film zu Ende war, zog Nina sich wieder an und hob ihre Handtasche auf.

»Vielen Dank, dass Sie sich die Zeit genommen haben«, sagte Lindy. »Ich wollte Ihnen, bevor ich ausziehe, ein bisschen was von unserem Geschäft zeigen, damit Sie sehen, dass ich nicht zwanzig Jahre lang auf Mikes Kosten gelebt und nur Däumchen gedreht habe.«

»Sie haben hart gearbeitet«, sagte Nina, »und offensichtlich verstehen Sie etwas von Ihrem Geschäft.«

Eine große Frau mit gesträhntem Haar in einem kurzen aquamarinblauen Strickkleid erschien mit einer Schusswaffe in der Hand in der Tür. Mit ihren grauen Augen sah sie amüsiert unter einem fransig geschnittenen Pony hervor, der ihr ins Gesicht fiel.

»Oh, Alice«, sage Lindy. »Hast du meine Anwältin schon kennen gelernt, Nina Reilly? Nina, meine beste Freundin, Alice Boyd.«

Alice legte die Waffe seelenruhig auf einen Stuhl und kam schnellen Schrittes auf Nina zu. Ihre hohen Absätze klackten auf dem Eichenboden. Sie gaben einander die Hand. »Dann hat Lindy Sie der rituellen Taufe unterworfen«, sagte sie und zeigte auf Ninas nasses Haar.

Nina griff sich ins Haar. »Das stimmt wohl«, meinte sie. »Jetzt gehören Sie zu uns.«

»Hören Sie nicht auf sie«, sagte Lindy leichthin. »Sie ist nicht mehr dieselbe, seit sie in der Klapsmühle war.«

»Das ist eine glatte Lüge. Ich bin dieselbe, ich mache nur mehr Umwege, um meine Gefühle auszudrücken«, sagte Alice.

»Entschuldigen Sie mich«, sagte Nina, »aber haben Sie nicht eben da drüben eine Waffe auf das Kissen gelegt?«

»Hätte ich fast vergessen«, sagte Alice. Sie ging zu dem Stuhl zurück und holte die Waffe. »Die ist für dich, Mädchen«, sagte sie und hielt Lindy eine silberne stupsnasige Pistole hin.

»Wozu?«, fragte Lindy.

»Lern deinen neuen besten Freund kennen.« Sie hielt sie hoch, damit sie sie bewunderten. »Ist das nicht toll? Mit diesem entzückenden vernickelten Designerstückchen kann man jemanden aus einer Entfernung von hundert Metern erschießen. Nicht notwendig, sich von oben bis unten mit Blut zu bespritzen. Man sieht jemanden auf sich zukommen, der einem was tun will, und peng, legt man ihn einfach um.« Sie ging herum und nahm Verschiedenes aufs Korn. »Peng«, sagte sie. »Dahin ist er, der Spiegel aus Frankreich, mit dem du immer so angibst. Ist eh nicht Mikes Geschmack, was? Peng«, sagte sie noch einmal und zeigte auf eine Vase. »Kommt mir komisch vor, dass die meisten Frauen die Macht so eines kleinen Schießeisens gar nicht kennen. Mit ein bisschen Mut und etwas Übung haben wir endlich das Werkzeug in der Hand, mit dem wir den Kampf gegen unsere Unterdrücker gewinnen!«

Lindy sah peinlich berührt drein. »Alice, ich weiß nicht, was Nina denken soll. Steck das Ding ein.«

»Sei nicht albern«, sagte Alice. »Nein, wirklich. Du bist hier in diesem prachtvollen Haus, wahrscheinlich zum letzten Mal.« Sie wies mit dem Kopf durch den Raum. »Ich würde mir das an deiner Stelle nicht entgehen lassen. Warum solltest du diese ganzen hübschen Sachen dem König der Dreckskerle und seiner schäbigen kleinen Gefährtin zum Spielen überlassen? Weißt du, wie man damit umgeht?« Sie entsicherte die Waffe.

Lindy nahm ihr die Pistole ab und sicherte sie. »Ich will sie nicht.«

»Du hast zwanzig Jahre in deiner Festung gelebt. Jetzt wirst du mit dem einfachen Volk verkehren müssen. Das sind wir«, sagte sie, zu Nina gewandt. »Lindy, du weißt nicht, wie böse wir Plebejer sein können. Du solltest dich schützen.«

»Nimm sie zurück, Alice. Ich mein's ernst.« Lindy reichte ihrer Freundin vorsichtig die Waffe.

Alice zuckte die Schultern und steckte sie in ihre Handtasche. »Wie du willst.« Sie sagte, sie müsse sich frisch machen, und entschuldigte sich.

»Jetzt geht das schon wieder los. Sie bekommen noch einen ganz falschen Eindruck von Alice«, sagte Lindy. »Sie ist ein herzensguter Mensch, aber ich fürchte, die Sache mit Mike hat sie an ein paar böse Dinge erinnert, die in ihrer Vergangenheit passiert sind. Sie wird sich wieder beruhigen.«

Nina fragte sich, ob Lindy einer dieser seltenen Menschen war, die in die Seele der Menschen sehen konnten, oder ob sie, wenn es um Familie und Freunde ging, einfach ein blinder Narr war.

Während sie sich dem Foyer näherten, wurde ihr der Regen wieder bewusst, der die Fallrohre hinunterstrudelte und den Blick aus den Fenstern trübte. Beim Anblick der Kartons, die hoch aufgestapelt neben der Tür standen, blieb Lindy jäh stehen. Dann sammelte sie sich und verabschiedete sich von Nina.

Nina war so spät von Lindy weggekommen, dass sie direkt zum Gericht fuhr, zu den Sitzungen, die für den Vormittag auf dem Plan standen, ohne vorher im Büro vorbeizuschauen. Der Bronco verlor auf dem ganzen Weg Getriebeöl. Ihr Automechaniker hatte ihr schon geraten, den Vergaser zu ersetzen. Ich werde bald ein neues Auto brauchen, dachte sie, während sie an jeder Ecke Pfützen auswich.

Als sie um die Mittagszeit ins Büro kam, wartete Genevieve Suchat bereits auf sie.

»Hi«, sagte Genevieve gut gelaunt und sprang von einem Stuhl vor Sandys Schreibtisch auf, um Nina die Hand zu geben. Ihr melodiöser Südstaatentonfall ließ es wie »Hah« klingen.

Auf dem Stuhl neben Genevieve saß Sandys Sohn Wish. Der große schlacksige Neunzehnjährige beschäftigte sich mit seiner neuesten fixen Idee und blätterte in einer Zeitschrift mit Überwachungstricks für Spione. Vor kurzem hatte er verkündet, er wolle Detektiv werden wie Paul, und zu diesem Zweck besuchte er Kurse über Kriminologie und Fotografie drüben am Community College.

Wish war Ninas Mann für Gelegenheitsarbeiten. Sandy hatte ihn wohl eine gründliche Putzaktion durchführen lassen, so sauber, wie das Büro aussah. Er begrüßte Nina mit einem Nicken und widmete sich wieder seiner offensichtlich packenden Lektüre.

Genevieves helle, hauchige Stimme erinnerte Nina an eines der spärlich bekleideten Mädchen, die von einer dieser Websites, die sie ihrem Sohn vor kurzem verboten hatte, viel sagende Einladungen aussprachen, aber ihr lockiges hellblondes Haar und die taillierte schwarze Jacke mit den bordeauxroten Borten über einem langen bordeauxroten Rock waren ziemlich züchtig, wenn auch modisch geschnitten.

Nina erhaschte einen Blick auf Genevieves silbernes Hörgerät, das Winston erwähnt hatte und das hinter einem Paar kleiner silberner Ohrringe aufblitzte. Genevieve sah mehr nach Genny denn nach Genevieve aus – eine moderne, berufstätige junge Frau, die gerade aus einem Großstadthochhaus in die Berge gekommen war, ohne ihren Stil im Geringsten zu verändern –, aber Winston hatte Nina darauf hingewiesen, dass sie bei der Arbeit das formellere Genevieve vorzog.

Sie hatte sich bereits mit Sandy bekannt gemacht, erklärte sie Nina, und das klang schon so vertraut, als würde sie seit Jahren regelmäßig an Sandys Esstisch sitzen. »Sandy und Wish haben mir alles über das Washoe-Volk erzählt«, sagte sie. »Und sie haben eine echte Großfamilie.«

Sandy erzählte Besuchern selten Persönliches. Genevieve schien zu wissen, wie sie zu nehmen war.

Weil Genevieve sie darum bat, gingen sie zum Mittagessen ins Planet Hollywood, dem Restaurant im Caesar's.

»Casinos sind nicht gerade bekannt für ihre feine Küche«, entschuldigte Nina sich. Die schwatzenden Gäste und die laute Küche mussten für jemanden mit einem Hörproblem sehr anstrengend sein. »Wir haben ein paar sehr schöne Restaurants.«

»Aber ich finde es toll hier«, sagte Genevieve und beäugte die Filmrelikte, die die Wände hinter den falschen Palmen säumten. Anscheinend war der Lärm kein Problem für sie. »Ist das da drüben Darth Vader?«, fragte sie und erhob sich von ihrem Stuhl, um sich die Schaukästen anzusehen.

Einen Augenblick später kam sie zum Tisch zurück. »Sein Anzug sieht kleiner aus als in den Filmen.« Ein Kellner erschien und fragte nach ihren Wünschen. Sie las die Speisekarte durch. »Die Cayun-Garnelen sind wahrscheinlich gut, aber ich nehme doch lieber einen Salat. Spielen Sie?«, fragte sie Nina.

»Ehm. Ich bekenne, dass ich gerne an Spielautomaten spiele«, sagte Nina, ein wenig verärgert über die Frage. Schließlich führten sie eigentlich ein Vorstellungsgespräch.

»Ich auch«, meinte Genevieve und reichte dem Kellner die Speisekarte. »Und Poker, Blackjack, Roulette … Ich bin ein richtiges Luder, wenn irgendwo ein paar schnelle Dollars zu machen sind. Vielleicht haben wir noch ein bisschen Zeit, an die Tische zu gehen, bevor Sie zurück zur Arbeit müssen.«

Der Kellner wandte sich Nina zu. »Pomodoro«, sagte Nina, froh über die Ablenkung. Genevieves unangebrachte Offenheit amüsierte sie. Trotzdem hatte sie nicht vor, ihre eigene Spielleidenschaft zu zeigen. Während sie die Speisekarte studierte, merkte sie, dass sie bei den Übungen im Spa Appetit entwickelt hatte. »Können Sie noch eine Extraportion Parmesan bringen?«

»Wie toll, dass Sie so essen können und trotzdem so dünn bleiben«, sagte Genevieve, als der Kellner weg war. »Ich könnte niemals mitten am Tag ein schweres Nudelgericht essen, obwohl ich mich bei Prozessen immer an Kalorienreiches halte. Erdnussbutter-Sandwiches, Schokoladenkekse, Vollmilch.«

»Ich bestelle immer was Gutes, wenn ich auswärts esse, weil ich selbst zu faul bin zum Kochen«, sagte Nina. »Mein Sohn und ich leben quasi von Tomatensuppe in Dosen.«

»Dann sollten Sie beide zusätzlich Mineral- und Vitaminpräparate nehmen«, meinte Genevieve missbilligend. »Ich nehme jeden Tag ein Multivitaminpräparat und zusätzlich Vitamin E, Folsäure und Ginseng.«

»Und Sie mögen hohe Dosen Vitamin C bei Erkältungen.«

»Ja«, sagte Genevieve.

»Und finden, das sollte ich auch tun.«

»Sie stehen ganz schön unter Druck«, sagte Genevieve in einem fürsorglicheren Tonfall, »oder nicht?« Und die kleine Stimme in Ninas Kopf meinte, oh-oh, du solltest dich aufrichten, du wirst gerade taxiert.

Genevieve hatte einen Magisterabschluss in Statistik vom Massachusetts Institute of Technology und einen Doktortitel in Psychologie von der Duke-Universität in Durham. Sie erzählte Nina, sie habe darüber nachgedacht, Jura zu studieren. Und dann sagte sie mit einem maliziösen Lächeln, sie habe sich entschieden, im Hintergrund die Fäden zu ziehen.

Winston hatte Nina per Expresskurier zusammen mit Genevieves eindrucksvollem Lebenslauf ein Exemplar ihrer Doktorarbeit über Massenpsychologie geschickt, in der es vor allem um Entscheidungsfindungsprozesse von Geschworenen im amerikanischen Rechtssystem ging. Das Ganze sah sehr mathematisch aus, voller Tabellen und Formeln und statistischem Kauderwelsch, das sie nicht verstand.

Genevieve spießte ein Blatt Kopfsalat auf und probierte es, dann sagte sie: »Heute Morgen im Flugzeug habe ich alle Schriftsätze gelesen, die Sie Winston geschickt haben, und gestern Abend habe ich mit Winston gesprochen. Wenn er seinen Krankenhaus-Kunstfehler-Fall gewinnt, prophezeie ich eins Komma sieben bis eins Komma neun.«

»Wie können Sie so etwas schätzen?«

»Wir haben auf ein Kompromissurteil hingearbeitet, und dann hat Winston drei Komma sechs verlangt.«

»Aber die Geschworenen werden doch belehrt, dass Sie kein Kompromissurteil fällen dürfen. Geschworene sollen …«

»Sie wissen doch, dass das andauernd passiert«, sagte Genevieve. »Sie sind nur vorsichtig, um keinen Ärger zu kriegen. Sehen Sie, sie gehen auf eins Komma sieben, weil eins Komma acht – genau die Hälfte von dem, was wir verlangt haben – zu offensichtlich wäre. In diesem Fall ist der Richter das Problem, außerdem sind unter den Geschworenen ein paar Unberechenbare, die er nicht ablehnen konnte«, sagte sie und zuckte die Schultern, offensichtlich war sie aber mehr als verärgert darüber. »Ganz egal, wie gut Sie sind, es gibt immer ein Risiko.«

»Macht er Urlaub, wenn die Sache vorbei ist?«

»Winston doch nicht. Er hat einen Prozess nach dem anderen. Der nächste ist in San Diego, ohne Geschworene.« Mit der Disziplin eines Exerziermeisters aß sie ein weiteres Kopfsalatblatt, wobei sie einen Umweg über einen daneben liegenden Croûton machte. »Er meinte, ich soll Ihnen sagen, dass Sandy ihm die ausführliche Aufstellung der Prozesstermine gefaxt hat und er die zwei Wochen danach frei ist. Ich finde den einundzwanzigsten Mai auch okay. Im Juli habe ich einen Doppelmord-Prozess.«

»Ich hoffe, wir sind bis dahin durch. Beide Seiten wollen die Sache hinter sich bringen. Mike Markov ist wütend, dass wir uns in seine Geschäfte eingemischt haben, indem wir einen Zwangsverwalter und eine Buchprüfung durchgesetzt haben.

Lindy Markov ist zum ersten Mal seit Jahren blank. Auch auf mich kommen immense Kosten zu ...«, einschließlich zweihundert pro Stunde für Sie, fügte sie in Gedanken hinzu. »Ich kann es mir nicht leisten, den Fall in die Länge zu ziehen.«

»Was man so hört und was Winston mir erzählt hat, ist dies Ihr großer Fall, Nina«, sagte Genevieve lächelnd. »Sie könnten den Jackpot knacken, so wie ich Ihre Honorarvereinbarung einschätze. Geht mich natürlich nichts an, außer dass ich dazu beitragen will, dass es klappt. Können wir uns bald mit Mrs Markov zusammensetzen? Ich würde ihr gerne ein paar Fragen stellen und mir ein Bild von ihr machen.«

Die weiche Stimme, die gelegentlich in eine Art ländlichen Dialekt rutschte und von der Nina annahm, dass sie sie ebenso wie ihre strahlend blauen Augen einsetzte, um ihren Worten mehr Nachdruck zu verleihen, hatte Nina für einen Augenblick abgelenkt. Sie hatte über den extremen Gegensatz zwischen Genevieves ausgebufftem Gerede und der zarten jungen Erscheinung nachgedacht, die ihr gegenübersaß. Wahrscheinlich zog Genevieve einigen Nutzen aus diesem Gegensatz, wenn es ihr passte. Gut so. Vielleicht würde ihr gutes Aussehen Riesner dazu verleiten, sie zu unterschätzen.

»Lassen Sie mich Ihnen als Erstes sagen«, meinte Genevieve, »dass Frauen Lindy nicht notwendigerweise wohlgesonnen sind, es sei denn, wir handeln schnell und nehmen sie für uns ein. Sie könnten vielleicht finden, Lindy hätte bekommen, was sie verdient hat. Sie hat ja gewusst, auf was sie sich da eingelassen hat. Sie wusste, dass er sie nicht heiraten wollte. Sie wusste, dass er alles auf seinen Namen laufen ließ, um seine Besitzansprüche durchzusetzen. Wir müssen also so gerissen sein wie die kleine Schlange, die durchs Gras gleitet und die Libelle vernascht, bevor die überhaupt weiß, dass sie in Gefahr ist.«

»Habe ich das richtig mitbekommen, dass Winston und Sie schon mal zusammengearbeitet haben?«

»Richtig. Es ging um Schmerzensgeld. Ein Arbeiter hat eine

Bank verklagt, unten in Long Beach. Erinnern Sie mich daran, Ihnen alles darüber zu erzählen, wenn ich ein paar Drinks intus habe und wir zu viel Zeit haben. Er ist ein ziemlich guter Anwalt. Am Anfang mochte niemand unseren Mandanten, aber Winston hat ihnen die Köpfe verdreht und ihnen unsere Version eingetrichtert. Ich kann's kaum erwarten, wieder mit ihm zusammenzuarbeiten, und zum ersten Mal mit Ihnen, Nina. Ich habe über Sie gelesen, was, wenn man es bedenkt, bemerkenswert ist. L.A. liegt schließlich auf einem anderen Planet als Tahoe, psychologisch gesehen.«

»Sie leben in Los Angeles?«

»Ich bin in New Orleans aufgewachsen. Jetzt lebe ich in Redondo Beach, nicht weit vom Meer in der Catalina Avenue, in einem kleinen mexikanisch anmutenden Bungalow.«

»Familie?«

»Nein. Meine Eltern sind beide tot, und ich scheine nie Zeit zu haben für eine feste Beziehung. Ich bin eines von den einsamen Mädchen, die nach Liebe suchen«, sagte sie. Auf ihren Wangen erschienen Grübchen. »Als ich nach Redondo kam, habe ich gleich surfen gelernt. Musste es aufgeben, als ich anfing, zwanzig Stunden am Tag zu arbeiten.«

»Sie sind gesurft? Ich auch. Natürlich mit Neoprenanzug. Ich bin in Monterey aufgewachsen.«

»Also, in Redondo ist es wärmer, aber meine Lieblingsstelle war an der Landzunge von Newport.«

Sie erzählten sich ein paar Geschichten. Nina konnte nicht anders, sie mochte Genevieve. Sie traute ihr glatt zu, dass das mit dem Surfen geschwindelt war, wenn sie sie auch bei keiner direkten Lüge erwischen konnte. Aber war es für jemanden mit ihrem Spezialgebiet nicht ganz normal, Ninas Hintergrund zu recherchieren und nach ein paar Gemeinsamkeiten zu suchen, bevor sie zu einem Vorstellungsgespräch ging? Sie genoss die Unterhaltung und musste Genevieves Strategie bewundern, falls es eine solche war.

»Ich muss Ihnen sagen, dass ich noch nie einen Jury-Berater hinzugezogen habe. Und ich habe meine Zweifel.«

»Dann bin ich Ihre Erste«, meinte Genevieve. »Ich betrachte das als Kompliment.«

»Sie müssen sich klarmachen, dass Sie als Beraterin dabei sind. Ich möchte, dass Sie mir all Ihr Wissen zur Verfügung stellen, aber ich behalte mir das Recht vor, meine eigenen Entscheidungen zu treffen.«

»Sie werden auf mich hören, wenn Sie gewinnen wollen. Was wissen Sie über Jury-Beratung?«

»Sehr wenig.«

»Es fing vor mehr als zwanzig Jahren an mit dem Prozess gegen die Sieben von Harrisburg. Das war meines Wissens das erste Mal, dass solche Techniken benutzt wurden, um der Verteidigung bei der Auswahl der Geschworenen zu helfen.«

»Wer hat gewonnen?«

»Die Sache wurde an dem Abend, bevor das Verfahren begann, durch Vergleich beigelegt«, sagte Genevieve. »Aber danach haben Sozialwissenschaftler bewiesen, dass diese Techniken funktionieren können, wenn ein sachkundiger Profi sich ihrer bedient. Nennen Sie mir irgendeinen großen Fall der letzten Zeit, und die Chancen stehen fünf zu eins, dass sie einen Jury-Berater dabeihatten.«

»Ich weiß nicht recht, warum ich mich dabei so unwohl fühle«, sagte Nina. »Vielleicht gefällt mir einfach die Vorstellung nicht, die Geschworenen zu manipulieren … obwohl es im Grunde natürlich genau das ist, was ich selbst die ganze Zeit versuche.«

»Das da draußen ist Krieg, meine Liebe. Und es ist nicht so, als wüsste man sicher, wie Menschen stimmen werden, sobald die Tür zum Geschworenenzimmer hinter ihnen zugegangen ist.«

»Sie haben Recht. Es gibt immer Fakten, die einem die ganze Arbeit vermasseln können.«

»Allzu wahr«, meinte Genevieve leidenschaftlich. »Entscheidend für den Ausgang eines Prozesses sind immer noch die Fakten – ganz egal, wie sorgsam Sie Ihre Leute auswählen. Was die Menschen am Ende glauben, sind die Fakten, aber wie sie darauf reagieren werden, da kommen wir ins Spiel. Ich bin der Meinung, es ist geradezu fahrlässig, heutzutage bei einem großen Fall keinen Jury-Berater hinzuzuziehen.«

»Komisch, Winston sagt das Gleiche. Ich schätze, das macht aus mir eine altmodische Kleinstadtanwältin, die ständig und überall Fehler macht«, sagte Nina.

»Ja, nur eine Kleinstadtanwältin. Nicht sehr viel, wenn Sie ein Superstar sein könnten«, sagte Genevieve ohne jeden Sarkasmus. »Sie sehen gut aus, das ist bei den meisten Geschworenen ein großes Plus. Etwas zu klein, aber mit einem Besuch in einem guten Schuhladen sollte das zu beheben sein. Und Ihr langes Haar« – sie schüttelte missbilligend ihren kurzen Haarschopf. »Sie sollten darüber nachdenken, es schneiden zu lassen. Wenn nicht, müssen wir was an der Frisur ändern. Dann bleiben für später noch Ihre Kleider und Ihre … ehm … Haltung.«

»Überaus liebenswürdig von Ihnen, das noch etwas aufzuschieben.«

Diesmal konnte Genevieve Ninas Verärgerung nicht übersehen. Sie lachte. »Sie werden sich an mich gewöhnen. Ich werde schlimmer hinter Ihnen her sein als Ihre Mutter. Und, wie steht's? Ziehen wir die Sache gemeinsam durch oder nicht? Ich werde mich mächtig für Sie ins Zeug legen.«

»Wenn wir uns finanziell einigen können. Sie werden den größten Teil Ihres Honorars erst am Ende des Prozesses bekommen …«

»Die Einzelheiten können wir später klären. Lassen Sie mich Ihnen in der Zwischenzeit sagen, was ich noch für Sie tun werde.«

Nina schob ihren leeren Teller weg und lehnte sich zurück, damit sich das Essen in ihrem Magen setzen konnte.

»Ich werde von jetzt an sehr oft hier oben sein. Wir fangen mit telefonischen Befragungen in der näheren Umgebung an. Um zu klären, wer hier lebt, welche Vorurteile die Leute haben, was sie arbeiten, wie ihre politische Ansichten sind, ihre Vereinszugehörigkeiten und so weiter. Auf Grund dieser Informationen stelle ich fest, ob die Geschworenenliste die Bevölkerung repräsentiert. Wenn mir die Gruppe ungeeignet erscheint, können wir den Antrag stellen, dass sie vergrößert wird. Ich glaube, im El Dorado County kann man beantragen, dass die Auswahl auch auf Geschworene aus angrenzenden Bezirken ausgedehnt wird. Das könnte nützlich sein für uns. Ich find's raus.«

»Was für Fragen stellen Sie?«, fragte Nina.

»Fragen, die uns helfen, die eigentlichen Persönlichkeitsstrukturen zu bestimmen. Dann setzen wir beide uns zusammen und analysieren die Ergebnisse. Ich mache das, was man eine Faktorenanalyse nennt – kurz, ich erstelle eine Skala von Faktoren, mit denen sich die Neigungen der Geschworenen vorhersagen lassen. Das ist der Punkt, an dem wir entscheiden, welches in diesem Fall die Kernfragen sind, welche kritischen Meinungen, Determinanten – wie etwa wirtschaftlicher Status, rassistische Vorurteile, Einstellung zur Gleichberechtigung und so weiter – am Ende von entscheidender Bedeutung sind.«

»Keine Diagramme, bitte!«

»Die verstecke ich in einem Loch in der Wand, und ich verrate Ihnen nicht, wo«, versprach Genevieve.

»Und das Letzte, was Sie genannt haben. Einstellung zur Gleichberechtigung?«

»Das ist eine alte Idee. Aristoteles hat sie als Erster definiert. Sie werden eine Menge von mir darüber erfahren. Die Frage ist, bis zu welchem Grad wird ein bestimmter potenzieller Geschworener Ungleichheiten in einer Beziehung tolerieren.«

»Wie zwischen Mike und Lindy Markov.«

»Ganz genau. Ich finde raus, welche Typen am ehesten dazu tendieren, Abhilfe für die in unserem Fall wahrgenommene Ungerechtigkeit zu empfehlen, und eine geeignete Abhilfe für unseren Mandantin ist ein Koffer voll Scheinchen.« Der Gedanke regte sie an, und sie rieb sich die Hände über einem imaginären Haufen Geld.

»Das will ich nicht bestreiten«, sagte Nina langsam.

»Das Wichtigste, was ich vor dem Prozess mache, ist, mit Ihnen zusammenzuarbeiten, um zwei Geschworenenprofile zu erarbeiten, eines von Ihrem Freund und eines von Ihrem Feind. Das heißt, wir jonglieren so lange mit den Informationen, ausgehend von zwei ganz gewöhnlichen Ansätzen – multiple Regression und Automatic Interaction Detection, die Ermittlung instabiler Interaktionen –, um herauszufinden, welche Charakteristika wir kennen müssen und wie sie kombiniert werden können, um unsere guten und bösen Frankensteins zu schaffen.«

»Ich weiß nicht, ob ich verstehe, wovon Sie reden.«

»Tut mir Leid, ein Rückfall in meinen Fachjargon. Darüber müssen Sie sich keine Sorgen machen.«

»Okay.«

»Danach arbeite ich mit Ihnen an Ihren *voir-dire*-Fragen. Und ich helfe Ihnen herauszufinden, welche Tatsachen Sie in Ihrem Eröffnungsplädoyer hervorheben und welche Sie bagatellisieren müssen. Und wie Sie Ihre Beweise präsentieren müssen. Und ...«

Ninas Gedanken schwirrten um die Möglichkeiten, die Genevieve ihr aufzeigte, während sie gleichzeitig darüber nachdachte, wie viele Prinzipien sie wohl über Bord werfen musste. Genevieves Art entsprach ihr so gar nicht. Aber sie hatte keine Wahl. Sie brauchte Winston, und er bestand auf Genevieve, also würde sie das Beste aus der Situation machen, das nehmen, was ihren Zielen diente, und den Rest außer Acht lassen. »Können Sie all das allein machen?«

»Ich habe zwei Assistenten in L.A., die die Telefonbefragungen durchführen und mir helfen, das abzugleichen, was wir zusammenkriegen. Später brauchen wir einen Privatdetektiv. Ich kann …«

»Das ist okay. Ich arbeite mit jemandem aus Carmel zusammen, Paul Van Wagoner.«

»Wenn wir die Liste der potenziellen Geschworenen etwas vor dem *voir-dire*-Termin bekommen könnten, muss er mit den Nachbarn und Freunden der Kandidaten reden, um uns frühzeitig ein paar Informationen zu besorgen. Wenn nicht, muss er, während der Richter und die Anwälte die Kandidaten beim *voir dire* befragen, da draußen herumlaufen und in den Mülltonnen kramen, damit wir eine fundiertere Entscheidung über unsere sechs Ablehnungen ohne Angaben von Gründen treffen können.«

Hinter dem, was Genevieve tat, schien tatsächlich so etwas wie ein verquerer Versuch von Wissenschaftlichkeit zu stecken. Vielleicht würde es tatsächlich funktionieren und Nina in einem Bereich ihrer gerichtlichen Praxis, der bis dato rein auf Intuition beruht hatte, eine gewisse Sicherheit geben. Genevieve war wie eine Armee, die an Riesners Flanken in Stellung ging … und selbstverständlich hatte auch er einen Jury-Berater.

Obwohl sie vorgehabt hatte, diese arrogante junge Frau nicht zu mögen und lediglich zu tolerieren, stellte sie fest, dass ihr die grinsende Genevieve gefiel, die ihr jetzt gegenübersaß und sich ganz darauf konzentrierte, eine Gabel zwischen ihren nervösen schmalen Fingern herumzuwirbeln.

»Vielleicht habe ich was verpasst, weil ich bisher noch nie mit einem Jury-Berater zusammengearbeitet habe.«

»Das haben Sie tatsächlich, aber es ist nie zu spät«, sagte Genevieve. »Sie, Winston und ich werden diesem reichen Typ eine Abreibung verpassen, die er nicht so schnell vergisst.« Sie tupfte sich mit der Serviette die Mundwinkel ab und sagte: »Haben wir noch Zeit für ein paar Runden am Spielautomaten? Als ich das letzte Mal hier war, habe ich elfhundert gewonnen. Drei rote Siebener. Um ein Auto zu gewinnen, hätte ich eine Serie von roten, weißen und blauen Siebenern haben müssen. Ich war ganz schön sauer!«

Genevieve spielte wie ein Kind mit Monopoly-Geld. In der Viertelstunde, die sie noch blieben, stopfte sie, ohne mit der Wimper zu zucken, hundert Dollar in die gefräßigsten Automaten. Nina hielt sich an ihre harmlose Vierteldollar-Maschine und verlor zwanzig. Eine Sache lernte sie in diesen fünfzehn Minuten über Genevieve: Sie konnte ohne Ende über Statistiken reden, aber sie war durch und durch eine Spielerin. Das Casino brachte diesen Charakterzug deutlich zum Vorschein.

Und das passt, dachte sie. Genevieve, Winston und Nina, Taramtamtam, drei Spieler in einem Kahn.

7

Lindy lag bäuchlings im kalten Sand und lauschte dem schwarzen Wasser, das am Ufersand leckte. Dieser Küstenstreifen am Rande ihres Grundstücks gehörte ihr, und nun hatte ein Richter verfügt, dass sie ihn nicht mehr betreten durfte.

Irgendwann lange nach Mitternacht hatte sie plötzlich in Alices Gästezimmer hellwach im Bett gelegen, nach einem Traum, der keine Bilder, nur dieses Gefühl der Dringlichkeit hinterlassen hatte. Dringlich! Ihre Brust weitete sich fast schmerzlich.

Diese Dringlichkeit war wie sexuelle Erwartung, möglicherweise explosiv, und wie ihr körperliches Begehren hatte sich diese Dringlichkeit auf Mike fixiert. Sie brauchte ihn und den Trost seiner Arme, wie immer, wenn sie eine schwere Zeit durchzustehen hatte. Sie musste mit ihm reden. Also war sie aufgestanden, hatte ihre Laufschuhe und eine Jacke übergestreift und im dunklen Esszimmer nach ihrem Schlüssel gesucht.

Am Zaun des Anwesens hatte ihre Stimmung sich verändert.

Auf dem neuen Schild über den schmiedeeisernen Torpfeilern stand DURCHGANG VERBOTEN. Wahrscheinlich hatte Mike das wegen der Reporter dort angebracht, aber jetzt galt es auch für sie, also lief sie am Zaun entlang zu dem kleinen Tor an der rückwärtigen Waldseite, kletterte darüber, ging zum Wasser hinunter und legte sich am Steg in den Sand, bis sie Klarheit darüber gewonnen hatte, was sie tun wollte. Das Engegefühl in ihrer Brust wurde von Moment zu Moment stärker, als ob ihr das Herz zerspringen wollte. Sie hätte am liebsten Kieselsteinchen gegen sein Fenster geworfen, irgendetwas, das ihm sagen würde, dass sie hier war und auf ihn wartete. Ihm mitteilen, wie wütend sie auf ihn war. Und wie verletzt.

Eine Weile verlor sie sich im rhythmischen Geräusch der kleinen Wellen und dem kalten, körnigen Gefühl des Sandes. Über ihr schrien Gänse, die zu spät nach Süden zogen. Eine Brise strich ihr freundlich über den Rücken und durchs Haar. Sie dachte daran, wie oft sie nach dem Tod ihres Vaters mitten in der Nacht aufgewacht war.

Als er gestorben war, hatte er sie ohne Unterstützung zurückgelassen. Damals hatte sie in ihrem Bett gelegen und die Decke angestarrt, hatte sich den Tod vorgestellt und sich gefragt, wie es war, niemand und nirgends zu sein, und sie ging so weit in die Dunkelheit hinein, dass sie am Morgen nur mit großer Mühe wieder zurückfand.

Tante Beth, die oft eingesprungen war, wenn es hart auf hart ging, nahm sie bei sich auf, und als Lindy siebzehn war, half sie ihr, in Henderson einen Job in einem Café und ein Zimmer zu finden. Lindy gab nur ihren Lohn aus, das Trinkgeld sammelte sie in einem großen Einmachglas, einem uralten Stück, das ihre Tante aufgehoben hatte, Gott wusste, warum. Als sie genug gespart hatte, zog sie weiter und bewarb sich in ihrem Second-Hand-Jackett aus dem Heilsarmeeladen als Sekretärin in der Auto- und LKW-Werkstatt der Gebrüder Burn in Mill City.

Ein paar Jahre darauf buchte sie die Showdarsteller für ein

Casino in Ely. Nun verdiente sie genug, um sich eine Wohnung leisten zu können und Tante Beth jeden Monat hundert Dollar zu schicken. Abends besuchte sie Wirtschaftskurse. Bald hatte sie den Ruf, fleißig zu sein und nie zu spät zu kommen, nie krank zu machen und immer hundertfünfzig Prozent zu geben.

Nach einer ebenso kurzen wie katastrophalen Ehe hatte sie Mike getroffen. Er arbeitete in demselben Club als Rausschmeißer. Mit fünfunddreißig war er auf dem Weg nach unten, zehn Jahre älter als sie, aber in vielerlei Hinsicht sehr jungenhaft. Er wirkte haargenau so groß wie sie, nämlich einen Meter siebzig, und sein Gesichtsausdruck war überrascht, die Augenbrauen hochgezogen, als könnte er nicht glauben, dass er gerade k.o. geschlagen worden war. In sechzig Kämpfen, davon zweiunddreißig Profi-Kämpfen, hatte er sich einmal zu oft am Auge verletzt, und die Ärztin der Box-Kommission von Nevada hatte gesagt, er würde das Augenlicht verlieren, wenn er weiter boxte.

Das sei ihm egal, hatte Mike ihr geantwortet, er habe ja immer noch das andere Auge. Er konnte nicht akzeptieren, dass seine Tage im Ring gezählt waren. Er stammte aus einer Familie armer russischer Immigranten, die sich in den Vierzigern in Rochester, New York, niedergelassen hatte und darauf vertraute, dass er eines Tages groß herauskam und seinem cleveren kleinen Bruder Geld für die Uni schickte.

Wenn sie um fünf Schluss hatte, fing seine Schicht an, und er kam vorbei, um ihr einen Guten Abend zu wünschen. Sie lachte über seine albernen Witze und machte sich Sorgen um ihn, bis sie schließlich den Mut aufbrachte, ihn zum Abendessen zu sich einzuladen.

Es war Hochsommer in der Wüste, die Stadt litt unter fast fünfundvierzig Grad, und die Klimaanlage war kaputt. Sie konnte überhaupt nicht kochen, also aßen sie auf der schattigen Feuerleiter über der Hauptstraße Oliven, Cracker und Käse und tranken billigen russischen Wodka mit Seven-up. Er küsste sie nicht einmal, aber am nächsten Tag kam er mit einer neuen Klimaanlage, die er in ihr Fenster einbaute, und dann konnten sie sich gar nicht genug küssen auf ihrer staubigen roten Wohnzimmercouch.

Dieser Tag war der glücklichste in ihrem ganzen Leben gewesen, denn jetzt spielte sie wieder eine Rolle für jemanden.

»Dad«, flüsterte Lindy, rollte sich auf den Rücken und sah in den Himmel über Kalifornien. »Bist du da oben?« Keine Antwort. Er war für immer irgendwohin gegangen, wohin sie ihm nicht folgen konnte, und hatte sie mit einer wunden Stelle im Herzen zurückgelassen. Sie rappelte sich auf und stieg langsam den Hügel zu dem großen Haus hinauf.

Sammy, ihr Rottweiler, kam auf sie zugeschossen, und als er sie erkannte, wackelte er mit seinem Hinterteil von einer Seite zur anderen. »Sammy«, flüsterte sie und hockte sich neben ihn, um ihn hinter den Ohren zu kraulen. »Was tust du hier draußen? Du solltest doch im Haus sein. Du solltest doch auf Mike aufpassen«, sagte sie und klopfte ihm auf den Rücken. Dann fiel es ihr wieder ein. Rachel mochte Sammy nicht. Wahrscheinlich duldete sie ihn drinnen nicht. Sammy folgte ihr lautlos die breite Holztreppe zur Hintertür hinauf.

Sie schloss die Tür mit ihrem Schlüssel auf, die sich auch ohne jedes Quietschen öffnete. Ihre Uhr zeigte halb vier.

In der dunklen Küche war nur das Summen des Kühlschranks zu hören. Wie merkwürdig, in ihrem eigenen Haus herumzuschleichen. Sie öffnete und schloss ein paar Schubladen, vielleicht um sich zu vergewissern, dass dies das richtige Haus war, obwohl es sich so fremd anfühlte. Ohne darüber nachzudenken, nahm sie das schärfste Messer aus einer der Schubladen, eines ihrer Lieblingsmesser, mit dem sie immer die Spitzen der Karotten abgeschnitten hatte. Sie hatte das Messer auf einer Reise in die Bay Area bei Williams Sonoma gekauft. Wie oft hatte sie es benutzt, wenn sie der Haushälterin bei Partyvorbereitungen geholfen hatte. Dieses Messer gehörte ihr.

Sie schritt durch die dunkle Stille des Flurs in den Empfangsraum, wo die Freitreppe nach oben führte. In den großen Räumen klangen ihre Schritte wie ein Echo vergangener Partys.

Der Handlauf fühlte sich warm an. Ihre freie Hand glitt auf der glatten Oberfläche entlang, um die Kurven herum, auf die sie so stolz gewesen war, als die Treppe gebaut wurde. Am Treppenabsatz hielt sie inne, wartete auf ein Zeichen, aber es gab kein Zeichen. Das Haus schlief. Dienstagabends hatte die Haushälterin frei, und Florencias Wohnung lag abseits. Sie wohnte in einer von Mike als »Verlies« bezeichneten Zwei-Zimmer-Einliegerwohnung im Souterrain, das an einer Seite des Hauses auf die zum See abfallenden Gärten hinaussah.

Der schwere Perserteppich im oberen Flur dämpfte ihre Schritte. Sie näherte sich der Schlafzimmertür. Wie sonderbar ihr alles vorkam. Sie war eine Fremde in ihrem eigenen Haus. In der hohen chinesischen Vase auf dem Gestell an der Tür trockneten die Weiden und Schilfgräser, die sie dort vor drei Wochen hineingestellt hatte, angestaubt vor sich hin. Nun sahen sie aus wie Pflanzen, die von der Hand einer anderen Frau, der neuen Frau dieses Hauses, arrangiert worden waren.

Sie schob die Tür mit dem Messer auf. Im Dämmerlicht lag Mike leise schnarchend auf dem Rücken. Rachel schlief neben ihm auf dem Bauch, das linke Bein nur halb zugedeckt, ihr rechtes Bein über das seine gelegt, die schönen langen Haare flossen ihr über die bloßen Schultern.

Lindy sah die beiden lange an, hielt das Messer fest umklammert und bemühte sich, das, was ihre Augen sahen, zu akzeptieren. Nur dann wäre sie im Stande, die Nabelschnur zu durchtrennen, die sie noch immer mit Mike verband. Sie spürte, wie sie den Boden unter den Füßen verlor, so wie es geschieht, wenn der Tod nah ist.

Mike schlug die Augen auf. Er hatte schon immer einen leichten Schlaf gehabt und war bei jedem Geräusch aufgewacht. Er bewegte sich nicht. Sie auch nicht. Lange starrten sie einander an.

Dann zog er vorsichtig die Bettdecke zur Seite, während Rachel weiterschlief, und stand auf, den Blick auf Lindy geheftet. Im Halbdunkel war sein wuchtiger nackter Körper nur ein Schatten unter Schatten. Er bückte sich und hob seinen alten Bademantel vom Boden, zog ihn an, verknotete den Gürtel und schlüpfte in die Hausschuhe. Lindy beobachtete ihn wie hypnotisiert.

Er kam zu ihr und berührte sie. Die Zärtlichkeit dieser Berührung und die warmen Finger rissen sie aus ihrer Träumerei.

»Mike?«, sagte sie leise.

»Wer sonst?«, flüsterte er, und sie fragte sich, ob er lächelte. Sie sog den vertrauten Geruch seines Körpers ein.

Er deutete auf die Tür. Dann zog er sie am Handgelenk aus dem Zimmer. In einer geisterhaften Prozession schwebten sie die Stufen hinunter und durch die Küche zur Hintertür hinaus. Sammy holte sie an der Tür ab und folgte ihnen auf dem Fuß.

Auf dem Pfad, wo sie das Plätschern der Wellen hörten, starrte Mike auf das Messer, dann sah er ihr ins Gesicht. Als sie ihm so gegenüberstand, erkannte sie, wie gut sie zusammenpassten. Es war, als seien ihre Körper genau spiegelbildlich modelliert worden, sodass die Ausbuchtungen und Mulden seines Körpers sich in ihre Rundungen schmiegten. Die Brise legte sich, und die Geräusche des Sees klangen gedämpfter. Sie genoss diese bewusste wechselseitige Wahrnehmung. Sie machte ein paar tiefe Atemzüge und dachte an das Messer in ihrer Hand, das sie nicht aufgeben wollte.

»Wie sieht dein Plan aus?«, fragte Mike und klang so sehr wie sein früheres Ich, dass sie beinah dahingeschmolzen wäre.

»Kein Plan.«

»Hundert Prozent Action, null Prozent Gelaber«, sagte Mike mit leisem Spott. »Das Messer, Lindy. Gib mir das Messer.«

»Nein.«

»Lindy, wenn du es mir nicht gibst, wirst du es benutzen müssen. Du willst mir doch nicht wehtun, oder?«

Sie wusste nicht, was sie dazu sagen sollte. Er stand geduldig da, ohne Angst. Im aufkommenden Wind bauschte sich sein Bademantel, und er sah genauso aus wie vor Jahren im Ring, keinerlei Sorgen auf der Welt, obwohl ihm so ein Dreckskerl gegenüberstand, der nur darauf wartete, ihm das Herz aus der Brust zu reißen.

Sie hatte sich entschlossen. Sie riss das Messer hoch und ritzte mit der Spitze über seinen Bauch. Er rührte sich nicht, er blinzelte nicht einmal. Das war der Mike, den sie kannte. Sie drehte es um, sodass er es beim Schaft fassen konnte.

Er warf es in einen Busch neben dem Weg. Sie vergrub ihren Kopf in der rauen Wolle seines Bademantels, und er streichelte ihr über den Kopf.

»Ich mache eine schwere Zeit durch, Mike«, sagte sie. »Ich liebe dich.«

»Ich liebe dich auch, Lindy«, antwortete Mike, wie früher, ganz am Anfang, als sie sich gerade erst kennen gelernt hatten. Sie gingen hinunter zum Strand, hinaus aus dem Wald, dann sanken sie gemeinsam auf den Sand.

»Es tut mir Leid«, sagte er. »So Leid. Ich glaube, ich habe von dir geträumt.«

»Kannst du – machst du bitte …«

»Es ist nicht richtig …«

Aber sie zerrte schon an dem Gürtel, und sein Bademantel öffnete sich.

»Bitte«, sagte sie.

»Oh, Lindy.«

Sie legte ihm einen Arm um den Nacken und zog ihn zu sich herunter, und nachdem er dort, wie er fand, lange mit ihr gelegen hatte, öffnete er den Reißverschluss ihrer Hose und zog sie ihr über die Schuhe. Einen Moment lag er auf ihr, sein Gewicht lullte sie ein und beruhigte sie.

Dann gab er ihr seine Liebe, wie er es immer getan hatte.

Danach, als sie wieder angezogen waren und eng aneinander

geschmiegt auf den See hinausblickten, sagte er: »Ich schäme mich. Ich hätte klüger sein müssen.«

»Gibt es … irgendeine Chance …«

»Ich heirate Rachel.« Er sagte es ohne Häme, es hörte sich eher so an, als brächten ihn seine Worte fast genauso durcheinander wie sie.

»Sie ist so jung.«

»Es ist ein neuer Anfang. Eines Tages habe ich mich umgesehen, und alles sah anders aus. Es war, als ob ein anderer Mann mein Leben leben würde, als ob er all die alltäglichen Sachen machte, Rechnungen bezahlte, dich liebte, telefonierte, und ich würde ihn durch ein Fenster von draußen beobachten, völlig durcheinander. Ich konnte die Worte nicht mehr verstehen, und was ich sah, gefiel mir nicht, dieses alte Gesicht und meine zerknitterten Pfoten.« Er hob seine Fäuste. In der Dunkelheit sahen sie sie beide ganz genau an, bis er sie wieder sinken ließ. »Sie waren …« Er dachte nach, aber das Wort, das er suchte, fiel ihm nicht ein.

»Wunderschön, Mike.« Sie hatte ihm das oft gesagt.

»Erinnerst du dich? Sie waren so glatt wie Bowlingkugeln, und wie schnell sie zum Einsatz kamen.«

»Oh, ich erinnere mich.«

»Und, siehst du das?« Er versuchte, eine Faust zu machen. »Ich kann kaum die Finger krümmen. Ich glaube, ich habe Arthritis. Ich bin es so leid …«

»Was? Mich? Das Unternehmen?«

»Ich weiß es nicht. Ich empfinde einfach nicht mehr so wie früher, das ist mit allem so.«

»Das nehme ich dir nicht ab.«

»Du bedeutest mir immer noch viel.«

»Du hast eine merkwürdige Art, es mir zu zeigen.«

»Geh noch nicht, Lindy. Vielleicht kommen wir nie wieder dazu, so miteinander zu sprechen. Immer werden Anwälte da sein, Reporter …«

»Das Geld«, sagte Lindy.

»Ich werde mich um dich kümmern, wie ich es immer getan habe.«

»Hast du dich um mich gekümmert, Mike? Oder habe ich mich um dich gekümmert?«

Er zuckte die Schultern.

»Wir haben so hart gearbeitet. Weißt du noch, wie wir unser erstes Fitness-Studio in Lubbock hochgezogen haben? Ich habe alle Leute im Ort angerufen, nur um jemanden zu finden, dem du Unterricht geben könntest. Der Hörer wurde so oft aufgeknallt, ich kann immer noch nicht wieder richtig hören.«

»Wir haben alles dafür gegeben.«

»Warum hast du mich nie geheiratet, Mike? Ich habe dir so oft Heiratsanträge gemacht!«

»Ich weiß nicht.« Er hob die Hand und ließ den Sand durch seine Finger rinnen. »Wolltest du mich mit dem Messer umbringen?«

»Ich weiß es nicht.«

»Na, vielen Dank dafür, dass du mich nicht umgebracht hast.« Sie lachten beide ein bisschen. »Du bist so ein wildes Ding, Lindy. Erinnerst du dich, was du mit Gil gemacht hast, vor der Scheidung, als ihr euch getrennt habt? Zweiundsechzig Stiche. Ich weiß es noch, ich habe es nicht vergessen.«

»Erinner mich nicht daran. Er hatte es wirklich verdient. Der Scheißkerl hat mich einzig und allein zu dem Zweck geheiratet, mir meine Ersparnisse abzuluchsen. Er hatte genau geplant, wie er mich ausnehmen und demütigen wollte. Und überhaupt, wer konnte schon ahnen, dass die Vase in so viele Scherben zerspringen würde?«, sagte Lindy.

»Wahrscheinlich ist das dein größter Fehler, und es ist wohl auch das Süßeste an dir. Du gehst einfach aufs Ganze. Ich kenne niemanden, bei dem die Sicherungen so durchbrennen wie bei dir.«

»Klar hab ich Temperament, aber im Moment bin ich nicht

wütend. Ich habe gerade an das erste Jahr gedacht, in dem wir schwarze Zahlen geschrieben haben. Was war das für ein Weihnachten! Wie du mich in deinem Kostüm als Weihnachtsmann auf dem Esszimmertisch geliebt hast. Du kannst so witzig sein.«

»Glaubst du, ich bin glücklich mit dem, was ich dir angetan habe? Und mit dem, was du mir antust? Ach Lindy, alles ist jetzt anders.«

»Du heiratest also.« Lindy blies in ihre Hände, um sie zu wärmen. »Du Blödmann. Ich kann mir nicht vorstellen, dass ihr wirklich was an dir liegt. Sie sieht das Geld. Sie rennt hinter den Dollarzeichen her.«

»Sie sagt, sie liebt mich. Vielleicht bekommen wir ein Baby.«

»Ich habe dir das Geschäft geschenkt. Das war unser Baby.«

»Es war mein Geschäft. Ich habe es hochgezogen. Meine Fäuste und die Arbeit meiner Hände haben es Wirklichkeit werden lassen.«

»Mein Grips und meine Worte. Wir beide haben es Wirklichkeit werden lassen, und das weißt du ganz genau!« Es drängte sie, ihm noch weiter zu widersprechen, aber irgendetwas hielt sie zurück, ein unzerstörbares Vertrauen in die Zukunft, das ihr eingab, jetzt nichts zu sagen, was man nicht vergeben konnte. »Was für eine Schande, wie wir hier miteinander reden«, sagte sie. »Es wird sowieso nichts ändern. Es bedeutet nichts. Kann ich gleich Sammy beim Bellen zuhören.«

»Ich will dir nichts vormachen. Du und ich … es ist aus zwischen uns. Ich will mich um dich kümmern. Ich schicke dir jeden Monat einen Scheck.«

»Danke fürs Angebot. Ich will keine milden Gaben. Ich will uns so in Erinnerung behalten, wie wir waren. Unsere Liebe. Unseren Respekt. Die Großzügigkeit. Was ist mit dir geschehen? Hast du denn alles vergessen?«

»Da wir gerade darüber sprechen, Lindy, du musst etwas für mich tun.«

»Was?«

»Schaff mir deine Anwältin vom Hals und den Zwangsverwalter aus meiner Firma. Du weißt, wie wir bei Markov Geschäfte machen. Unsere Geschäfte beruhen auf Vertrauen, und wir müssen flexibel sein, um unsere Märkte richtig bedienen zu können. Ein Zwangsverwalter ist unser Tod.«

»Nina hat es mir erklärt. Er ist nur da, um aufzupassen.«

»Er wird so lange aufpassen, bis wir aus dem Geschäft sind!«

»Das wirst du nicht zulassen.«

»Bitte lass es nicht so weit kommen. Denk darüber nach.« Er wandte sich zum Haus. »Ich muss rein, bevor sie aufwacht«, sagte er und hob Lindys Kinn mit zwei Fingern. Seine Stimmung hatte sich mit dem Anbruch des Tages gewandelt. »Ist es nicht unglaublich«, sagte er, »wie weit wir gegangen sind?« Er deutete nicht auf das Messer, aber sie wusste, dass sie beide daran dachten. »Ist das nicht verrückt?«

»Verrückt«, stimmte Lindy zu. Sie standen sich gegenüber, ein Paar Champagnergläser, Bücherstützen, Socken. Zwei, die zusammengehörten.

Er strich ihr mit all der alten Zärtlichkeit über die Wange, und in dem Augenblick erinnerte sich Lindy, was für ein umwerfendes Paar sie gewesen waren.

Dann, im grauen Licht, tauchte Rachel auf. Sie kam in einem seidenen Morgenmantel auf sie zugerannt, das lange Haar flatterte wie Rabenflügel hinter ihr. »Was ist hier los?«, rief sie und stellte sich keuchend neben Mike.

»Nichts. Lindy und ich mussten was besprechen.«

»Um diese Uhrzeit?«

»Nein«, sagte Lindy. »Er lügt dich an. Aber du hast ein Recht, es zu wissen. Mike und ich, wir haben uns geliebt, genau da, wo du gerade stehst. Und es war fantastisch, Rachel. Besser als je.«

»Was?«, fragte Rachel und trat zurück. »Nein! Du lügst! Mike?«

»Lass uns wieder reingehen« sagte er, nahm sie beim Arm

und warf Lindy einen erbosten Blick zu. »Wir unterhalten uns drinnen.« Er zerrte an ihrem Ärmel, aber sie schüttelte ihn ab.

»Nein, wir sprechen jetzt hier«, sagte Rachel. »Stimmt das?«

»Ja, es stimmt.«

Mike hatte fast genau zwischen den beiden Frauen gestanden, aber jetzt rückte er näher an Rachel. Im selben Moment nahm Sammy seinen Platz neben Lindy ein. Sie streichelte ihn, aber selbst Sammys warmes Fell bot keinen Trost. Sie beobachtete, wie Mike mit Rachel umging. An der Art, wie er sie ansah, konnte sie erkennen, dass er verloren war, verzaubert.

Mike nahm Rachels Hand. »Rachel, so lange wir zusammen sind, das schwöre ich, werde ich keine andere Frau mehr anfassen. Dies war …« Seine Lippen bewegten sich, aber er konnte das, was ihm durch den Kopf ging, nicht artikulieren.

Während der folgenden Pause schien sich Rachel zu beruhigen. Vielleicht dachte sie nach. »Ich weiß, was das war«, sagte sie schließlich mit einem gemeinen Lächeln. »Ein Trostpreis, stimmt's, Mike? Es ist nur fair, der Mitleid erregenden Verliererin einen billigen Trostpreis anzubieten.«

»Komm, Rachel, lass uns gehen. Fang bloß nichts an«, sagte Mike ruhig und versuchte, sie zum Haus hochzuzerren.

»Er liebt mich«, sagte Lindy. »Er hat mich immer geliebt.«

»Wenn er dich so liebt«, sagte Rachel, »was macht er dann hier mit mir? Nein, warte mal. Sag nichts. Ich werde dir die Antwort geben. Er ist hier mit mir, weil er weiß, dass wir gleich wieder in das große Bett da oben klettern, um so richtig heißen Sex zu machen, unser Sex ist so heiß, wie du ihn gar nicht mehr geben kannst, weil du viel zu ausgelutscht bist. Jaah«, sagte sie und sah Lindy direkt an. »Ich schlage vor, du bleibst bei den dunklen Stränden und bei schummrigen Zimmern. Das Licht meint es nicht gut mit dir.«

»Sprich nicht so mit mir! Mike?«

Aber Mike hatte keine Kontrolle über Rachel. »Ach, komm schon«, sagte sie. »Ich sage doch nichts, was du nicht selbst jeden Morgen bemerkst, wenn du dir im Spiegel diese widerlichen Krähenfüße anguckst und schreiend nach dem Make-up-Beutel suchst.«

»Hör damit auf!« Mike zog kräftig an Rachels Arm, aber sie gab nicht nach.

»Wenn Mike kein Geld hätte, wärst du so schnell weg, dass wir noch nicht mal den Gestank deines Auspuffs einatmen müssten!«, sagte Lindy.

»Ruhig, Lindy, ganz ruhig! Ich hab gehört, du … drehst ziemlich durch, wenn du dich aufregst. Mike hat mich vor dir gewarnt«, sagte Rachel.

»Ich …«, sagte Lindy, unfähig, einen Satz zu bilden. Die Wut wallte in ihr auf, so stark, dass sie meinte, daran zu ersticken.

»Ich hab eine Idee!«, sagte Rachel aufgeregt. »Komm, lass uns Freunde sein. Wir wollen das Vergangene vergangen sein lassen. So geht man zivilisiert damit um. Und als Zeichen unserer Freundschaft lade ich dich jetzt gleich ins Haus ein. Ist das nicht eine gute Idee, Mike?«, sagte sie eifrig. »Findest du nicht, dass das ganz wunderbar wäre?«

»Na ja …«, sagte Mike. Er trat unbeholfen von einem Fuß auf den anderen, als versuchte er, im Treibsand Fuß zu fassen.

»Wirklich, wie wär's mit einer kleinen Showeinlage.« Sie nahm Mikes Arm. »Komm schon Mike, wir laden sie zu uns nach oben ein. Wir zeigen der alten Sau, wie man's macht.«

Lindy stürzte sich auf sie und riss sie von Mike los. »Du erkennst die Liebe ja nicht mal, wenn sie dich in deinen knochigen Arsch beißt!« Mit geballten Fäusten schlug sie auf Rachel ein, aber Mike war mit einem Satz hinter ihr und drückte ihr die Arme an die Seite.

»Sammy, fass!«, schrie sie und kämpfte wild, um sich aus Mikes eiserner Umklammerung zu befreien.

Sammy setzte zum Sprung an. Rachel schrie, als er sie umwarf.

»Fass!«, brüllte Lindy.

Rachel schrie immer noch.

»Sammy, Platz! Mach Platz!«, donnerte Mike im selben Moment.

»Los, Sammy! Beiß ihr die Nase ab! Fetz ihr die Augen raus! Los, Sammy!« Mike umklammerte sie noch fester. »Au! Mike, das tut weh!«

»Platz, Sammy!«, kommandierte Mike.

Der Hund, der dieses Trommelfeuer wechselnder Kommandos mit wachsender Erregung gehört hatte, sah zu ihnen hinüber. Wie paralysiert ließ er langsam von Rachel ab.

Rachel rappelte sich hoch. Sie brach in hysterisches Geheul aus und rannte ins Haus. Sammy ging zu Mike und Lindy und wedelte versuchsweise mit dem Schwanz. »Guter Hund«, sagte Mike. »Was für ein guter Hund.«

Er hielt Lindy fest, bis Rachel im Haus verschwunden war, dann ließ er die Hände sinken. »Komm nicht noch einmal«, sagte er. »Das nächste Mal verklagen wir dich.«

»Mike«, sagte sie. »Warte. Rede mit mir.«

Ohne ein weiteres Wort drehte er sich um und ging zum Haus.

»Er wird sie nicht heiraten«, sagte Lindy zu sich selbst, klopfte sich den Sand ab und starrte auf seinen Rücken, der langsam im hellen Strahl der ersten Morgensonne verschwamm. »Eines Morgens wird er aufwachen, und der Teufel, der ihn jetzt reitet, wird verschwunden sein. Dann wird er seine Macht wieder spüren. Und dann will er mich zurückhaben.«

ZWEITES BUCH

Die Enthüllung

*Es ist eine wunderbare,
des Nachdenkens werte Tatsache,
dass jeder Mensch für jeden anderen
ein tiefes Geheimnis und Rätsel
darstellt.*

CHARLES DICKENS

8

Am zwölften November, anderthalb Wochen vor Thanksgiving, wachte Nina in einem kalten Haus auf. Bob rumorte unten herum. In der Nacht hatte Hitchcock sich offensichtlich gegen den handgeknüpften Teppich, der auf dem kalten Fußboden lag, entschieden und war zu ihr ins Bett gekommen. Sie schmuste mit ihrem Hund! War das das Schicksal einer allein stehenden Frau?

Sie schob den Hund zur Seite, sprang aus dem Bett, lief die Treppe hinunter und drehte die Heizung auf. Dann lief sie wieder hinauf und kroch unter das Federbett, während die Heizung zum Leben erwachte. Sie kuschelte sich behaglich ins Bett und dachte an Paul. Sie vermisste ihn. Seit der Party der Markovs hatte sie bis auf ein paar kurze telefonische Grüße nichts von ihm gehört.

Sie schien nie die Zeit zu finden, ihn anzurufen. Er musste ihr helfen, eine detaillierte und unparteiische Geschichte von Markov Enterprises zu erarbeiten, und dann erste Gespräche mit Leuten führen, die nach Lindys Einschätzung wohlgesonnene Zeugen abgeben konnten.

Sie brauchte ihn in ihrem Bett.

Das Haus wurde allmählich warm, und etwas später steckte Bob den Kopf durch die Schlafzimmertür. Als er sah, dass sie wach war, lief er zum Fenster, zog den Vorhang auf und rief: »Es schneit! Mom, das musst du dir ansehen.«

Die Luft draußen war weiß und weich. Der Schnee fiel so dicht, dass sie kaum etwas erkennen konnte, aber das Weiß bewegte sich, schwebte zu Boden.

Sie schlug die Decke beiseite, zog ihren Morgenmantel an

und ging mit Bob nach unten. »Zieh dich an, Bob. Ich fahre dich zur Schule. Wir haben den Bus verpasst.«

»Hey, vielleicht gibt's schneefrei!«

»Ich frag mal nach.« Während Bob ihre neue CD mit afrikanischer Ska-Musik einlegte, setzte sie Kaffee auf und stellte Schalen für die Haferflocken auf den Tisch, dann rief sie in der Schule an und erfuhr, dass sie den Unterricht, Gott sei Dank, nicht gestrichen hatten.

Bob setzte sich an den Küchentisch, um ein paar Schalen Haferflocken hinunterzuschlingen, und Nina eilte wieder nach oben, um ihr wärmstes Wollkostüm anzuziehen. Damit ihre Haare unter dem Hut trocken blieben, steckte sie sie in einem Knoten am Hinterkopf fest. »Bob! Vergiss nicht, dein Schulbrot einzupacken!«

Über Nacht war der Herbst dem Winter gewichen. Nina spürte ein Hochgefühl, während sie sich in Parka, Handschuhe und Stiefel hüllte, die Tür öffnete und auf den frisch gefallenen Schnee blickte. Das alte Schrottauto der Nachbarn hatte sich über Nacht in eine Eisskulptur verwandelt, und die Bäume waren mit weißen Girlanden geschmückt. Kein Lufthauch regte sich, und kühle Schneeflocken schmolzen auf ihren Wangen.

Sie stiegen in den Bronco, und Nina schaltete den Allradantrieb zu und hoffte, dass sie nicht noch einmal aussteigen mussten, um die steile Zufahrt freizuschaufeln. Aber das Auto schaffte es ohne Probleme.

»Warum hast du es so eilig, Mom?«, fragte Bob, als sie in einer Kurve leicht rutschten.

Sie fuhr etwas langsamer. »Wir versuchen, den Termin für die eidlichen Zeugenaussagen im Fall Markov in Gang zu bringen, aber wir haben Probleme mit Mike Markovs Anwalt.«

»Das ist, wenn man die Leute zu dem Fall befragt und alles aufgeschrieben wird, stimmt's? Und wenn sie später beim Prozess etwas anderes sagen, werden sie in die Mangel genommen.«

»Woher weißt du das?«

Er zuckte die Schultern. »Ich glaube, aus dem Fernsehen.«

Vor der Schule drängten sich Pickups, Geländewagen und Subarus auf dem Parkplatz. Sie gab Bob einen Abschiedskuss und sah ihm nach, wie er durch das Schneegestöber rannte, obwohl es glatt war und sein Rucksack ganz schön schwer sein musste.

Den restlichen November bis in den Dezember hinein kämpfte Nina mit Riesner darum, welche Unterlagen bei der eidlichen Zeugenaussage vorgelegt werden durften, die zweimal verschoben werden musste, damit sie vor den Verhandlungsausschuss gehen konnten, um eine Entscheidung zu erwirken. Riesner nahm keinen einzigen Anruf von ihr entgegen, sie musste alles per Fax erledigen.

Professionelle Höflichkeit bestand in diesem Fall darin, Anträge am Freitag um fünf Uhr zu faxen, damit der andere sie erst am Montag zu Gesicht bekam und drei Tage Vorbereitungszeit verlor, oder zwanglose Pressekonferenzen abzuhalten, deren Ziel es war, möglichst viele potenzielle Geschworene zu beeinflussen und bei jeder Frage zu mauern.

Sie hatte gewusst, wie es laufen würde, zahlte jeden Trick mit gleicher Münze heim und ließ sich sogar noch ein paar neue einfallen. Sie freundete sich mit Barbet Schroeder vom *Tahoe Mirror* an und fütterte sie einmal die Woche mit leckeren Häppchen, bis Barbet ihr überallhin folgte. Der Produzent einer Sendung des Gerichtsfernsehens rief an und fragte, was sie davon hielte, den Prozess im Fernsehen zu übertragen. Das bereitete ihr ein paar schlaflose Nächte, bis der Produzent wieder anrief und sagte, es würde nicht klappen, weil es zur gleichen Zeit in Indianapolis einen saftigen Sexualmord-Prozess gab und sie beschlossen hatten, diesen live auszustrahlen.

Lindy rief fast jeden Tag an und forderte ausführliche Berichte über ihre Fortschritte.

»Die Sache geht schnell voran«, erklärte Nina ihr.

»Pleite sein lässt einen schnell altern. Immer wenn ich in die Stadt komme, muss Alice für alles bezahlen. Ich kann das nicht ausstehen. Ich fühle mich, als würde ich plötzlich jedem etwas schulden. Ich will diese Sache klären. Ich will Rachels Gesichtsausdruck sehen, wenn Mike verliert. Ich will mein Geld.«

Nina wusste, wie sie sich fühlte.

Lindy verbrachte einen Großteil ihrer Zeit damit, mit Alice zusammen in den Casinos einen Riesenaufstand zu machen. Ein paar indirekten Hinweisen in der Zeitung folgten ausführliche Berichte in der Klatschspalte einer Zeitung aus San Francisco, nachdem die beiden eines Abends aus dem Prize's Club hinausgeworfen worden waren.

Bei einem von Lindys späten Anrufen bei Nina zu Hause fragte Nina Lindy danach.

»Sie bauschen alles, was ich tue, über die Maßen auf«, sagte Lindy. »Außer die eine Nacht bei Prize's. Am Abend davor hatte ich Mike gesehen. Ich will das nicht in allen Einzelheiten erzählen. Es war schrecklich. Am nächsten Abend sind Alice und ich ausgegangen, um Craps zu spielen. Ich hatte wohl ein bisschen zu viel getrunken. Sie trinkt nur selten etwas, aber sie leistete mir Gesellschaft. Wir kamen auf ihre Scheidung zu sprechen, und da ist sie richtig explodiert. Na ja, Sie wissen ja, wie sie sein kann. Sie zog diese dämliche Pistole raus und feuerte aufs Geratewohl ein paar Schüsse auf den Craps-Tisch ab.«

»Ach, du Schande!«, sagte Nina. »Hat sie jemanden verletzt?«

»Den Tisch«, sagte Lindy. Jetzt lachte sie. »Sie ist total verrückt. Ich weiß nicht, ob sie es aus Wut getan hat oder einfach nur, um mich aufzuheitern, weil ich am Verlieren war. Aber ich glaube kaum, dass sie es sagen könnte.«

»Wurden Sie verhaftet?«

»Sie kannte den Boss, deshalb wurde die Polizei nicht gerufen. Sie haben uns nur rausgeworfen.«

»Lindy, das ist wirklich ernst. Egal, wie schlecht es Ihnen geht, Sie müssen sich zurückhalten. Die Geschworenen kommen alle aus der Gegend hier. Diese Leute sollen entscheiden, ob Ihnen das Geld zusteht, weil Sie eine hart arbeitende Geschäftsfrau sind. Sie wollen doch sicher nicht, dass sie kurz vorher in der Zeitung von Ihren wilden, betrunkenen Großtaten lesen, oder?«

»Sie haben Recht, Nina. Es tut mir Leid.«

»Und noch was. Ihre Freundin sollte keine Waffe haben.«

»Hat sie auch nicht mehr. Ich habe sie ihr dort sofort weggenommen.«

»Und wo ist die Waffe jetzt?«

»Ich habe sie in meinem Koffer versteckt. Dort wird sie nicht danach suchen, sie legt ziemlich viel Wert auf Privatsphäre.«

Nachdem sie wochenlang Pauls Nummer in Carmel gewählt und ihn nicht erreicht hatte, rief sie zehn Tage vor Weihnachten sein Büro an und bekam seine neue Nummer in Washington.

»Lauf, lauf, so schnell du kannst«, neckte sie ihn, als er abnahm.

»Ich finde dich trotzdem.«

»Ich hätte wetten können, dass ich meine neue Nummer an einem einsamen Abend, als du dich mit einem anderen Mann amüsiert hast, auf deinem Anrufbeantworter hinterlassen habe«, meinte Paul.

»Klingt eher nach einer abendlichen Besprechung.«

»Oh-oh«, sagte er, aber er klang nicht besorgt.

»Jedenfalls tut es mir Leid, dass ich nicht öfter anrufen konnte. Ich stecke wirklich bis über beide Ohren in dem Fall. Warum hast du ein anderes Quartier?«

»Sie haben mich in eine Wohnung im Watergate-Komplex gesteckt. Angenehmer als ein Hotelzimmer.«

»Klingt mehr nach etwas Langfristigem«, meinte sie.

»Ja, auch. Ich könnte nicht die ganze Zeit in einem Hotel wohnen. Das ist kein Leben.«

»Nein«, stimmte sie ihm zu, obwohl sie lieber glauben wollte, er hätte dort kein Leben.

»Nina, es würde dir hier draußen gefallen«, sagte er und wechselte das Thema. »Wo du gerade davon sprichst, mitten drin zu stecken! Rate mal, wen ich im Aufzug eines Bürogebäudes in der K-Street getroffen habe. Ralph Nader. Hab ihn fast umgerannt. Und dann hab ich irgendwann in einem kleinen Lebensmittelladen in Georgetown Henry Kissinger gesehen. Es ist hier so anders als in Kalifornien. Die Geschichte – also, sie spaziert einfach da draußen in der Stadt herum und kauft Schokoriegel.«

»Wow«, sagte Nina, »klingt, als hättest du viel Spaß.«

Er versicherte ihr unbeschwert, dass das nicht so sei, dass er sie und all die anderen Leute aus den Bergen vermisse, und fragte nach Bob und Andreas und Matts Familie. Sie unterhielten sich eine Weile, dann stellte Nina die Frage, die ihr am wichtigsten war. »Wann kannst du zurückkommen?«

»Nicht vor Ende Januar. Über Weihnachten sitze ich hier fest.«

»O nein«, meinte Nina. »Kannst du nicht wenigstens ein paar Tage freinehmen? Ich dachte, wir könnten über die Feiertage ein bisschen Ski fahren gehen. Ich hab nicht viel Zeit, aber ein Wochenende oben in der Hütte im Squaw Valley wäre schon drin.«

»Ich wüsste eine Alternative.«

»Und die wäre?«

»Binde dir eine hübsche Schleife um, setz dich ins Flugzeug und erscheine auf meiner Türschwelle.«

»Du willst, dass ich nach Washington komme?«

»Wollen ist zu schwach. Ich wünsche es mir. Ich sehne mich danach.«

»Paul, ich habe auch zu tun. Bob und ich feiern Weihnachten zwar drüben bei Matt, aber ich muss noch Geschenke kaufen, den Baum schmücken, die ganze Palette. Ich hab einfach keine Zeit wegzufahren.«

»Wenn du es so willst«, sagte Paul und klang stocksauer.

»So ist es einfach«, sagte sie, »für mich genauso wie für dich.«
Schließlich hellte sich seine Stimmung wieder auf. Am Ende
war er einverstanden, anzurufen, sobald er Zeit hatte, ihr bei
dem Markov-Fall zu helfen.

Zum Abschied deutete er an, er könne es kaum erwarten, ihr
etwas Neues zu zeigen, was er sich ausgedacht hatte, etwas, was
mit den vier hohen Bettpfosten ihres neuen Kiefernholzbetts zu
tun hatte.

Die Feiertage kamen und gingen mit den üblichen Aktivitäten
und Familienbesuchen. Bob schien sich riesig über die neue
Software zu freuen, für die sie eisern gespart hatte, und fragte
nicht noch einmal, ob er seinen Vater besuchen könnte. Sie
wusste, dass er es nicht vergessen hatte. Er wollte ihr nur nicht
wehtun.

Um Winston über die Entwicklungen auf dem Laufenden
und damit bei der Stange zu halten, schickte sie ihm auch weiterhin Kopien aller schriftlich ausgetragenen Fehden und Argumente. Er rief regelmäßig an, hatte ermutigende Worte und ausgezeichnete strategische Ratschläge, aber er schien immer zu
beschäftigt zu sein, um nach Tahoe hochzukommen. Ohne dass
es offen ausgesprochen wurde, machte Nina auf diese Weise die
Erfahrung, dass berühmte Prozessanwälte sich nicht die Hände
mit den kleinlichen Vorbereitungen der Hauptverhandlung
schmutzig machten.

Genevieve blieb lange genug in Tahoe, um Nina ein paar Mal
im Gerichtssaal zu erleben und bei einem kurzen Zivilprozess
dabei zu sein, bei dem Riesner der Anwalt der gegnerischen Partei war, um, wie sie es ausdrückte, »nach seiner Achillesferse zu
suchen«. Bevor sie abreiste, telefonierten Nina und sie über
Konferenzschaltung mit Winston. Er war mit Genevieve einer
Meinung, dass Riesner auf retardierte Persönlichkeiten wirken
würde, die keine eigene Entscheidung treffen wollten, und auf

konservativere Typen, die sich in ihren Ansichten bestärkt sehen wollten.

Anschließend diskutierten sie Mikes potenzielle Zeugen. Nina sagte, dass Mikes Freundin – von ihm abgesehen – für sie vor Gericht die größte Bedrohung darstellen würde, wenn es ihr gelang, die Zweifel der Geschworenen an ihrer Glaubwürdigkeit zu zerstreuen. Rachel Pembroke hatte lange bei Markov Enterprises gearbeitet, eine verantwortungsvolle Position innegehabt und eine persönliche Sicht auf die Beziehung der Markovs, die unzweifelhaft Mikes Position stärken würde.

Auf Genevieves Vorschlag hin dachten sie über das nach, was sie das »Mantra« für ihren Fall nannte.

»Lasst es uns auf fünf oder noch weniger Wörter reduzieren«, beharrte sie. »Sucht nach einer Inspiration, während wir unsere Schleppnetze durch die Fakten ziehen.«

»Wir werden's wissen, wenn es vor uns liegt«, meinte Nina, »wie schon Richter Potter Steward sagte.«

»Zeit fürs Vorzeigweib«, sagte Winston.

»Oh, das ist gut«, meinte Genevieve.

»Sie hat ihn reich gemacht, dann ließ er sie fallen«, schlug Nina vor.

»Zu lang«, sagte Genevieve. »Wir brauchen etwas Eingängiges wie: ›Wo ist das Fleisch?‹ Oder wie Paula Jones und die ›besonderen Merkmale des Präsidenten‹. Das war das Mantra für den Fall.«

Winston lachte.

»Wir klingen ganz schön zynisch.« Nina schwächte ihre Kritik ab, indem sie sich selbst mit einschloss. »Es gibt wichtige Fragen in dem Fall, zum Beispiel: Was ist eine Ehe? Was genau ist eine Familie? Ihr wisst schon!«

»Das gefällt mir«, sagte Winston und überrollte ihre Bedenken mit seiner Begeisterung. »›Was ist eine Familie?‹ Es deckt nur leider den geschäftlichen Aspekt der Sache nicht ab.«

Am Ende kamen sie auf etwas zurück, was Lindy zu Nina gesagt hatte: Das Geschäft war ihr Kind. Das war eine gute Zusammenfassung von Lindys Position. Nina gefiel es, weil es eine tiefere Wahrheit auszudrücken schien, eine emotionale Wahrheit, von der sie hoffte, dass die Geschworenen sie offen aufnehmen würden.

Die Schneedecke auf den Straßen und in den Wäldern wurde immer dicker. Die Landschaft verwandelte sich von staubigem Olivgrün, Gelbbraun und Blau in blendendes Weiß und Blau. In Squaw Valley, Heavenly, Sierra Ski Ranch und den anderen Urlaubsorten beeilte man sich, möglichst viele Skilifte in Betrieb zu nehmen. Nach der herbstlichen Ruhe füllte die Stadt sich wieder mit Touristen. Die Wintersaison hatte begonnen.

Mit den eidlichen Zeugenaussagen wurde am ersten Dienstag im Januar begonnen. Nina war vor Sandy im Büro und verbrachte eine Stunde damit, Notizen durchzusehen, bevor Sandy kam.

Um zehn Uhr versammelten sich die Parteien in Ninas engem Konferenzzimmer. Nach einem denkwürdigen offenen Schlagabtausch hatte der Hearing Examiner verfügt, dass Mike Markov die Ehre hätte, zuerst auszusagen. Besondere Regelungen waren ausgearbeitet worden, um die tägliche Stundenzahl zu begrenzen, und Nina hatte nur zwei Tage mit ihm. Er saß ihr jetzt gegenüber.

Nachdem Riesner die Unordnung in Ninas Konferenzzimmer und die geschmacklose Einrichtung des ganzen Büros kommentiert hatte, war er verdächtig ruhig und friedlich. Am Ende des Tisches versuchte die Protokollführerin Madeleine Smith die Stimmung aufzuheitern, indem sie über das fantastische Wetter plauderte. Lindy trug beigefarbene Hosen, die sie in die Stiefel gesteckt hatte, und einen gestrickten Pullover, der ihr fast bis zu den Knien reichte. Sie zappelte herum und fühlte sich offensichtlich unwohl. In einer Woche war sie an der Reihe.

»Vereidigen Sie den Zeugen.« Mike hob die rechte Hand, die Protokollführerin ließ ihn schwören, die Wahrheit zu sagen. Er trug ein Sportsakko aus Tweed über einem Golfhemd mit offenem Kragen. Sein schütteres schwarzes Haar war ordentlich nach hinten gekämmt, und sein weiches sonnengebräuntes Gesicht glänzte vor Sauberkeit. Er hatte einen merkwürdigen Gesichtsausdruck. Nina kam nicht dahinter, was er ausdrückte. Scham? Schuld?

Ihr Ziel bei der eidlichen Zeugenaussage war klar. Sie würde versuchen, alles aus ihm herauszubekommen, was sie gegen ihn verwenden konnte. Sie würde auf Widersprüche achten und genügend Informationen sammeln, um ihn während des Prozesses ins Schwitzen zu bringen.

Aus einem Meter Entfernung sah er nicht aus wie der Despot, den Nina in Gedanken aus ihm zu machen versucht hatte; Riesner dagegen sehr wohl. An der manikürten Hand, die auf einem Stapel Papiere ruhte, trug er den Stanford-Ring, seinen persönlichen Fetisch. Er schürzte die Lippen, aber Nina hätte nicht behaupten können, dass er lächelte.

Nina legte ihren neuen ledernen Aktenkoffer, ein Geschenk ihres Vaters, direkt vor sich ab, um dafür zu sorgen, dass Riesner ihn bemerkte, und fühlte sich ziemlich klein. Als er vor einigen Monaten zum ersten Mal ihr Büro betreten hatte, hatte sie das Gefühl gehabt, er erkenne auf einen Blick, was sie war: eine armselige kleine Anwältin mit leeren Taschen. Sie konnte auf dieser Ebene nicht konkurrieren, aber bei Gott, sie würde zeigen, was sie zu bieten hatte.

»Okay«, sagte sie. »Mr Markov. Am ersten November wurde Ihnen die Aufforderung, die Dokumente Nummer eins bis fünfunddreißig vorzulegen, zugestellt. In der Folge wurde angeordnet, dass Sie alle bezeichneten Dokumente bei der für heute angesetzten eidlichen Zeugenaussage vorlegen.«

»Er hat der Aufforderung entsprochen, ausgenommen die in späteren Anhörungen vorgenommenen Änderungen«, sagte

Riesner. »Hier sind die Erwiderungen, nummeriert von eins bis fünfunddreißig.«

»Vielen Dank. Lassen Sie uns diese als Beweisstücke registrieren.« Während Aufkleber auf die Beweisstücke geklebt wurden, fiel kein Wort. Lindy sah Mike an, Mike starrte zurück. Riesner seufzte, lehnte sich zurück und schlug die Beine übereinander. Es war zu warm im Raum. Nina machte Notizen auf ihrem großen Schreibblock. Draußen schoben sich Autos über die kaum geräumte Straße.

»In Ordnung. Beweisstück eins der Gegenklägerin. Alle Aufzeichnungen, Notizen, rechtskräftigen Dokumente, Gesprächsnotizen und alle anderen Dokumente, welcher Art auch immer, die die Behauptung des Beklagtenvertreters stützen, dass die Parteien sich einig waren, dass ihre Firma und die anderen zur Debatte stehenden Besitztümer das getrennte Eigentum von Mikhail Markov waren und bleiben«, las Nina.

»Für das Protokoll«, fing Riesner an. »Der Beklagtenvertreter protestiert weiter gegen diese Aufforderung, unter Berufung auf die Tatsache, dass sie zu weit greifen, zu Schlussfolgerungen auffordern, vage, zweideutig und unverständlich sind, und aus allen anderen Gründen, die wir letzte Woche in unserer Entgegnung darauf dargelegt haben.«

»Ist vermerkt«, sagte Nina kurz. Riesner konnte Einwände vorbringen, bis er Halsschmerzen bekam, er musste die Dokumente trotzdem aushändigen. Mike hatte noch nicht den Mund aufgemacht. Riesner reichte Nina eine braune, mit Papieren voll gestopfte Mappe herüber, und sie machte sich daran, die Blätter eines nach dem anderen in die Hand zu nehmen, sie für das Protokoll zu identifizieren und sie von Mike beglaubigen zu lassen. Sandy würde sie heute noch kopieren. Es gab Originale der Firmendokumente, die sie bereits gesehen hatte, Satzungen, Richtlinien, Handelsregisterauszüge, Gewinn-und-Verlust-Aufstellungen und so weiter. Die nächste Gruppe enthielt die Grundbucheintragungen für die Häuser der Markovs, mehrere

Fahrzeugpapiere und andere Dokumente, alle auf Mikes Namen ausgestellt.

Dann kamen die Steuererklärungen, sowohl körperschaftliche wie private. Nachdem Mike für das Protokoll erklärt hatte, um was es sich jeweils handelte, legte Nina sie zum Kopieren beiseite. Sie würde sie am Abend noch mit dem Steuerberater, dessen Büro auf der gleichen Etage lag, durchgehen, damit sie morgen intelligente Fragen dazu stellen konnte.

Die nächste Gruppe schienen bürointerne Notizen und Briefwechsel mit Lieferanten und Kunden zu sein, in denen Mike verschiedene richtungsweisende Entscheidungen traf. Na und? Sie war überhaupt nicht beeindruckt. Lindy hatte einen ähnlichen Stoß von Dokumenten, die auf Mike warteten. Jeder Brief und jede Notiz musste für das Protokoll identifiziert werden. Nina war sehr sorgfältig, sehr formell, als sie die Dokumente für die Protokollantin beschrieb.

Beweisstück Nummer eins war das wichtigste von allen. Wenn Mike hier nicht etwas in der Hinterhand hatte, war alles in Ordnung. Dann hatten sie eine gute Chance.

Mike fuhr fort, höflich und unbeirrbar, beantwortete alle Fragen und besprach sich manchmal leise mit Riesner. Im Laufe des Vormittags senkte sich die ermüdende Routine des Vorgangs bleischwer auf sie herab.

Ungeschriebenes Gesetz der Gerichtspraxis Nummer dreizehn: Wenn man sich vor etwas fürchtet, tritt es garantiert ein. Es geschah kurz vor Mittag. Riesner hatte es zuunterst gelegt, damit es sie besonders heftig traf.

Das fragliche Dokument war ein Blatt liniertes Papier aus einer Kladde, wie Bob sie in der Schule benutzte, zerknittert und fleckig, es war auf einer mechanischen Schreibmaschine mit einem abgenutzten Farbband getippt. VEREINBARUNG ZUR GÜTERTRENNUNG stand in Großbuchstaben darüber.

Unter dem Text stand neben Mikhail Markovs deutlich lesbarer Unterschrift auch die von Lindy.

Lindy, die den Blick ebenfalls auf das Dokument heftete, kratzte sich am Arm, das war ihre ganze Reaktion. Ihr Schweigen in diesem Augenblick war quälend.

»Was ist das, Mr Markov?«, fragte Nina schroff.

»Das ist eine Vereinbarung zur Gütertrennung zwischen Lindy und mir«, antwortete Mike mit unbewegter Miene. Aber Riesner konnte nicht widerstehen. Der Triumph stand ihm deutlich ins Gesicht geschrieben, und sein falsches Lächeln verwandelte sich vor Ninas Augen in ein echtes.

Du Scheißkerl, dachte sie und schüttelte den Kopf. Der Schlag war so heftig, dass sie keinen klaren Gedanken fassen konnte.

Sie stellte gezielte Fragen über das Beweisstück, die Mike unverzüglich mit wohl einstudierter Stimme beantwortete.

Er und Lindy seien sich einig gewesen, ihr jeweiliges Eigentum auseinander zu halten, falls sie sich jemals trennen würden. Die Firma lief auf seinen Namen, und Lindy sei sich im Klaren gewesen, dass er allein sie auf dieser Basis weiterführen würde. Sie hatten sich an dem Tag, an dem sie nach Kalifornien zogen, hingesetzt und darüber geredet, vor dreizehn Jahren, am zwölften Oktober, und Lindy hatte die Vereinbarung auf ihrer alten Underwood getippt. Sie hatten sie beide unterzeichnet. Mike sprach mit tonloser Stimme, er spuckte nur die Fakten aus, ohne Lindy anzusehen.

»Lassen Sie uns Mittagspause machen«, meinte Nina. »Um ein Uhr geht's weiter.«

»Oh, einverstanden«, sagte Riesner. Er und Mike, zwei wohlhabende, erfolgreiche, sorglose Männer, standen auf und gingen hinaus: Die Beweisstücke ließen sie wie faule Eier auf dem Tisch liegen. Auch Nina verließ den Raum und ging in ihr Büro. Sandy stellte die Schachteln mit dem Mittagessen für Nina und Lindy auf Ninas Schreibtisch, während Lindy zur Toilette ging.

Nina hatte sich noch nicht gerührt, als Lindy zurückkam. Lindy ließ sich schwer auf den Stuhl neben ihr fallen. »Und?«, fragte Nina.

»Und, was?«

»Warum haben Sie mir nichts davon erzählt?« Sie zeigte ihre Verärgerung.

»Es gibt nichts zu erzählen. Ich erinnere mich, dass wir damals, zu der Zeit, über die er sprach, in den roten Zahlen steckten. Mike war sehr verunsichert. Zwischen uns lief es nicht gut. Wir haben uns sehr viel gestritten. Man streitet viel, wenn das Geld knapp wird, das ist ganz normal.«

»Dann haben Sie also eine Vereinbarung unterzeichnet, die Sie mir gegenüber nie erwähnt haben.«

»Ich habe dieses Blatt Papier noch nie im Leben gesehen«, sagte Lindy und schüttelte den Kopf. »Es ist eine Fälschung. Oder ein Witz.«

»Sehen Sie es sich noch einmal an.«

Lindy griff danach und musterte es. »Sieht aus wie unsere alte Underwood«, meinte sie. »Das ist merkwürdig, weil ich die Schreibmaschine vor Jahren für einen guten Zweck weggegeben habe. Vielleicht hat er sie zurückgeholt und irgendwo versteckt. Möglich auch, dass er die Vereinbarung getippt hat, lange bevor ich die Schreibmaschine gespendet habe. Ich habe die Schreibmaschine gespendet.« Sie sagte die richtigen Worte, aber im falschen Ton, im völlig falschen.

»Lindy?«, sagte Nina. »Sehen Sie dieses Blatt Papier? Wenn es hieb- und stichfest ist, heißt das, dass wir wahrscheinlich verlieren. Wir beide.« Sie stand auf, stützte die Arme auf den Tisch und schob sich näher, um Lindy in den vollen Genuss ihres wütenden Blickes kommen zu lassen. »Lügen Sie mich nicht an.«

»Ich habe es noch nie gesehen.«

Nina schüttelte ungläubig den Kopf.

»Jeder kann eine Unterschrift fälschen«, sagte Lindy. Sie hielt das Blatt auf Armeslänge von sich weg und kniff die Augen zu. »Ich würde sogar schwören, es wäre meine, wenn ich es nicht besser wüsste.«

»Sie brauchen eine Brille, Lindy«, sagte Nina und verließ den Raum.

Riesner und Mike kamen ein wenig zu spät zurück und nahmen ihre Plätze ein, die kühle Luft und die Frische von draußen wehte mit ihnen herein.

Die Ladung nassen Betons, die Riesner über Nina ausgekippt hatte, trocknete allmählich, wurde fest und immer schwerer. Die möglichen Auswirkungen waren schier erdrückend.

Sie glaubte Lindy nicht. Wenn dieses Blatt echt war, war es für Mike hundert Millionen Dollar wert. Wenn es eine Fälschung war … aber das war es nicht. Riesner würde niemals ein solches Risiko eingehen. Er wusste, dass Nina eine Fälschung aufdecken würde und dass die Geschworenen Lindy entsprechend belohnen würden.

Konnte Mike Riesner anlügen? Nein. Riesner hatte das Ding sicher längst von Fachleuten durchleuchten lassen, er würde seinen Mandanten niemals vertrauen.

Warum hatte Lindy ihrer Anwältin nicht von diesem vernichtenden Beweisstück erzählt?

Dumme Frage. Leugnen, die Angst, dass Nina sich verabschieden würde, die Hoffnung, dass Mike es vielleicht verloren hätte …

Was jetzt? Den ganzen Nachmittag barfuß über brennende Kohlen laufen? Die Freuden der Juristerei.

»Nehmen Sie ins Protokoll auf, dass wir wieder hier versammelt und alle Parteien anwesend sind«, sagte Nina zu den hämisch grinsenden roten Teufeln hinter den höflichen Gesichtern der Männer ihr gegenüber. Madeleines Finger bearbeiteten ihren Stenografen.

Nina lief den ganzen Nachmittag über glühende Kohlen, ohne ihren Gegnern das Vergnügen eines einzigen Ausrutschers zu gönnen. Mike behauptete, er habe die Vereinbarung in seiner Angelkiste aufbewahrt, wo er auch seine Sozialversicherungskarte aufhob. Er beteuerte, dass Lindy die Vereinbarung aus freien Stücken nach einer ruhigen Diskussion unterschrieben habe. Er sagte, seine Scheidung in den Sechzigerjahren habe ihn alles gekostet, was er besaß, und er habe zu dem Zeitpunkt, zu dem die Vereinbarung unterschrieben wurde, gefürchtet, auch Lindy würde ihn verlassen und ihm das Wenige wegnehmen, das er mühsam aufgebaut hatte. Er gab bereitwillig zu, dass er die Diskussion angefangen habe, aber er sagte, Lindy habe es getippt. Er schaute die ganze Zeit zu Lindy hinüber, die völlig weggetreten zu sein schien.

Gegen drei Uhr sagte er: »Können wir bitte darauf verzichten, das Folgende zu protokollieren?« Nina nickte, und die Protokollantin klappte ihren Stenografen zu und streckte die Finger.

»Lindy«, sagte Mike und hielt seine großen Hände hoch. »Gib auf, solange du noch kannst.«

»Lass mich in Ruhe.«

»Ich gebe dir eine Million Dollar, wenn du jetzt aufhörst.«

»Seien Sie still, Mike«, sagte Riesner und hob die Stimme. Er griff nach Mikes Arm. »Lassen Sie uns nach nebenan gehen und uns unterhalten.« Mike machte sich los, den Blick unverwandt auf Lindy gerichtet.

»Du kannst nicht gewinnen. Du vergeudest unsere Zeit. Du ruinierst die Firma.«

»Ich?« Lindy war außer sich. »Ich habe damit doch gar nichts zu tun.«

»Je länger du mich zwingst, mich mit diesem Scheiß hier zu beschäftigen«, sagte Mike, »desto schneller brechen die Dinge in der Firma zusammen. Hector, Rachel, sie halten den Laden am Laufen, aber wegen diesem Zwangsverwalter, den deine Anwältin uns vor die Nase gesetzt hat, trifft niemand wichtige Entscheidungen. Wir kommen mit den Bestellungen nicht nach.«

»Dann fahr hin, und bring's in Ordnung.«

Er fuhr fort, während Lindy sprach, als wäre er taub für ihre

Worte. »MarDel verklagt uns. Verstehst du? Wir machen Pleite, wenn ich nicht wieder an die Arbeit gehe, und solange der Zwangsverwalter in meinem Büro sitzt, setze ich keinen Fuß da rein.«

»Daran kann ich nichts ändern.«

»Sicher kannst du das. Überleg doch mal«, sagte Mike. »Lass uns einen Deal machen.«

»Sagen Sie nichts«, ermahnte Nina Lindy. »Mr Riesner, bitte weisen Sie Ihren Mandanten an, dass er sich nicht direkt an meine Mandantin wenden soll, oder wir machen Schluss hier, und ich ersuche um Sanktionen.«

»Kommen Sie, Mike, nach nebenan.« Riesner warf den Kopf zurück.

»Lindy, geh auf mein Angebot ein«, sagte Mike.

»Jetzt hörst du zu«, sagte Lindy. »Ich lasse mich nicht mit einem halben Prozent dessen abspeisen, was die Firma wert ist. Du willst mich loswerden? Biete mir fünfzig Prozent, oder halt dein großes Maul.«

»Eine Million. Das ist mein Angebot«, sagte Mike. »Mein einziges Angebot. Eher sehe ich dich in der Hölle, als dass ich dich noch mal um was bitte.« Er stieß ein Lachen aus. »Du hast gedacht, ich hätte den Wisch vergessen oder verloren, was?« Er ließ sich von Riesner vom Stuhl ziehen und in Ninas Büro führen. Die Tür knallte zu, und sie konnten die Stimmen von nebenan hören, die Worte aber nicht verstehen. Madeleine sagte: »Ich glaube, ich gehe mal 'ne Minute mit Sandy plaudern«, und machte die Tür des Konferenzzimmers hinter sich zu.

Nina wandte sich an Lindy. »Er hat diesen Zettel nicht vergessen. Und er hat ihn auch nicht verloren. Was sagen Sie dazu?«

»Ich sage, er ist ziemlich tief gesunken. Damit kommt er nicht durch.«

»Lindy, dieses Blatt Papier verändert alles.«

Lindy sagte nichts.

»Ich kann versuchen, zwei Millionen rauszuschlagen, wenn

Sie möchten, aber im Moment bin ich der Meinung, mehr holen Sie nicht raus. Sie können das Geld anlegen. Oder ein Haus kaufen. Sie werden Zinseinnahmen haben.«

»Nein.«

»Es könnte das Beste sein, was ich für Sie tun kann, in Anbetracht …«

»In Anbetracht wessen? Dieses verdreckten alten Lappens?« Bevor Nina es verhindern konnte, griff Lindy nach dem Blatt Papier und riss es in zwei Hälften. Nina stürzte sich auf sie und rief: »Sandy!« Lindys Fäuste hatten sich fest um das Papier geschlossen. Sandy kam hereingelaufen, gefolgt von Riesner und Markov. Dann hielt Lindy inne. Sie sah aus, als sei plötzlich der Strom ausgefallen und sie säße im Dunkeln. Ihr Griff löste sich. Nina nahm ihr die Schnipsel aus den Händen und reichte sie Riesner.

»Wie kannst du mich dermaßen demütigen, Mike?«, sagte Lindy ruhig. Aber die Ruhe nach dem Sturm war weit gefährlicher als der Donner, der ihr vorausgegangen war. »Rachel hat dich dazu angestiftet, nicht wahr? Sie treibt dich so weit, bis du dich so verändert hast, dass ich dich nicht mehr kenne, und falls doch, würde ich dich auch nicht kennen wollen. Das ist alles zu weit gegangen.« Sie begann zu toben, und Nina wusste nicht, wie sie sie bremsen sollte. Sie versuchte, sie zu unterbrechen, aber Lindy schob sie beiseite und achtete nicht auf sie. »Ich werde tun, was ich längst hätte tun sollen, und uns alle aus unserem Elend befreien. Ich bringe Rachel um!«

»Sandy, bringen Sie Ms Markov hier raus«, ordnete Nina an.

»Nun«, sagte Riesner, »Morddrohungen, Zerstörung von Beweismaterial. Hübsche Kontrolle über Ihre Mandantin, Frau Anwältin. Ich glaube, wir gehen besser.«

»Aber …«, sagte Mike. Lindy schluckte – um nicht zu weinen, wie Nina vermutete. Einen Augenblick dachte Nina, Mike würde nach Lindys Hand greifen.

»Ja, in der Tat, die eidlichen Zeugenaussagen sind beendet«, sagte Riesner. »Ich fürchte, ich muss dieses Beweisstück wieder mitnehmen, um sicherzustellen, dass es nicht vernichtet wird.« Dann schob er Mike rasch ins Vorzimmer.

Die Tür schlug zu.

»Hast du davon eine Kopie gemacht, Sandy?«, fragte Nina.

»Gleich zu Anfang der Mittagspause«, antwortete Sandy.

Madeleine, die sich in der Tür herumdrückte, meinte: »Vertagt?«

»O ja«, antwortete Nina. Sie waren so vertagt wie nur möglich, ohne mausetot zu sein.

9

Die Schule fing unchristlich früh an, um halb acht. Als Nina am nächsten Morgen, nachdem sie Bob abgesetzt hatte, ihr Büro betrat, blieb ihr noch etwas Zeit für sich allein. Sie ignorierte den Anrufbeantworter mit seinem blinkenden Lämpchen, ging in ihr Zimmer und zog die Rollos hoch. Überall Schnee, der alle fiesen Tricks verdeckte, der sich auf die Armut und die Lügen legte und alles so hübsch aussehen ließ. Sie knipste die Schreibtischlampe an und holte ihre Kontoauszüge heraus. Die heiße Heizungsluft quälte sich tapfer durch das vergitterte Deckenloch, das einzige Geräusch.

Sie kritzelte ziemlich viele Zahlen auf ihren gelben Schreibblock und rief zwei automatisierte Kontostandsansagen ihrer Kreditkarten an. Fünfzehn Minuten später wusste sie alles, was es zu wissen gab. Im Gegensatz zu Markov Enterprises brauchte sie keinen Experten, um herauszufinden, woher der Wind wehte.

Vermögenswerte: das Haus in Kulow, Wert dreißigtausend, Abzahlung tausendfünfhundert monatlich. Nach ihrer Scheidung hatte sie alles Geld in diesem Haus versenkt.

Das Haus in der Pine Street in Pacific Grove, das ihre Tante ihr vererbt hatte, war etwa zweihunderttausend wert. Keine Hypotheken. Es gehörte ihr. Die Miete der beiden Studenten reichte gerade so eben für die Vermögenssteuern und den Unterhalt.

Der Bronco. Wert vielleicht zweitausend, wenn man die Geschwindigkeit in Betracht zog, mit der er sich auflöste. Ihr Schmuck, die Kleider, die Möbel noch ein paar Tausend. Ebenso die Büroausstattung.

Außenstände hielten sich die Waage mit offenen Rechnungen. Laufende monatliche Kosten, Sandy eingeschlossen, ungefähr zehntausend.

Kreditkartenschulden für den Wasch-Trocken-Automat und den neuen Kühlschrank eintausendfünfhundert. Gar nicht so schlecht. Firma Reilly, Soll und Haben.

Nun sah sie sich das Blatt an, auf dem sie geschätzt hatte, wie viel sie brauchte, um durch den Markov-Prozess zu kommen. Sie hatte mit zwanzigtausend von Lindy angefangen, und schon einen Monat später waren davon nur noch fünftausend übrig. Weil sie Paul und Genevieve, aber vor allem, weil sie Winston verpflichtet hatte.

Sie hatte damit gerechnet, dass Winston die Hälfte der Kosten des Rechtsstreits trug und kein Geld bekam, aber Winston war es gelungen, ohne jede Einlage an Bord zu kommen. Tatsächlich hatte er zehntausend Dollar Honorarvorschuss entnommen. Er hatte erklärt, dass ihm das Finanzamt ausgerechnet jetzt im Nacken saß und sein laufender Fall ihn ausbluten würde. Dann hatte er vage Versprechungen gemacht, wenn es hart auf hart käme, würde er etwas beisteuern.

Nun hatte Winston, ihr viel gepriesener Co-Anwalt, gerade diesen wichtigen Fall verloren, und wahrscheinlich konnte er vor dem Prozess keine zehn Cents erübrigen. Und wahrscheinlich hatte ihre Mandantin sie angelogen, was ihre Unterschrift unter die Vereinbarung zur Gütertrennung anging, weswegen ihr Fall auf noch wackligeren Füßen stand als zuvor. Außerdem besaß Lindy so gut wie nichts mehr.

Nina sah sich vor die Aufgabe gestellt, einen großen Spielfilm mit einer blutleeren Handlung und einem mittelmäßigen Budget zu drehen.

Sie ignorierte ihr schlechtes Gefühl im Bauch. Du musst Geld ausgeben, um Geld zu verdienen, sagte sie sich. Sie lehnte sich im Sessel zurück und legte ihre Füße auf den Tisch. Die Hitze machte sie schläfrig. Sie sollte aufstehen und sich einen Kaffee machen … stattdessen überließ sie sich einem Tagtraum.

Am letzten warmen Wochenende im Oktober waren Bob und sie um das Baldwin-Haus herum Fahrrad gefahren. Als sie genug hatten, waren sie auf einen Felsvorsprung geklettert, um auf den See zu schauen. Nicht weit von ihnen war ihr ein langes weißes Kajütboot aufgefallen, an dessen makelloser Seite in Kursivschrift *The Felony* prangte. Am Steuer hatte Jeffrey Riesner gestanden. Das Haar wurde ihm aus dem Gesicht geweht, sodass seine kahle Stelle trotz der weißen Kapitänsmütze sichtbar wurde. Er bemerkte Nina und Bob und wendete so abrupt, dass sie vom Kielwasser klatschnass wurden.

Jeffrey Riesner besaß ein Haus mit Seegrundstück an den Keys. Seine Frau kümmerte sich zu Hause um ihr Kleinkind. Manchmal konnte Nina aus ihrem Bürofenster sehen, wie sie in ihren knappen roten Joggingshorts den Sportwagen vor sich herschob. Sie war so durchtrainiert, dass sich nicht mal an den heikelsten Stellen ein Fettpölsterchen zeigte.

Riesner war in Ninas Alter. Woher nahm er das Geld, um so zu leben? Winston hatte ihr von seinem Ferrari erzählt und von dem Haus in Bel Air, das er von seiner zweiten Frau »abgestaubt« hatte, wie er das nannte. Sogar Genevieves gekonnt dezente Garderobe legte nahe, dass sie mehr Geld verdiente als Nina.

Wenn sie den Markov-Fall gewinnen würde, hätte sie nach Abzug von Steuern und Schulden mindestens eine Million Dollar auf dem Konto. Dann würde sie ein anderes Leben führen können. Sie würde aufsteigen in der Welt. Sie würde reisen, immer erster Klasse. Sie würde sich mit Bob die Pyramiden ansehen oder einen Segeltörn durch die Ägäis machen ... Selbst Jeffrey Riesner wäre gezwungen, seine Verachtung für sie zu überdenken, beeindruckt von dem Einzigen, was alle beeindruckte: Geld, Geld, das übermächtige Geld ...

Wovon sie auf der Stelle eine ganze Stange brauchte.

Sie rief die Bank an und bat darum, die Papiere für ein Darlehen auf ihr Haus und eine Hypothek auf das Haus in Kulow vorzubereiten, diktierte einen Brief, der die Studenten in Pacific Grove über eine Mieterhöhung in Kenntnis setzte, füllte einen Antrag aus für eine weitere Kreditkarte mit einer satten Kreditmarge und sagte den Werkstatttermin für den Bronco ab. Bis zum Prozess im Mai musste er durchhalten.

Als sie fertig war, hatte sie alles versetzt. Man musste Geld ausgeben, um Geld zu verdienen.

Ein paar Tage verstrichen, ohne dass sich die gegnerischen Parteien miteinander in Verbindung setzten, was aber nicht hieß, dass Riesner nicht hinter den Kulissen arbeitete. Auch Nina hatte zu tun. Freitag rief sie Lindy bei Alice Boyd an. Sie wollte, dass Lindy ihr die Wahrheit sagte.

»Ms Reilly!«, rief Alice erfreut. »Wie ich von Lindy höre, scheint an der Streitfront ja alles in Butter.«

»Nun, es freut mich, zu hören, dass sie dieser Meinung ist«, sagte Nina.

»Sie nicht? Stimmt etwas nicht?«

»Ms Boyd, dürfte ich bitte mit ihr sprechen?«

»Nennen Sie mich Alice, und ich nenne Sie Nina. Wenn man in Rom ist ... beziehungsweise in Tahoe ...«, sagte sie lachend. »Sie ist übrigens nicht zu Hause. Sie kommt erst in zwei Stunden zurück. Sie hilft, Fresspakete für irgendeine Freizeitveranstaltung zu schmieren.«

»Könnten Sie sie bitten, mich anzurufen?«

158

»Sicher. Macht es Ihnen was aus, mir zu verraten, worum es geht?«

»Ich muss einfach mit ihr sprechen.«

»Mauern Sie nicht, Nina. Lindy und ich kennen uns schon ewig. Ich hab ihr das Geld geliehen, damit sie diese Show auf die Bühne stellen kann, wissen Sie?«

»Ja, das hat sie mir gesagt. Ich weiß, dass sie Ihnen sehr dankbar ist für Ihre Hilfe.«

»Na ja, um ehrlich zu sein, ist sie mir immer eine gute Freundin gewesen, und wenn sie diesen Gorilla Mike für immer loswerden könnte, wäre es mir eine helle Freude. Oh, da ist noch was, was ich Sie fragen möchte.«

»Mich fragen?«

»Ja, Sie. Wissen Sie viel von mir?«

»Sehr wenig.« Sie erinnerte sich wohl an eine Anspielung von Lindy, die lachend etwas von einer Klapsmühle gesagt hatte.

»Ja, so ist Lindy. Kein Klatschweib, nie gewesen. Wenn Sie schmutzige Geschichten über irgendjemanden hören wollen, rufen Sie mich an, Nina. Schauen Sie einfach vorbei. Machen Sie das?«

»Okay«, sagte Nina und versank in dem Surrealismus dieser Unterhaltung.

»Kommen wir auf mich zurück. Hier ist der Spickzettel, die Kurzversion meiner Geschichte: Ich hatte einen weltrekordverdächtigen Nervenzusammenbruch, als mein Mann mich vor vier Jahren hat fallen lassen. Ich hab ein paar Sachen gemacht … Einzelheiten können wir der Gerüchteküche überlassen. Auf die Art kommen sie viel komischer rüber. Dann hab ich ein Jahr hinter Gittern verbracht. Aber nicht im Knast. Es war schlimmer als Knast. Es kann sein, dass Sie sich erinnern werden, davon gehört zu haben.«

»Hm-hm«, sagte Nina und versuchte, nur mäßig interessiert zu klingen. Sie fragte sich, was für eine Reaktion eine Benimmtante unter diesen Umständen für angemessen erachten würde.

»Aber das war einmal, okay? Ich habe wieder Boden unter den Füßen. Ich hatte bisher nicht so viel mit dem Gesetz zu tun – nur bei meiner Scheidung und der Einweisung. Aber dadurch hab ich einen Fuß in der Szene hier vor Ort, wenn man so sagen will, ich kenne alle möglichen Leute aus den unterschiedlichsten Kreisen, Leute, die für mich und die meinen durchs Feuer gehen würden. Ja, und eines sollten Sie auch noch wissen: Ich will, dass Lindy diesen Prozess gewinnt, und ich bin bereit, alles dafür zu tun. Und nun kommen wir auf meine Frage zurück. Was kann ich für Sie tun?«

Nina sagte nichts.

»Haben Sie meine Frage nicht gehört?«

»Doch, ich habe Ihre Frage gehört«, sagte Nina. »Alice, das Wichtigste, was Sie für Lindy im Moment tun können, ist … ihr eine gute Freundin zu sein.«

Stille auch am anderen Ende der Leitung.

»Alice?«

»Wenn ich bedenke, dass ich Sie doch tatsächlich empfohlen habe«, sagte Alice und knallte den Hörer auf.

Am Sonntagnachmittag machte Nina es sich mit einer Wolldecke und einem tragbaren Telefon auf der hinteren Terrasse mit Blick auf den verschneiten Wald gemütlich. Durch das Panoramafenster konnte sie sehen, dass Bob und sein Cousin Troy genug vom Computer hatten und auf dem Teppich vor dem Feuer lagen und Popcorn aßen.

»Winston?« Nina hatte ihre Anrufe in seinem Büro aufgegeben und versuchte es in seinem Haus in Bel Air.

»Nina! Ich habe versucht, dich zu erreichen. Großartiges Skiwetter bei euch, wie ich höre. Hier in L.A. kann man schon fast an den Strand. Der Smog hat sich verzogen, jetzt haben wir unsere alljährliche Sicht auf die Berge.«

»Ach ja? Ich hab dich in den Nachrichten gesehen. Was für ein Pech mit deinem Fall!«

»Ja, eine große Enttäuschung.«

»Als wir uns darüber unterhalten haben, warst du dir doch ziemlich sicher, du würdest sie auseinander nehmen.«

»Hätte ich ja auch gemacht, wenn mich der Richter gelassen und ich etwas mehr Spielraum bei der Auswahl der Geschworenen gehabt hätte. Die Mandanten wollen natürlich Berufung einlegen«, sagte Winston. »Der Richter hat uns einfach abgewürgt. Wir konnten noch nicht mal die Hälfte unserer Trumpfkarten ausspielen. Ich habe sie an einen guten Berufungsanwalt weiterverwiesen, aber bis sich da was tut, steckt ein halbes Vermögen in den vorgestreckten Kosten. Tja, was soll's. Da ist ja immer noch dein Fall. Wenn du einen verlierst, musst du daran glauben, dass du den nächsten auf jeden Fall gewinnst, und doppelt so hart daran arbeiten.«

»Wirklich? Du hast die Argumente der Prozessparteien gelesen, bist mit mir essen gewesen, hast noch nichts von unserer neuesten Entdeckung gehört, und trotzdem bist du dir so sicher?«

»Klar bin ich mir sicher. Schau dir nur mal all unser Talent an. Es sind doch nur Geschworene.« Aber er hatte ihr die Anspannung angemerkt, denn er fragte sofort: »Stimmt. Was ist passiert?«

»Riesner hat eine Vereinbarung zur Gütertrennung aus der Tasche gezogen«, sagte Nina, »die unsere Mandantin unterschrieben hat. Unsere Mandantin behauptet, sie noch nie gesehen zu haben, sie sagt allerdings auch, dass die Unterschrift eine bemerkenswerte Ähnlichkeit mit ihrer eigenen hat.«

Ein tiefer Seufzer am anderen Ende der Leitung.

»Tja«, sagte Nina. Der schiefergraue Himmel schien mit jeder Minute dunkler zu werden. Ein glühendes Stückchen Holz fiel vom Schornstein auf die Terrasse.

»Sie hatte nicht einmal eine Andeutung fallen lassen, dass so etwas auftauchen könnte?«

»Ich hatte keine Ahnung.«

»Erzähl mir mal, wie es war«, sagte Winston mit seiner warmen, tröstenden Stimme, und sie beschrieb ihm den Tag von Mike Markovs eidlicher Zeugenaussage, wobei sie sich darum bemühte, Lindys Reaktion auf das Dokument so genau wie möglich wiederzugeben.

»Klingt, als würde sie lügen«, sagte Winston.

»Vielleicht. Ich kann nicht hellsehen. Andererseits sehen manche Leute wie die schlimmsten Lügner aus, wenn sie die Wahrheit sagen. Ich weiß nur, dass ich ihr glauben will, aber sie macht's mir verdammt schwer.«

»Bist du deprimiert?«

»Total.«

»Hm. Und jetzt?«

»Ich rufe dich, den berühmten Prozessanwalt, an, um mir einen Rat zu holen. Bist du nicht deswegen mit im Boot?«

»Du willst einen Rat? Bitte sehr. Erstens, finde heraus, ob irgendwas auf Zwang schließen lässt. Quetsch sie aus, sie soll Einzelheiten erzählen von der Situation, von dem Tag, an dem sie den Wisch unterschrieben hat, und ich garantiere dir, dass dreckige Wäsche zum Vorschein kommt. Zweitens, nimm an, das Dokument ist eine Fälschung. Beweise es, indem du einen Experten dazu bringst, die Unterschrift für gefälscht zu erklären, oder indem du Markov im Kreuzverhör ordentlich in die Zange nimmst. Drittens: Du musst mauern. Lass nicht zu, dass Riesner es als Beweisstück benutzen kann.«

»Ein Kinderspiel«, sagte sie. »Sonst noch was?«

»Hast du gedacht, du holst ein paar Mille rein, ohne dafür zu schwitzen? Und wie du schwitzen wirst. Hörst du, was ich sage? Du hättest mit so was rechnen müssen. Wenn du keine Überraschungen magst, hast du dir den falschen Job ausgesucht.«

»Das ist allerdings wahr«, sagte Nina. Trotzdem war sie enttäuscht. In ihrer irrationalen Art hatte sie immer noch gehofft, Winston, ihr hoch geschätztes Talent, würde ihre Probleme auf der Stelle lösen.

»Und jetzt legen wir los. Ich komme hoch, um dir bei den letzten Zeugenaussagen zu helfen. Ich bringe Genevieve mit. Sie möchte sich die Zeugen ansehen und sich daranmachen, eine Schattenjury aufzustellen. Jetzt fängt die turbulente Phase an. Wir werden es schaffen, Nina. Hörst du?«

»Ich höre es.«

»Du hörst es und glaubst es auch?«

»Winston, ich glaube daran, wenn ich es sehe.«

Er lachte. »Ich komme am Donnerstag. An dem Tag sollten wir Markov hinter uns bringen. Freitag knöpfen wir uns das kleine Mädchen vor, das diese Lawine losgetreten hat – Pembroke. Montag können wir die anderen drannehmen, die sonst noch wichtig sind. Kannst du das in die Wege leiten?«

»Ich werde mein Bestes tun. Ich weiß, dass Markov keine großen Verpflichtungen hat. Er weigert sich, in seiner Firma zu arbeiten, und er lässt auch Lindy nicht an ihren Arbeitsplatz. Ich würde sagen, er schmollt, aber wahrscheinlich sagt man das von Vorstandsvorsitzenden nicht.«

»Also, wer schmeißt nun den Laden?«

»Die aus der zweiten Reihe, Rachel Pembroke und dieser Hector Galka, der Marketingleiter. Er ist ein alter Freund von Mike Markov. Ich versuche, sie Freitag beziehungsweise Montag antreten zu lassen.«

»Okay. Hilfe ist unterwegs. Und was können wir sonst noch tun?«

»Einen gerichtlich beeidigten Handschriften-Gutachter suchen«, sagte Nina. »Der soll die Unterschrift auf der Vereinbarung prüfen. Vielleicht haben wir eine winzige Chance, und sie ist gefälscht, obwohl ich nicht glaube, dass sie so bescheuert sind.«

»Bei so viel Geld drehen alle durch. Aber mir kommt da gerade ein anderer Gedanke. Überspring den Schritt. Such keinen Gutachter. Ruf Lindy an, und sag ihr, du würdest gerne jemanden damit betrauen, es wäre aber teuer und umständlich und ob sie sich wirklich an nichts mehr erinnern kann. Verstehst du?«

»Du denkst, das räuchert sie aus ihrem Bau?«

»Haarscharf.«

»Um Himmels willen! Sie lügt mich an, und ich trickse sie aus. Was für eine Art, miteinander umzugehen.«

»Es ist nur zu ihrem Besten.«

»Wo wir gerade davon sprechen, wie viel wird Genevieves Schattenjury kosten?«

»Das solltest du mit ihr abklären, aber die letzte Aufstellung für mich lag so – oh, zwischen vierzig- und fünfzigtausend. Leute einstellen, Genevieves Zeit, all das.«

»Was? Unmöglich! So viel Geld haben wir einfach nicht, Winston!«

»Okay, ich spreche mit Genevieve. Wir arbeiten das mit dir zusammen aus, und dann schauen wir mal, wo wir die Kosten minimieren können. Und dann wirst du das Geld auftreiben müssen. Denk einfach immer an dein Stück vom Kuchen und daran, was für eine kleine Investition das im Verhältnis zu dem ist, was du am Ende bekommst. Ich wünsche mir wirklich, ich könnte dir mehr unter die Arme greifen«, sagte Winston. »Das ist ein unheimlich teures Unterfangen. Ich versuche, später noch etwas beizusteuern.«

»Lindy hat irgendwas davon gesagt, dass sie wohl noch etwas Geld auftreiben kann …«

»Siehst du! Du kommst schon auf den Trichter. Wenn du Geld brauchst, dann kriegst du auch welches.«

»Ich bin trotzdem noch sehr … beunruhigt.«

»Fang schon mal an zu schuften«, sagte Winston. »Wir kommen hoch und schuften mit dir. Wir arbeiten daran, so geht das eben. Wir fangen jetzt an. Wir sind bei dir. Hörst du das?«

»Ich höre es.«

»Ja, du hörst es. Aber glaubst du es auch?«

»Ich arbeite daran«, sagte sie, und ihr wurde etwas leichter ums Herz.

Lindy rief Nina Montagabend zurück. »Alice sagte, Sie wollten mich sprechen. Ich bin mir nicht sicher, warum sie es erst jetzt erwähnt hat, aber sie ärgert sich über irgendetwas. Ich wollte Ihnen jedenfalls mitteilen, dass ich beschlossen habe, an den weiteren Zeugenaussagen nicht mehr teilzunehmen. Ist das ein Problem?«

»Nein, aber warum denn nicht?«

»Ich muss hier raus«, sagte sie. »Die ganze Situation macht mich verrückt. An manchen Tagen weiß ich, dass wir gewinnen und ich am Ende meinen gerechten Anteil bekomme, und an anderen Tagen sehe ich mich in fünf Jahren, wie ich tagein, tagaus Blumen spritze und für Alice arbeite, in dem Laden, bei dessen Kauf ich ihr geholfen habe. Oder wir leben sogar zusammen wie Joan Crawford und Bette Davis in einem Horrorfilm. Ich würde die ehemals Erfolgreiche spielen, die verwelkt und verwirrt ihrer großartigen Vergangenheit nachhängt. Alice wäre verkrüppelt, weil sie das Gewehr einmal zu oft abgefeuert hat. Unser kümmerliches Dasein würden wir in einem heruntergekommenen Haus fristen, in Schwarzweiß, alle Farben wären längst mit Mike und meinem Geld auf und davon.«

»Machen Sie sich doch nicht so viele Sorgen. Es wird Ihnen gut gehen.«

»Hoffentlich stimmt das. Aber der wesentliche Grund, weshalb ich nicht mehr kommen will, ist, dass ich es nicht mehr aushalte, Mikes Version dessen zu hören, was zwischen uns war. Das mache ich erst wieder, wenn es sein muss. Vor Gericht.«

»Was haben Sie vor?«

Nina hatte sich vorgestellt, sie würde zu einer anderen Freundin oder vielleicht in eine Suite ins Caesar's ziehen.

»Ich habe Post von der Bergbaubehörde in Nevada bekommen. Mein Dad fuhr immer in diesen Canyon in den Carson-Bergen, wo wir einen Claim haben«, sagte Lindy.

»Einen Claim?«

165

»Ja, er dachte, er würde mal auf eine reine Silbermine stoßen, die die Comstocker Bergleute übersehen hätten. Er war immer auf der Suche nach dem schnellen Geld. Ein richtiger Träumer. Er hatte aber keine Geduld, die Mine richtig zu bearbeiten, trotzdem fuhr ich öfter mit ihm raus, dann buddelten wir herum und wohnten in einem alten Wohnwagen, den er irgendwo aufgegabelt hatte. Man muss jedes Jahr an seiner Mine arbeiten und irgendeinen Vordruck ausfüllen, sonst verliert man sie, aber wenn man das tut, kann man sie immer behalten. Die Schürfrechte und der Wohnwagen, das war alles, was er mir hinterlassen hat.«

»Sie denken aber nicht daran, das zu tun, wovon ich denke, dass Sie es sich vielleicht überlegen, oder?«

»Also, der Wohnwagen hat ein Radio, Propangas und einen Generator. Es gibt auch einen Wassertank. Machen Sie sich keine Sorgen, ich komme zurück, wenn ich gegrillt werden soll.«

»Aber warum? Warum wollen Sie das machen?«

»Weil ich pleite bin«, sagte Lindy. »Es gibt einen großen Unterschied zwischen pleite und arm sein. Pleite sein ist etwas Vorübergehendes. Arm sein ist anders. Ich bin arm gewesen, ich kenne den Unterschied. Ich habe einen Ort, an dem ich leben kann. Bei Gott das Einzige, was nicht auf Mikes Namen läuft. Es ist wärmer dort, nur tausend Meter hoch, kein Schnee. Ich kann ein bisschen reiten und ein bisschen nachdenken.«

»Reiten?«

»Auf meinem Pferd Comanche. Das gehört Mike auch nicht. Ich habe mir angesehen, was ich habe, und wissen Sie, was? Ich war schon schlimmer dran.«

»Sie müssen nicht so leben«, sagte Nina.

»Sehen Sie, Nina, das ist nur für eine Zeit. Ich weiß, dass Sie schon viel für mich vorgestreckt haben, und ich weiß auch, dass Sie nicht alles bezahlen können. Ich konnte noch ein paar Tausender zusammenkratzen, die gehen heute an Sie raus. Sie kriegen jeden Cent, den ich auftreiben kann, um diesen Fall zu gewinnen.«

Dankbar, dass sie nicht noch einmal um Geld bitten musste, fragte sich Nina nicht zum ersten Mal, wie eine Frau, die so lange gearbeitet hatte, so wenig besitzen konnte. »Und wie kann ich Sie erreichen?«

»Machen Sie sich keine Sorgen. Die Fahrt dauert nur eine gute Stunde. Auf der Stelle, wo die Piste von der Landstraße in die Berge abzweigt, gibt es eine Tankstelle und einen kleinen Laden. Und er hat auch ein Telefon. Ich kenne die Leute dort.«

»Ich weiß nicht, Lindy. Ich …«

»Das ist doch nicht Ihre Sache!«, unterbrach sie Lindy gereizt. »Ich bin eine erwachsene Frau und kann allein auf mich aufpassen. Ich bin so groß geworden, Nina. Glauben Sie vielleicht, ich bin so eine verzärtelte Dame der Gesellschaft, die ihre Schnürsenkel nicht binden kann?«

»Es ist trotzdem nicht in Ordnung«, sagte Nina. »Ich finde nicht, dass ich gut auf Sie aufpasse. Sie sollten sich einer solchen Härte nicht mehr unterziehen müssen.«

»Für mich ist das okay.«

»Lindy«, sagte Nina, »ich will Sie noch einmal nach dieser Vereinbarung fragen.«

»Ich habe sie unterschrieben.«

»Sie haben sie doch unterschrieben?«

»Ich habe gelogen, und Sie wussten es. Tun Sie nicht so.«

»Warum haben Sie gelogen, Lindy?«

»Ich hatte sie völlig vergessen, bis ich seinen Rechtsanwalt damit herumfuchteln sah. Mir hat es damals gar nichts bedeutet, es war einfach nur ein Stück Papier, auf dem irgendwas über Geld stand, das wir vielleicht nie haben würden. Aber Sie haben so grimmig geschaut, als Sie es gesehen haben, da hatte ich Angst.«

»Wer hat es vorbereitet?«

»Ich habe es getippt. Mike hat mich darum gebeten. Er wollte, dass ich es unterschreibe, also habe ich es getan. Und nun werden wir uns eben damit auseinander setzen müssen.«

»War es Ihre Absicht, alle Rechte abzutreten, die Sie jemals an der Firma haben könnten?«, fragte Nina etwas zittrig. Die Frage war wirklich wichtig.

»Ich war dazu bereit, das zu tun, denn es war das wesentliche Hindernis für unsere Heirat«, erklärte Lindy. »Er sagte mir – er hat es mir versprochen –, wenn ich das Papier unterschreiben würde, würden wir heiraten. Ich schwöre bei Gott, dass es so war.«

»Und dann?«

»Und dann musste er verreisen, wie ich schon gesagt habe. Als er zurückkam, sagte ich, wenn wir nicht heirateten, würde ich ihn verlassen. Da hat er mich voll gesülzt. Er wollte nicht, dass ich gehe. Mit anderen Worten: Komm damit klar. Ich bin geblieben, weil ich ihn liebe. Das ist die ganze Geschichte, Nina.«

Nina drängte die auf sie einstürzenden Gedanken beiseite und konzentrierte sich stattdessen darauf, so viel wie möglich von der Geschichte auf ihrem Schreibblock festzuhalten.

»Also, er hat mir keine Knarre an die Stirn gehalten«, fuhr Lindy fort, »oder versucht, mich rauszuschmeißen.«

»Aber er hat versprochen, Sie zu heiraten, wenn Sie unterschreiben.«

»Das stimmt«, sagte Lindy bitter. »Und ich erinnere mich daran, was Sie mir gesagt haben. Ich weiß, dass es keine Rechtshilfe für jemanden gibt, der trotz eines Versprechens nicht geheiratet wurde.«

»Nein, der Bruch des Eheversprechens ist kein hinreichender Klagegrund«, erwiderte Nina gedankenverloren. »Aber ein Geschenk, das unter der Bedingung gemacht wurde, dass eine Heirat stattfinden wird, kann man zurückfordern.«

»Was soll das heißen?«, fragte Lindy.

»Das bezieht sich auf eine selten angewandte Bestimmung, aus der Zeit, in der die Leute noch in Kutschen fuhren und die Mädchen Krinolinen trugen. Aber ich glaube … ich komme später darauf zurück.«

»Wie stehen wir nun da, Nina? Habe ich alles kaputtgemacht?«

»Diese Vereinbarung war wirklich keine gute Neuigkeit, Lindy, aber das wissen Sie ja. Jetzt kommen unsere beiden Partner hierher, um uns zu helfen.« Sie wusste nicht genau, warum sie Lindy aufheitern wollte, denn eigentlich brauchte sie selbst dringend Ermutigung. »Sie werden uns richtig Auftrieb geben.«

»Es tut mir Leid, dass ich gelogen habe«, sagte Lindy leise. »Es liegt nicht daran, dass ich Ihnen nicht vertrauen würde, Sie müssen sich nur klarmachen, dass ich es gewöhnt bin, die Chefin zu sein. Ich bin daran gewöhnt, strategische Entscheidungen zu treffen, ohne irgendjemanden um Rat zu fragen, außer vielleicht Mike. Und er war zufällig gerade nicht greifbar, um mir den Kopf zu waschen.«

»Entschuldigung angenommen.«

»Hören Sie, ich rufe von der Tankstelle aus in Ihrem Büro an und sage Sandy die Nummer durch. Sie kann dort Nachrichten für mich hinterlassen. Und nun muss ich los.«

»Fahren Sie jetzt gleich?«

»Ich muss in den nächsten beiden Tagen noch ein paar Sachen erledigen, dann packe ich meine Satteltaschen und schnalle mir die Sporen um. Viel Glück. Halten Sie mich auf dem Laufenden.«

»Seien Sie vorsichtig«, sagte Nina. Vor ihrem inneren Auge trabte Lindy mit der ägyptischen Halskette, die sie auf der Party getragen hatte, auf einem großen weißen Pferd den Highway 50 hinunter, an den Casinos vorbei zu den Gebirgsausläufern von Nevada. »Bitte.«

Am folgenden Donnerstag kamen Winston und Genevieve. Genevieve schien gleich loslegen zu wollen. Winston führte frische Tränensäcke spazieren, mit denen er irgendwie zerknirscht aussah.

Während sie im Konferenzzimmer auf Mike Markov warteten, um seine Zeugenaussage abzuschließen, nahm Nina Winston beiseite.

»Geht es dir gut?«, fragte sie ihn.

»Ich bin gestern auf dem Weg ins Bett am Roulettetisch hängen geblieben. Ich schwöre dir, Roulette ist der Jim Jones des Spiele. Es lockt dich mit ein paar netten Gewinnen, und schon wirst du übermütig. Du fängst an, auf Zahlen zu setzen. Du gewinnst noch ein bisschen mehr. Die Leute klatschen und freuen sich, sie sind aufgeregt und beobachten, wie sich die Chips vor dir stapeln. Und mit einem Mal ist der Raum kalt. Die Kugel rollt auf Zero, und dann auf Doppelzero. Der Croupier holt alles zurück.«

»Ich weiß, was du meinst.«

»Wirklich? Ich habe zehn… über zweitausend Dollar verloren.«

Hatte sie recht gehört? Nina war sauer. Sie hätte das Geld gut gebrauchen können. »Zweihundert sind meine Grenze, selbst wenn ich eine Glückssträhne habe.«

»Das Schlimmste ist, dass ich es wieder machen würde.«

»Nur gut, dass du nicht hier wohnst.«

»Ganz egal, wo ich bin«, sagte Winston. »Wenn ich eine Kugel sehe, gehe ich zu viele Risiken ein.«

Mike Markov und Jeffrey Riesner kamen herein. Mike machte auf der Stelle deutlich, dass sich seine Haltung verhärtet hatte. Nina erklärte, dass Lindy beschlossen habe, an den weiteren Zeugenaussagen nicht mehr teilzunehmen, und er sagte: »Gut.« Dann sagte er seinen vorbereiteten Spruch auf. Jedes Angebot eines Vergleichs sei hiermit zurückgezogen.

Anschließend kam man ohne weitere Umschweife zu der Aufgabe, die verbleibenden vierunddreißig Beweisstücke anzusehen, Geschäftsunterlagen und diverse Notizen aus einer zwanzigjährigen Beziehung. Nachdem Winston seinen ehemaligen Kollegen Riesner so herzlich begrüßt hatte wie einen alten Kumpel, was Nina mit einem gewissen Unbehagen registrierte, ließ er sich neben ihr nieder und ignorierte Riesner höflich. Genevieve lauerte so unauffällig in ihrer Ecke, dass Nina ihre Anwesenheit vergaß.

Nina kam so schnell wie möglich auf die Vereinbarung zu sprechen. »Okay. Hier steht, die beiden Parteien vereinbaren hiermit, ihren getrennten Besitz getrennt zu halten.«

»Richtig.«

»Also, dann ließen Sie das Unternehmen, das auf Ihren Namen lief, und all die anderen nicht unwesentlichen Vermögenswerte wie das große Anwesen, das später dazukam, auch auf Ihren Namen eintragen.«

»Ja.«

»Und was bekam Lindy? Was stand auf ihrer Seite?«

»Ihr Gehalt. Was sie auf ihren Namen angespart hat, das gehört ihr.«

»Wie hoch war Lindys Gehalt, als Sie Beweisstück Nummer eins unterschrieben haben?«

Mikes Lippen wurden dünn wie ein Strich. »Ich kann mich nicht erinnern.«

»Nun, laut Beweisstück Nummer zwanzig verlor die Firma vor dreizehn Jahren Geld, in dem Jahr, in dem das hier unterschrieben wurde. Hilft das Ihrem Erinnerungsvermögen auf die Sprünge?«

»War wahrscheinlich kein großartiges Gehalt in dem Jahr. Aber es wurde sehr viel besser«, sagte Mike.

»Ja, aber in dem Jahr, in dem sie die Vereinbarung unterzeichnete, was hatte sie davon? Was haben Sie ihr dafür gegeben, dass sie sämtliche Besitzansprüche an die Firma an Sie abtrat?«

»Die Firma war damals nichts wert. Nichts gegen nichts. Darauf lief unser Tausch hinaus.«

»Das Unternehmen schrieb zwar rote Zahlen, aber es war keineswegs wertlos. Sie hatten den Namen und die Ausrüstung, und in dem Jahr haben sie ein Fitnesscenter in Sacramento eröffnet, stimmt's?«

»Ja.«

»Also, was hatte Mrs Markov von dem Geschäft?«

Winston beugte sich vor und flüsterte ihr zu: »Du weißt, was du tust?«

»Sag ich dir später«, flüsterte Nina zurück. Riesner hatte die Ohren gespitzt, aber wie Winston schien er nicht zu ahnen, was sie vorhatte.

»Was sie hatte, gehörte ihr«, sagte Markov.

»Stimmt es, dass Sie ihr versprochen haben, sie zu heiraten, wenn sie die Rechte an der Firma abtritt?«, fragte Nina.

Riesner wurde unruhig, lehnte sich dann aber wieder zurück, offensichtlich nicht in der Lage, einen Einspruch zu dieser Art der Befragung zu formulieren.

»Nein«, sagte Markov. »Sie kann gehofft haben, dass ich das tun würde, aber das ist nicht dasselbe, als wenn ich ihr das so gesagt hätte.«

»Also haben Sie die Worte nie gesagt?«

»Nie.« Mike schien das sehr unangenehm zu sein.

»Sie haben Sie einfach nur dazu verleitet, zu glauben, dass Sie es tun würden?«

»Sie hat geglaubt, was sie glauben wollte.«

»Betrachten Sie sich als ehrlichen Mann, Mr Markov?«

»Warten Sie mal …«, sagte Riesner, aber Markov sagte bereits: »Das bin ich.«

»Dann bitte ich Sie, mir Folgendes zu sagen – und bitte, nehmen Sie sich die Zeit, gründlich darüber nachzudenken, wenn das notwendig sein sollte: Wussten Sie, dass Lindy glaubte, dass Sie sie, im Tausch gegen ihre Unterschrift unter diese Vereinbarung, heiraten würden?«

»Ich kann Ihnen nicht folgen.«

»Bitte lesen Sie die Frage noch einmal vor«, sagte Nina zu der Protokollführerin.

Die Protokollführerin wiederholte die Frage.

»Sie sagte: ›Nun können wir heiraten‹«, antwortete Markov. »Ich habe das nie zu ihr gesagt. Sie hat es zu mir gesagt.«

»Bevor oder nachdem sie die Vereinbarung unterschrieb?«

»Das weiß ich nicht. Davor, glaube ich.«

»Diese Fragen bringen uns nicht weiter«, unterbrach Riesner. »Der Bruch des Eheversprechens ist kein Klagegrund. Selbst wenn er versprochen hätte, sie zu heiraten, na und?«

»Stimmt«, sagte Nina. Sie sah die Stenografin an, die ihrer Arbeit nachging, und stellte die nächste Frage. Der Wortwechsel mit Markov nistete sich in der Niederschrift der Zeugenaussage ein wie eine Plastikbombe in einem Belfaster Mülleimer.

10

Alice bat Lindy, zu bleiben und die Sache von dem behaglichen melonenfarbenen Gästezimmer aus durchzustehen, und Lindy tröstete sie mit dem Versprechen, für die Dauer des Prozesses zurückzukommen. Sie konnte es nicht erwarten, zu gehen. Alles erinnerte sie an das, was sie gerade verlor. Selbst der See, der von jeder Ecke aus zu sehen war, schien in seiner stillen Gegenwart besudelt von ihren Erinnerungen.

Am Freitag machte sie einen Laden ausfindig, der bereit war, ihre getragenen Designerkleider auf Kommission zu verkaufen, und einen Juwelier, der ihr zweitausend für ihre Zwanzigtausend-Dollar-Uhr bot. Sie nahm das Geld.

Bei Alice warf sie den riesigen Haufen Kleider, den sie für all die Wohltätigkeitsposten und schicken Parties gekauft hatte, in vier Kartons.

Alice kam herein und sah ihr beim Packen zu. Sie hatte die Hände in den Taschen, und ihr kinnlanges, blond gesträhntes Haar umrahmte ihr angespanntes Gesicht. Sie kleidete sich so gut, wie es ihr Einkommen als Floristin erlaubte. Heute trug sie eine pflaumenblaue Bluse mit einem schmalen Tuch um die Schultern und sah nach einer Million Mäuse aus.

»Wo bringst du diese Kartons hin?«, fragte Alice. »Doch nicht auf diese Müllkippe?«

»Das ist keine Müllkippe, sondern ein Wohnwagen, und zwar ein sehr hübscher. Die hier lagere ich … in einem Schuppen auf dem Grundstück«, log Lindy. Sie wollte nicht zugeben, dass sie die Sachen verkaufte. Alice würde sich zu sehr aufregen und sich womöglich in eine ihrer Tiraden über Mike hineinsteigern.

»Warum bleibst du nicht hier bei mir? Es ist das Mindeste, was ich tun kann, nach all dem, was du für mich getan hast.«

»Hör auf damit. Ich habe gar nichts getan.«

»O nein. Du hast gar nichts getan«, sagte Alice, verschränkte die Arme und schnaubte. »An dem Abend, an dem ich mit einer Rasierklinge am Handgelenk und in der schlimmsten Verfassung meines Lebens in der Badewanne lag, hast du nicht die Tür aufgebrochen und so viel Brechmittel in mich reingeschüttet, bis ich die Tabletten wieder rauskotzte. Auf der Party, auf der ich diesen Italiener mit einer Flasche Bushmills k.o. geschlagen habe, hast du mich nicht nach draußen gezerrt, bevor der Kerl wieder zu sich kam, um mich umzubringen. Du hast mir nicht die Miete gezahlt, bis ich eine Arbeit hatte, und mir auch nicht geholfen, mein Geschäft aufzubauen. Und du hattest auch nichts mit der Anzahlung für dieses Haus zu tun. Du bist nur ein Parasit der Gesellschaft, ein richtiges reiches Miststück, was?«

»Hör auf damit, Alice. Du weißt, dass ich dein Angebot zu schätzen weiß, aber im Augenblick bin ich so wütend und verletzt, dass ich wirklich aus der Stadt rausmuss, bevor ich etwas Schreckliches tue. Ich habe diese Fantasien …« Lindys Gedanken waren finster. Sie hatte Albträume gehabt. Sie hoffte, da draußen im Canyon würden Erde und Himmel die Schlechtigkeit aus ihr herauswaschen, so wie der Regen den Schmutz wegspült. »Ich fürchte mich zuweilen vor mir selbst.«

»Du wirst aber doch nichts Dummes tun, oder?«, fragte Alice. »Geh bloß nicht dorthin und tu dir was an.«

»Nein, nicht mir selbst. Das wäre weitaus besser als das, wonach mir zu Mute ist.«

»Oh, du bist in der Mord-und-Totschlag-Stimmung, die direkt nach seinen Bemerkungen über Babies hochgekommen ist.«

»Ich fürchte, ja.«

»Ich hatte mir damals alle möglichen Arten überlegt, ihn zu töten, und mir in aller Ruhe die Details ausgemalt. Wie ich ihm die Augen ausreiße und sie zermatsche. Was ich mit seinem Du-weißt-schon mache. Wie ich sein Spatzenhirn mit einem Hammer bearbeite. Ich würde mir Sorgen um dich machen, wenn du keine solche Gedanken hättest. Mike ist ein Schwein. Mein Rat ist, mach's doch, Schwester. Du nimmst meine Waffe aus deinem Versteck und pustest ihm einfach das Hirn weg.«

»Alice …«

»Verbrechen aus Leidenschaft. Du könntest zwei, drei Jahre bekommen, das wäre es wert. Vielleicht hättest du so viel Glück wie ich und würdest in einem Krankenhaus landen, wo man vorgibt, deine Probleme zu beheben, dich aber stattdessen mit Medikamenten zu einem Zombie macht.« Sie nahm ein Tuch vom Bett, legte ihren Schal ab, um es anzuprobieren, und betrachtete sich im Spiegel. »Das war ziemlich erholsam. Nicht kochen, nicht putzen. Kaum Sex.« Sie legte das Tuch wieder ab und warf es in einen Karton. »Aber das wirst du nicht tun, weil du im Grunde ein zivilisierter Mensch bist.«

Lindy hasste Mike nicht. Sie hasste Rachel. Alice würde das nicht verstehen. Für Alice waren Männer an allem schuld. Sie hatte sich vor kurzem sogar mit der Freundin ihres Exmanns Stan angefreundet.

»Also, ich bin froh, dass du mich für so zivilisiert hältst«, sagte Lindy. »Und ich werde trotz meiner niederträchtigen Instinkte daran arbeiten, diesen Ruf zu bewahren.«

Sie brachte die Kleider zur Reinigung, wo man bereit war, sie in einigen Tagen bei dem Secondhandladen abzugeben. Dann fuhr sie, eingehüllt in ihren ältesten, wärmsten Parka, mit ihrem schönen schwarzen Jaguar an den höchsten Aussichtspunkt über der Emerald Bay, hörte ihre Lieblings-CD, genoss die gemächliche Fahrt und empfand gleichzeitig Wehmut, weil sie wusste, dass etwas Schönes in ihrem Leben vorbei war und es noch zu früh war, über einen neuen Anfang nachzudenken.

Sie stellte den Wagen in der Parkbucht ab, stieg aus und kletterte über die nassen Granitfelsen zu Tahoes berühmtestem Aussichtspunkt.

Sie konnte ihr Haus sehen, das etwa eine halbe Meile südlich der weiten grünen Bucht am See lag, und musterte alle Boote, die an diesem Tag gewillt waren, der Kälte die Stirn zu bieten, musterte sie ganz genau, wie sie es in den vergangenen Monaten getan hatte, immer nach Mike Ausschau haltend. Sie kletterte über die Felsbrocken zum höchsten Punkt und trotzte dem eisigen Wind, bis ihre Stiefel fast am Felsen festfroren.

Danach fuhr sie den Jaguar zu einem Autohändler an der Gabelung, wo die beiden Hauptverkehrsstraßen aufeinander trafen. Er bot ihr fünfundzwanzig Riesen für ihr Sechzigtausend-Dollar-Auto und gab noch einen alten Jeep dazu. Sie hatte nicht viel aus dem Jaguar in den Jeep umzuladen, nur ihren abgenutzten Lederkoffer.

Sie war nicht weit von der Firma entfernt. Bevor sie die Stadt verließ, würde sie noch einen Blick auf den Ort werfen, der in den vergangenen zwölf Jahren ihr zweites Zuhause gewesen war. Sie drehte die Heizung des Jeeps auf und legte ächzend den Gang ein, und dann fuhr sie von der Straßengabelung die Straße entlang, bis die Firma in Sicht kam. Wenn Mike die Wahrheit gesagt hatte und er sich wirklich nicht um das Geschäft kümmerte, würde er heute nicht da sein, und sie musste sich zur Abwechslung mal nicht dagegen wappnen, ihm zufällig zu begegnen.

Sie parkte am entfernten Ende des Parkplatzes, der neben dem Gebäude lag. Die erste Fabrik, die kleiner wirkte als in ihrer Erinnerung, stand auf einem flachen Hügel und grenzte an ein kleines Tannenwäldchen. Ihr Wellblechdach und ihre rot gestrichenen Wände ließen sie eher wie einen Viehstall aussehen denn wie ein Unternehmen, aber in der zweiten Etage waren auf jeder Seite Fenster. Die Marketingabteilung – drei Leute – und die Buchhaltung waren dort oben in den Büros untergebracht. Mike und Lindy hatten gelegentlich dort oben gearbeitet.

Die Zeit ist nicht spurlos an dir vorbeigegangen, dachte sie und kurbelte das Fenster runter, um am Gebäude nach Zeichen der Vernachlässigung zu suchen. Aber es sah gepflegt aus wie immer, und sie konnte das Kreischen einer Säge hören – vielleicht entstand da gerade eine Redwood-Einfassung für einen Spa. Alles beim Alten.

Sie hatten die Räder effizient zum Laufen gebracht. Eigentlich sollte sie nicht überrascht sein, dass diese Räder sich auch ohne sie weiterdrehten, aber sie war es. Die ganze Maschinerie müsste ohne Mike und sie, ohne das Herz und die Seele dieses Geschäfts, stillstehen, oder etwa nicht?

Die zierliche Gestalt einer Frau, in lange Hosen und einen Pullover gekleidet, erschien in der Tür. Rachel Pembroke. Ganz recht! Rachel und Hector kümmerten sich jetzt um alles, oder? Was für ein Witz. Rachel war zu dämlich, um an der Kinokasse das Wechselgeld nachzuzählen. Und was noch schlimmer war: Sie hatte kein Interesse an etwas, das kleiner war als ein Hundert-Dollar-Schein. Hector war ein netter Kerl, der mit Zahlen umgehen konnte, aber er hatte die Fantasie einer ausgestopften Ente.

Rachel hüllte sich in einen Robbenfellmantel, stieg in ihren Firmenwagen, einen goldbraunen Volvo Sedan, und fuhr vom Parkplatz links den Hügel hinunter in Richtung Stadt.

Merkwürdig, wie sich alles entwickelte. Lindy hatte gar nicht daran gedacht, dass sie hier auf Rachel treffen könnte. Aber da war sie, wurde Lindy quasi in den Schoß geworfen, als hätte

Lindy Rachels Terminkalender studiert und die Logistik exakt ausgearbeitet. Lindy fuhr nicht mal ihr eigenes Auto. Niemand würde erwarten, dass Lindy Markov in so einem Klapperkasten saß. Sie war völlig anonym. Die Eifersucht, die plötzlich in ihr hochkochte, war unkontrollierbar. Sie war so stark, dass sie ihr die Kehle zuschnürte.

Lindy brachte den Jeep auf Touren und folgte Rachel.

Obwohl Lindy wusste, dass sie das nicht tun sollte, folgte sie Rachels Sedan. Ihr Magen rebellierte.

Sie waren gut anderthalb Kilometer gefahren, da geschah etwas sehr Merkwürdiges. Rachels Auto fuhr plötzlich Schlangenlinien über die Mittellinie.

Rachel hatte vermutlich bemerkt, dass ein Auto hinter ihr war, aber sie konnte Lindy hinter dem Steuer, mit ihrem Wollschal und ihrer Sonnenbrille, nicht erkennen. Rachel schlängelte sich die Straße hinunter, das Fenster trotz der Kälte weit auf, und fuhr etwa sechshundert Meter vor Lindy her und träumte wahrscheinlich gerade von dem nicht mehr allzu fernen Tag, an dem sie alles besitzen würde, was jetzt noch Lindy gehörte – oder zumindest gehören sollte.

Lindy wusste nicht, warum sie Rachel eigentlich folgte, und es scherte sie auch nicht, aber an einem bestimmten Punkt fragte sie sich, was wohl als Nächstes geschehen würde. Sie beschloss, dafür zu sorgen, dass Rachel an die Seite fuhr. Sie wollte ein längst überfälliges Gespräch führen. Sie würde ihr raten, zu Harry zurückzugehen, bevor es zu spät war, bevor es wirklich hässlich wurde und sie verletzt wurde. Vielleicht würde Rachel ihr sogar zuhören. Wenn nicht, wusste Lindy nicht, was sie tun würde. Alices Waffe in dem Koffer auf dem Sitz neben ihr gab ihr wenig Trost. Sie öffnete den Koffer und nahm die Waffe heraus, nur für den Fall, dass ihr die Sache aus dem Ruder lief.

Aber plötzlich wurde das zunächst nur leichte Schlingern immer wilder, Rachel schlidderte von links nach rechts über die vereiste Straße. Ihr Auto geriet außer Kontrolle, beschleunigte erst und bremste dann ab, dann schoss es in einer scharfen Kurve nach rechts die Böschung hinunter. Wie eine Wespe, die ein Stück Fleisch ausgemacht hatte, sauste es zielstrebig durch die Luft und verschwand.

Lindy trat auf die Bremse und rutschte die Straße entlang auf die Stelle zu, wo Rachels Auto über die Böschung geschossen war. Sie war geübt genug, um von der Bremse zu gehen und gegenzusteuern. Ein paar Augenblicke kämpfte sie, um langsamer zu werden und den Jeep zum Stehen zu bringen.

Die einsame Bergstraße lag in unheimlicher Stille vor ihr, an einigen Stellen türmte sich zu beiden Seiten der Straße der Schnee hoch auf. Lindy, deren Herz so stark klopfte, dass sie glaubte, es durch den Pullover hindurch zu spüren, entdeckte das Auto im Straßengraben, das Heck ragte in die Luft, das Auspuffrohr spuckte Rauch aus.

Dummes, dummes Mädchen. Was war mit ihr? Sie hätte sich umbringen können, und Lindy obendrein! Lindy befand sich knapp fünfzehn Meter hinter der Unfallstelle. Noch eine Minute saß sie zitternd da, gestand sich den Moment zu, um wieder zu Atem zu kommen, dann sprang sie aus dem Auto, getrieben von der Vorstellung, die Ereignisse, die sie beide beinahe überrollt hatten, wieder einzuholen.

Die Waffe vergaß sie. Sie war völlig damit beschäftigt, sich darauf zu besinnen, was sie als Nächstes tun musste. Da tauchte Rachel auch schon aus dem trüben Zwielicht des Waldes auf. Sie kam schnell und unbeholfen die verschneite Böschung heraufgeklettert, direkt auf Lindy zu.

Sie muss gesehen haben, dass ich ihr gefolgt bin, dachte Lindy, während sie von einem eiskalten Fuß auf den anderen trat. Hier kam sie also, die gefürchtete, die erhoffte Konfrontation. Dann geschah etwas Merkwürdiges. Als die Gestalt näher kam, hatte Lindy den deutlichen Eindruck, dass sie um einiges größer war als Rachel. Das war sicher ihre Angst, die Rachel übergroß erscheinen ließ. Im Schatten zwischen den Bäumen sah Rachel riesig aus und dunkel, in unförmige schwarze Sachen gekleidet wie ein Ninja. Und wieso konnte Lindy ihr Gesicht nicht sehen?

Einen Augenblick später versuchte Rachel, die verblüffend schnell herangekommen war, Lindy niederzuschlagen. Aber Lindy hatte es kommen sehen und warf sich in eine weiche Schneewehe. Sie sprang auf, bereit für eine richtige Runde, falls es das war, was Rachel wollte. Doch da geschah noch etwas Merkwürdiges. Rachel drängte sich an ihr vorbei und rannte die Straße hinunter, schneller, als Lindy die träge Rachel je irgendetwas hatte tun sehen.

Verdutzt und schneebedeckt, starrte Lindy dem Mädchen nach, bis es hinter der nächsten Kurve verschwand. Ein paar Meter noch, und die Idiotin war an der Schnellstraße 89. Dort konnte sie ganz leicht jemanden anhalten. Vielleicht hatte sie eine Gehirnerschütterung oder eine andere Kopfverletzung. Oder konnte Lindys Anblick sie so in Panik versetzt haben? Obwohl Lindy wusste, dass es erbärmlich war, genoss sie einen köstlichen Augenblick lang diesen Gedanken.

Und jetzt? In den Jeep steigen und ihr hinterherjagen? Aber Lindy war klar, dass Rachel ihr die Schuld an dem Unfall geben würde. Das Klügste war abzuhauen. Ja, es war an der Zeit, zu verschwinden und so zu tun, als wäre das hier nie passiert. Wie demütigend wäre es, zugeben zu müssen, dass sie Rachel gefolgt war. Rachel würde es sicher riesig aufblasen. Vielleicht würde Lindy es einfach leugnen. Auch der Zwang zur Wahrheit hatte Grenzen.

Ein scharfes Geräusch wie der Schrei eines verletzten Tieres unterbrach ihre Gedanken. Sie lief näher, um zu sehen, was so einen schrecklichen Schrei ausstoßen konnte.

Der Bug des Autos schien in einer Schneewehe zu stecken. Lindy wischte den Schnee von der Fensterscheibe und sah das Merkwürdigste von allem. Auf dem Fahrersitz saß eine Frau. Völlig verwirrt über den Anblick trat sie einen Schritt zurück.

Die Frau bewegte sich, und Lindy hörte noch einmal den furchtbaren Schrei.

Sie versuchte es am Türgriff. Die Tür ging auf, und Rachel stürzte rückwärts in den Schnee. Sie trug immer noch ihren Robbenfellmantel und war halb bewusstlos. Ihre Augen flatterten. Blut strömte irgendwo hervor.

Sie schlug die Augen auf. Als sie Lindy erblickte, schrie sie und scharrte im Schnee, wobei sie mit einem Arm versuchte, sich rückwärts zu schieben.

»Ich möchte Ihnen helfen«, sagte Lindy, aber Rachels Augen traten hervor, und sie versuchte noch einmal zu schreien. Dann schloss sie die Augen und bewegte sich nicht mehr. War sie ohnmächtig geworden? War sie tot? Lindy beugte sich über sie, um es herauszufinden.

Ein großer schwarzer Ford Ranger kam von der Firma die Straße herunter, und Lindy erkannte, dass George Demetrios am Steuer saß. Innerhalb von Sekunden kam er angelaufen. »Was ist passiert?«, fragte er japsend.

»Ich weiß nicht«, sagte Lindy. »Hast du ein Telefon im Auto?« Während George zum Auto zurücklief, um einen Krankenwagen zu rufen, setzte Lindy sich in den Schnee neben Rachel. Sie wollte etwas tun, also hob sie Rachels Hand vorsichtig aus dem Schnee und legte sie in ihren Schoß.

Ihr war schwindlig, und sie fühlte sich desorientiert. Die Sonne schoss gleißende Blitze durch ihre Brille. Ihr Schal und ein Fausthandschuh waren zu Boden gefallen, und der Schnee brannte auf ihrer Hand. Ein paar Meter weiter wurde der Wald wieder dunkel und geheimnisvoll. Rachels Gesicht schien in seinem gespenstischen Schlaf zu schimmern, so jung und hübsch, fast jungfräulich war es in seiner Frische.

Ein Gedanke schoss ihr durch den Kopf. Sie hielt Rachel doch hier in den Armen. Wer war dann die andere Gestalt gewesen? Die Rachel, die weggelaufen war?

Hatte Lindy Rachel von der Straße abgedrängt? Vielleicht

181

hatte Rachel ihr Auto erkannt, Lindys Wut im Nacken gespürt und vor lauter Angst das Auto in den Abgrund gesteuert?

Die Gestalt, die den Berg heraufgeklettert war, wird sicher nur ein Passant gewesen sein, mehr nicht.

Sie hörte eine Sirene. George tauchte wieder auf. »Verschwinde hier, Lindy«, rief er. »Das sieht nicht gut aus. Lass mich die Dinge jetzt in die Hand nehmen.«

Sie legte Rachels Kopf auf eine weiche Stelle des Robbenfellmantels, griff nach ihrem Schal und dem Fäustling und lief den Abhang hinauf zu ihrem Auto. Sie fuhr gerade an, als der Krankenwagen hielt.

11

Am Montagmorgen um zehn Uhr, an einem unruhigen Tag, an dem sich die Wolken über den Bergen im Westen auftürmten, betrat Rachel Pembroke Ninas Konferenzzimmer. Sie sah aus, als sei sie eben vom Laufsteg einer New Yorker Modenschau gestiegen. Das Kleid war von Isaac Mizrahi, die Schuhe von Manolo Blahnik. Ihr Parfüm verlockte dazu, sich vorzubeugen und tief einzuatmen. Das lange Haar schimmerte wie Öl, das sich rabenschwarz über ihr Kleid ergoss. Ein Diamant an ihrer linken Hand funkelte. Sie war jung und schön, und in Kürze würde sie sehr, sehr reich sein.

Alle hatten von ihrem Ausflug zur Notaufnahme am Freitagabend gehört. Sie hatte der Polizei gesagt, sie sei überzeugt, Lindy hecke irgendetwas aus, um ihr zu schaden. Das einzig sichtbare Zeichen ihrer Probleme war jedoch ein langer Kratzer auf einer Wange. Offensichtlich, dachte Nina, war Rachel der Typ des Stehaufmännchens.

Genevieve folgte ihr zum Konferenztisch. Ihr zweckmäßiges Wollkostüm mit der roséfarbenen Bluse war klassisches Understatement. Sie legte Notizbücher und Stifte ordentlich auf ihren Platz. Winston tauchte nicht auf. Genevieve und er hatten wohl beschlossen, sich bei der Befragung abzuwechseln. Riesner hatte angerufen, um Bescheid zu sagen, dass er sich verspätete.

»Oh, hallo«, sagte Rachel zu Genevieve, wobei sie sich in einem silbernen Spiegel begutachtete und die Frau an ihrer Seite offensichtlich mit einer Sekretärin verwechselte. »Ich hätte wahnsinnig gerne einen Kaffee. Könnten Sie mir wohl einen besorgen?«

Nina wartete an der Tür, um zu sehen, wie Genevieve reagieren würde. Schon schnellte der lockige Kopf in die Höhe. »Wo darf ich ihn servieren?«, fragte sie zuckersüß. »Im Schoß oder auf dem Kopf?«

Rachel klappte ihre Puderdose zu. »Wie bitte?«

Genevieve lachte. Sie streckte die Hand aus, die Rachel verwirrt ergriff. »Bitte entschuldigen Sie, dass ich mich nicht gleich vorgestellt habe. Ich bin Genevieve Suchat, Jury-Beraterin der Gegenpartei.«

Genevieve musste Rachels Hand wohl etwas zu fest gedrückt haben, denn Rachel japste hörbar und zog ihre Hand brüsk zurück. »Nun, ich hatte nicht vor, Sie zu beleidigen«, sagte Rachel und rieb sich die Hand.

»O Gott, nein. Da bin ich mir sicher«, erwiderte Genevieve mit einem falschen Lächeln.

Genevieve hatte nur ein Wort für ihren Zusammenstoß mit Rachel übrig, als sie in der Mittagspause den verschneiten Pfad vom Büro zum Truckee-Sumpf hinuntergingen, der unter einer tiefen Schneedecke lag. »Angeberin«, sagte sie mit einem deutlichen Südstaatenakzent. Je mehr sie sich ärgerte, desto mehr hörte man ihr die Herkunft aus den Südstaaten an. »Finden Sie Angeberei nicht auch entsetzlich?« Sie trat gegen einen lockeren Schneeklumpen. »Das muss Lindy Markov doch irre machen, wenn sie Rachel so aufgeputzt herumlaufen sieht, in Klamotten, die sich nur Mike leisten kann.«

»Sie wird hart zu knacken sein«, sagte Nina. »Ich habe Ihnen ja schon gesagt, dass ich sie sehr überzeugend finde. Glaubt man ihr, trifft Mike jede größere Entscheidung.«

»Klar sagt sie das. Sie ist seine Freundin.«

»Aber sie klingt so vernünftig«, sagte Nina. »Sie wirft nur so um sich mit Fakten und Zahlen. Sie erinnert sich an Einzelheiten, die alle anderen längst vergessen haben. Im Zeugenstand macht sie einen sympathischen und professionellen Eindruck. Und sie kommt so rüber, als hätte sie viel Verständnis für Lindys Situation. Ich fand es entsetzlich, dass sie Lindys Angriff auf sie in der Nacht von Mikes Party so großmütig entschuldigt hat.«

»Sie sollte sich schnell um das Flugticket kümmern.«

»Flugticket? Wohin?«

»Zur Oscarverleihung«, sagte Genevieve, und sie mussten beide lachen. »Die Beste Hauptrolle ist ihr so gut wie sicher.«

»Ihre Glaubwürdigkeit erschwert uns den Job.«

»Ich beobachte sie«, sagte Genevieve. »Mir entgeht nicht das leiseste Wimpernzucken. Ich werde Ihnen helfen, ihre Zeugenbefragung vorzubereiten. Und wenn wir damit durch sind, wird Miss Rachel aussehen wie eine Zehn-Dollar-Nutte bei einer hochkarätigen Offizierstagung.«

»Tja«, sagte Nina, »ich weiß nicht recht. So eine Strategie kann auch nach hinten losgehen. Mir ist bei all diesen Stereotypen nicht wohl. Mike ist der Mann, also hat er die Firma geleitet, und Lindy hat ihm geholfen. Oder Lindy, die geldgierige abgelegte Geliebte. Soll Riesner sich doch auf diese ausgedienten Stereotype verlassen. Ich will mich nicht dazu herablassen.«

Genevieve verdrehte die Augen. »Nina, ich weiß, dass es eine große Versuchung ist. Ich habe das schon tausendmal gesehen. Die Anwältin will die Angelegenheit wahrhaftig und folgerichtig rekapitulieren. Aber das ist alles reine Kopfsache. Sie gewinnen die Herzen der Geschworenen nicht, indem Sie an ihren Verstand appellieren. Und wenn Sie die Herzen der Geschworenen nicht gewinnen, gehen Sie mit leeren Taschen nach Hause.«

Diese Äußerung veranlasste Nina, stehen zu bleiben und Genevieve ins Gesicht zu sehen. »Das ist aber genau das, was ich kann. Ich will nicht, dass die Geschworenen auf Grund von Gefühlen entscheiden. Ich will, dass sie sich auf Grund von …«

»Ach, Schätzchen, Sie haben noch so viel zu lernen. Wollen Sie den fetten Gewinn einstreichen oder nicht?«

»Natürlich will ich das. Ich will nur …«

»Nun, ich werde dafür sorgen, dass Sie es tun. Und nun lassen Sie uns zu diesem aufgeblasenen Ding zurückgehen und ihr den Fünfzig-Dollar-Lippenstift von ihrem smarten Mund wischen.«

Übers Wochenende hatte sich Lindy in ihrem Wohnwagen verkrochen, sich mit persönlichen Papieren beschäftigt, Rechnungen bezahlt, auf der Couch gelegen und in den wolkenlosen Himmel gestarrt. Sie ging davon aus, dass Rachel sie verklagte. Sie rechnete damit, verhaftet zu werden.

Als Dienstagnachmittag noch immer niemand gekommen war, ritt sie auf Comanche zu dem kleinen Laden. Dort wechselte sie ein paar Scheine in Münzen und rief George Demetrios in der Firma an. Er sei nicht mehr da, sagte ihr eine Kollegin, aber Lindy hatte seine Privatnummer und versuchte es unter dieser. Sie rief George gar nicht gerne an, denn er war in sie verknallt, und sie wollte ihn nicht ermutigen. Trotzdem hatte sie Glück gehabt, dass George an dem verschneiten Hang vorbeigefahren war. War das wirklich Glück gewesen?

»Hey, Lindy, wie geht's?«, fragte George ehrlich besorgt.

»Gut, George. Aber warum bist du nicht bei der Arbeit?«

»Das weißt du nicht?«

»Was weiß ich nicht?«

»Sie haben mich rausgeworfen.«

»Was? Du bist doch schon fünf Jahre bei uns! Mike hat ja

nicht mehr alle Tassen im Schrank! Wie können sie dich rauswerfen?«

»Oh, er hatte nichts damit zu tun. Pembroke hat mich rausgeworfen.«

»Aber ... so viel hat sie mit der Produktion doch eigentlich gar nicht zu tun?«

»Ich weiß nicht, was sie tut. Ich weiß nur, dass sie mit meinem Chef gesprochen hat, und als Nächstes war ich ... gefeuert.«

Sie sah ihn vor sich, mit seinen wulstigen Lippen und der olivenfarbenen Haut, und dachte einen Moment nach. »Glaubst du, sie haben das wegen der Sache gemacht, die auf der Straße passiert ist?«

Sie konnte fast hören, wie seine grauen Zellen um diese Idee herumtuckerten.

»Wie geht es Rachel?«

»Gut.«

»George, wie kam es, dass du ausgerechnet zu dieser Zeit vorbeikamst? Bist du mir gefolgt?«

»Wahrscheinlich schon«, sagte er.

»Warum?«

Es folgte eine lange Pause. »Ich habe dich in der Firma gesehen«, sagte er. »Ich habe gesehen, dass du hinter Rachel hergefahren bist.«

»Oh.«

»Ich wollte nur nicht, dass du irgendwelche blöden Probleme kriegst.«

Obwohl die Sache ihr ein paar schlaflose Nächte bereitet hatte, fand sie die Vorstellung, dass sie Rachel auf der verschneiten Straße gefolgt war und dann George ihr, auf einmal ungemein komisch. Sie unterdrückte den Drang zu lachen. Man wusste einfach nie, wozu Leute im Stande waren. »Was ist passiert, nachdem ich weg war?«

»Sie haben sie ins Krankenhaus gebracht. Sie hatte ein paar Schnittwunden und ein paar blaue Flecken, aber nichts Schlimmes. Dann kam die Polizei, um mich zu befragen, weil sie gesagt hat, du hättest ihr nachgestellt.«

»Das hat sie gesagt? Wow.« Konnte man das eine Mal schon Nachstellen nennen?

»Ihre Geschichte fängt so an: Du warst mit ihr im Auto und hast ihr gesagt, dass sie rechts ranfahren soll. Du hast sie mit einem Messer bedroht.«

»Im Auto mit ihr? Aber das stimmt doch gar nicht!«

»Tja. Sie hat gesagt, sie wäre von der Straße abgekommen, aus Todesangst, und dann wäre sie mit dem Kopf aufs Lenkrad geknallt. Sie sah aber okay aus.«

»Und was hast du ihnen gesagt?«

»Ich hab's wieder richtig gestellt. Hab ihnen gesagt, dass ich gesehen habe, wie es passiert ist, und dass da keiner war außer ihr.«

»Oh, George.«

»Jeder weiß, dass zwischen euch nicht gerade die große Liebe entbrannt ist. Ich wollte nur nicht, dass irgendwer auf eine falsche Idee kommt. Ich weiß, dass du's nicht warst. Du bist in dem Jeep weggefahren, mit dem du unterwegs warst. Wie hättest du also mit ihr im Auto sitzen können?«

»Du hast für mich gelogen, George. Das hättest du nicht tun sollen. Was meint denn die Polizei?«

»Sie haben ihr nicht geglaubt. Sie ist dauernd in der Zeitung. Sie haben sich gedacht, sie will vielleicht wieder in die Zeitung kommen, und wollte nur, dass du schlecht dabei wegkommst. Jedenfalls bin ich danach gefeuert worden.«

»Das tut mir wirklich sehr Leid«, sagte Lindy.

»Ohne Mike und dich ist es sowieso ein völliges Durcheinander. Vielleicht ist es Zeit, dass ich weiterziehe. Aber du musst wissen … die Leute erzählen sich alles Mögliche. Du weißt, wie sie sind. Sie wollen dir nichts Böses.«

Lindy war gerührt. Loyalität wie die von George konnte man nicht kaufen.

»Aber ich habe gehört, wie ein Typ geschworen hat, dass er dich auf dem Firmenparkplatz gesehen hat«, fuhr George fort. »Du hättest einfach nur im Auto gesessen, als ob du darauf gewartet hast, dass einer rauskommt. Also, das hab ich in Ordnung gebracht.«

»Du hast ihm doch nichts getan?«

»Lindy, das mache ich nicht mehr, seit du mich in diese Maßnahme gesteckt hast«, sagte er gequält. »Ich rede einfach nur mit den Leuten, wie wir es in der Therapie gelernt haben. Ich habe ihm gesagt, er muss geträumt haben, und dann habe ich dafür gesorgt, dass er mir glaubt. Du hast Wichtigeres zu tun, als hierher zu kommen und irgendjemanden zu belästigen.«

»George … vielen Dank. Das mit deinem Job tut mir schrecklich Leid.«

»Ach, ich arbeite bei meinem Bruder in der Tischlerei, da kann ich noch was lernen, und es macht mir Spaß.«

»Das freut mich.«

»Sag mal, könnten wir beide nicht vielleicht … Ich weiß nicht. Den einarmigen Banditen mal 'nen Besuch abstatten? Oder Eis laufen gehen? Würde dir das gefallen?«

»Ich find's wahnsinnig nett, dass du mich auf andere Gedanken bringen willst. Trotzdem nein, George.«

»Hab ich mir schon gedacht«, sagte er. »Tja, ich hoffe, Mike und du, ihr kriegt das irgendwie wieder auf die Reihe. Bis dahin lass mich einfach wissen, wenn du was brauchst. Ich bin dein Mann.«

»Versprich mir, mir nicht mehr zu folgen, nicht mal, wenn's zu meinem Besten ist. Ich brauche keinen Beschützer.«

»Wie du meinst.«

Sein Ton verriet ihr, dass er ihr nicht glaubte. Was war er doch für ein Schatz.

Eine Ansage klinkte sich in die Verbindung und verlangte mehr Kleingeld. Lindy suchte ihre Taschen ab, aber bevor sie eine Münze einwerfen konnte, hatte George schon aufgehängt.

Als sie wieder im Sattel saß und mit Comanche die matschige Straße entlangritt, erinnerte sie sich daran, wie sie George kennen gelernt hatte. An einem windigen Tag, kurz nachdem er eingestellt worden war, hatte er dem Vorarbeiter Bill Henderson einen Faustschlag versetzt. Henderson forderte Georges Kündigung, und die folgende Personalüberprüfung ergab, dass George kein unbeschriebenes Blatt war. Er hatte zwei Jahre abgesessen, weil er den Mann seiner Schwester angegriffen hatte.

Damit konfrontiert, gab er die Verurteilung zu, aber er sagte auch, dass sein Schwager seine Schwester geschlagen habe. »Ich habe versucht, mit ihm zu sprechen«, sagte George, als Lindy ihn danach fragte. »Er ist aber nicht der Typ, der einem zuhört.«

Lindy hatte für ihn eine Therapiegruppe für ehemalige Straffällige gefunden, Henderson mit ein paar Scheinen beruhigt und Georges Loyalität für immer gewonnen.

Sie verlangsamte ihr Tempo, ließ Comanche das letzte Stück zu seinem Stall neben dem Wohnwagen im Schritt gehen und atmete die trockene Luft ein. Das Reiten hatte sie erfrischt. Sie warf einen Blick auf die herrliche Palette von Braun- und Grüntönen in den fernen Bergen und machte sich daran, Comanche zu striegeln, wobei sie über den Augen anfing und sich langsam über den samtigen Rist weiterarbeitete. Sie fragte sich, wer Rachel angegriffen hatte. Das war keine Nummer für die Zeitungen gewesen.

Wenigstens würden die Bullen nicht hier auftauchen. Doch Georges Bemerkungen über die Firma hatten sie beunruhigt, und sie begann, wieder über den Prozess nachzudenken.

Beim Striegeln hatte sie eine irrwitzige Idee: Alice. Darüber musste sie lachen. Alice, die Rächerin, ganz in Schwarz, nur ohne ihre hohen Absätze. Schwer zu glauben, fand sie.

Aber wenn nicht Alice – wer dann?

12

An einem grauen Tag im Februar, fast drei Monate vor ihrem Prozesstermin, versammelte Nina die aus sechs Frauen und sechs Männern bestehende Schattenjury in dem besonders großen Konferenzzimmer am Ende des Flurs, den sie eigens für diesen Termin gemietet hatte. Dieser Querschnitt der Bevölkerung sollte ihnen helfen zu bestimmen, nach wem sie bei der Auswahl der Geschworenen für den Prozess Ausschau halten mussten.

Zuerst kam Winston, der das Eröffnungsplädoyer hielt, das Nina und er in den vergangenen Wochen entworfen hatten. Schon dieser Vorgang, in dem sie die riesige Sammlung von Fakten und juristischen Aspekten zugespitzt hatten, damit das Eröffnungsplädoyer auch funktionierte, war für Nina äußerst nützlich gewesen. Sie wollten die Quintessenz, sonst würden die Geschworenen den Wald vor lauter Bäumen nicht sehen. Sie wollten Riesners Eröffnungsplädoyer vorwegnehmen. Sie wollten Mitgefühl und Respekt für Lindy erwecken.

Am Ende hatten sie beschlossen, dass Winston sich ausschließlich auf zwei Punkte konzentrieren würde: Dass Lindy gleichen Anteil am Aufbau und an der Führung der Firma hatte und dass die Vereinbarung zur Gütertrennung nicht rechtsgültig war, weil Lindy nur unter der Annahme, dass sie heiraten würden, auf ihren prospektiven Besitz verzichtet hatte.

Die Zeugenvorstellung für die Schattenjury, die sehr viel schneller vonstatten ging als tatsächlich vor Gericht, begann am Vormittag. Die falsche Lindy und der falsche Mike spielten bewundernswert, versuchten, die trockenen Worte auf dem Papier vor ihnen so glaubhaft wie möglich rüberzubringen, ohne zu übertreiben.

»Es läuft großartig, was, Nina?«, fragte Genevieve in der Mittagspause, als sie in den Laden auf der anderen Straßenseite gingen.

»Hm«, meinte Nina, die das Verfahren mit einer Mischung aus wachsender Verwirrung, Faszination und Abscheu beobachtet hatte. Für Theater hatte sie noch nie viel übrig gehabt. Warum konnten sie sich nicht einfach um gewissenhafte Geschworene bemühen und die Macht der Fakten den Sieg davontragen lassen? Wozu die ganze Show?

Weil sie gewinnen wollte.

Dennoch, ihrer Ansicht nach war der Begriff »Schattenjury« an diesem Vormittag bislang noch das Genaueste gewesen. Diese Zeugen hatten keine Substanz. Das Schattengericht erinnerte nur entfernt an einen richtigen Prozess. Wo war Lindys unglückliche Enttäuschung? Wo war Mikes Wut? An welchem Punkt waren ihre Pläne in die Irre geleitet worden, weil jemand log oder seine Geschichte verdrehte und die Anwälte sich wie verrückt abstrampelten, um die Kontrolle über das Unkontrollierbare wiederzugewinnen?

»Bis jetzt sind Sie noch nicht überzeugt«, bemerkte Genevieve.

»Schön. Warten Sie nur, bis Sie meine Empfehlungen sehen.«

»Vielleicht bin ich einfach nur ein bisschen nervös wegen meines Schlussworts heute Nachmittag. Das ist mein ganz normaler Horrortrip bei dem Gedanken an einen Prozess, selbst an einen fingierten.«

Sie entdeckten Plätze am Tresen, und Genevieve bestand darauf, Roggenbrot-Sandwiches mit seltsamen Namen zu bestellen. Während Nina ihr Manuskript überflog, plauderte Genevieve mit der Bedienung, die sich bereit erklärte, eine Kanne Kaffee aufzusetzen. Die beiden schwelgten in Erinnerungen an ihre Kindheit in New Orleans und wie sie Beignets gegessen hatten. Genevieve klang entspannt und glücklich.

»Essen Sie«, schreckte Genevieve Nina plötzlich auf und schob ihr ein Sandwich hin, aus dem gekräuselte Salatblätter heraushingen. »Es wird Ihnen schmecken.«

Geräucherter Truthahn mit Mixed Pickles und Senf. Egal, Nina aß es einfach.

»Fast hätte ich es vergessen«, sagte Nina, als sie bezahlt hatten und über die Straße gingen, wo eine eisige Brise wehte. »Lindy Markov möchte Sie noch einmal sehen.«

»Ja, hab schon gehört. Sie ist mir ganz schön auf die Nerven gegangen. Will alles über die Auswahl der Geschworenen wissen. Wir treffen uns heute Abend zum Abendessen. Kommen Sie doch mit.«

»Tut mir Leid. Sie ist keine einfache Mandantin. Sie engagiert sich viel zu sehr«, meinte Nina. »Aber heute Abend kann ich nicht. Ich habe schon was vor. Es wäre besser, wenn Sie nicht über Einzelheiten sprechen, okay, Genevieve?« Heute Abend würde Nina ein Bad nehmen, meditieren, sich einen Moment Zeit für Bob nehmen und dann jemanden treffen, den sie schon viel zu lange nicht gesehen hatte.

»Sie wollen nicht, dass ich mit ihr über den Fall spreche?«

»Wahrscheinlich ist es durch die Schweigepflicht im Anwalt-Mandanten-Verhältnis geschützt, auch wenn ich nicht dabei bin. Aber ich möchte kein Risiko eingehen. Ich hatte schon mal Ärger mit so was.«

»Sie tragen die Verantwortung.« Genevieve klang leicht aufgebracht. Es muss schwer für sie sein, dachte Nina, um Rat zu fragen, statt zu führen, bei ihrer Persönlichkeit. Sie besaß das gleiche Vertrauen in ihre Fähigkeiten, das gleiche Engagement für den Fall, aber sie war keine Anwältin. Genevieve kam und ging, sie übte eine dieser untergeordneten Beraterfunktionen im Umfeld von Prozessen aus, die es seit ein paar Jahren gab. Speerspitze, ja, aber weder durch Tradition noch durch besonders viel Erfahrung abgesichert.

Als sie durch die Tür des Konferenzzimmers traten, wurden sie von einem Dutzend neugieriger Augen beobachtet. Genevieve lächelte in die Runde. Nina bemerkte, dass einige sie mit einem respektvollen Nicken begrüßten.

Sie sollte doch mehr lächeln, so wie Genevieve.

Nach dem Abendessen half Nina Bob, seine Schulbücher auf dem Küchentisch auszubreiten. Sie stellte die Lautstärke des CD-Spielers ein gutes Stück leiser und fuhr zurück ins Büro, um sich mit Paul zu treffen. Sie fühlte sich wie erschlagen und wünschte sich, sie hätten das Treffen auf den nächsten Tag verschoben, aber sie hatte ihm versprochen zu kommen. Außerdem wollte sie ihn sehen.

Vor einer Woche hatte Paul sie angerufen. Nachdem er noch einmal darauf zu sprechen gekommen war, wie enttäuscht er gewesen war, dass sie ihn über die Feiertage nicht in Washington besucht hatte, erzählte er ihr, dass er dort im Moment nicht gebraucht wurde, da gerade einige unerwartete Konstruktionspannen behoben werden mussten. Außerdem hatte er einige geschäftliche Angelegenheiten in Carmel abgeschlossen, sodass er verfügbar war. Er war am Nachmittag in seinem Van hochgekommen und hatte in seinem zweiten Zuhause im Caesar's eingecheckt, um sich Mike Markovs Unternehmen und sein Umfeld vorzunehmen und Leute ausfindig zu machen, die bezeugen konnten, dass Mike Lindy bei unzähligen öffentlichen und privaten Gelegenheiten als seine Frau vorgestellt hatte.

Nina hatte ihn vermisst, worüber sie aber nicht gerne nachdachte. Liebe ich ihn?, fragte sie sich ab und zu. Sie hatte zwei Mal geliebt, vor vielen Jahren Bobs Vater, ein Gefühl, das nur noch schwach nachhallte, und Jack McIntyre, den sie geheiratet hatte. Aber fünf Jahre später hatten Jack und sie beschlossen, sich zu trennen. Ihre Scheidung von Jack war noch nicht lange her und tat sehr weh. Sie wollte mit Bob hier in Ruhe leben und ihre Kanzlei aufbauen, bis alle schmerzlichen Gefühle den Truckee River hinuntergeflossen waren.

Andererseits war sie eine junge gesunde Frau, die sich gelegentlich einsam fühlte. Sie vermisste etwas, wenn auch nicht dieses verrückte, dumme Gefühl, das das übrige Leben in den Weltraum wirbelte. Paul hatte seine Fehler. Er konnte wirklich ein anmaßender Blödmann sein, aber er hatte auch eine starke

Schulter zum Anlehnen und ein heiteres Gemüt, wenn alles düster war.

Die Nächte, die sie in ihrem Himmelbett oder in Pauls verschiedenen Hotelzimmern verbrachten, hatten immer etwas von Abenteuer, etwas Unvorhersehbares, einen Hauch von Romantik. Nina bildete sich ein, dass auch er die Vorteile ihrer Beziehung sah. Obwohl er seinen Beraterjob in Washington D.C. hatte, war er trotzdem für sie abkömmlich und redete nicht viel über die Zukunft. Er hatte aufgehört, sie zur Heirat zu drängen, und sich, wie sie fand, ziemlich gut mit ihren gelegentlichen Liebesnächten arrangiert.

Paul wartete in dem kleinen Konferenzzimmer neben ihrem Büro, das zugleich als Bibliothek diente, und trank eine Tasse Kaffee. »Hey, schöne Frau Anwältin«, sagte Paul. Er stellte seine Tasse ab und umarmte sie.

»Hi, Paul«, sagte sie und ließ sich einen ganz kurzen Augenblick an seine Brust drücken und umarmen. »Wie ist es in Washington?«

»Fast so kalt wie hier oben«, sagte er und spielte mit ihrem Ohrring. »Es läuft. Jede Menge Verzögerungen wegen des Wetters.«

»Weißt du, was? Ich freue mich richtig, dich zu sehen!«

»Dito«, sagte Paul und lächelte sie an.

»Ich hab dich vermisst.«

»Ich auch.«

»Du hast dich selbst vermisst?«, fragte sie.

»Tu nicht so schlau.«

Sie trat einen Schritt zurück. »Wir müssen heute Abend gleich ran.«

»Gute Idee!«, meinte er. »Lass uns ohne Umschweife zur Sache kommen. Wo diesmal? Auf dem Fußboden, auf diesem großen breiten Sessel oder, hey, da ist noch dieser lange, bequeme Konferenztisch …« Er schob ein paar Akten beiseite. »Ein bisschen hart. Aber du hast einen festen kleinen Hintern …«

»Tu mir einen Gefallen.«

»Alles, solange es etwas mit deinen reizenden lackierten Zehennägeln zu tun hat.«

»Könntest du bitte diesen Nebel von Begierde so lange vertreiben, bis du mir erzählt hast, was du rausgefunden hast?«

»Hier drin ist es bestimmt amüsanter, als man erwarten würde.«

»Komm schon.«

Er drückte ihr einen letzten Kuss auf die Nase und setzte sich. Nina nahm gegenüber Platz.

»Oh, bevor wir anfangen, ich hab vergessen, dich was zu fragen.« Nina kramte in den Papieren auf dem Tisch und versuchte, ihrer Stimme einen beiläufigen Tonfall zu geben. »Hast du dich schon entschieden wegen des Jobs? Ich meine, es klingt nach einer großartigen Gelegenheit.« Sie hatte mehr als ein paar lange Nächte damit zugebracht, über den Job nachzudenken, den man ihm an der Ostküste angeboten hatte, und am Ende beschlossen, ihn zu ermutigen, das zu tun, was das Beste für ihn war. Das war die richtige Art, mit einem guten Freund wie Paul umzugehen. »Du wärst wahrscheinlich ein Narr, ihn abzulehnen. Du bist im besten Alter, auf der Höhe deiner beruflichen Laufbahn …«

»Moment mal. Das letzte Mal, als wir darüber sprachen, hast du so getan, als hätte ich meine Seele verkaufen müssen, um diesen Job anzunehmen.« Er klang ziemlich verärgert.

»Ja, hättest du«, sagte sie leichthin. »Ich versuche jetzt nur, das Richtige zu sagen, Paul. Ich möchte nicht egoistisch sein und dir abraten. Und ich möchte, dass du die Entscheidung triffst, die für dich richtig ist.«

»Verstehe«, sagte er und sah sie mit einer Miene an, die sie nicht deuten konnte. »Also, ich halte den Ball flach. Ich habe mich noch nicht geäußert.«

»Du hast noch nicht abgesagt?«

»Nein.«

»Ich dachte nur«, sagte Nina.

»Ich sag's dir, wenn ich mich entschieden habe.«

»Oh, gut.«

Es gab eine kurze Pause. Nina suchte in ihrer Aktentasche nach etwas, und Paul sah sie an. »Und wie ist dein Pseudoprozess heute gelaufen?«, fragte er schließlich.

»Beängstigend. Herausfordernd«, sagte Nina schnell, um das Gespräch rasch fortzuführen. »Nicht dass unser Ersatz-Riesner so aussieht und sich auch nur annähernd so verhält wie Jeff Riesner. Er ist Anwalt, ein Freund von mir und heißt Rufus. Er kann das gleiche Zeug reden, hat aber eine gänzlich andere Wirkung auf mich. Er klingt verdammt vernünftig. Ich kann nicht für die Pseudo-Geschworenen sprechen.«

Paul grinste. »Diese dreckige Ratte von Riesner. Du hast Glück, dass er auf der anderen Seite steht.«

»Aber wer wäre besser geeignet, Mike Markov zu vertreten? Vor Gericht ist er die Aggressivität pur. Er wird die Geschworenen so weit bringen, dass sie glauben, sie müssten dieser gemeinen, gierigen Frau eins auswischen. ›Sie kann nicht loslassen.‹ Auf etwas in der Art wird es bei ihm hinauslaufen. Oh, wenn es nur jemand anders wäre. Jemand Anständiges wie Rufus. Wenn ich gewinne, lade ich ihn zum Essen ein. Wenn ich gegen Riesner gewinne, muss ich mich wirklich in Acht nehmen.«

»Und wer hat den Fall heute gewonnen?«

»Also, Folgendes: Erstens ist dieser Schattenprozess nur der ziemlich miese Abklatsch einer echten Verhandlung. Einige wichtige Elemente fehlen einfach: Dramatik, Leidenschaft, Langeweile. Andrea war Lindy. Sie hat ein paar Mal an den falschen Stellen gelacht, und Winston hing die meiste Zeit ein Taschentuch aus seiner Hosentasche wie ein flauschiges kleines Anhängsel, das außer den Geschworenen niemand bemerkt hat. Ich garantiere dir, dass das vor Gericht nicht passiert.«

»Wo war deine oberschlaue Jury-Beraterin während dieses spleenigen Ereignisses?«

»Hat die ganze Chose ruhig von der Seitenlinie aus gelenkt und Statistiken aufgestellt, die sie so gern mag. Ich hab sie daran erinnert, dass sie mir versprochen hat, mich mit solchem Zeug zu verschonen, sodass wir jetzt gleich zu den Schlussfolgerungen übergehen. Jedenfalls haben wir uns darangemacht, die Zeugenaussagen durchzugehen, zumindest die Zeugenaussagen, wie sie ihrer Meinung nach an diesem Punkt präsentiert werden. Wie ich erwartet hatte, war die widerlichste Schweinerei diejenige, bei der es um diese Vereinbarung zur Gütertrennung ging, die Lindy angeblich eines schönen Abends unterzeichnet hat. Rufus' Lieblingsspielzeug und wahrscheinlich auch Riesners, wenn es so weit ist.«

»Und?«

»Bei unseren ersten Entwürfen für das Eröffnungsplädoyer und das Schlusswort haben wir die mündlich gegebenen Versprechungen betont, die inoffizielle Heiratszeremonie vor Jahren, die Annahmen und Erwartungen beider Seiten.«

»Wie gefiel das deinen Geschworenen?«

»Überhaupt nicht. Wir haben verloren. Dann haben wir eine andere Version durchgespielt, in der wir Lindys Rolle in der Firma hervorgehoben, den Angriff auf die Vereinbarung aber beibehalten haben. Diese Version kam wesentlich besser an. Unser zweiter Ansatz hat sich als überzeugender herausgestellt. Wir haben gewonnen, jedenfalls mehr oder weniger. Sie sprachen ihr ein Viertel des Nettowerts vom Aktienkapital zu.«

»Überrascht?«

»Eigentlich nicht. Ich hatte die ganze Zeit schon das Gefühl, dass Lindys Arbeit ausschlaggebend ist. Wir können richtige Beweise für ihren Beitrag vorlegen, Beweise dafür, dass Mike sich auf sie verlassen hat, Beweise dafür, dass sie stets an großen Geschäftsentscheidungen beteiligt war, Beweise, die ihren Einsatz direkt mit dem Erfolg der Aktiengesellschaft in Verbindung bringen.«

Paul nickte.

»Nachdem es vorbei war und bevor wir alle zusammenklappten, haben Winston, Genevieve und ich eine Schnellanalyse vorgenommen und festgestellt, dass es genau so gelaufen war, wie Genevieve auf Grund ihrer Nachforschungen, Fragebögen und Statistiken vorhergesagt hatte. Wir sahen uns mit einem sexuellen Armageddon konfrontiert. Die Männer schlugen sich anfangs auf Mikes Seite, die Frauen auf Lindys. Natürlich veränderte sich das Bild, als wir in die Beweisführung einstiegen, und auch da kommt Genevieve ins Spiel. Sie braucht jetzt etwas Zeit, um die Ergebnisse durchzugehen und mit einigen Fragebögen und Interviews, die sie in den nächsten paar Tagen führen will, abzugleichen. Dann formuliert sie ihre Empfehlungen schriftlich.«

»Wird irgendwas von dem dir helfen zu gewinnen?«

»Ja, ich glaube schon.«

»Glaubst du daran, Nina? Solltest du nicht einfach dein bestes Kostüm anziehen und hoffen, dass die unberechenbare Menge sich irgendwie ihren Weg zur Gerechtigkeit ertastet? Menschen sind kein Vieh. Du kannst nicht vorhersagen, was für Frühstücksflocken sie an einem bestimmten Tag essen werden.«

»Reiskrispies für Andrea, All-Bran-Flakes für Matt, Knusper-Honeys für Bob und Chrunchy Nuts für mich, so ziemlich jeden Tag dasselbe, außer sonntags. Sei dir da mal nicht zu sicher, Paul.« Nina nahm ein unbeschriebenes Blatt Papier und ließ einen Kugelschreiber darüber schweben. »Lass uns jetzt mal schauen, wie weit du bist.«

Er hatte seine Notizen gegenüber von ihren Unterlagen ordentlich auf dem Tisch aufgestapelt und fuhr sich mit der Hand durchs Haar, das blonder schien und auch länger, als Nina sich erinnerte. Er hatte eine umfassende Akte über Mike Markov zusammengestellt, die zahlreiche Einzelheiten über seine lange Freundschaft mit Galka enthielt und jüngste Indiskretionen mit Rachel. Er hatte mit einer Frau in der Marketingabteilung von Markov Enterprises gesprochen, die meinte, sich an ein Video von einer Verkaufsschau vor ein paar Jahren zu erinnern, das ihnen helfen könnte, Mike im Prozess auf eine Lüge festzunageln.

»Und hier ist noch was, was dich vielleicht interessiert. Rachel steht immer noch auf freundschaftlichem Fuß mit ihrem Ex, Harry Anderssen. Trifft sich ab und zu mit ihm zum Abendessen, ohne Markov.«

»Mit dem männlichen Model?«

»Genau. Sie hat jahrelang mit ihm zusammengelebt und die meisten Rechnungen bezahlt, weil sein Einkommen immer unregelmäßig war, außer in der Zeit, als er bei Markov gearbeitet hat. Ich würde sagen, ihre finanzielle Verbundenheit hat eine lange Geschichte.«

»Harry Anderssen«, sagte Nina und nickte. Sie erzählte ihm, was sie an dem Tag der Anhörung zwischen Harry und Mike vor dem Gerichtsgebäude beobachtet hatte.

»Verständlich, dass er stocksauer ist, weil sie ihn wegen Mike verlassen hat.«

»Wir haben schon vermutet, dass er auf unserer Seite ist. Mein Gott, Paul. Glaubst du, sie geht zu ihm zurück?«

»Im Moment scheint sie fest entschlossen zu sein, bei Markov zu bleiben. Aber anscheinend ist Gewalt für Harry kein Fremdwort. Klingt, als hätte er sich damals mit Mike zurückgehalten. Bevor er anfing zu modeln und sein Image aufpoliert hat, war er als Bodybuilder auf Straßenschlachten spezialisiert. Vielleicht zieht Harry für Rachel eine Show ab, weil er hofft, er kann ein Stück vom Kuchen abbekommen, auch wenn sie Markov heiratet. War sie bei dem Streit dabei?«

»Ja.«

»Interessant.«

Sie brauchten noch fast eine Stunde, um alles durchzugehen, was er herausgefunden hatte, und die Liste von Aufgaben zu besprechen, die Nina für ihn zusammengestellt hatte.

Als sie schließlich fertig waren, war es nach neun Uhr. Sie hatten viel Cola getrunken, und es schneite wieder. Nina musste zu Bob, der allein zu Hause war. Auch Paul sah aus, als sei ihm danach, Feierabend zu machen. Er klopfte mit dem Fuß rhythmisch auf den Boden, und plötzlich klang es sehr laut.

»Was ist los, Paul?« Sie zeigte nach unten.

»Was?« Als er es merkte, hielt er inne. »Es ist nur – ach, egal.«

»Nein, komm schon. Sag's mir.«

»Okay«, sagte er zögernd. »Vergiss nicht, dass du danach gefragt hast. Wir haben hier eine Frau, die jahrelang ein verwöhntes Leben geführt hat, weil dieser Mann Erfolg hatte mit seiner Firma. Pools, Schlösser, Bedienstete, das ganze Drum und Dran.«

»Sie hatte großen Anteil am Geschäftserfolg.«

»Ja, das stimmt. Und sie hat für ihre Arbeit ein Gehalt bekommen. Lass uns versuchen, einen objektiven Blick auf die Sache zu werfen. Sie haben zusammengelebt, ohne verheiratet zu sein, obwohl sie gelegentlich geäußert hat, dass sie ihn gern heiraten würde, *ergo* muss ihr doch klar gewesen sein, dass er sie nicht heiraten wollte. Sie war mit dem Deal einverstanden.«

Der letzte Satz klang nach einem grausam guten Mantra für Jeff Riesner. Nina hoffte, dass er nicht auch darauf kam.

»Aber sie behauptet, dass er ihr mehrfach eine Heirat als Köder hingehalten hat, vor allem, als er sie gezwungen hat, diesen Wisch zu unterschreiben«, meinte Nina.

»Dann wird deine Strategie also sein, dass sie ein armes Opfer dieses Tyrannen ist? Ich meine, dieser Typ hat ganz offensichtlich nur versucht, sein Vermögen zu schützen. Vielleicht hat er eine Ahnung von dem bekommen, was auf ihn zukommen könnte, und wollte den Deal, den sie die ganze Zeit hatten, nämlich dass sie ihre Vermögen getrennt halten, bekräftigen. Und sie hat's unterzeichnet. Er hat ihr nicht mit der Peitsche gedroht, er hat sie gebeten, es zu unterschreiben, und sie hat's getan. Und dann hat er den Wisch beiseite gelegt. Weil er nie vorgehabt hat, sie zu heiraten, ganz einfach.«

Paul fuhr fort, während sein Gesicht von einer leichten Röte

200

überzogen wurde. »Läuft sie zu einem Anwalt, um gegen diese erzwungene Unterzeichnung eines Vertrags zu protestieren? Nein. Und jetzt, Jahre später, sagt sie, sie hat vergessen, dass sie das Papier unterzeichnet hat, aber wenn sie es getan hat, dann hat er ihr bestimmt versprochen, sie dafür zu heiraten. Das ist zu bequem. Wenn er das wirklich gesagt hat, fresse ich einen Besen.«

»Wir haben keine Ahnung, was er gesagt hat. Was zwischen zwei Menschen passiert, ist kompliziert«, sagte Nina. »Woher soll man wissen, was in dieser Nacht ablief?«

»Okay, lass uns noch weiter zurückgehen. Sie wusste von Anfang an verdammt gut, auf wen sie sich bei Mike Markov eingelassen hat: Auf einen Menschen, der sich weigerte, sich gesetzlich an sie zu binden, auf einen Mann, der nie einen Hehl aus seiner Haltung gemacht hat.«

Nina schüttelte den Kopf. »Es geht nicht darum, was sie gewusst hat, und auch nicht darum, was sie gehofft oder erwartet hat. Die Frage ist, was sind ihre gesetzlich verbürgten Rechte? Hatten sie einen Vertrag? War sie einverstanden, für ein Heiratsversprechen ihre Rechte an ihrer gemeinsamen Firma zu verwirken? Das sind heikle juristische Fragen. Sie hat viele Jahre lang als seine Frau agiert, mit ihm gearbeitet, eine Firma aufgebaut, alles mit ihm geteilt.«

»Außer, dass die Grundlage für all diese gemeinsamen Jahre die Tatsache ist, dass sie nie geheiratet haben. Der Mann hat sein Vermögen auf seinen Namen festgelegt, und sie war damit einverstanden.«

»Das mag ja stimmen, aber …«

»Meine Liebe, es ist nur allzu wahr.«

Nina hatte gar nicht mitbekommen, wie wütend sie geworden war, aber jetzt merkte sie es. »Ich schreibe Genevieve besser eine Nachricht. Du bist genau der Typ, den wir nicht unter den Geschworenen haben wollen. Ein Mann mit zwei Exfrauen und Bauchschmerzen.«

»Hey, meine hübsche Petunia, meine Frauen haben mich niemals so geschröpft.«

»Wenn deine Vorurteile und deine professionelle Haltung zu sehr kollidieren, dann lass es mich wissen, damit ich mir jemanden zur Unterstützung suchen kann, der weniger mit sich zu kämpfen hat. Oh, und bitte nenn mich Nina. ›Boss‹ würde allmählich auch gut klingen.«

»Es ist ganz offensichtlich, was hier passiert. Sie kann ihn nicht mehr haben, also will sie so viel wie möglich vom Nächstbesten: Geld«, sagte Paul und blickte ihr stur in die Augen. »Und du ebenfalls.«

Nina warf ihre Akten in einen Schrank und schlug die Tür zu. »Ich bin verdammt müde. Ich hatte einen langen Tag. Ich gehe nach Hause.«

»Hey, warte einen Moment. Du wirst doch nicht zulassen, dass eine kleine Meinungsverschiedenheit uns den ganzen Abend verdirbt? Lass uns noch irgendwo einen Schlummertrunk nehmen.« Er wollte sie am Arm fassen, aber sie drehte sich weg. »Tut mir Leid. Ich hatte eine lange Fahrt …«

»Paul«, sagte sie, während sie zur Tür hinausging, »hör auf, meine Motive zu kritisieren. Ich trete in einem juristischen Fall als Anwältin für diese Frau auf. Sie hat jedes Recht auf eine anständige, wohl durchdachte Vertretung. Sie hat jedes Recht, ihre Forderung vor Gericht vorzubringen.«

»Anständig und wohl durchdacht?«, fragte er und stapfte hinter ihr her zur Eingangstür. Er folgte ihr bis zum Parkplatz. »Wenn du dich so siehst, warum bist du dann in dem Augenblick, wo ich nicht einer Meinung mit dir bin, so empfindlich? Erklär's mir. Normalerweise bewahrst du doch stets einen kühlen Kopf.«

Sie stieg in den Bronco und schaltete die Scheinwerfer und die Scheibenwischer ein. Auf seinem Kopf sammelte sich Schnee. »Okay, dann sag ich dir, warum«, fuhr er fort. »Hier geht's um zu viel Geld. Es verdreht dir den Kopf. Es drängt sich zwischen uns. Du bist scheinheilig, denn du lässt zu, dass die Dollarscheine dir vor den Augen herumflattern und dich blind machen.«

»Wir sprechen uns morgen«, sagte sie. Als sie wegfuhr, beobachtete sie ihn im Rückspiegel. Er stand mit den Händen in den Taschen reglos wie ein Schneemann da und unternahm nichts dagegen, dass der Schnee sich auf seinen Schultern sammelte.

Als sie später in dem warmen Nest ihrer Daunendecke eingekuschelt war, verschwand ihre Wut, und ihre gute Laune kehrte zurück. Das wäre doch gelacht, dachte sie. Sie und Paul waren nicht anders als die Schattenjury. Ihre emotionale Loyalität galt jeweils ihrem eigenen Geschlecht, und das war's. Der Gedanke, der dem folgte, gefiel ihr ganz und gar nicht: Genevieve hätte ihren Streit leicht vorhersagen können, bis hin zu dem Punkt, wo Paul sie sogar beschimpft hatte.

13

»Viele Anwälte haben intuitiv Theorien über die Auswahl von Geschworenen«, sagte Genevieve. Sie hatte ein Treffen anberaumt, um die Empfehlungen der Schattenjury zu besprechen. Es war später Samstagvormittag, und nachdem Winston den Termin zunächst um ein paar Stunden verschoben hatte, war selbst er bereit gewesen zu erscheinen. Bis Mai war noch so viel zu tun, dass sie inzwischen abends lange im Büro blieben. Winston hatte alle wissen lassen, dass es für ihn nicht in Frage kam, seine sportlichen Aktivitäten zu vernachlässigen. Er war hier in Tahoe, und er hatte vor, das zu genießen. Er wollte raus und joggen, selbst mitten im Winter, und wenn das Wetter freundlicher würde, wollte er segeln und schwimmen.

Hinter dem Panoramafenster in dem Büro gegenüber von Ninas Büro, wo Winston und Genevieve eingezogen waren, wurde die Wintersonne grell vom feuchten Neuschnee reflektiert. Tropfende Eiszapfen funkelten in den Baumwipfeln.

Winston unterdrückte ein Gähnen und sah auf seine Uhr. »Ich möchte ja nicht unhöflich sein, aber können wir etwas schneller auf den Punkt kommen? Ich hab heute noch ein paar Sachen zu erledigen.« Er trug einen Jogginganzug, und sein geliebtes Radio, ein kompakter, geheimnisvoller schwarzer Kasten von der Größe eines dicken Portemonnaies, lag vor ihm auf dem Tisch. Sein Haar glänzte, noch feucht von der Dusche nach dem Laufen.

»Wie gesagt: Clarence Darrow ließ sich von Kultur und Religion leiten, wenn er freundliche Geschworene suchte. Er mochte die Iren zum Beispiel für die Verteidigung, und die Skandinavier hat er aus ihrer Pflicht entlassen, wann immer er konnte. Er fand sie allesamt eindeutig zu gesetzestreu. Mel Belli, der Anwalt aus San Francisco, hat ein System ausgearbeitet. Er beurteilte die Leute nach ihren Berufen. Wenn er die Verteidigung übernommen hatte, zog er einen Kellner einer Verkäuferin vor oder einen Arzt einer Sekretärin.«

»Aber das machen wir nicht«, warf Winston ein. »Wir machen das nicht mehr intuitiv.«

Genevieve fuhr fort, als habe er nichts gesagt. Heute waren ihr ländlicher Humor und ihre Kumpelhaftigkeit wie weggeblasen. Der Südstaatenakzent veränderte sich zwar nicht, wenn sie über ihr Fachgebiet sprach, war jedoch abgeschwächter. Genevieve sah sogar ein kleines bisschen nervös aus. Heute war der Tag, an dem sie beweisen musste, dass sie das Geld wert war, das Nina ihr zahlte. Und bei zweihundert die Stunde waren ihre Rechnungen in diesem Monat abenteuerlich hoch gewesen.

»Natürlich haben alle eigenartige Vorstellungen über Ethnien«, sagte Genevieve. »So wird allgemein angenommen, dass Afroamerikaner in Zivilverfahren für den Kläger stimmen und in Strafverfahren für den Angeklagten. Amerikanern asiatischer

Herkunft wird nachgesagt, dass sie sich leicht von der Mehrheit der Geschworenen überzeugen lassen, und Hispanoamerikaner neigen angeblich zur Passivität.«

»Nicht alle«, sagte Winston, »das weiß ich besser.«

»Würdest du mich bitte ausreden lassen?«, fragte Genevieve.

»Komm, Winston, hör auf, sie zu ärgern. Lass sie in Ruhe«, sagte Nina. Winston verschränkte die Arme und lehnte sich zurück.

»Männer begünstigen Frauen und Frauen gut aussehende junge Männer. Frauen neigen dazu, andere Frauen nicht gut wegkommen zu lassen«, fuhr Genevieve unbeeindruckt fort. »Das wird allgemein angenommen.«

»Quatsch«, sagte Winston. »Märchen. Weißt du, was Alexander Pope über dein geschätztes System gesagt hat? ›Der Richter, hungrig, unterzeichnet schnell: Er fährt zum Essen, drum fährt Stax zur Höll!‹ Das ist die Wahrheit. Das ist die Realität …«

»Ich stimme dir zu«, sagte Genevieve.

»Du stimmst mir zu?«, fragte Winston.

»Wir müssen das, was allgemein angenommen wird, völlig außer Acht lassen. Leute werden heute durch Kultur, Religion, Fernsehen, aktuelle Ereignisse und sogar durch ihren Sättigungsgrad beeinflusst – unsere Lebenswelt ist nicht mehr so beengt, wie sie einmal war. Wir müssen unsere Entscheidungen auf der Grundlage pragmatischer Erwägungen treffen. Hier ist, zum Beispiel, eine einfache Empfehlung unseres Gremiums, Nina. Gib dich freundlicher.«

»Sie sind nicht die Erste, die mir das nahe legt, aber was meinen Sie damit eigentlich genau?«, fragte Nina.

»Ich spreche von der Farbe und vom Stil Ihrer, oder darf ich sagen, deiner Kleider. Mit den gepolsterten Schultern und den ernsten Kostümen wirkst du autoritär, aber sie hätten es lieber, wenn du sie sanfter überzeugen würdest. Wähle eher etwas Neutrales, mit einem Hauch von Wärme. Gelbgrau, Pfirsichfarben. Pastelltöne mit Beigeanteil. In diesem Prozess musst du das Weibliche betonen. Im Mittelpunkt dieses Falls steht eine Frau, vergiss das nicht. Der Prozess ist insofern klassisch, als die Frau von dem Mann schäbig behandelt wird.«

»Gelbgrau, Pfirsichfarben? Wollen Sie mich, ich meine … willst du mich auf den Arm nehmen?«, fragte Nina.

»Die weiteren Eindrücke waren recht einheitlich. Sie fanden, dass du ziemlich professionell wirkst. Sie mochten deine Art, sie finden dich eben nur etwas zu reserviert.«

Mehr lächeln, ermahnte Nina sich und übte es gleich.

»Was ist mit mir?«, fragte Winston.

»Du weißt, dass du gut bist, Win. Du hast einen guten Anfang gemacht. Die einfache Auflistung der Fakten hat ihnen gefallen, und dass du deine Stimme nicht erhoben hast und dass du sie emotional nicht unter Druck gesetzt hast, auch. Aber einmal hast du den Kern der Sache verfehlt, da bist du leider zu weit vorgeprescht und hast sie verloren.«

»Ach?«

»Sie wollten nicht auf Heller und Pfennig vorgerechnet bekommen, wie viel Lindy verdient hat, wie viel sie verdient haben sollte und was für einen Jahresnettoumsatz sie zuerst hatten. Was auf dem Spiel steht, ist so unglaublich viel, dass man keine normalen Maßstäbe mehr anlegen kann. Also sprechen wir nicht von exakten Summen. Wir sagen nur, dass sie die Hälfte bekommen sollte.«

»Wir wollen nicht, dass sie anfangen, sich Gedanken darüber zu machen, wie viel die Markovs Monat für Monat für Autopolitur raushauen«, sagte Winston.

»Genau«, sagte Genevieve und öffnete ihre Aktentasche. Sie gab beiden einen in Klarsichtfolie gehefteten Bericht. »Hier sind meine gesammelten Vorschläge, die auf den Telefoninterviews, den demographischen Untersuchungen, den Bemerkungen der Schattenjury, den Fokusgruppen und so weiter basieren.« Mit fünfundzwanzig Seiten sprengte der Bericht fast die Bindung.

Winston nahm ihn, ließ den Arm sinken und tat so, als könnte er den Bericht nicht hochheben.

»Ich habe mit Lindy gesprochen und ihr geraten, ein paar von ihren schönen Kleidern abzulegen, etwas Grau im Haar nachwachsen zu lassen und keine Angst davor zu haben, im Zeugenstand ihre Gefühle zu zeigen«, sagte Genevieve. »Es ist nicht die Zeit für Diskretion.«

»Sie macht auf mich nicht den Eindruck, als ob sie so diskret wäre. Im Gegenteil«, sagte Winston.

»Sie muss davor gewarnt werden, verbittert oder rachsüchtig zu erscheinen. Über diese Emotionen haben sich unsere Geschworenen lustig gemacht. Andrea, die Lindy gespielt hat, wurde etwas zu ärgerlich, als sie über Mike sprach. Die richtige Stimmung für Lindy scheint eine traurige Wehmut zu sein, während wir sehr objektiv bleiben müssen. Wir sollten als Anwälte wahrgenommen werden, die nur die nackten Fakten präsentieren, nicht allzu dominant, die aber dennoch genau den Wert der Beweise kennen, mit denen wir unseren Fall untermauern.

Nina, wenn du mit Lindy ihre Aussage durchgehst, besprich diese Dinge mit ihr. Sie muss wissen, wie wichtig es ist, immer wieder dieselben Ausdrücke zu gebrauchen, und sorg dafür, dass sie den Ausdruck ›das hat er mir ausdrücklich versprochen‹ verwendet, vor allem, wenn es um dieses wechselseitige Versprechen geht.

Geh ihre eidliche Zeugenaussage mit ihr durch, bis sie begreift, das sie dem einmal Gesagten nicht mehr widersprechen darf. Unsere Schattenleute fanden, dass es in dem, was Andrea gesagt hat, Widersprüche gab. Ich habe dabei Notizen gemacht, die du sicher mit Lindy durchgehen willst, sodass wir in der nächsten Runde absolut klar sein können.

Oh, und leider haben die ›Eheschwüre‹, die sie an Stelle einer rechtsgültigen Heirat ausgetauscht haben, einen sehr schlechten Eindruck gemacht. Unsere Schatten fanden sie einfach nicht wichtig. Wir können die Tatsache nicht übersehen, dass ein religiöser Geschworener es wichtig finden würde, aber wir sollten dieses Ereignis wahrscheinlich nur kurz erwähnen.

Nun zu Lindys Aussage, dass er ihr wiederholt all diese Versprechungen gemacht hat. Die Männer fanden das komisch und Mitleid erregend, so Leid es mir tut.«

»Was ist mit den Frauen?«, fragte Nina.

»Mit dem richtigen Ansatz und wenn wir keinen aggressiven Führertyp in der Opposition haben, können die Frauen davon überzeugt werden, auf unserer Seite zu bleiben. Wir wollen die Männer aber auch nicht vor den Kopf stoßen. Wir werden uns vor dem Prozess noch mal darüber unterhalten. Ach ja, hier ist noch ein anderer Punkt, auf den uns einer der Geschworenen aufmerksam gemacht hat: Wir könnten andeuten, dass Mike ohne Lindy gescheitert wäre. Schließlich war er nicht erfolgreich, bevor er Lindy kennen gelernt hat.«

»Das ist gut«, sagte Nina. »Daran habe ich noch nicht gedacht. Gute Arbeit, Genevieve. Lass uns weitersprechen, wenn ich alles durchgelesen habe.«

»Dem schließe ich mich an. Hey, Genny«, sagte Winston, »sind wir jetzt hier fertig? Willst du sehen, was Glück am Craps-Tisch ist?« Über die Schulter sagte er zu Nina: »Am Wochenende kannst du es vergessen, abends auch nur in die Nähe der Tische zu kommen. Viel zu viele Leute.«

»Gib mir zehn Minuten«, sagte Genevieve. »Ich muss noch was suchen, was ich unter dem ganzen Müll auf meinem Schreibtisch verbuddelt habe.«

»Dann warte ich.«

»Du hast mich heute Morgen mit hierher genommen, du solltest allerdings warten.« Sie ging zu ihrem Schreibtisch in der Ecke und wühlte in der Unordnung herum.

»Also, ich muss los, wenn ich noch etwas von Bobs Basketballspiel in der Schule mitkriegen will«, sagte Nina mit einem Blick auf ihre Uhr. »Tschüss.« Auf dem Parkplatz vor dem leeren Gebäude fischte sie in ihrer Tasche nach dem Autoschlüssel. Er war nicht da. Sie musste ihn auf ihrem Schreibtisch vergessen haben. Schnell lief sie durch den langen dunklen Flur zu ihrem Büro, wo der Schlüssel lag. Da sie schon mal hier war, konnte sie eigentlich auch gleich Lindys Zeugenaussage mitnehmen, die aber nirgends zu finden war. Vielleicht hatte Winston ein Exemplar, das sie sich ausleihen konnte.

Ohne anzuklopfen, öffnete sie die Tür zu seinem Büro und sah hinein. Sie japste kurz und machte einen Satz rückwärts.

Winston lag auf Genevieve, die platt auf den Teppich gepresst war. Sie hielt ihn umschlungen, ihr Rock war bis zu den Hüften hochgeschoben.

Was für ein Kuss.

14

Nina schaute Bobs Basketballspiel zu, ohne viel davon mitzubekommen. Vor ihrem geistigen Auge sah sie die ganze Zeit Winston und Genevieve auf dem Teppich. Sie waren aufgesprungen, als Nina hereinkam, und hatten sich stotternd entschuldigt, was den Schock, den ihr Anblick Nina versetzt hatte, jedoch nicht hatte mildern können. Sie hatte nicht mitbekommen, dass die beiden etwas miteinander hatten. Sie waren keine Kinder! Sie hätten es nicht im Büro treiben müssen.

Sie saß neben den anderen Eltern auf der Tribüne in der Turnhalle, wurde blass bei dem durch Mark und Bein gehenden Quietschen von Turnschuhen und rief, pfiff und stampfte mit den Füßen auf, wenn die anderen es taten. Sie hatte die Mannschaftsverpflegung mitgebracht, und nachdem sie ihren dritten Sieg in Folge geholt hatten, kamen die Jungen auf sie zugelaufen und griffen mit ihren feuchten Händen nach den Obstsäften und Mini-Bagels, die sie auf dem Weg hierher gekauft hatte.

Zu Hause duschte Bob und zog sich um. Zusammen holten sie einen Freund von ihm ab, und Nina brachte die beiden zum Kino, dann fuhr sie weiter zum Caesar's und nahm den Aufzug hinauf zu Pauls Zimmer im zehnten Stock.

Sie klopfte dreimal, bevor die Tür aufgemacht wurde.

»Na sieh mal an, wen haben wir denn hier«, sagte Paul.

Kein Lächeln. Keine Umarmung.

Er machte die Tür weit auf. Er trug eine kurze graue Sporthose und trocknete sich gerade mit einem Handtuch die Haare ab. Feuchte Luft aus der Dusche drang in den Flur.

»Kann ich reinkommen?«

Er trat zur Seite und nickte. »Setz dich«, meinte er. »Was kann ich dir zu trinken anbieten?«

»Ich nehme das Gleiche wie du.«

»Das wäre dann Whiskey pur.«

»Gut.«

Er schenkte ihr aus der Halbliterflasche, die auf dem Tisch stand, ein Glas ein und reichte es ihr, dann setzte er sich ihr gegenüber und legte sich das Handtuch um die Schultern, sodass er aussah wie ein Model in einer Werbung für Männerkleidung. Auch seine verkniffene Miene passte. Wahrscheinlich hatte er sich an den Nautilus-Maschinen im Fitness-Studio ein paar Stockwerke tiefer ausgetobt.

»Es tut mir Leid«, sagte Nina.

»Wirklich?«

»Ich weiß nicht, warum ich in so einer Stimmung war. Zu meiner Verteidigung kann ich nur vorbringen, dass ich nicht zurechnungsfähig war.«

»Auf Geisteskrankheit plädieren funktioniert in Kalifornien nicht. Da musst du dir was Besseres einfallen lassen.«

»Du hast das Recht, dir eine eigene Meinung zu dem Fall zu bilden. Ich weiß, dass du so oder so gute Arbeit für mich machst.«

Paul trank einen größeren Schluck als normalerweise. Sie

fasste das so auf, dass er Verstärkung brauchte. Er hatte ihr noch nicht verziehen. »Was beschäftigt dich gerade?«

»Im Moment, dass du so gut wie nichts anhast. Der Geruch nach Seife, der von deinem Körper ausstrahlt. Die helle Haut, wo deine Socken normalerweise enden.«

Der Anflug eines Lächelns huschte über sein Gesicht. »Hör nicht auf.«

»Können wir bitte noch mal von vorne anfangen?«

Paul fuhr sich ein letztes Mal nachdenklich mit dem Handtuch durch die Haare, und sie glaubte Befriedigung in seinen Augen zu erkennen. Er genoss ihre ungewöhnlich unterwürfige Haltung.

Also gut, er hatte ein Recht darauf. »Ich brauche dich«, sagte sie. »Nicht nur für die Nachforschungen, auch zum Reden, Paul.«

»Ich sollte das auf Band aufnehmen«, sagte Paul und warf das Handtuch zu Boden. Die entspannte Körperhaltung verriet ihr, dass er sich beruhigt hatte. »Dann spiele ich es dir vor, wenn du dich das nächste Mal auf mich stürzt. Du wirst so selbstgerecht. Nur weil du in einem Fall steckst, muss jeder in deiner Umgebung sich auf deine Seite schlagen. Aber so läuft es einfach nicht immer. Manche von uns ziehen es vor, ein bisschen Distanz zu wahren.«

»Ich würde dich nicht gerade als distanziert bezeichnen.«

»Ah, ah, ah«, sagte Paul und drohte ihr mit erhobenem Zeigefinger. »Vermassle es jetzt nicht. Erzähl mir lieber noch ein bisschen mehr über meine ungebräunten Füße.« Er schaute auf seine Knöchel hinunter und warf ihr ein dämliches Grinsen zu. Sie lachte.

»Ich habe alles gesagt.«

»Okay«, meinte Paul. Er stand auf und setzte sich neben sie aufs Bett. »Erzähl, wie läuft's?«

»Heute Nachmittag habe ich etwas entdeckt. Winston und Genevieve haben sich in meinem Büro geküsst.«

211

»Ah. Und das hat dir nicht gefallen.«

»Ich muss ihr Urteilsvermögen hinterfragen, das auf jeden Fall.«

»Diese Kinder.«

»Genau. Aber sie sind keine Kinder. Hier geht's nicht um Hormone, hier geht's um Verrücktheit. Also, ich weiß, dass es intensiv werden kann, wenn man eng mit Menschen zusammenarbeitet. Ich hab auch nichts gegen ihre Affäre. Aber …«

»Aber es wäre dir lieber, sie würden's zu Hause treiben?«

»Genau. Hinzu kommt, dass wir heute ein Treffen hatten, bei dem ich sehr deutlich erkannt habe, wo unsere Arbeitsstile kollidieren. Winston und Genevieve interessieren sich nur für Taktik. Vielleicht sind sie zu großstädtisch für mich. Sie nehmen mir die Sache aus der Hand, und ich mag ihren … ihren Zynismus nicht. Manchmal habe ich das Gefühl, dass sie sich gegen mich verbünden.«

»Das ist verständlich. Sie sind wegen des Geldes dabei. Genau wie du, richtig?«

»Nein, bin ich nicht«, sagte sie. »Es ist ein wichtiger Rechtsstreit um wichtige Themen.«

»Und wichtiges Geld.«

Sie hielt den Mund, um weiteres Gerede über das Thema zu ersticken. Er kniete sich vor sie hin, zog ihr die Schuhe aus und machte sich daran, ihre Füße zu massieren. »Hör mal, Nina. Wenn's dir nicht gefällt, wie's läuft, dann schmeiß Romeo und Julia raus. Du bist die Chefin. Mach's allein.«

»An diesem Punkt schon unmöglich. Der Prozess steht vor der Tür, dabei brauche ich sie. Außerdem scheinen sie mehr von dem ganzen Geschäft mit Geschworenen zu verstehen als ich. Aber das führt dazu, dass ich meinem eigenen Urteil nicht mehr traue …« Von seinen Händen, die ihre Füße kneteten, strahlte die Wärme ihre Beine hinauf.

»Und wer schert sich schon darum, was sie nach Dienstschluss auf dem Teppich treiben?«, sagte sie. Ihre Stimme wurde leiser.

Paul stand auf und trat hinter sie. Er nahm eine lange Haarsträhne und wickelte sie sich um den Finger. Seine Hand zog sanft an ihrer Jacke, bis sie ihr von den Schultern rutschte. Er machte sich daran, ihre verhärteten Schulter- und Halsmuskeln zu bearbeiten, und drückte seine Daumen tief in ihre verspannten Muskeln. Sie seufzte, als die Anpannung unter seiner Berührung nachließ, und ließ den Kopf nach vorne sinken.

Paul nahm ihr das Glas aus der Hand und stellte es auf den Tisch.

»Ich finde …«, sagte er und fuhr mit seinen betörenden Kreisbewegungen zwischen ihren Schulterblättern fort, »es ist immer eine gute Idee« – seine Finger schoben sich unter ihren Kragen –, »wenn alles etwas trostlos aussieht« – und arbeiteten sich langsam und zärtlich vom Nacken aus nach vorne. »Wenn ich meine Sorgen vergessen will …« Inzwischen schoben Pauls Hände sich über ihre Schultern. »Leg dich ein bisschen hin. Und, klingt das nicht nach einer netten Idee?« Das diesige Zwielicht war verblasst, und seine Hände schienen Feuer zu fangen, als sie ihre Haut berührten, seine sonnengebräunte Haut auf ihrer blassen.

»Ein ausgezeichneter …«, meinte Nina.

Er drehte sie herum und legte sie sanft aufs Bett.

»… Vorschlag.« Das Licht ging aus, aber sie hatte sowieso die Augen geschlossen; und es gab nur noch Pauls sauber duftenden, heißen Körper neben ihr.

DRITTES BUCH

Das Verfahren

*Man geht an einen Fall nicht mit
der Vorstellung,
an eine abstrakte Form von Gerechtigkeit
zu plädieren.
Man geht vor Gericht, um zu gewinnen.*

PERCY FOREMAN

15

»Mrs Susan Lim Fits, vierundvierzig Jahre alt, fast so alt wie Lindy. Immobilienmaklerin, zwei erwachsene Kinder, Ehemann hat Herzprobleme. Mitglied der Vereinigung Amerikanischer Akademikerinnen. Ihre Eltern sind gestorben. In ihrem Fragebogen hat sie angegeben, sie habe keine Probleme damit, wenn sich Leute trennen würden. Gleichberechtigung in der Beziehung – sie sagt, das sei wichtig«, ratterte Genevieve herunter. Sie griff in die Tasche ihres Jacketts und flüsterte: »Kleinen Moment. Ich werde angepiept. Es ist Paul.«

Sie verließ den Gerichtssaal, um ihn anzurufen. Paul hatte die fünfundfünfzig Namen des Geschworenenpools herausgefunden, und nun tat er, was er konnte, um Lindys Team zu helfen, eine gut informierte Auswahl unter den Kandidaten zu treffen.

Nina hielt Susan Lim mit ein paar weiteren Fragen hin.

Die Geschworenenbank stand an der linken Wand des höhlenartigen Gerichtssaals, unter den Augen des Gerichtsdieners. Ninas Stützpunkt, der Tisch zur Linken, der für die Partei reserviert war, die am meisten zum Geschehen beitrug, war der Geschworenenbank am nächsten und etwa drei Meter von der Protokollführerin und dem Zeugenstand vorne entfernt.

Milnes Hochsitz nahm die vordere rechte Ecke in Beschlag. Drüben am langen Tisch, rechts von Nina, steckten Riesner und seine neue Partnerin Rebecca Casey ihre Köpfe so nah zusammen, dass Nina schwören könnte, sie berührten sich. Wenn er das mit ihr getan hätte – und wenn man's recht bedachte, *hatte* er das ein paar Mal mit ihr getan –, würde sie zurückschrecken wie vor einem Skorpion im Schuh. Bei Begegnungen drängte sich Riesner immer ganz nah an sie heran, er missachtete die Körperdistanz und sah ihr direkt ins Gesicht – ein Versuch, sie einzuschüchtern.

Rebecca mit ihrem hübschen Gesicht und dem professionellen Auftreten war Riesners Gegenstück zu Winston Reynolds. Sie hatte in Stanford studiert und war jünger als Winston, vielleicht Ende dreißig. Ihre selbstbewusste und nüchtern sachbezogene Art war bei Verhandlungen in den testosterongeschwängerten Gerichtssälen sicherlich sehr hilfreich. Sie nickte zu etwas, was Riesner sagte, und steckte Mike hinter Riesners Rücken einen Zettel zu. Mike saß neben Riesner, in einem piekfeinen Anzug, den er bestimmt noch nie vorher getragen hatte und aus dem sein kräftiger Nacken hervorquoll.

In dem Anzug sah Mike nicht ehrlich aus. Lag es an den Schweißperlen auf seiner Stirn und der eingeschlagenen Nase? Am ununterbrochenen Mahlen des Kiefers? Die gelblichen Lichter an der Decke des getäfelten Gerichtssaals schienen gnadenlos auf ihn herunter. Er sah schlecht aus, seine Gesichtszüge waren viel schlaffer, als Nina von der eidlichen Zeugenaussage vor ein paar Monaten in Erinnerung hatte.

Offensichtlich litt er unter zweifachem Druck: zum einen, was ihn im Prozess erwartete, zum anderen, was der Trupp der Reporter und Medienleute, die sich im Gerichtssaal drängten, daraus machen würde. Lindy, die der Geschworenenbank am nächsten links von Nina saß, hatte sich mehrfach vorgebeugt, um ihn anzusehen – keine schlaue Idee. Winston hatte am Tag zuvor die Befragung der Kandidaten durchgeführt und saß neben ihr. Er verließ sich völlig auf Genevieve, was Nina nicht konnte.

Nina wandte sich wieder an Mrs Lim und stellte ihr ein paar weitere höfliche Fragen. Abgesehen davon, dass sie genau dem entsprach, was Genevieve als »freundliche« Geschworene umrissen hatte, gefiel Nina die Ernsthaftigkeit und Nachdenklichkeit von Mrs Lims Antworten. In ihrem Tweedkostüm sah sie schick und erfolgreich aus, wie jemand, der den Unterweisungen des Richters genau zuhörte und Sachverhalte durchdachte.

Genevieve kam gerade noch rechtzeitig zurück, quetschte sich neben Nina und sagte atemlos: »Paul hat herausgefunden, dass sie vor zweiundzwanzig Jahren, als sie gerade zu arbeiten begann, beim Arbeitsgericht eine Beschwerde wegen Diskriminierung am Arbeitsplatz eingereicht hat. Schau mich nicht an! Wir müssen sie unbedingt haben. Starre gelangweilt vor dich hin!« Sie gähnte und schlug ihr Notizbuch auf. Nina sah auf die Uhr über der Geschworenenbank. Achtzehn Minuten nach elf Uhr, am fünften Tag der Geschworenenauswahl.

»Danke, Mrs Lim«, sagte Nina. Genevieve hatte vorgeschlagen, die potenziellen Geschworenen mit Namen anzusprechen, und das war ohne Zweifel eine Verbesserung. Je eher man die Identität eines Menschen anerkannte, wie sie das nannte, desto eher konnte man mit dessen Loyalität rechnen. Die Angestellten in dem Lebensmittelladen, wo Nina einkaufte, wandten dieselbe Technik an, sowie sie ihnen einen Scheck ausstellte. »Danke, Mrs Reilly«, sagten sie dann, und Nina empfand, wie beabsichtigt: Ah, sie haben mich wahrgenommen.

Milne gab bekannt: »Mr Riesner, wenn ich nicht irre, sind Sie dran.« Riesner konnte nun eine seiner sechs Ablehnungen ohne Angabe von Gründen über irgendeinen der zwölf nervösen Menschen aussprechen. Manche waren nur nervös, weil sie entschuldigt werden wollten, andere hatten genug Interesse an der Verhandlung und konnten sich von ihren anderen Verpflichtungen freimachen, um teilnehmen zu wollen.

»Die Beklagtenvertreter bedanken sich bei Mr Melrose und entschuldigen ihn«, sagte Riesner. Als Trostpreis bekam Mr Melrose ein gekünsteltes Lächeln, das so viel bedeuten sollte wie: Ist nicht persönlich gemeint. Eine gute Wahl. Nina war zu dem Schluss gekommen, dass Mr Melrose, ein evangelischer Witwer mit traurigem Blick, die Situation freundlich einschätzen würde, was für Lindy hilfreich hätte sein können. Der arme

Mr Melrose drängte sich betreten aus der Geschworenenbank und verschwand für immer aus diesem Fall.

Mrs Lim blieb sitzen. Sie trug ihr glänzendes Haar kurz und hinter den Ohren, sehr ordentlich und geschäftsmäßig. Sie würde ein leichtes Ziel abgeben, bis …

»Wie viele Ablehnungen haben wir noch?«, flüsterte Nina zu Genevieve.

»Nur noch eine«, kritzelte Genevieve. Nina biss sich auf die Lippe und blickte prüfend in die Gesichter der Kandidaten. Keiner von ihnen erwiderte ihren Blick.

Auch Lindy sah sich jeden ganz genau an. Ab und an hatte sie während des Auswahlprozesses ein vehementes NEIN! oder JA! aufgeschrieben, als die potenziellen Geschworenen auf die Plätze gebeten und befragt wurden. Meistens teilte Nina Lindys Beurteilungen. Und sie musste zugeben, dass sie bisher auch mehr oder weniger mit Genevieve übereingestimmt hatte. Der wesentliche Unterschied schien darin zu liegen, dass Nina sich nie ganz sicher war, während Genevieve beobachtete, ihre Notizen und Profile zu Rate zog und ohne jeden Zweifel urteilte.

Bisher waren ihre Meinungsverschiedenheiten unbedeutend und lösbar gewesen. Von den elf Kandidaten, die an diesem Morgen auf der Geschworenenbank saßen, gefielen Nina außer Mrs Lim vier, bei vier Leuten hatte sie Zweifel, und vor zwei Personen hatte sie Angst. Riesners Team hatte in den vergangenen Tagen Ninas beste Kandidaten abgewählt. Dafür hatte sie sich bedankt, indem sie diejenigen entschuldigt hatte, die die Riesner einfach gut finden musste, diejenigen, die in Genevieves anderes Profil passten, in das negative. *Vermeiden: Konservative*, hieß es in ihrem Bericht. *Kandidaten ohne weiterführende Schuldbildung. Geschiedene Männer. Jäger, Fischer. Junge verheiratete Frauen. Republikaner* – da politische Standpunkte und religiöse Bindungen von Paul recherchiert worden waren –, *Trittbrettfahrer, Wohlhabende.* Es gab noch viel mehr solcher Richtlinien, sortiert nach ihrem Risikograd.

»Nun, dieser Nächste, Clifford Wright. Was wissen wir über ihn?«, fragte Nina hinter vorgehaltener Hand, als sich ein blonder, jungenhaft wirkender Mann mit einem gewinnenden Lächeln auf den Stuhl setzte, der noch warm war vom armen Mr … wie heiß er noch gleich?

Genevieve überflog die Skizze, die sie über Wright notiert hatte, als sie vor einer Woche eine Liste des Geschworenenpools bekommen hatten. »Neununddreißig Jahre alt«, sagte sie. »Im Fragebogen hat er hohe Punktzahlen erreicht. Zurzeit Wahlkampfleiter für unseren Kongressabgeordneten. Läuft Ski, spielt Racquetball, fährt Fahrrad. Hat nach einer Reihe lockerer Beziehungen vor kurzem geheiratet. Die Mutter ist vom Vater nach dreiundzwanzigjähriger Ehe geschieden worden, was hervorragend sein könnte; sie bezog bis zu ihrem Tod vor einem Jahr Unterhalt vom Vater. Liebt Eis, chinesisches Essen, Gemüse. Isst wegen Allergien keine Erdbeeren, Äpfel und Erdnüsse. Selbst ernannter Feminist. Seine Frau arbeitet auch, sie haben eine gemeinsame Kasse und inzwischen auch genug gespart für eine Anzahlung auf ein Haus. Paul ist nicht weit mit ihm gekommen … er ist erst vor kurzem von Südkalifornien nach Tahoe gezogen. Dort war er Abgeordneter im Landesparlament, und hier ist er auch politisch aktiv. Deutlich liberales Wahlverhalten. Führertyp. Raucht. Kann gut schreiben. Lass uns sehen, wie er mit deinen Fragen umgeht.«

»Mr Wright, dies ist meine Mandantin, Lindy Markov«, sagte Nina und deutete auf Lindy. Wright lenkte sein Lächeln in Lindys Richtung.

»Sie leben schon wie lange in Tahoe?«, begann Nina.

»Erst ein Jahr.«

»Und davor?«

»In den Vorstädten von L.A., Yorba Linda.«

Sie fuhr fort, ihm neutrale Fragen zu stellen, damit er sich an die vielen auf ihn gerichteten Blicke gewöhnen konnte und daran, dass die Protokollführerin jedes einzelne Wort mitschrieb.

»Die Stadt, in der Sie aufgewachsen sind, liegt die in Orange County?«

»Ja.«

»Der Geburtsort von Richard Nixon?«

»Dafür ist sie berüchtigt.«

»In anderen Teilen des Staates würde man wahrscheinlich sagen, dass Orange County eines der konservativsten Countys ist. Würden sie dem zustimmen?«

»Ja, es ist konservativ.«

»Inwiefern?«

»An diesem Ort hat man wahrscheinlich in den letzten drei Dekaden hinsichtlich des Wachstums mehr Veränderungen miterlebt als irgendwo sonst in der Welt. Doch die Menschen bemühen sich, an altmodischen Werten wie Familie und Religion festzuhalten. Sie fühlen sich wie im Belagerungszustand, nehme ich an, also machen sie viel Aufhebens davon.«

Redegewandtes Arsch... kritzelte Genevieve und hielt es Nina hin.

»Würden Sie sagen, dass Sie die konservativen Werte teilen, für die Orange County bekannt ist?«

»Ich würde sagen, dass ich es nicht erwarten konnte, dort wegzukommen.«

»Sie sind kein Verfechter altmodischer Werte?«

»Ich war es leid – die Paranoia, die Bigotterie, die Rigidität. Ich war den Verkehr und die Verschmutzung leid. Ich war es leid, dass ich nirgendwo den Rasen betreten durfte.«

Nina war nicht überzeugt. Er klang so offen. Zu offen. Doch unter der Offenheit und unter dem Lächeln schien er nervös zu sein. Sie begab sich wieder auf neutrales Territorium. Nach ein paar weiteren Minuten hatte er sich kaum noch aus der Deckung gewagt. »Ist dies Ihre erste Erfahrung mit dem Strafrechtssystem?«, fragte Nina.

»Ja.«

»Nervös? Das geht den meisten so.«

»Sieht ganz so aus«, sagte er lachend.

»Es ist nicht gerade ein angenehmer Ort für so einen schönen Morgen, stimmt's, Mr Wright? Ich wette, Sie wären lieber draußen.« Sie tat, als würde sie ihre Unterlagen konsultieren. »Und würden an einem so wunderbaren Tag wie heute lieber mit dem Rad um die Emerald Bay fahren?«

»Darauf können Sie wetten!«

Nina lächelte und ließ die Zuschauer lachen. Endlich hatte sich die Spannung im Raum so weit gelegt, dass Clifford Wright den angestrengten Zug um den Mund verlor.

»Leider tun wir heute alle hier unsere Pflicht«, sagte Nina. »Wir sind hier, um einige sehr wichtige Dinge zu entscheiden. Dies ist ein Fall, den man als Unterhaltsforderung resultierend aus einer Ehe ohne Trauschein beschreiben könnte. Fällt Ihnen dazu etwas ein?«

»Sicher. Clint Eastwood wurde auf Unterhalt verklagt, nicht wahr? Und Bob Dylan. Selbst Martina Navratilova, glaube ich.«

»Was halten Sie von diesen Fällen?«

»Nun«, sagte er zögerlich, »ich habe die Einzelheiten nicht verfolgt, verstehen Sie? Aber soweit ich gehört habe, hat Bob Dylans Freundin lange mit ihm zusammengelebt, sie hatten sogar Kinder zusammen, die sie großgezogen hat. Wahrscheinlich sollte sie etwas abbekommen. Die Martina-Sache, das war schon zweifelhafter.«

»Also, unvoreingenommen, wie Sie sind, würden Sie versuchen, sich diese Fälle individuell anzusehen?«

»Ja, genau«, sagte er und lächelte sie offen an. »Ms Reilly«, fügte er hinzu.

»Wissen Sie, was ein Vertrag ist?«, fragte Nina.

»Ich glaube schon.«

»Wie würde sie ihn definieren?«

»Eine Vereinbarung.«

»Wissen Sie, dass es vor dem Gesetz unterschiedliche Verträge gibt, mündliche und schriftliche?«

223

»Ja.«

»Wissen Sie, dass vor dem Gesetz ein mündlicher Vertrag dieselbe Gültigkeit wie ein schriftlicher hat?«

»Ja, das ist mir bekannt.«

»Finden Sie, dass das so sein sollte?«

»Solange man weiß, wie die Vereinbarung lautete, habe ich damit keine Probleme.«

»Würden Sie zustimmen, dass es leichter ist, eine schriftliche Vereinbarung nachzuweisen, Mr Wright?«

»Ja, natürlich.«

»Aber nicht alles Schriftliche ist eine Vereinbarung, oder?«

»Nein. Selbst wenn ›Vereinbarung‹ darüber steht, muss es nicht notwendigerweise eine – Sie wissen schon – eine rechtsgültige Vereinbarung sein. Ich denke, sie muss gewissen Richtlinien entsprechen.«

Nina warf Genevieve einen Blick zu, die erfreut aussah, während sich Winstons Augen verengt hatten. Die Antwort war zu gut, und er hatte es bemerkt.

»Wenn zwei Leute zusammenkommen, kann man mit zwei unterschiedlichen Interpretationen derselben Situation rechnen. Würden Sie dem zustimmen?«

»Durchaus möglich.«

»Haben Sie sich aus dem wenigen, was der Richter Ihnen bei der Vorstellung des Falls vor ein paar Tagen erzählt hat, bereits zurechtgelegt, welche der beiden Parteien in diesem Fall wahrscheinlich Recht hat?«

Wright zog die Augenbrauen hoch. Er sah fast beleidigt aus. »Ich müsste mir die ganze Geschichte anhören, um das zu wissen«, sagte er kopfschüttelnd. »Zum jetzigen Zeitpunkt kann ich das noch nicht sagen, Ms Reilly.«

»Könnten Sie zu Gunsten von Mrs Markov entscheiden, falls trotz des Übergewichts an Beweismitteln der Gegenpartei erwiesen werden kann, dass sie und Mr Markov einen mündlichen Vertrag, also eine Vereinbarung haben, ihre gesamten Vermögenswerte zu teilen, unabhängig davon, auf welche Höhe sich das Vermögen beläuft, und ungeachtet der Tatsache, dass sie das nie schriftlich festgehalten haben?«

»Ja.«

Ein paar Mal während der Befragung spürte Nina, dass Riesner sie gerne unterbrochen hätte. Er wollte nicht herumsitzen, während sie das Gesetz für ihre Zwecke interpretierte. Andererseits achteten Anwälte darauf, sich während der Geschworenenauswahl nicht zu unterbrechen. Er würde früh genug wieder an die Reihe kommen, und dann würde sie demselben Impuls widerstehen.

Sie befragte Clifford Wright weitere zehn Minuten.

Du hast ihn ganz schön lange da oben festgehalten, las sie Genevieves Kommentar, als sie sich schließlich setzte. *Länger als die anderen.*

Er ist zu ernst, schrieb Nina und beobachtete Riesner, der seine Befragungsrunde begann. Sie schlug eine neue Seite auf, um sich Notizen von allem zu machen, dem man vielleicht noch nachgehen sollte oder das genauer durchleuchtet werden musste. Riesner war noch nicht ganz zu Ende, als Richter Milne die Mittagspause ansagte. Nina hatte genug gehört, um sich ein Urteil zu bilden.

Es gelang ihnen, an den Reportern vorbeizukommen, und die drei – Nina, Genevieve und Winston – gingen hinaus zu einer Grasfläche zwischen zwei lang gestreckten, niedrigen Backsteingebäuden, wo sie von blassem Sonnenlicht und einer Brise erwartet wurden. Lindy war zu ihrem Auto geeilt. »Wir verpassen schon wieder den Frühling«, sagte Nina. »Hier kommt und geht eine Jahreszeit, während wir drinnen verrotten.«

»Denk an das Geld, das wir für Sonnenschutzmittel einsparen«, sagte Genevieve. »Du bist ja so still heute, Winston.«

»Still heißt nicht, dass ich schlafe.«

»Wie gefällt dir Mr Wright?«

»Ich denke noch über ihn nach«, sagte Winston. Er trug eine

Vuarnet-Sonnenbrille, die Nina an einen Fall erinnerte, der so schnell und dramatisch gekommen wie gegangen war. Jeder Fall schien eine Ewigkeit zu dauern, aber sobald er zu Ende war, blinzelte sie einmal und wandte sich etwas anderem zu.

»Er ist perfekt«, sagte Genevieve, die es nicht erwarten konnte, den anderen ihre Meinung mitzuteilen.

»Zu perfekt«, sagte Nina.

»Nein, bestimmt nicht«, sagte Genevieve.

»Er hat auf uns gespielt wie auf einer Harfe. Ich lass mich nicht gerne manipulieren«, sagte Nina.

»Der perfekte Geschworene kreuzt unseren Weg, und du verdächtigst ihn, weil er zu gut ist?«, insistierte Genevieve.

»Er ist aalglatt.«

»Bist du bescheuert? Er wirkt klasse. Er wirkt ehrlich. Und er wirkt fair.«

»Mir ist es egal, wie er wirkt. Ich will ihn nicht haben«, sagte Nina mit leicht erhobener Stimme und ohne Genevieve anzusehen.

»Muss ich dich wirklich daran erinnern, dass wir nur noch eine Ablehnung übrig haben? Was ist mit Ignacio Ybarra? Er ist katholisch, sehr konservativ. Eine Katastrophe. Oder Sonny Ball. Paul glaubt, dass er dealt. Er ist vollkommen unberechenbar. Wir haben die beiden nur noch, weil wir wussten, dass wir vielleicht noch Ablehnungen brauchen könnten. Du willst doch die letzte Ablehnung nicht an Wright vergeuden und die beiden behalten.« Als sie merkte, dass sich Nina von diesen Argumenten nicht umstimmen ließ, wandte sich Genevieve Hilfe suchend an Winston, der ein Stück vorausgegangen war. »Wie fandst du ihn?«

»Ich bin geneigt, mich Nina anzuschließen. Er hält sich bedeckt«, sagte Winston. »Andererseits, wer tut das nicht? Es muss nicht bedeuten, dass er nicht auf unserer Seite ist. Was zählt, ist, dass er aufrichtig zu sein scheint.«

»Das nennst du aufrichtig? Was war denn, als ich ihn nach seiner Frau gefragt habe und er so verhangen geschaut hat?«

»Er ist sensibel«, sagte Genevieve.

»Ausgerechnet!«

»Woher nimmst du das, Nina?«, fragte Genevieve. »Jedenfalls nicht aus seinem Fragebogen, und auch nicht aus seinen Antworten da oben. Das sind jetzt deine eigenen Vorurteile. Ich habe dich gewarnt, dass du irgendwelche Sachen projizieren wirst. Vielleicht fühlst du dich von ihm angezogen und reagierst darauf.«

»Er mag mich nicht«, sagte Nina verärgert, weil Genevieve und Winston ihn so vehement verteidigten. Für sie schien es auf der Hand zu liegen, dass er für ihren Fall nicht in Frage kam. Sie spürte, dass er versuchte, sie einzuwickeln. Es gefiel ihr nicht, dass er Geschworener sein wollte. Wie alle anderen sollte er sich genötigt sehen, seine Pflicht zu erfüllen. Er sollte kein Vergnügen daran finden, sondern es lediglich bereitwillig tun. Ein Geschworener sollte niemals einen übereifrigen Eindruck machen, und sie fand, dass er einen solchen Eifer in gewisser Weise verraten hatte, indem er eine Gerechtigkeitsliebe vortäuschte, die irgendwie nicht zu der Persönlichkeit passte, die sich auf dem Papier offenbarte, zu dem Überflieger mit dem neuen Job und besseren Möglichkeiten, seine Zeit zu verbringen.

»Du glaubst, dass er dich nicht mag«, sagte Genevieve. »Das ist irrational. Nina, was wir hier machen, ist durch und durch logisch. Vertrau mir. Lass mich den Job machen, für den du mich angeheuert hast. Ich werde dich nicht enttäuschen.«

Nina wandte sich an Winston. »Nun, Winston?«

Er ließ sich Zeit. »Sagen wir mal, du hast Recht, und er ist ein Problem«, sagte er. Sie waren am Parkplatz angekommen und standen neben dem blauen Oldsmobile, das Winston für die Dauer seines Aufenthalts gemietet hatte. »Ich übernehme während der Verhandlung einen Großteil der Arbeit. Vielleicht kann ich sein anfängliches Vorurteil ausbalancieren. Ich glaube, wir können mit ihm zusammenarbeiten. Wir können ihn auf unsere Seite ziehen. Und damit, dass er so einen Übereifer an den

Tag legt, habe ich kein Problem. Ich glaube, er will etwas über die Superreichen erfahren. Ich glaube, er interessiert sich für den finanziellen Aspekt. Das ist an sich ja noch nicht schlecht.«

»Ich hab's euch von Anfang an gesagt«, sagte Genevieve. »Ich kann euch nur beraten, und ihr könnt euch natürlich anders entscheiden, aber wir müssen uns diese Ablehnung aufsparen. Vergeudet sie nicht an Wright. Genau hierfür braucht ihr mich«, argumentierte sie, »um euch bei diesen Unterscheidungen zu helfen, die nicht intuitiv getroffen werden können. Er wird sich schon noch machen. Ich sag's euch.«

Es stimmte, dass sie die letzte Ablehnung für den Fall der Fälle brauchten. Nina rekapitulierte, wo sie eine weitere Ablehnung hätte einsparen können, um jetzt eine für Wright zu haben, aber ihr fiel absolut keine ein.

»Okay. Wenn Riesner ihn nicht ablehnt, ist er drin.« Als sie in den Gerichtssaal zurückkehrten, lehnte sich Nina in ihrem Stuhl zurück, schloss die Augen und hoffte auf die Hilfe ihres Feindes, da ihre Freunde sie verlassen hatten. Vielleicht konnte Riesner Wright nicht ausstehen.

Aber sie hatte kein Glück. Riesner lehnte Wright nicht ab.

Statt dem Blitzlichtgewitter der Fotografen im allgemein zugänglichen Flur zu trotzen, schlüpfte Nina durch die Tür an der Geschworenenbank in den für die Öffentlichkeit gesperrten Korridor, der an ein paar Justizbeamtenbüros vorbei zu den Zimmern der Richter führte. Dort wollte sie abwarten, bis sich die Gruppe verlaufen hätte, um dann durch eine Tür in den Hauptflur zu gehen, die ein paar Meter von den regulären Ausgängen des Gerichtssaals entfernt war. Sie wollte heute nicht fotografiert werden.

Sie wartete in dem kurzen L-förmigen Teil des Flurs, bis sie dachte, die Luft müsste rein sein, dann ging sie auf den Ausgang zu. Fast sofort sah sie Winston, der offensichtlich dieselbe Idee gehabt hatte.

Er hatte ihr den Rücken zugekehrt, beugte sich in einem der Büros über den Schreibtisch und unterhielt sich fröhlich mit einer lebhaften Rothaarigen, die Paul auch immer aufzufallen schien.

»Er ist scharf auf sie«, raunte ihr jemand ins Ohr. Genevieve stand hinter ihr. »In letzter Zeit verbringt er seine ganze freie Zeit hier unten. Ist wohl Zeit, ihn abzuschleppen. Komm schon.« Ihr cooles Auftreten konnte nicht über das eifersüchtige Glitzern in ihren Augenwinkeln hinwegtäuschen.

Nina ging mit, um ihn loseisen zu helfen.

»Geschafft«, sagte Nina müde, als sie am späten Donnerstagabend zusah, wie eine weitere Gruppe in den Gerichtssaal geführt wurde und der Justizbeamte zu sprechen begann. »Wir biegen in die Zielgerade.«

»Ist Ihnen bewusst, dass Sie unter Eid alle an Sie gerichteten Fragen zutreffend und wahrheitsgemäß zu beantworten haben, die Ihre Qualifikationen und Fähigkeiten als Geschworene in der in diesem Gericht anhängigen Angelegenheit angehen, und dass Sie sich andernfalls wegen Meineids strafbar machen?«, leierte der Justizbeamte zum sechsten Mal herunter.

»Ja«, antworteten die Neuen und sahen sich unsicher um.

»Heute werden wir fertig«, flüsterte Winston, als sich die Leute setzten und das Papierrascheln in die letzte Runde ging. »Ich spüre es.«

»Alan Reed«, rief der Justizbeamte. Genevieve musste ihren Bericht nicht hervorziehen; sie hatten am Tag zuvor über ihn gesprochen und gehofft, er würde gar nicht aufgerufen werden.

Ein offen konservativer Mann von siebenundfünfzig Jahren, der geschieden war und Paul zufolge deswegen immer noch einen Groll hegte. Er verbrachte seine Wochenenden beim Jagen und Fischen mit seinen Kumpeln. Oben auf den Bericht über ihn hatte Genevieve einen Totenkopf und gekreuzte Knochen gezeichnet.

Nach ein paar Fragen war Nina klar, dass Reed genau der Typ Geschworener war, den sie nicht brauchen konnten. Genevieve hielt unter dem Tisch die Daumen nach unten, während sich Winston nicht enthalten konnte, ein oder zwei Antworten mit einem Kopfschütteln zu quittieren.

»Ms Reilly. Ich glaube, dies wäre Ihre letzte Ablehnung«, sagte Richter Milne.

Nina bat um einen Moment Bedenkzeit, sah sich die Geschworenengrafik ihrer bisherigen Auswahl an und warf einen weiteren Blick auf Genevieves Zusammenfassungen. Über Mrs Lim herrschte Einstimmigkeit. Die fünf anderen Frauen – eine Geschiedene in den Fünfzigern, die sich um ihr behindertes erwachsenes Kind kümmerte, eine Studentin, eine Bergsteigerin, eine Angestellte und eine Hausfrau – würden alle bleiben. Die beiden Männer, ein Biologe und ein Geschichtslehrer, waren nicht gerade aufregend, aber sie könnten sich ihren Argumenten als durchaus zugänglich erweisen. Über Clifford Wright waren sie geteilter Meinung gewesen, hier hatten sich Genevieve und Winston durchgesetzt. Er war definitiv mit von der Partie. Sie konzentrierte sich auf die Kandidaten, die sie nervös machten.

»Ignacio Ybarra, dreiundzwanzig Jahre alt, Telefontechniker, sehr ruhig, hat eine kleine Tochter, mit der er auf Grund von Spannungen zwischen ihm und der Großmutter des Kindes nur schwer Kontakt halten kann. Enge Beziehungen zu seinen Eltern und einer großen Familie. Wandert gerne. College-Abschluss. Sehr religiös, geht zweimal die Woche in die Kirche.« Nicht gerade toll.

»Kevin Dowd. Pensioniert, Anfang sechzig, spielt Golf, hat ein Vermögen mit Kapitalanlagen gemacht, trinkt zu viel, liebt die Frauen zu sehr, ist immer auf der Suche nach Amüsement.« Oje.

»Sonny Ball, Ende zwanzig, Tätowierungen, Ohrringe, meistens akustisch unverständliche Antworten, sucht seit drei Jahren Arbeit, ein paar Mal flüchtig mit dem Gesetz in Konflikt geraten. Seine Eltern wohnen in Oregon. Sie leben getrennt. Paul vermutet, dass er mit Drogen gedealt hat.« Entsetzlich, aber von den anderen Nominierten waren einige aus unterschiedlichen Gründen noch schlimmer gewesen, und sie hatten nur sechs unbegründete Ablehnungen.

Zusammen dreizehn Leute. Einer musste gehen. Aber wer?

Sie sah in die vier Gesichter und suchte nach Hinweisen. Sie war nervös. Die Männer blickten zurück, sie konnte nichts Besonderes entdecken. Ignacio Ybarra sah resigniert aus. Kevin Dowd lächelte, er war sicher, genommen zu werden. Sonny Ball leckte sich die Lippen und warf ihr mit zusammengekniffenen Augen einen Blick zu, den sie irgendwo zwischen Lüsternheit und Gerissenheit ansiedelte.

Reed starrte sie mit erhobenem Kinn arrogant an. Er rechnete damit, rausgeschmissen zu werden, und deswegen machte er keinen Hehl aus der Verachtung, die er für sie und ihre Mandantin empfand.

Sollte er seinen Willen bekommen.

»Die Klägervertreter danken Mr Reed und entschuldigen ihn«, sagte Nina. Genevieve rutschte unglücklich auf ihrem Stuhl hin und her. Sie hatte Druck gemacht, die letzte Ablehnung für Sonny Ball zu nutzen. Winston senkte den Kopf. Ein Seufzer ging durch den Gerichtssaal. Einige der Geschworenen lehnten sich endlich entspannt zurück.

Es dauerte nur noch zwei Stunden, die beiden Ersatzgeschworenen auszusuchen, die dem Prozess zwar folgen, an den Beratungen und an der Abstimmung aber nur teilnehmen würden, wenn einer der anderen Geschworenen verhindert wäre. Patti Zobel war gut. Eine weitere Geschiedene. Konnte denn hier oben niemand verheiratet bleiben? Lag das an der Luft oder was? Und Damian Pack, der zweite Stellvertreter, der im Harvey's arbeitete und dessen Ehefrau als Zahnärztin mehr verdiente als er, schien auch eine recht gute Wahl.

»Vereidigen Sie die Geschworenen«, sagte Milne schließlich,

und die vierzehn Leute, in deren Händen Lindys Triumph oder ihre Niederlage lag, standen auf und hoben die rechte Hand hoch.

16

Sieben Monate nach Mike Markovs schicksalhafter Geburtstagsparty war an einem sonnigen Montag im Mai die Zeit für die Eröffnungsplädoyers gekommen.

In der Hoffnung, den Journalisten aus dem Weg zu gehen, war Nina früh von zu Hause aufgebrochen, aber als sie auf den Gerichtsparkplatz fuhr, standen dort bereits Übertragungswagen und Reporter mit Videokameras. In den Kiefern um den Parkplatz bemühte sich eine Schar kleiner brauner Vögel redlich, mit ihrem vielstimmigen Gezwitscher den Mob unten zu übertönen. In der Kakophonie und dem ganzen Durcheinander vergaß Nina prompt ihre Aktentasche und musste noch einmal zurück zum Auto, um sie zu holen.

In ihrem gedeckt pfirsischfarbenen Kostüm und der weißen Bluse fühlte sie sich falsch angezogen. Sie entdeckte Lindy und Alice, die gerade in Alices altem Taurus auf den Parkplatz fuhren. Sie ging zügigen Schrittes zu ihnen hinüber. Zusammen eilten sie über den Parkplatz und stürmten energisch durch die Menschenmenge, die sich am Eingang des Gerichts drängte. Kurz bevor sie die Tür erreichte, musste Nina ein besonders langes, ekelhaft aussehendes Mikrofon vom Gesicht wegschieben, um nicht aus Versehen hineinzubeißen.

Deputy Kimura hatte gerade die Türen zum Gerichtssaal geöffnet. Die Leute schoben sich hinein und drängelten um Sitzplätze. Bevor Kimura die Türen endgültig schloss, ließ er noch ein paar Nachzügler ein. Diese Glücklichen drückten sich nach hinten durch und lehnten sich an die dunkle Wandvertäfelung.

Nina sah, dass Rachel, umgeben von einer Phalanx von Markov-Enterprises-Mitarbeitern, direkt hinter Mike Platz genommen hatte. Harry Anderssen, ihr Exfreund, saß hinter ihr. Als sie sich vorbeugte und Mikes Hand drückte, starrte er wütend auf ihren Rücken. Sie hatte ihr langes Haar zusammengebunden und trug ein unauffälliges dunkles Kleid und eine dunkelgelbe Jacke. Mike war ganz Geschäftsmann in einem anthrazitfarbenen Anzug und einer dunkelgrünen, fast schwarzen Krawatte. Als Riesner ihm einen Arm um die Schulter legte und leise mit ihm redete, zog Rachel sich geziert zurück.

Riesner hatte sich wie üblich mit seinem blauen Anzug und seinem dämlichen Grinsen gewappnet.

Lindy hatte einen langen Rock und darüber ein passendes taubengraues Twinset an und trug damit eine untypische Gleichgültigkeit gegenüber den Modetrends zur Schau. Ihr einziges Zugeständnis an die Eitelkeit war ein Paar Perlenohrringe. Nachdem sie ihre Plätze eingenommen hatten, zeigte sie Nina ein paar Leute, die sie kannte. Währenddessen redete Alice, die direkt hinter ihnen saß, ununterbrochen und wippte in schnellem Takt pausenlos mit ihrer hochhackigen Pantolette.

Ein paar Plätze neben Alice entdeckte Nina den beunruhigenden schwarzhaarigen Mann, der sie im Solo Spa bedroht hatte. Er stand auf und winkte Lindy zu, als diese sich umdrehte, um etwas zu Alice zu sagen.

»Oh, sehen Sie mal«, sagte Alice. »Da ist George, Lindys Hündchen. Sie muss nur kurz an der Leine rucken, und schon kommt er angelaufen.«

»Alice«, sagte Lindy mit einem nervösen Blick über den brechend vollen Gerichtssaal. »Lass George in Ruhe.«

»Nein, ernsthaft. Ich finde, jede Frau braucht einen Kerl wie George, der im Hintergrund die Drecksarbeit macht.«

»Drecksarbeit?«, setzte Nina an, wurde jedoch vom Justizbeamten unterbrochen.

»Die Sitzung des Gerichts des Staates Kalifornien ist eröffnet, den Vorsitz führt der Ehrenwerte Richter Curtis E. Milne.«

Alle erhoben sich, und der Richter betrat den Saal. Eine feministische Zeitschrift hatte ein ganzes Kontingent lärmender Demonstrantinnen zusammengetrommelt, die in Riesners Nähe saßen und versuchten, ihn in ein Gespräch zu verwickeln, aber Richter Milne schuf mit einem leichten Anheben der Augenbrauen Ruhe in seinem Gerichtssaal. Wie er das machte, wusste Nina nicht, aber die ganze Macht des Justizapparates kam in diesen spärlichen Haaren zum Ausdruck.

Als er sich davon überzeugt hatte, dass der Gerichtssaal zur Ruhe gekommen war, setzte sich der Richter umständlich hin, studierte die vor ihm liegenden Dokumente, rückte die Brille zurecht und fuhr sich mit der Hand über seinen kahlen Schädel. Er wandte sich an die Geschworenen.

»Der Augenblick ist gekommen, meine Damen und Herren. Wir werden zunächst die Eröffnungsplädoyers der Anwälte hören. Mehr schaffen wir vor heute Mittag nicht, und mehr Zeit hat das Gericht für diese Angelegenheit heute auch nicht veranschlagt. Wir kommen morgen um Punkt neun Uhr wieder zusammen.

Die Anwälte haben mich wissen lassen, dass sie davon ausgehen, dass sie nicht mehr als sechs Gerichtstage brauchen, um ihre Beweise vorzulegen. Sie haben sich darauf geeinigt, dass ich Ihnen diese knappe Einführung in die Angelegenheit, über die Sie entscheiden werden, vorlese.

Die wichtigste Frage ist in diesem Fall, ob diese beiden Menschen, Mikhail und Lindy Markov, einen schriftlichen, mündlichen oder stillschweigend implizierten Vertrag hatten, den Besitz an einer Firma, die unter dem Namen Markov Enterprises bekannt ist, zu teilen oder nicht. Wenn Sie entscheiden, dass es einen solchen Vertrag gab, wird man Sie bitten, genau zu bestimmen, welche Form ein solcher Vertrag hatte. Wenn Sie entscheiden, dass der Vertrag beinhaltete, dass Lindy Markov Mitinhaberin der Firma war, werden Sie den Wert dieser Firma bestimmen und festsetzen müssen sowie sämtliche Vermögenswerte und Verbindlichkeiten, die aus dem Geschäft entstanden sind, aufteilen, einschließlich mehrerer Häuser, die von beiden Parteien genutzt werden. Man wird Sie auch bitten, einige strittige Fakten zu entscheiden, die ein bestimmtes Blatt Papier betreffen, das Ihnen als Beweisstück Nummer eins präsentiert wird.«

Er ließ ein paar allgemeine Unterweisungen für die Geschworenen folgen: keine Diskussion der Beweise, bis sie sich zurückziehen würden, um über den Fall zu entscheiden, für die Dauer des Prozesses keine Zeitungsberichte über den Fall lesen und keine Fernsehnachrichten anschauen, keine eigenständigen Nachforschungen betreiben, unvoreingenommen bleiben, bis es Zeit wurde, eine Entscheidung zu treffen, keine Vorurteile gegen eine Partei hegen, weil man ihren oder seinen Anwalt nicht mag.

In der Geschworenenbank links von Nina sahen alle entsprechend beeindruckt aus wegen der Schwere ihrer Verantwortung, außer Sonny Ball, der tätowierte, hitzige Kerl in der letzten Reihe.

»Ms Reilly, sind Sie bereit fortzufahren?«

»Ja, wir sind bereit, Euer Ehren.«

»Möchten Sie Ihr Eröffnungsplädoyer halten?«

»Ja, das möchten wir.« Nina erhob sich, ihre Notizen ließ sie auf dem Tisch liegen. Das pastellfarbene Kostüm schimmerte warm im Licht der Lampen. Ihre Absätze waren ein Kompromiss zwischen Bequemlichkeit und Höhe, und ihr langes braunes Haar, das für gewöhnlich nicht zu bändigen war, hatte vor den Diensten eines ortsansässigen Friseurs kapituliert, der es so lange glatt gestrichen und mit Haarspray bearbeitet hatte, bis es sich gelegt hatte und jetzt tot spielte.

Aber auf dem Weg zu dem Podium, von dem aus sie zu den Geschworenen sprechen würde, schob sie diese und andere banale Gedanken beiseite.

Nina stand einen Meter von der Geschworenenbank entfernt – ein Abstand, auf dem Genevieve bestanden hatte – und ließ den Blick über die Gesichter der Geschworenen schweifen.

»Die Geschichte, die Sie hier hören werden, ist uralt. Sie haben sie bereits gehört. Wir alle kennen sie. Ein Mann und eine Frau lernen sich kennen, verlieben sich ineinander und bauen sich ein Leben auf. Sie teilen ein warmes, liebevolles Zuhause. Sie bauen zusammen ein Geschäft auf. Zwanzig Jahre, zwanzig befriedigende Jahre lang leben sie zusammen. Dann passiert etwas Trauriges. Einer der beiden liebt den anderen nicht mehr.«

Nina machte eine Pause, um ihren letzten Satz wirken zu lassen, unterbrach ihre Konzentration lange genug, um zu sehen, dass die Geschworenen ihr mit dem gewünschten Grad an gespannter Aufmerksamkeit folgten.

»Für denjenigen, der verlassen wird, ist es eine Katastrophe. Wir alle können uns das vorstellen, nicht wahr? All die Jahre, die lebenslangen Gewohnheiten, der gemeinsame Kaffee am Morgen, das geteilte Doppelbett, die Umarmungen zur Begrüßung, die Abschiedsküsse … plötzlich sind da nur noch große, klaffende Löcher. Aber so etwas passiert. Gute Menschen werden verletzt. Niemand hat Schuld, wenn die Liebe stirbt. Niemand ist verantwortlich für die schreckliche Leere dieses Doppelbetts.«

Sie senkte den Kopf, legte die Hände wie Perry Mason auf den Rücken und ging ein paar Schritte auf und ab, bevor sie den Blick wieder auf die Geschworenenbank richtete.

»Nein, niemand ist verantwortlich für das Ende dieser Liebesbeziehung. Lindy Markov hat diesen Verlust erlitten, das stimmt. Es trifft zu, dass Mike Markov mit einer jungen Frau verlobt ist, die früher für Lindy gearbeitet hat. Aber das ist *nicht* der Grund, warum wir hier heute vor Gericht stehen. Darüber müssen Sie sich vollkommen im Klaren sein. Wir sind nicht hier, um über die Liebe zu sprechen. Wir sind hier, um über das Geschäft zu sprechen. Ein Geschäft zwischen Liebenden, vielleicht. Ein Geschäft, das die beiden großgezogen haben wie andere Paare vielleicht ihr Kind. Aber wir sprechen über die Firma, ein Unternehmen, das auf einer juristisch einklagbaren Teilhaberschaft beruht.

Durch die folgenden Zeugenaussagen werden Sie erfahren, dass Lindy und Mike Markov mehr als zwanzig Jahre lang immer wieder zueinander sagten: Wir führen die Firma gemeinsam. Wir werden das unser Leben lang so machen. Wir gehen durch die guten wie durch die schlechten Zeiten. Was immer wir haben, wir *teilen* es. Was immer wir schuldig sind, wir teilen auch das.

Sie gaben sich wechselseitige Versprechen, meine Damen und Herren. Versprechen, die zwar von beiden gemacht, aber nicht von beiden gehalten wurden. Die Versprechen, die mit ihrer Liebe zu tun haben, können gebrochen werden, ohne dass sie von einem Geschworenengericht verhandelt werden. Solche unterliegen nicht dem Schutz des Gesetzes.

Aber, wie Sie erfahren werden, das Gesetz schützt den einen Geschäftspartner, wenn der andere sein Versprechen bricht. Zwei Menschen bauen mit ihrer Tatkraft und ihren Fähigkeiten ein Geschäft auf. Beide stecken alles hinein, was sie haben. Sie führen es viele Jahre lang gemeinsam und mit wachsendem Erfolg. Und wenn die Partnerschaft endet, *nimmt jeder seinen Anteil*. Das macht man so. Es ist die einzig faire Art und Weise. Stimmt's? Jeder erhält seinen Anteil.

So sollte es zumindest sein. So sieht es das Recht des Staates Kalifornien vor.

Doch in dem Fall, von dem Sie hier hören werden, geschah etwas anderes.

Was Sie von verschiedenen Zeugen, einschließlich Lindy und Mike Markov, hören werden, ist, dass einer der Partner *das Ganze nahm*. Jeden Quadratmeter, jedes Zehn-Cent-Stück, jedes Möbelstück, alles.

Mike Markov tat das. Er nahm alles, einfach alles, und ließ Lindy nichts. Er warf sie sogar aus dem Haus, in dem sie jahrelang gelebt hatte, sodass ihr nur noch ein Pferd und ein alter Wohnwagen draußen in den Bergen blieben.

Er behielt ... also, er behielt reichlich viel. Es wird mehrere Schätzungen geben, wie viel Mikes und Lindys Firma, Markov Enterprises, zu dem Zeitpunkt, zu dem sie sich trennten, wert war. Lassen Sie mich Ihnen eine vorsichtige Zahl nennen, was die Firma wert war.

Er behielt rund zweihundert Millionen Dollar.«

Sie hatte es wunderbar aufgebaut. Selbst das Publikum, für das dies alles nichts Neues war, atmete kollektiv durch. Die meisten Geschworenen hatten wohl die Wahrheit gesagt, dass sie in der Zeitung nichts über den Fall lesen würden, denn ihre Münder standen offen. Der Geschworene Bob Binkley, der niedergedrückt wirkende Geschichtslehrer, richtete sich aus seiner zusammengesunkenen Haltung auf und umklammerte das Geländer. Nina sah ihn direkt an und nickte. Ganz recht, Mr Binkley, versuchte sie ihm mit ihrem Blick zu sagen. Das ist viel, das ist enorm. Sie tun hier etwas sehr Bedeutendes.

Andererseits hatte Sonny Ball seinen Blick schon früh auf einen Punkt irgendwo zwischen Nina und der Geschworenenbank geheftet, auf den sich seine ganze Aufmerksamkeit konzentrierte. Entweder war er schwer von Begriff, oder es war ihm egal, oder er wusste bereits alles.

»Ich weiß, dass wir alle – die Anwälte, die Mandanten, die Angehörigen des Gerichts – Ihnen dafür dankbar sind, dass Sie sich, obwohl Sie alle sehr beschäftigt sind, die Zeit nehmen, um in diesem Fall ein Urteil zu fällen. Sie werden über die grundlegenden Fakten zu entscheiden haben. Wir werden Sie bitten, zu entscheiden, ob Mike Markov alles nehmen darf, das Haus am See, die Firma, die Autos, die Boote, die Ernte ihrer sehr produktiven gemeinsamen Jahre, während Lindy Markov weder Bürste, noch Kamm, noch Zahncreme noch Haarklemme bekommt.

Sie werden von den Zeugen die ganze Geschichte der Firma

erfahren, wie Mike und Lindy bei null anfingen und wie Markov Enterprises ein großer Erfolg wurde. Sie werden hören, dass Lindy, während sie formell nicht mit Mike verheiratet war ...«

Ein weiterer erstaunter Blick der Geschworenen. Nina fuhr fort, sie hatte ihnen die schlechte Nachricht so beiläufig wie möglich untergeschoben.

»... doch in jeder Hinsicht zwanzig Jahre lang Mikes gleichberechtigte Partnerin war, das gilt sowohl für ihre Verantwortung wie auch für das Arbeitspensum in der Firma. Dies ist keine Geschichte über eine Frau, die ihren Mann von zu Hause aus unterstützt. Diese Frau war im Büro, im Betrieb, sie war draußen, um Kunden zu akquirieren. Wir werden Ihnen zeigen, dass Lindy genauso viele Ideen für neue Produkte hatte wie er und dass sie für den Erfolg der Firma genauso ausschlaggebend war wie er. Sie blieb nicht zu Hause, um Kinder aufzuziehen und Dinnerparties zu geben. *Die Firma war ihr Kind.*«

Nina machte eine Pause, damit die Worte in den Köpfen der Geschworenen widerhallen konnten.

»Wo also liegt das Problem? Welche Sachverhalte machten es erforderlich, Ihnen diesen Fall vorzutragen? Es gibt zwei: Zuerst sagt Mr Markov, dass jetzt alles ihm gehören soll, weil er seinen Namen überall darauf geschrieben hat. Das werden die Beweise ergeben. Er setzte seinen Namen unter die Firmenaktien, auf die Eigentumsurkunden der beiden Häuser, in denen sie lebten, er legte jeden größeren Betrag auf seinen Namen an. *Ihr Name wurde weggelassen.* Wie erklärte Mr Markov Lindy das?« Nina zog die Augenbrauen hoch und sah die Geschworenen erwartungsvoll an. Sie schienen keine Ahnung zu haben.

»Er erklärte ihr, er wolle unmäßig viel bürokratischen Aufwand vermeiden. Er erklärte ihr, es würde keine Rolle spielen, wessen Name auf den Urkunden und Aktienzertifikaten stehe, weil die Hälfte ihr gehöre. Sein Name stehe für sie beide.

Sehen Sie Mr Markov an, wenn er seine Aussagen macht. Sie

werden sehen, dass er ein stolzer, altmodischer Mann ist. Er wollte der Direktor sein, sodass sie nur die Vizedirektorin sein konnte. Sie wollte, was er wollte. So weit nichts Neues.« Nina schenkte Mrs Grzegorek, der attraktiven älteren Frau, die bei Mikasa arbeitete, ein winziges Lächeln, das Mrs Grzegorek nicht erwiderte.

»Er wollte die Aktien auf seinen Namen, und sie war auch damit einverstanden. Wie sie bezeugen wird, hat sie nicht im Traum daran gedacht, dass er das nutzen würde, um ihr ihren Anteil an der Firma streitig zu machen.

Und Sie werden noch von einem weiteren Ereignis in ihrer langen gemeinsamen Geschichte hören. Sie werden erfahren, dass Lindy vor dreizehn Jahren ein Blatt Papier unterschrieben hat, weil Mike sie zu unterschreiben bat. Er veranlasste sie, es mit ›Vereinbarung zur Gütertrennung‹ zu überschreiben.«

Cliff Wrights Miene veränderte sich nicht im Geringsten, aber er schob die Hände im Schoß hin und her. Er wusste genau, was das bedeutete.

»Lindy unterzeichnete es. Sie wird Ihnen erzählen, warum. Und ich muss Ihnen sagen, dass dies die einzige Stelle in diesem Fall ist, wo Liebe ins Spiel kommt. Sie unterzeichnete es, weil Mike sagte, er würde sie heiraten, wenn sie es unterzeichnete. Mit dem Geschäft ging es damals bergab, und sie machten auch privat eine schwere Zeit durch.

Lindy war einverstanden. Sie unterzeichnete den Zettel, erfüllte ihren Teil des Abkommens. Und Mike – also, Sie werden erfahren, dass Mike auf Geschäftsreise ging. Er heiratete sie nicht, erfüllte seinen Teil der Abmachung nicht. Und dieses Blatt Papier verschwand für dreizehn Jahre. Lindy bekam nie eine Durchschrift. Sie nahm an, er hätte es längst weggeworfen oder vernichtet.

Der Richter wird Sie über die rechtliche Seite solcher Vereinbarungen unterrichten. Sie werden erfahren, dass ein Gegenstand, der unter der Annahme geschenkt wurde, es werde eine

Heirat geben, von dem Geber zurückgefordert werden kann, wenn es nicht zu einer Heirat kommt. Die Zeugenaussagen werden deutlich machen, dass Mike Lindy nicht geheiratet hat. Wenn also über dieses Blatt Papier diskutiert wird, hoffe ich, dass Sie sich folgende Fragen stellen: Hat sie versprochen, Mike alles zu geben, im Vertrauen auf sein Versprechen, sie zu heiraten? Hat er sein Versprechen gehalten? Wenn nicht, *was bekam sie dann dafür?*«

»Einspruch!«

Sie ging mit Riesner zur Richterbank und bekam von Milne eine Rüge, weil sie in ihrem Eröffnungsplädoyer das Recht ausgelegt hatte.

Nina war innerlich ruhig und versuchte, die gleiche gelassene Gewissheit auch in ihre Worte zu legen. Sie fügte einige weitere wichtige Aspekte hinzu und beendete ihr Eröffnungsplädoyer: »Und jetzt, meine Damen und Herren, liegt es an Ihnen. Ich habe mit Ihnen gesprochen und Ihnen zugehört, und ich vertraue darauf, dass Sie gerecht sein werden. Vielen Dank.«

Sie hätte schwören können, dass Milne sie, als sie zu ihrem Tisch zurückging, mit einem – und sei es noch so winzigen – anerkennenden Nicken bedachte. Sie beschloss, dass sie es sich eingebildet hatte, und bemühte sich, die Stimmung der Geschworenen hinter ihr zu spüren, was ihr jedoch nicht gelang.

Als sie wieder am Tisch war, drückte Genevieve ihr den Arm und murmelte: »Ausgezeichnet«, und Winston hielt unter dem Tisch beide Daumen hoch.

Lindy sah Mike an, der demonstrativ an ihr vorbeischaute.

Jeff Riesner, lässig und zuversichtlich wie immer, nicht ein Haar am falschen Platz, sein Markenzeichen, das angedeutete Grinsen, zur Schau tragend, ging zum Podium. Wenn man den Ballast seines Charakters außer Acht ließ, dachte Nina, konnte ein Fremder ihn durchaus attraktiv finden. Er sah harmlos und cool aus, wie ein Mann, mit dem man keinen Streit anfangen würde. Diese aalglatte Erscheinung war genau das, was ihn in seinem Beruf so erfolgreich machte. Als Jurist erfolgreich zu sein, das hing, mehr als in fast allen Berufen, vom richtigen Aussehen ab, und Jeff Riesner hatte Jahre damit verbracht, sein Erscheinungsbild zu kultivieren. Die Geschworenen warteten darauf, zu hören, wie die Gegenseite die Sache sah. Riesner aalte sich in ihrer Aufmerksamkeit.

»Lassen Sie uns über die Beweise sprechen«, sagte er. »In diesem Fall werden wir viele Zeugenaussagen hören. Alle diese Menschen haben ihre eigenen Standpunkte, ihre eigenen Interessen. Ihre Aufgabe ist es, über die Glaubwürdigkeit zu befinden und den Wert dessen zu beurteilen, was sie sagen. Wenn Sie den vielen Zeugen zuhören, werden Sie womöglich das Gefühl bekommen, dass dies ein komplizierter und verwirrender Fall ist. Es geht um sehr viel Geld, und das kann den Eindruck erwecken, der Fall wäre ganz besonders kompliziert.

Aber er ist nicht kompliziert. Dieser Fall ist einfach, wir haben alles schwarz auf weiß.

Es gibt nämlich noch eine andere Art von Beweis. Bei dieser Art von Beweis gibt es keinen Standpunkt, keine Interessen, kein Glaubwürdigkeitsproblem. Dieser Beweis, meine Damen und Herren, besteht aus Schriftstücken. Wir bitten Sie, den schriftlichen Beweisen in diesem Fall besondere Aufmerksamkeit zu schenken, weil sie aus einer Zeit stammen, in der es noch keine Interessen, keine Standpunkte gab. Die Schriftstücke, die wir Ihnen vorlegen, werden Ihnen eine sehr klare und eindeutige Geschichte erzählen.

Zuerst werden Sie erfahren, dass es ein schriftliches Dokument gibt, das nicht existiert. Dieses schriftliche Dokument ist die Heiratsurkunde zwischen Mike Markov und Lindy Markov. Die beiden Parteien in diesem Rechtsstreit haben nie geheiratet. Es gibt keine Gütergemeinschaft, folglich auch keine Teilung des Besitzes, die sich aus ihrer Beziehung ergeben würde. Keine Unterhaltszahlungen. Es gibt keine Ehe. Niemand wird Ihnen eine Heiratsurkunde zeigen. Lindy Markov war Mike Markovs Freundin. Sie trennten sich. Das ist das, was in ihrem Privatleben passiert ist.

Zweitens werden wir Ihnen Schriftstücke zeigen, die beweisen, dass Lindy Markov Angestellte bei Markov Enterprises war. Sie werden nicht nur Menschen darüber sprechen hören. Es ist viel einfacher. Sie werden ihre Personalakte sehen, ihre Gehaltsunterlagen, ihre Arbeitsplatzbeschreibung. Sie werden sehen, dass sie anständig bezahlt wurde, regelmäßig Gehaltserhöhungen bekam und ein Spesenkonto hatte. Sie war eine leitende Angestellte der Firma, und sie hatte einen Vertrag mit dieser Firma, dass sie eine bestimmte Arbeit erledigen und dafür entlohnt werden würde. Sie werden die entsprechenden Schriftstücke sehen, meine Damen und Herren, sie sind klar und eindeutig.

Drittens werden Sie Schriftstücke sehen, die dokumentieren, wer der Besitzer von Markov Enterprises und einem Haus hier in Tahoe ist, um das es in diesem Fall auch geht. Das ist ebenso klar und ebenso eindeutig. Sie werden den Grundbucheintrag für das Haus sehen, der auf den Namen des Eigentümers, Mike Markov, lautet. Sie werden die Aktienzertifikate sehen, die in der ganzen Welt als Eigentumsnachweis akzeptiert werden. Der Name auf den Zertifikaten ist Mike Markov. Daran ist nichts geheimnisvoll oder kompliziert.

Und viertens und letztens werden sie ein weiteres schriftliches Dokument sehen, das die anderen Schriftstücke bekräftigt und bestätigt. Dies ist das wichtigste von allen. Dieses Dokument ist eine Vereinbarung zur Gütertrennung. Sie werden sie selbst lesen können und sehen, in welch einfacher Sprache diese Vereinbarung verfasst ist. Sie werden sehen, dass die Vereinbarung festlegt, dass Lindy Markov keinen Anspruch auf Mike Markovs Besitz erhebt und er keinen Anspruch auf ihren. Es steht da. Schriftlich, so einfach, wie es nur geht. Was da nicht steht, ist« – er unterbrach sich, um seinen Worten Nachdruck zu verleihen, und fuhr mit der Hand durch die Luft –, »dass Mike einverstanden war, Lindy zu heiraten. Das steht nicht da.

Warum also sind Sie dann heute hier im Gericht und opfern Ihre kostbare Zeit, um als Geschworene zu dienen? Lassen Sie mich versuchen zu umreißen, was Lindy Markov behauptet, beweisen zu können. Außer den Umarmungen und Küssen und der Ver...«

»Euer Ehren«, sagte Nina und stand auf.

»Treten Sie näher.« Sie gingen zur Richterbank und steckten die Köpfe zusammen. »Sparen Sie sich die Argumentation auf, Herr Anwalt«, sagte Milne leise.

»Tut mir Leid, ich habe mich hinreißen lassen.«

»Hinreißen? Er hat seine Notizen abgelesen«, sagte Nina.

»Herr Anwalt?«, sagte Milne. »Keine Argumentation im Eröffnungsplädoyer, oder ich entziehe Ihnen das Wort. Sagen Sie ihnen, was Sie beweisen wollen, und setzen Sie sich wieder.«

»Jawohl. Wird nicht noch einmal vorkommen.« Als sie zurückgingen, erhaschte Nina einen flüchtigen Blick auf den Notizblock des Geschworenen Bob Binkley. Inmitten von etwas, das aussah wie wissenschaftliche Aufzeichnungen, hatte er sorgfältig Riesners Punkte aufgelistet. Nina stöhnte innerlich.

»Vier einfache Punkte«, fuhr Riesner fort. »Schriftlich.«

Schriftlich. Riesner hatte sein Mantra für den Prozess auf ein einziges Wort zusammengestutzt.

»Was werden Sie noch hören? Sie werden wahrscheinlich hören, dass Lindy Markov lange Zeit in der Firma war und als wertvolle Mitarbeiterin galt. Sie werden wahrscheinlich hören, dass Lindy immer heiraten wollte. Sie werden sicher hören, dass Lindy die Hälfte der Firma haben will, jetzt, wo Mike sie verlassen hat.« Riesner zog die Augenbrauen hoch.

»Mike war sehr erfolgreich, meine Damen und Herren. Das werden sie ganz bestimmt hören. Er hat so viel Erfolg gehabt, dass Sie vielleicht die Gelegenheit ergreifen möchten, etwas von seinem Geld umzuverteilen. Aber das können Sie nicht. Es gibt in diesem Staat ein Vertragsrecht und ein Eherecht, und der Richter wird Ihnen erklären, was diese Gesetze besagen und dass Sie sich nach ihnen richten müssen. Ich weiß, dass Sie sich an die Anweisungen des Richters halten werden.

Und ich weiß, dass Sie während des Gerichtsverfahrens diese vier einfachen Tatsachen nicht vergessen werden, die Ihnen von uns als Beweise vorgelegt werden: dass die Parteien nie geheiratet haben, dass Lindy Markov Angestellte von Markov Enterprises war, dass Mike Markovs Name auf allen Beweisstücken für die Besitzverhältnisse steht und dass die Parteien sich ausdrücklich einig waren, dass Mr Markovs Besitz nicht Gegenstand einer Forderung seitens Lindy Markovs ist.

Klar und eindeutig. Schwarz auf weiß. Schriftlich. Meine Damen und Herren, halten Sie sich an das Gesetz. Ich weiß, dass Sie das tun werden. Mr Markov vertraut darauf.

Vielen Dank.« Er lächelte und nickte.

Wow, kritzelte Genevieve auf ihren Block und reichte ihn an Nina und Winston weiter, während Riesner sich setzte. *Er ist nicht dumm.*

Nina hatte Notizen gemacht. Schriftlich.

Mike hatte eine starke Verteidigung bekommen.

Verdammt.

Winston, Genevieve, Nina und Paul trafen sich zum Mittagessen in der Cafeteria, während Lindy mit Alice etwas Richtiges essen ging. Winston und Genevieve schlüpften im Nu durch die Schlange und setzten sich an einen Tisch. Nina, die ein paar Plätze vor Paul in der Schlange stand, lud ihren Teller voll und stieß, weil sie von ihrer streng durchgeplanten Vorstellung am Vormittag immer noch ein wenig zittrig war, mit dem Mann vor ihr zusammen, sodass etwas Kopfsalat auf den Boden fiel.

»Oh, tut mir Leid«, sagte Nina.

»Na, wenn das nicht Mrs Reilly ist, die da hinter mir herkommt«, sagte Jeffrey Riesner, machte einen Satz nach hinten und musterte sie, als würde er etwas Bestimmtes suchen – eine Einsicht, Läuse, eine Pistole mit Perlmuttgriff? Nina hatte keine Ahnung, was. Er knallte sein Tablett auf einen Tisch, strich seinen Anzug glatt und drehte sich hin und her, um sich davon zu überzeugen, dass er nicht von der Salatsoße ruiniert war. Unglücklicherweise entdeckte er zwei einzelne Ölflecken an der Rückseite des linken Hosenbeins. »Sehen Sie, was Sie angerichtet haben«, sagte er und zeigte darauf. »Das war Absicht!«

»Tut mir Leid«, murmelte sie noch einmal.

»Sie sind beim Essenholen genauso ungeschickt wie im Gerichtssaal.«

In dem Augenblick war es vorbei mit den Entschuldigungen. »Können wir weitergehen? Hinter uns stehen auch Leute.«

»Haben Sie eine Ahnung, was dieser Anzug kostet?«

»Schicken Sie mir die Rechnung von der Reinigung. Und jetzt treten Sie bitte zur Seite und lassen mich durch.«

»Das würde Ihnen so passen, was?« Und er lächelte sein Totenkopf-Grinsen, wie Paul es nannte, so kalt wie ein Schädel ohne Haut. »Aber ich glaube nicht, dass ich das tun werde. Mir gefällt es hier. Sie sind diejenige, die sich aus dieser Stadt verdrücken sollte, und es wird nicht mehr lange dauern, bis Sie das auch tun werden.«

Da sie sich hier in der Cafeteria, außer Sichtweite von Milnes ruhigem Blick, nicht in einen wilden Streit mit Riesner hineinziehen lassen wollte, wartete Nina schweigend ab. Sie spürte, dass sie rot anlief, während er penibel die Sachen auf seinem Tablett neu sortierte, in aller Ruhe das verrutschte Besteck präzise neben dem Teller ausrichtete und diesen Vorgang absichtlich in die Länge zog. Schließlich war er fertig und stellte das Tablett auf einen Tisch in der Nähe des Fensters, in annehmbarer Entfernung von Ninas Team, dann wischte er noch einmal an seiner Hose herum, warf Nina einen finsteren Blick zu und eilte zum Flur in Richtung Herrentoilette.

»Huch«, sagte Genevieve und lächelte mitfühlend, als Nina sich setzte. »Nächstes Mal solltest du auf den Salat verzichten. Er steht offensichtlich mehr auf Steak und Kartoffeln.«

»Typisch, so geht's mir immer«, sagte Nina, zog eine große Serviette hervor und stopfte sie in den Kragen ihrer neuen Bluse. Sie hatte weder vor, ihre neuen Kleider zu bekleckern, noch, die Fassung zu verlieren. Sie schaute sich um, konnte Paul aber nirgends entdecken.

»Spar dir deine Antwort für den Gerichtssaal«, riet Winston ihr, der Tomatensuppe löffelte. »Er hat sich dem Anwalt gegenüber, mit dem ich bei einem Fall zusammengearbeitet habe, genauso verhalten. Er bläht sich auf. Alles nur, um dich aus der Ruhe zu bringen.«

»Er kann doch nicht ernsthaft glauben, ich hätte das mit Absicht getan. Es ist einfach passiert. Er ist doch derjenige, der immer alles persönlich nimmt«, sagte Nina nicht ganz aufrichtig. Sie tröpfelte warme Vinaigrette über ihren Eisbergsalat und fing an zu essen.

Genevieve erklärte Nina, was sie gut gemacht hatte und woran sie »noch ein bisschen« arbeiten musste. Nina hörte zu, ohne etwas dazu zu sagen; erneut empfand sie diesen Widerstand gegen Genevieves Regieanweisungen. Sie musste aufpassen. Manchmal war sie bockig genug, um genau das Gegenteil von dem zu tun, was Genevieve ihr geraten hatte, nur weil sie es ihr geraten hatte. Auch wenn Genevieve Recht hatte.

»Es gibt Forschungen, die besagen, dass einige Geschworene ihre Entscheidung tatsächlich auf der Grundlage des Eröffnungsplädoyers fällen. Wie, glaubst du, hat deines auf sie gewirkt?«, fragte Genevieve. Offensichtlich hielt sie sich an ihre übliche kalorienreiche Prozess-Diät. Sie hatte ihr Sandwich gegessen, Winstons Reste weggeputzt und biss jetzt in einen Schokoladenkeks, stellte ihren Teller auf einen Tisch in der Nähe und zog ihr Notizbuch heraus.

Nina versuchte, ihre Eindrücke wiederzugeben. Clifford Wright hatte offensichtlich jedem Wort ihrer Eröffnung gelauscht. So eine gewissenhafte Beobachtung machte sie nervös. Obwohl sie keine rationalen Gründe für ihr Gefühl nennen konnte, misstraute sie ihm noch immer. Alle seine Antworten bei der Geschworenenvernehmung machten ihn zum idealen Geschworenen.

Trotzdem ging ihr immer wieder durch den Kopf, wie sehr er sie an einen Jungen aus der Highschool erinnerte, der sich das Haar mit Pomade nach hinten gekämmt hatte und Sprecher des Schülerrats geworden war, indem er die Tugenden der Ehrlichkeit und eines drogenfreien Lebens pries. Nur am Samstagabend wurde er wieder zu dem, der er im Innersten war: ein verlogener Kiffer. Sie konnte nur hoffen, dass sich Clifford Wright eine solche Verwandlung nicht unbedingt fürs Geschworenenzimmer aufgehoben hatte.

Nina hatte ihren Salat fast aufgegessen, als Paul am Kopfende des Tisches auftauchte, eine dampfende Tasse Kaffee in der Hand.

»Ist hier noch ein Platz frei?«, fragte er.

»Du kommst genau richtig«, sagte Genevieve und rutschte rüber, um ihm Platz zu machen.

Er setzte sich neben sie, Nina gegenüber. »Ich habe ein bisschen was von der Show heute Morgen mitbekommen. Ein paar hübsche Treffer.«

»Danke«, sagte Nina, die sich freute zu sehen, dass er wirklich zufrieden schien.

»Ich hatte noch nicht die Gelegenheit, dir für deinen Beitrag zu unserer Geschworenenauswahl zu danken, Paul. Ich glaube, du hast uns davor bewahrt, mindestens zwei verhängnisvolle Fehler zu machen«, sagte Genevieve.

»Habt ihr die Jury, die ihr wolltet?«, fragte Paul.

»Man kriegt nie alle, die man will. Aber wir haben ziemlich viele«, meinte Genevieve.

»Wir haben uns durchgeboxt«, sagte der unverbesserliche Winston.

»Schön zu hören«, meinte Paul und trank einen Schluck Kaffee.

»Die Bergsteigerin, Diane Miklos, hat auf jeden Fall aufgeschlossen reagiert«, sagte Winston. »Ich mag die Dame.«

»Unter ihren ausrangierten Army-Klamotten versteckt sie wahrscheinlich größere Tätowierungen als Sonny Ball«, neckte Genevieve. »Sie ist genau dein ...«, setzte sie an, schaute in Richtung Tür und riss die Augen auf.

Jeffrey Riesner kam in die Cafeteria geschossen, vollkommen verändert, ohne Jackett, mit offenem Hosenschlitz, ein ungeheurer Bluterguss begann seine Wange zu verfärben, und sein Haar war klatschnass. »Rufen Sie die Polizei!«, brüllte er den überraschten Mann an der Kasse an. »Jemand hat mich überfallen!«

»Brauchen Sie Hilfe, Sir?«, fragte der Kassierer.

»Sehen Sie mich doch an! Sehen Sie mich an! Rufen Sie die Polizei!« Er ging in die Ecke und setzte sich, zog ein Taschentuch heraus und trocknete sich das Gesicht ab.

Der Kassierer machte einen Anruf.

»Haben Sie schon telefoniert?«, fragte Riesner. »Was haben sie gesagt?«

»Ja, Sir«, sagte der Kassierer. »Der Gerichtsdiener kommt sofort runter.«

»Vergessen Sie den Gerichtsdiener. Schaffen Sie die Polizei her. Sofort!«

Deputy Kimura kam hereingelaufen, die Hand am Pistolenhalfter. »Was ist passiert?«

»Jemand ist mir nach ...«

»Was hat er getan?«

»Wonach sieht's denn aus? Ich wurde überfallen! Er hat mich tätlich angegriffen. Sieht man das nicht?« Riesner rieb sich das Gesicht.

»Wieso sind Sie so nass?«

»Um das Blut abzuwaschen! Was glauben Sie denn?«

»Wie hat er ausgesehen?«

»Großer Typ, sehr stark.«

»Wo ist das passiert?«

Riesner warf Ninas Gruppe einen wütenden Blick zu, dann zeigte er mit zitterndem Finger auf Nina. »Sie!«, sagte er. »Sie stecken dahinter.«

»Wo ist das passiert, Mr Riesner?«

»Er ist nicht mehr da. Und wenn Sie hier noch länger herumquatschen, ist er ganz weg!«, schrie Riesner gellend. »Warum laufen Sie ihm nicht hinterher?«

»Wo hat die Konfrontation stattgefunden?«, fragte Kimura stur. »Ich weiß nicht mal, wo ich anfangen soll.«

»In der gottverdammten Herrentoilette, die Treppe runter bei der Geschäftsstelle des Gerichts!«, sagte Riesner. »Und nein, ich habe sein Gesicht nicht gesehen. Suchen Sie nach einem großen … ich weiß nicht. Also, warum tun Sie nicht einfach Ihre Arbeit und sehen zu, dass Sie den Scheißkerl kriegen!«

Kimura lief aus dem Raum.

Nina sah Paul an. Wie alle anderen starrte auch er völlig verwundert auf den tropfnassen, wild gestikulierenden Anwalt.

Oder etwa nicht?

Was zeigte sich in seinem Gesicht und spielte um seine Augenwinkel? War das etwa …

Belustigung?

17

Am nächsten Morgen traf sich Nina mit Paul vor der Verhandlung im Heidi's zum Frühstück.

»Ich nehme nur Saft«, sagte Paul. »Will diesen Malibu-Look behalten.«

»Kaffee, pochiertes Ei, Weizentoast«, sagte Nina zu der Kellnerin, die um halb sieben schon aussah, als sei sie die ganze Nacht auf den Beinen gewesen.

»Hab's mir anders überlegt«, sagte Paul. »Zweierlei Würstchen.« Die Kellnerin schlurfte auf ihren weißen, fünf Zentimeter dicken Schaumsohlen davon. »Du hast mich überredet«, sagte er und lächelte Nina an. »Übrigens, wo warst du gestern Nacht? Du warst weg, bevor ich einen Plan ausgeheckt hatte, wie ich dir Gewalt antun könnte. Und später war niemand zu Hause, noch nicht mal Bob.«

»Ich hatte das Telefon abgestellt.«

»Ach, wirklich?«, sagte er. »Sagst du mir jetzt, was so dringend ist, dass du es ausgerechnet zu dieser nachtschlafenden Zeit mit mir besprechen musst?«

»Das weißt du doch genau. Du hast gestern irgendwas mit Jeff Riesner auf der Toilette gemacht.«

»Niemals«, sagte Paul. »Niemand kann mir etwas nachweisen. Wie geht's ihm denn?«

»Er tobt. Er ist vor meinen Augen erniedrigt worden. Er wird nie vergessen, dass alle ihn so gesehen haben. Er bat den Richter um eine Vertagung um vierundzwanzig Stunden, aber da er nur ein paar blaue Flecken hat und mit dem Schreck davongekommen ist, hat Milne abgelehnt.«

Die Kellnerin brachte ihr Essen und schenkte ihnen mit einem tiefen Seufzer, als sei das alles zu viel für sie, Kaffee nach. »Noch etwas?«, fragte sie.

»Nein, alles bestens«, sagte Nina.

Nachdem sie gegangen war, sagte Paul: »Findest du es nicht schrecklich, wenn die Kellnerin so fertig aussieht, dass man sie einpacken und nach Hause ins Bett bringen möchte? Ich fühle mich aufgerufen aufzuspringen, um ihr zu helfen.«

»Paul, sag mir lieber, was du getan hast.«

Er biss in sein Würstchen. »Hm. Das nenne ich ein Würstchen! Es kann sein, dass ich eine klitzekleine Nachbestellung machen muss.«

»Du hast ihn auf der Toilette angegriffen, stimmt's?«

Paul aß, bis sein Teller leer war.

Nina kannte ihn gut genug, um zu wissen, dass er sich genau überlegte, was er ihr erzählen sollte. Sie versuchte, einen Bissen Ei herunterzuwürgen, aber sie legte die Gabel wieder weg, als ihr klar wurde, dass sie zu aufgebracht war. Ihr Magen wollte nicht. »Jesus, Paul. Das ist ernst.«

Paul trank seinen Kaffee. »Okay. Ich hab hinter euch in der Schlange gestanden und habe alles gesehen. Weißt du, er hat sich so hingestellt, dass du ihn mehr oder weniger anrempeln musstest. Warum lässt du zu, dass er dich so behandelt?«

»Glaub mir, er macht das, ohne dass ich ihn auch nur im Geringsten dazu ermutige«, sagte Nina. »Aber Paul, du kannst dich doch nicht auf sein Niveau herablassen.«

»Und wie ich das kann. Er hat mein Blut zum Kochen gebracht. Ich hab mein Tablett abgesetzt. Das Essen sah irgendwie nicht mehr so gut aus, also hab ich einen kleinen Spaziergang zur Toilette gemacht, um ein paar Mal durchzuatmen und mich wieder zu beruhigen.«

»O nein.«

»Es war vorherbestimmt. Ich bin reingegangen, und zufälligerweise stand dieser Bastard mit dem Rücken zu mir in einer der Kabinen, die Tür weit offen, und pfiff vor sich hin. Und zwar absolut falsch. Selbstgefällig bis zum Anschlag. So ein rückgratloses Gepfeife, das mir unglaublich auf die Nerven geht.«

»Nein.«

»Doch. Die Haare an seinem Hinterkopf sind mir auf die Nerven gegangen. Seine teuren Schuhe sind mir auf die Nerven gegangen. Ich muss sagen, ich war in hohem Maße beunruhigt. Es gibt kein anderes Wort dafür.«

Nina senkte den Kopf und faltete die Hände vor dem Gesicht.

»Am liebsten hätte ich ihn umgedreht und ihm das Knie in die Eier gerammt. Aber deinetwegen hab ich es nicht getan. Er sollte nicht erfahren, wer ihn angriff.« Er wartete auf eine Antwort, und als er keine bekam, fuhr er fort: »Also habe ich einen kleinen Trick angewandt, den ich von einem alten Knacki namens Dickie Mars hab, einem Typen, den ich mal hochgenommen habe, als ich noch bei der Truppe war. Dickie hat ihn aus San Quentin. Du rennst von hinten auf deinen Mann zu, knallst hart gegen seine Schulter, sodass er das Gleichgewicht verliert, und stellst ihm gleichzeitig ein Bein. Wenn er fällt, sorgst du dafür, dass sein Kopf über der Toilette hängt – und dann wäschst du ihm die Haare. So hat es Dickie genannt. Das Shampoo. Wenn du ihn loslässt, hat der Typ nur eines im Sinn, er will Luft in seine Lungen kriegen und wieder schauen können. Du bist längst weg.«

»Macht Spaß, mir das zu erzählen, stimmt's?«, fragte Nina.

»Du musst nicht irisch sein, um eine gute Geschichte gut zu finden«, sagte Paul.

Ein langes Schweigen folgte. Die Kellnerin tauchte wieder auf. »Noch Kaffee?«, fragte sie. Als sie keine Antwort bekam, ging sie wieder.

»Es tut mir Leid. Wirklich. Ich habe die Beherrschung verloren«, sagte Paul. »Er hat's verdient, aber ich hätte es nicht tun dürfen. Es liegt an dem verfluchten Fall. Es liegt an dem Geld, Geld, Geld. Da drehen doch alle durch, bei all dem Geld, das hier herumschwimmt und das man sich nur schnappen muss. Ist dir das noch nicht aufgefallen? Die Anwälte, die Reporter, die vielen Menschen, alle verfolgen den Fall, verschlingen ihn regelrecht. Es ist wie eine Massenhysterie. Und so viel unersättliche Gier, dass jedem einigermaßen sensiblen Menschen schon vom bloßen Hinsehen schlecht wird. Ich habe Angst, dass es uns ruiniert. Und ich habe zugelassen, dass der Stress mir zusetzt.«

Nina schüttelte den Kopf.

»Komm, vergessen wir's. Er ist wieder okay. Ich passe auf mich auf.«

»Paul, du bist gefeuert«, sagte Nina langsam. »Vergiss den Fall Markov.«

»Was? Das war doch nur ein Streich!«

»Ich … ich … du bist gefeuert, Paul. Schick mir die Rechnung. Wir müssen ohne dich klarkommen. Ich muss das tun, als Lindys Anwältin. Du hast den Anwalt der Gegenpartei angegriffen. Du hast den ganzen Fall gefährdet!«

»Du schmeißt mich raus?«

»Ja, genau.«

»Weil ich dich beschützt habe?«

»Weil du die Beherrschung verloren und was völlig Bescheuertes gemacht hast.«

»Inzwischen solltest du das Unerwartete erwarten. So bin ich eben.«

Sie wühlte in ihrer Tasche und knallte einen Fünf-Dollar-Schein auf den Tisch.

»Nina, Freunde vergeben einander«, sagte Paul.

»Du verstehst nicht mal, warum ich so entsetzt bin. Du magst den Fall nicht, und jetzt versuchst du auch noch, mich zu sabotieren. Du hast Riesner nicht verprügelt, um mich zu beschützen. Du hast dir einen kleinen Stammestanz genehmigt und dein Territorium verteidigt. Es hatte mit dir zu tun, nicht mit mir. Paul, wenn ich diesen Fall verliere …« Sie unterbrach sich und stand auf.

»Dann hört die Welt auf, sich zu drehen?«, fragte Paul. »Sieh mal, Nina. Vergisst du nicht, was wirklich zählt?«

»Und das wärst du?«

»Wir, Nina.«

Aber sie hörte ihn kaum noch. Sie war schon aus der Tür.

»Ich rufe Lindy Markov in den Zeugenstand«, sagte Nina.

Mit einem kurzen Blick auf Mike, der sie nicht ansah, kam Lindy nach vorne. In dem dunkelblauen Kostüm sah man deutlich, dass sie irgendwo in den Mittvierzigern war. Auf Genevieves Empfehlung hin hatte sie aufgehört, sich die Haare zu färben, und mit den neuen grauen Strähnen sah sie gesund, aber blass aus.

Der Justizbeamte vereidigte sie. Sie setzte sich.

»Hallo, Mrs Markov«, sagte Nina.

»Einspruch. Lindy Markov ist keine verheiratete Frau«, sagte Jeffrey Riesner prompt.

»Sie wird seit vielen Jahren Mrs Markov genannt. Es ist der Name, den sie benutzt.«

»Abgewiesen. Die Geschworenen werden darauf hingewiesen, dass der Gebrauch einer Anrede wie Mrs in diesem Fall noch nicht Beweis einer Eheschließung ist«, sagte Milne knapp, als hätte er sich schon vorher Gedanken darüber gemacht.

»Sie nennen sich Lindy Markov, und das seit vielen Jahren, dennoch sind Sie nicht mit Mike Markov verheiratet. Stimmt das?«

»Das stimmt«, sagte Lindy.

»Wann haben Sie sich kennen gelernt?«

»1976.« Nina führte Lindy durch die Begleitumstände ihres Kennenlernens in Ely und die ersten Monate der Beziehung.

»Wann haben Sie begonnen, den Namen Markov zu benutzen?«

»Am 22. April 1977.«

»Und war das ein wichtiger Tag in Ihrer zwanzigjährigen Beziehung?«

»Ja.«

»Haben Sie dieses Datum gefeiert?«

»Jedes Jahr, zwanzig Jahre lang. Es war der Tag unserer unauflöslichen wechselseitigen Verpflichtung. An diesem Abend haben wir uns geschworen, uns für den Rest unseres Lebens zu lieben und zu ehren.«

»Gab es einen förmlichen Anlass?«

»Mike und ich sind in die katholische Kirche in Lubbock gegangen. Außer uns war niemand da. Mike führte mich zum Altar. Er sank auf ein Knie und versprach vor Gott, mich zu lieben und alles in seiner Macht Stehende zu tun, um mich für den Rest meines Lebens glücklich zu machen.« Bei diesen Worten schloss

Lindy die Augen, als werde sie von ihren Gefühlen überwältigt. Sie hatte ihre Emotionen so lange für diesen Augenblick aufgespart, dass Nina befürchtete, sie könnte zusammenbrechen.

Zwischen Jeffrey Riesner und seiner Partnerin Rebecca Casey zusammengesackt, starrte Mike auf den Tisch vor sich.

Nina gab Lindy einen Moment, um sich zu sammeln.

»Sie haben dies als Ihre Hochzeit angesehen«, sagte Nina.

»Ja«, sagte Lindy.

»Sie wussten, dass dies keine rechtskräftige Eheschließung im Staat Nevada war, weil Sie keine Heiratserlaubnis beantragt hatten und die Trauung nicht von einem Priester oder einem dazu bevollmächtigten Beamten vorgenommen wurde.«

»Ja.«

»Warum sind Sie, nachdem Sie von Ihrem ersten Ehemann geschieden waren, nicht einfach zum Standesamt gegangen und haben eine Heiratserlaubnis beantragt?«

»Da hatten wir uns schon miteinander eingerichtet«, sagte sie langsam. Sie machte eine Pause und sah sich im Gerichtssaal um. »Wir waren zusammengezogen, hatten ein Haus gefunden und das Geschäft gestartet. Mike hat immer gesagt, wir brauchen kein Blatt Papier, um uns unsere Liebe zu beweisen. Er hat gesagt: ›Lindy, wir sind Mann und Frau.‹ Unser Leben war der lebendige Beweis, dass wir zusammengehören. Er hat mir gesagt, er sei mit mir zusammen, weil er mich liebe, nicht weil der Staat es so verfügt habe. Wir waren beide vorher kurz verheiratet gewesen. Seine Trennung war bitter.«

»Wünschten Sie sich eine rechtsgültige Eheschließung?«

»Das Thema kam ein paar Mal während unserer Beziehung auf. Ich habe darüber nachgedacht. Aber ich habe nie an seinen Worten gezweifelt, wenn er mir versicherte, dass wir unser Leben lang zusammenbleiben würden, in guten und in schlechten Zeiten, für immer.« Sie sah aus, als sei sie wieder kurz davor, zu weinen. »Er fand, die förmliche Eheschließung wäre etwas für Leute, die nicht wissen, was eine richtige Ehe ist. Ich finde, es wäre anständiger gewesen, verheiratet zu sein. Ich habe mich geschämt, dass wir nicht offiziell verheiratet waren, aber ich wollte ihm glauben, als er mir versprach, dass das nie einen Unterschied machen würde. Ich habe ihn geliebt. Ich habe ihm vertraut.«

Nun führte Nina Lindy mit einfachen Fragen durch die Anfänge von Markov Enterprises, durch die frühen Jahre, in denen sie am Existenzminimum gelebt hatten und nach Texas gezogen waren, wo eine erste Unternehmensgründung gescheitert war.

»Sie haben den Namen Markov in all ihren privaten und geschäftlichen Angelegenheiten benutzt?«

»Ja.«

»Ihre Kunden nahmen an, Sie seien verheiratet?«

»Ja.«

»Hat Mike Sie bei sozialen Anlässen als seine Frau vorgestellt?«

»Ja.«

»Wurden Sie in geschäftlichen Funktionen als seine Frau vorgestellt?«

»Ja.«

»Haben viele private und geschäftliche Bekannte über die Jahre angenommen, Mike und Sie seien verheiratet?«

»Ich glaube, alle dachten das. Ich habe nie darüber gesprochen und er auch nicht.«

»Als es ihm also recht war, verheiratet zu sein, war Mike Markov ein verheirateter Mann, und als ihm das nicht mehr recht war, war er es nicht mehr?«

»Einspruch, Eurer Ehren. Beeinflussung des Zeugen«, sagte Riesner, ohne aufzustehen.

»Stattgegeben.«

»Haben Mike und Sie Kinder?«, fragte Nina.

»Das Geschäft hat bei uns die Stelle eines Kindes eingenommen. Wir haben es zur Welt gebracht. Wir haben es genährt. Es wuchs ...«

Riesner schnaubte hörbar. Genevieve hatte diese Antwort mit Lindy eingeübt, und nun klang sie eingeübt.

Na gut, jetzt hatten sie ihr Mantra wenigstens ins Spiel gebracht.

Am Nachmittag stellte Winston die Fragen. Zum ersten Mal seit Jahren hatte Nina die Gelegenheit, am Anwaltstisch zu sitzen und die Geschworenen zu beobachten, während ein anderer die Befragung durchführte.

Eines fiel ihr sofort auf. Cliff Wright wurde munter und passte auf, wenn Winston sprach. Er lachte an den richtigen Stellen und zupfte nicht an seinen Fingernägeln. Wright mochte Winston, er zog ihn ihr vor. Sie fragte sich, warum.

Und warum machte Winston so einen frischen Eindruck? Während das allgemeine Interesse im Gerichtssaal am späten Nachmittag deutlich abgeflaut war, sah Winston mit seiner warmen kupfernen Haut munter und tatkräftig aus. Er war entspannt und hatte den Saal völlig unter Kontrolle. In den Tagen der eidlichen Zeugenaussagen und der Prozessvorbereitung hatte sich Winston dermaßen zurückgehalten, dass Nina sich schon gefragt hatte, ob es ein Fehler gewesen war, ihn anzuheuern, ob er nicht vielleicht total überschätzt wurde. Nun, wo sie ihn in seinem Element sah, verstand sie seinen Erfolg. Man musste ihn einfach mögen.

»Mrs Markov«, sagte er zu Lindy, »Sie sagten heute Morgen, dass Sie seit vielen Jahren mit Mike Markov in der von Ihnen beiden gegründeten Firma zusammengearbeitet haben.«

»Ja, im wahrsten Sinne des Wortes. Wir haben uns sogar ein Büro geteilt.«

Winston schlenderte zu einem Beistelltisch hinüber. »Euer Ehren, wir möchten dem Gericht Fotografien unterbreiten, die in glücklicheren Zeiten von Lindy und Mike Markov gemacht wurden.«

Sofort wandte sich Riesner flüsternd an Rebecca, um sein

völliges Desinteresse zu bekunden. Sie hatten in der Vorverhandlung darum gekämpft, ob die Fotos gezeigt werden durften, und Riesner hatte nachgeben müssen.

Auf dem ersten Bild, das stark vergrößert und auf einem Karton aufgezogen worden war, sah man zwei Schreibtische nebeneinander. Hinter dem einen strahlte Mike Markov, hinter dem anderen Lindy. Über die Lücke zwischen den Tischen hielten sie Händchen.

»Würden Sie dieses Foto für mich beschreiben?«, fragte Winston.

»Einspruch, Euer Ehren. Ein Foto ist so viel wert wie tausend Worte«, sagte Riesner. »Es spricht für sich.«

»Selbst tausend Worte können die Umstände, unter denen das Bild gemacht wurde, nicht erklären«, sagte Milne. »Fahren Sie fort.«

»Das ... das war unser Büro bei Markov Enterprises. Das Büro in unserer ersten Fabrik.«

»Ist das hier in der Stadt?«

Lindy nickte. »Auf dem Hang oberhalb der Straße, die sich gabelt. Dort haben wir Büroräume und eine Produktionsstätte.«

»Wie viele Jahre haben Mike und Sie ein Büro geteilt?«

»Immer«, sagte Lindy. »Die ganze Zeit. Wir waren uns gerne nah. Wir haben uns dauernd um Rat gefragt.«

»Was steht auf dem Schild auf Ihrem Schreibtisch?«

»Vizedirektorin.«

»Nun, in den Jahren, in denen Markov Enterprises ihren Hauptsitz am Lake Tahoe hatten, was stand da in Ihrer Arbeitsplatzbeschreibung?«

»Es gab keine. Ich tat, was getan werden musste, wie ich das immer getan hatte. Ich habe die täglichen Betriebsausgaben kontrolliert. Ich habe mit Mike und unserer Buchhaltung langfristige Finanzierungspläne ausgearbeitet. Ich habe unsere Mitarbeiter im Vertrieb geschult und unser Angestellten-Bonus-Paket geschnürt. Ich habe Leute angeheuert und Leute entlassen, ich habe sie gefördert und mich mit den Gewerkschaften auseinander gesetzt. Mit der Firma wuchsen meine Aufgaben. Und ich habe immer versucht, mir neue Produkte wie zum Beispiel den Solo Spa einfallen zu lassen.«

Winston schien das Bild lange betrachten zu müssen. Die Hände hinterm Rücken verschränkt, stand er weit genug entfernt, um den Geschworenen den Blick darauf nicht zu versperren. »Wie lautete Mike Markovs Titel?«

»Direktor.«

»Ihre Schreibtische waren gleich groß?«

»Ja.«

»Wenn jemand, sagen wir mal, aus der Fabrik hereinkam, wen würde er dann zuerst ansprechen?«

»Denjenigen, der da wäre, Mike oder mich.«

»Würden Sie sagen, wenn irgendetwas Wichtiges über Ihren Schreibtisch ging, dann landete es auch auf Mr Markovs Schreibtisch?«

»Ja.«

»Und wenn irgendetwas Wichtiges über seinen Schreibtisch ging, zeigte er es Ihnen dann irgendwann?«

»O ja.«

Winston holte einen dicken Stift aus seiner Tasche, starrte einen Moment auf das Bild, als sei er überrascht über das, was er dort entdeckt hatte, und zeichnete dann spielerisch einen Kreis um die beiden Menschen an ihren Schreibtischen. Dann drehte er sich zu Lindy um und fragte: »Obwohl Sie zwei Menschen sind, arbeiteten Sie – was Ihre Kunden, Ihre Angestellten und Ihre geschäftlichen Probleme anging – als Einheit. Wäre das der richtige Ausdruck?«

Das Händchenhalten auf dem Foto unterstrich die Vorstellung, die er mit diesem Bild evozieren wollte.

»Einspruch!«, sagte Riesner. »Unklar. Beeinflussung.«

»Stattgegeben. Beeinflussung.«

»Haben Sie als Einheit zusammengearbeitet?«

»Ja, wie Eltern, die ihre Kinder großziehen.«

»Sie waren gleichberechtigt an Entscheidungen beteiligt?«

»Nichts Wesentliches ist in unserer Firma passiert, ohne dass mein Rat und meine Zustimmung eingeholt wurden.«

»Sie haben direkt mit Kunden verhandelt?«

»Ja.«

»Wenn jemand angerufen hat, sagen wir mal, ein neuer Kunde, der Interesse daran zeigte, Ihre Geräte in seine Produktpalette aufzunehmen, wer hat dann mit diesem Kunden gesprochen?«

»Wir beide.«

»Wie ging das vor sich?«

»Bei allen wichtigen Anrufen machte Mike mir Zeichen, er wollte mithören. Danach besprachen wir den Auftrag und trafen gemeinsam eine Entscheidung.«

»Dachten die Angestellten der Firma, Sie würden die Firma zusammen leiten?«

»Einspruch«, sagte Riesner. »Spekulativ.«

»Stattgegeben.«

»Gut«, sagte Winston. »Wir kommen später noch darauf zu sprechen.«

Und tatsächlich lief Winston Riesner auf einer munteren Jagd durch das Labyrinth juristischer Feinheiten bei Zeugenaussagen davon. Er ließ Lindy beschreiben, wie sie eine Konferenz geplant und durchgeführt hatte, während sich Mike von einem akuten Erschöpfungszustand in Las Vegas erholte.

Sie macht sich gut, dachte Nina, als Winston die Dinge mit Lindy durchsprach. Eine Frau wie sie, die so hart arbeitete, so viel Verantwortungsbewusstsein besaß, die ihren Job und ihren Mann so treu liebte, musste man mögen.

Oder nicht?

18

»Wo ist Paul?«, flüsterte Genevieve am nächsten Morgen, als Richter Milne sich setzte. »Ich dachte, er will das hier sehen.«

»Wir brauchen ihn nicht mehr«, sagte Nina und ignorierte Genevieves verdutzten Blick.

Winston war als Erster dran. Er wollte die größte Waffe der Verteidigung gleich zu Anfang unschädlich machen. »Ich habe hier die Kopie eines Dokuments, das mit ›Vereinbarung zur Gütertrennung‹ überschrieben ist. Es scheint von Ihnen unterzeichnet zu sein. Haben Sie es schon einmal gesehen?«, fragte er Lindy.

Nina, die neben Genevieve Notizen machte, staunte immer wieder über die äußerliche Verwandlung Lindys, an der Genevieve einen entscheidenden Anteil gehabt hatte. Ihre einfache Kleidung, das Fehlen von Make-up und ihr angegrautes Haar bildeten den absoluten Kontrast zu der mondänen Frau, die Nina bei Markovs Party kennen gelernt hatte. Sie sah erschöpft aus und damit verletzlicher. Sie wirkte eher dünn als muskulös, und damit auch schwächer.

Lindy nahm das Beweisstück und warf einen Blick darauf. Währenddessen stand Winston schweigend auf dem Podium und lenkte alle Aufmerksamkeit im Gerichtssaal auf Lindy.

»Ja«, sagte sie schließlich und sah Mike an. »Eine Kopie davon tauchte bei meiner eidlichen Zeugenaussage auf. Und davor vor dreizehn Jahren.«

»Können Sie das Datum näher bestimmen?«

»Irgendwann Mitte der Achtzigerjahre, ich bin mir nicht ganz sicher, wann genau. Gleich nachdem wir nach Kalifornien gezogen sind, ließ Mike es mich tippen und unterschreiben. Es war eine Seite.«

»Was glaubten Sie da zu unterzeichnen?«

»Es fing damit an, dass wir uns gegenseitig versicherten, wie sehr wir einander vertrauten. Dann ging es darum, unsere Vermögen getrennt zu halten.«

»Haben Sie einen Anwalt zu Rate gezogen, bevor Sie es unterzeichneten?«

»Nein.«

»Hat Mike Ihnen vorgeschlagen, Sie sollten das tun?«

Lindy lächelte leicht. »Mike mochte damals keine Anwälte. Er bat mich nur, es zu unterschreiben. Das war in dem Motelzimmer in Sacramento, wo wir wohnten, als wir aus Texas kamen.«

»Wie sah es zu dieser Zeit in Ihrer Beziehung aus?«

Lindy sah noch einmal zu Mike hinüber. Mike versuchte, gleichgültig dreinzuschauen, was ihm jedoch nicht gelang. Rachel beugte sich vor und flüsterte ihm etwas zu.

»Wir waren pleite. Wir waren dabei, unsere Firma in Texas aufzulösen. Ich habe Mike niemals in so einer schlimmen Verfassung gesehen. Bis jetzt.«

»Antrag, die letzten beiden Wörter als unerheblich zu streichen«, sagte Rebecca, die neben Mike saß.

»Die Geschworenen werden die letzten beiden Wörter außer Acht lassen.«

»Wenn Sie ›schlimme Verfassung‹ sagen, was meinen Sie damit?«

»Mike hatte schon mal Pleite gemacht«, sagte Lindy vorsichtig. »Er war wütend. Ich glaube, er fühlte sich machtlos. Er sprach ziemlich viel über seine Exfrau, die ihm alles weggenommen hatte, was er während seiner Jahre im Boxring gespart hatte. Er hielt unsere geschäftlichen Probleme für eine direkte Folge davon, dass wir mit so wenig Geld angefangen hatten, und er gab ihr die Schuld.

Wir bekamen jeden Tag Mahnungen. Gläubiger riefen an. Unser Agent dort versuchte, möglichst viel abzustoßen und etwas für uns zu retten. Wir wohnten in einem Motel in Sacramento, das von einem zwielichtigen Typen geführt wurde, der jeden Morgen um acht Uhr klopfte und sagte: ›Ihre Miete ist fällig‹, als wären wir Kriminelle, die heimlich verschwinden würden. Es war schrecklich heiß in dem kleinen Zimmer. Die ganze Nacht liefen Kakerlaken durch die Küche, und der Balkon hinterm Haus lag über einem Abwassergraben. Es war August, und jeder Tag war über siebenunddreißig Grad heiß. Ich saß den ganzen Tag am Frisiertischchen, rief Leute an und schrieb Briefe, um ein bisschen Geld zusammenzukratzen, und Mike lag nur auf dem Bett. Mike fing an … er wurde wütend auf mich.«

»Warum?«, fragte Winston weich und mitfühlend.

»Weil ich gerade da war«, meinte Lindy. »Er ist stolz und eigensinnig. Er bildete sich ein, ich würde ihn verlassen, sobald der Agent uns unseren Scheck geschickt hatte, ich würde das Geld nehmen und mich aus dem Staub machen. Dann sagte er, eines Tages würde er verschwinden, und dann wäre ich besser dran. Es ging ihm so schlecht, dass ich nicht wusste, was er tun würde.«

»Und wie haben Sie darauf reagiert?«

Alle Aufmerksamkeit im Saal war auf sie gerichtet. Nina sah ein paar zweifelnde Blicke und hoffte, Winston würde die Zweifel mit seinen nächsten Fragen ausräumen können.

»Ich sagte ihm, er könnte das ganze Geld haben, sobald es käme, und es auf seinen Namen auf ein Konto einzahlen, wenn es ihm dann besser gehen würde. Ich würde nichts nehmen. Dann müsste er sich keine Sorgen mehr machen, dass ich ihn verlassen würde oder so.«

»Sie haben ihm Ihren Anteil an dem Scheck angeboten?«

»Mir war das egal, solange wir zusammen waren.«

»Wenn Sie sich selbst mittellos machten, arm, wenn Sie Ihre Macht und alles aufgaben, dann würde er sich besser fühlen? Dann hätten Sie ihn nicht verlassen können? Sie mussten alles opfern, was Sie hatten, um sein angeschlagenes Ego aufzubauen?«

Lindy stand auf. »Das habe ich nicht gesagt!«

Gleichzeitig sprang Riesner auf und wollte Einspruch erheben.

Im gleichen Moment sagte Winston ruhig: »Ich ziehe die Frage zurück.«

Milne rief Winston und Riesner zur Richterbank. Er wandte sich von den Geschworenen ab, damit sie ihn nicht hörten, und zischte Winston ein paar Worte zu, woraufhin dieser nickte und versprach, es nie wieder zu tun. Winston hatte Lindy mit dieser genialen Grausamkeit überrascht; sie hatten es jedenfalls nicht im Konferenzzimmer der Kanzlei mit ihr geprobt. Nina war sicher, dass er ganz spontan gehandelt hatte; dieser Schwall eloquenter Fragen, der Lindy in eine beschützende Haltung gezwungen und den Geschworenen den wahren Charakter der Beziehung lebhaft vor Augen geführt hatte, war nicht geplant gewesen.

Während Winston seine Standpauke bekam, hatten die Geschworenen jede Menge Zeit, über Mike und Lindy nachzudenken, über die irrationalen und bitteren Ängste eines Mannes, der zum zweiten Mal auf die Schnauze gefallen war, und die Bereitschaft einer Frau, zu viel zu geben, um ihm zu helfen.

Nina wusste, dass sie Lindy das nicht hätte antun können. Sie hätte zu große Gewissensbisse gehabt. Und sie spürte, wie sehr es Lindy demütigte, darüber sprechen zu müssen. Lindy schämte sich, wie eine Frau, die zugeben muss, dass ihr Mann sie jeden Freitagabend schlägt, dies aber entschuldigt.

Sprengstoff, kritzelte Genevieve für Nina auf ihren Block.

»Was ist dann passiert?«, fragte Winston jetzt. Beide Anwälte waren auf ihre Plätze zurückgekehrt. Lindy saß sehr aufrecht und schaute an ihm vorbei. Sie vertraute Winston nicht mehr.

»Ich hatte eine gute Stelle gefunden, wo wir einen Boxring aufbauen konnten, und jemanden, der uns Kredit geben würde. In derselben Woche kam ein Scheck von dem Agenten. Alles, was uns aus sieben Jahren harter Arbeit geblieben war. Zwölftausendfünfhundert Dollar. An dem Abend bat Mike mich, dieses Beweisstück zu tippen und zu unterzeichnen.«

»Dies bezieht sich auf Beweisstück Nummer eins des Gegenklägers. Und Sie haben bereits bezeugt, dass Sie es unterschrieben haben.«

»Ja.«

»Lassen Sie mich Ihnen folgende Frage stellen.« Winston senkte die Stimme, und alle beugten sich vor, um nicht ein Wort zu verpassen. »Lassen Sie mich Ihnen diese einfache, aber wichtige Frage stellen.«

»Ja?« Lindy zitterte fast. Sie wusste, was jetzt kam.

»Warum haben Sie dieses Dokument unterzeichnet?«

In der Stille, die folgte, hörte Nina Mikes laute Atemzüge.

»Weil Mike gesagt hat, wir würden heiraten, wenn ich es unterzeichnete. Wir würden heiraten, und wir würden uns nicht unterkriegen lassen.«

Kollektives Ausatmen. Mehrere Geschworene notierten diese Aussage.

»Er hat versprochen, Sie zu heiraten?«

»Ja. Sie wissen schon, gesetzlich.«

»Solange alles Geld und alle Macht vollkommen in seiner Hand blieben?«

»So würde ich es nicht ausdrücken. So lange wie – sein Eigentum getrennt blieb. Er brauchte das. Ihm war's wichtig, und mir war's egal, verstehen Sie?«

Winston wollte auf ihre Antwort eingehen, dann überlegte er es sich anders. Er dachte einen Moment nach, fuhr sich mit einer Hand ans Kinn, und Nina konnte noch einmal beobachten, wie er Pausen nutzte, um die ungeteilte Aufmerksamkeit auf sich zu lenken. Sie konnte noch einiges von ihm lernen.

Schließlich sagte er mitfühlend: »Aber Sie haben nicht geheiratet.«

Lindy erklärte noch einmal, dass Mike die Vereinbarung eingesteckt hatte und nach Texas gefahren war, um dort die noch ausstehenden Papiere zur Auflösung ihres Geschäfts zu unter-schreiben. Winston ließ sie reden.

»Als Mike zurückkam, sagte ich immer wieder zu ihm, lass es uns tun, es ist so einfach, wir müssen nur zu einem Friedens-richter gehen und es amtlich machen. Aber« – sie hob die Hän-de und zuckte die Schultern – »wir haben es einfach nie getan.«

»Sie haben ein Girokonto eröffnet, um den Scheck einzuzah-len?«

»Mike, ja.«

»Lautete das Konto auch auf Ihren Namen?«

Ein vorsichtiges Kopfschütteln. »Nein.«

»Sind Sie umgezogen?«

»O ja. Innerhalb einer Woche. In eine Wohnung in der Nähe der Howe Avenue.«

»Stand Ihr Name in dem Mietvertrag?«

»Nein.«

»Haben Sie die Trainingsräume gemietet und die Verträge für Dienstleistungen und Ausrüstungsgegenstände unterschrie-ben?«

»Nein.«

»Das hat Mike getan?«

»Ja.«

»Hat die Firma irgendwann Geld abgeworfen?«

»Es ging aufwärts, und wir haben nie zurückgeschaut«, sag-te Lindy mit dem Rest von Stolz, den Winston ihr noch gelas-sen hatte.

»Wurde das Geschäft schließlich als Markov Enterprises amtlich eingetragen, und wurden Aktienzertifikate auf diesen Namen ausgegeben?«

»Ja«, sagte sie, und so leise, dass Nina sie kaum verstand, füg-te sie hinzu: »Und mein Name stand nicht darauf.«

»Haben Sie sich bei Mike beschwert?«

»Nein. Ich habe ihn nur noch einmal gefragt, das war vor un-gefähr zehn Jahren. Könnten wir … lass uns heiraten, habe ich gesagt. Wie du mir versprochen hast. Und er hat gesagt, wenn die Zeit gekommen ist. Und dabei habe ich es bewenden lassen.«

»Sie haben sich auf sein Versprechen verlassen?«

»Ich habe mich auf Mike verlassen. Immer. Ich habe ihm stets mein vollstes Vertrauen geschenkt.« Sie klang überrascht, als könnte sie erst jetzt, vor den Geschworenen, die über ihre Handlungen zu befinden hatten, zugeben, dass sie dumm gewesen war.

»Später haben Sie Ihre erste Produktionsstätte für Sportausrüstung hier in Tahoe aufgebaut …«

»Ja.«

»Und …«

»Und, nein, mein Name tauchte nirgendwo auf.«

»Dann haben Sie das schöne Haus oben in der Cascade Road gekauft. Die herrliche Villa«, sagte Winston traurig. »Wer hat das Haus entdeckt und mit dem Immobilienmakler verhandelt?«

»Mike war beschäftigt, also habe ich …«

»Wer hat die Blumenbeete angelegt, die Möbel gekauft und die umfassenden Umbauarbeiten beaufsichtigt …«

»Ich.«

»Und wer hat dort zehn Jahre lang gewohnt, um am Ende wie ein Hund hinausgeworfen zu werden, weil Ihr Name im Grundbuch nicht eingetragen war?«

»Oh, bitte, hören Sie auf!«, sagte Lindy. Tränen liefen ihr über die Wangen.

Winston hatte sie zum Weinen gebracht.

»Das Gericht vertagt sich auf halb zwei. Mr Reynolds, schaffen Sie Ihren … kommen Sie her.«

Beim Kreuzverhör nach dem Mittagessen konzentrierte Riesner sich auf Beweisstück Nummer eins, was niemanden überraschte. Nina übernahm die Aufgabe, in Lindys Namen Einspruch zu erheben. Lindy saß jetzt rechts von ihr, Winston und Genevieve links. Die Geschworenen kamen herein, Mrs Lim, sehr streng in ihrem karierten Kostüm, an der Spitze.

Riesner sah klasse aus, er trug eine glänzende rot-goldene Seidenkrawatte und war von Kopf bis Fuß geschniegelt und gestriegelt. Der blaue Fleck auf seiner Wange gab ihm einen verwegenen Touch. Sein zur Schau gestelltes falsches Mitgefühl für Lindy hatte genau die Wirkung, auf die er gehofft haben musste: Es schürte Zweifel an ihrer Aufrichtigkeit.

Dann spielte er mit grafischen Darstellungen, die er, wie Nina annahm, während irgendwelcher mitternächtlicher Besprechungen ersonnen hatte, um diese Medienjunkies, diese Generation-X-Geschworenen zu fesseln. Er befestigte vorne im Gerichtssaal an einem Flipchart einen großen Bogen weißes Papier und griff nach einem dicken Stift. »Vertrag«, sagte er und schrieb das Wort oben auf das Blatt, »zwischen Lindy und Mike. Lindy bekommt die Hälfte von allem, einschließlich des Geschäfts. Und hier unten ist Platz, damit Sie und Mike unterschreiben können. Haben Sie Mike jemals gebeten, ein solches Blatt Papier zu unterzeichnen?«

»Nein.«

»Hat Mike Sie jemals ein solches Blatt unterzeichnen lassen?«

»Nein.«

»Warum nicht?«

»Wir hatten unsere Abmachung«, sagte sie ein wenig schwermütig. »Das wechselseitige Versprechen, als Mann und Frau zu leben und alles zu teilen. Mike hatte mir gesagt, das würde reichen.«

»Ist es nicht eine Tatsache, Ms Markov, dass der Grund, warum Sie ihn nicht baten, ein Blatt Papier zu unterschreiben, das erklärte, dass Sie die Hälfte von allem besitzen, der war, dass das gar nicht ihre Abmachung war, sondern dass Sie sich auf die Vereinbarung zur Gütertrennung geeinigt hatten?«

»Nein, das stimmt nicht. Mike hat sich nicht an seinen Teil der Vereinbarung gehalten. Er hatte versprochen, mich zu heiraten, wenn ich unterschreibe.«

»Ms Markov, erklären Sie mir das. Wenn Sie und Mike Markov an dem Tag, an dem Sie Beweisstück Nummer eins unterzeichnet haben, zu einem Friedensrichter gegangen wären, hätten Sie ihn dann geheiratet?«

»Natürlich hätte ich das!«

Riesner schritt hinüber zum Justizbeamten, schob ihr ein Blatt Papier hin und ließ es als Beweisstück nummerieren.

»Was ist das?«, fragte er Lindy.

Sie betrachtete die Urkunde, sah Riesner an und wandte den Blick zu Nina. »Es ist eine Heiratsurkunde.«

»Zwischen Ihnen und einem Mann namens Gilbert Schaefer? Die besagt, dass Sie verheiratet waren, bevor Sie Mike kennen lernten?«

»Ja.« Warum wurde ihre Stimme immer zittriger? Sie hatte kein Geheimnis aus der Tatsache gemacht, dass sie schon einmal verheiratet gewesen war.

»Und wann wurde Ihre Scheidung rechtskräftig?«

Lindy antwortete nicht. Sie sah Mike noch einmal an. Sie wurde immer blasser.

»Einspruch, Euer Ehren. Dies sprengt den Rahmen des Kreuzverhörs«, sagte Nina, plötzlich verängstigt. »Der Anwalt kann die Zeugin nicht zu einem Stück Papier befragen, das ich noch nicht gesehen habe.«

»Dies sprengt den Rahmen nicht, Euer Ehren«, entgegnete Riesner. »Sie hat dieses Thema zur Sprache gebracht, als sie die Frage der Heirat erörterte. Ich habe versäumt, dies der Anwältin zu zeigen. Mein Fehler. Ich bitte um Verzeihung.« Er ging zu Nina hinüber und reichte ihr schwungvoll das Blatt.

»Ich weise den Einspruch ab«, sagte Milne.

»Meine Scheidung wurde ...«, setzte Lindy an und brach dann ab. Sie sah Nina noch einmal Hilfe suchend an, aber Ni-

nas Aufmerksamkeit galt nur dem Blatt Papier, das sie krampf-
haft zwischen den Fingern hielt.

»Wo haben Sie sich scheiden lassen?«, fragte Riesner, der
Lindy anscheinend nicht länger zappeln lassen wollte.

»Ich stelle Ihnen die Frage jetzt noch einmal, Ms Markov, und
bitte Sie, ihr Ihre volle Aufmerksamkeit zu schenken. Wann
sind Sie geschieden worden?«

»Letztes Jahr«, sagte Lindy. Einige der Geschworenen stutz-
ten. Das Publikum wurde unruhig, ein Murmeln ging durch den
Saal.

»Was, zum Teufel?«, flüsterte Winston, und Nina reichte ihm
die Scheidungsurkunde, die auf das vergangene Jahr datiert war.

»Ruhe«, ermahnte Deputy Kimura das Publikum in strengem
Ton.

»Trotz Ihres häufig geäußerten Wunsches, Mr Markov zu heiraten, waren Sie gar nicht frei, um zu heiraten, stimmt das?«,
fragte Riesner.

»Lassen Sie mich das erklären! Ich bin immer davon ausgegangen, dass ich in dem Jahr geschieden wurde, bevor ich Mike
kennen gelernt habe. Ich wusste bis vor kurzem nicht, dass es
ein Problem mit meiner Scheidung gab. Ich war damals gleich
nach Juarez geflogen, um mich darum zu kümmern.«

»Sie sind nach Juarez geflogen, um im Schnellverfahren eine
Scheidung zu erwirken, ohne sich darum zu kümmern, ob diese in den USA rechtsverbindlich war?«

»Natürlich dachte ich, sie sei rechtsverbindlich! Sonst hätte
ich mir die Mühe nicht gemacht.«

»Das ist schon wieder eine Lüge, nicht wahr? Wo ist diese berühmte Scheidungsurkunde aus Juarez?« Riesner wusste aus
Lindys Zeugenaussage, dass sie sie vor Jahren verloren hatte.
»Also, wo ist sie?«, wiederholte er ungeduldig in missbilligen-
dem Tonfall.

»Ich habe sie verloren.«

»Verloren?« Er spazierte umher, seufzte, verdrehte die Augen. »Sie wollen uns erzählen, Sie erhielten eine nicht rechtskräftige Scheidungsurkunde, verloren die Urkunde und wussten bis letztes Jahr nicht, dass sie nicht rechtskräftig war? Kommen Sie schon, Lindy ...«

»Einspruch!«

Die Anwälte stritten sich außerhalb der Hörweite der Geschworenen ein paar Minuten mit Milne, aber Nina wusste, dass sie nichts tun konnte, um den Schaden abzufedern, der ihrer Sache zugefügt worden war. Die Geschworenen konnten diesen Beweis nicht ignorieren. Lindy war damals nicht geschieden, daher hätte sie Mike gar nicht heiraten können.

»Wann haben Sie erfahren, dass Sie immer noch mit Gilbert Schaefer verheiratet waren?«

»Mein Exmann hat mich vor etwas über einem Jahr angerufen. Er sagte, er wolle wieder heiraten, und glaube, er bräuchte dafür eine Scheidung hier in den USA. Er hatte nachgeforscht und herausgefunden, dass die erste möglicherweise nichts taugte.«

»Dann wäre eine Heirat mit Mr Markov Bigamie gewesen. Und nicht rechtskräftig.«

»Einwand«, sagte Nina. »Fordert zu juristischen Schlussfolgerungen auf. Das ist strittig und spekulativ und ...«

»Stattgegeben.«

»Dann waren Sie also während all der Jahre mit Mike Markov mit einem anderen Mann verheiratet?«, fragte Riesner.

»Ich war mit Mike verheiratet«, sagte Lindy bestimmt, »in jedem Sinne, nur, dass wir nicht auf dem Standesamt gewesen waren.«

Unter den gegebenen Umständen klang die Aussage verrückt und überzogen.

»Ach, übrigens, haben Sie das Mike letztes Jahr erklärt?«

Lindy schüttelte stumm den Kopf.

»Sie müssen es laut aussprechen«, sagte Riesner.

»Nein. Ich wollte nicht, dass er es weiß.«

272

»Warum nicht?«

»Wo soll das hinführen, Euer Ehren?«, fragte Nina. Sie marschierte mit Riesner zum Richter. Milne beugte sich vor und sagte flüsternd: »Jeff. Was soll das alles?«

»Es geht um ihre Geheimnisse und Lügen, Richter. Ihr Arme-kleine-Frau-Getue. Ihr völliges Verlassen auf Mr Markov und ihre Abhängigkeit von ihm. Aber nicht nur das. Es geht um ihren ganzen Fall. Sie hat die Vereinbarung zur Gütertrennung auf der Basis des wechselseitigen Versprechens unterschrieben, ihr Vermögen getrennt zu halten. Sie wusste, dass ihre Scheidung nichts taugte. Und ein gebrochenes Eheversprechen – pah! Das stinkt doch zum Himmel, und das habe ich gerade bewiesen.«

Milne sagte zu Riesner: »Okay. Aber Sie sind weit genug gegangen mit diesem Thema. Die letzte Frage lasse ich nicht zu.«

»Aber …«

Nichts aber. Sie waren entlassen.

Als beide das kurze Stück an der Geschworenenbank vorbei zu ihren Tischen zurückeilten, spürte Nina plötzlich einen Druck gegen ihre Ferse. Riesner hatte ihr in die Ferse getreten.

Ungelenk fiel sie vornüber und stolperte dirckt vor dem völlig überraschten Winston gegen den Tisch. Sie versuchte noch, sich daran festzuhalten, aber es gelang ihr nicht. Sie rutschte ab, schlug gegen die Tischbeine und stürzte zu Boden. Ein stechender Schmerz schoss durch ihren linken Knöchel.

Deputy Kimura war sofort zur Stelle und half ihr auf, und Genevieve kam um den Tisch, um ihr zu helfen, ihre Kleider glatt zu streichen.

»Das Gericht vertagt sich bis morgen früh neun Uhr«, verkündete Milne, und die Unruhe wurde größer. »Wie geht es Ihnen?«, fragte Milne und kam in seiner Robe um das Podium herum. »Das war ein schlimmer Sturz.« Die Geschworenen verließen einer nach dem anderen den Saal, einige drehten sich noch mal um, um nach Nina zu sehen.

Nina verlagerte probeweise ihr Gewicht auf den Fuß. »Scheint nichts gebrochen zu sein«, brachte sie heraus. Sie würde nicht zulassen, dass der Schmerz ihr die Tränen in die Augen trieb, solange dieser Scheißkerl Riesner noch in der Nähe war.

»Wie außerordentlich ungeschickt von mir«, sagte Riesner. Er berührte so ganz nebenbei den blauen Fleck auf seiner Wange. »Mein Fuß … irgendwie hat er wohl Ihren Schuh erwischt.«

Nina wandte sich ab. »Bringt mich einfach hier raus«, sagte sie mit zusammengebissenen Zähnen zu Winston. Er zog ihren Arm über seine Schulter, schleppte sie zum Aufzug und dann nach draußen, wo sie sich zwischen wartenden Kameras hindurchschob. Genevieve trottete mit den Aktentaschen hinterher.

Nina legte den ganzen Abend den Fuß hoch, damit die Schwellung zurückging, und versuchte, vernünftig darüber nachzudenken, was im Gericht passiert war, kurz bevor Riesner sie zu Fall gebracht hatte.

Ausnahmsweise einmal rief Lindy nicht an, also wählte Nina Lindys Nummer. »Ich reiße mir ein Bein aus, um den Fall für Sie zu gewinnen«, sagte sie. Sie war dermaßen sauer, dass es ihr leicht fiel, auf die üblichen Höflichkeiten zu verzichten. »Warum, zum Teufel, haben Sie mir nicht erzählt, dass Sie erst letztes Jahr offiziell von Gilbert Schaefer geschieden wurden?«

»Ich dachte, Gil wäre für immer verschwunden und würde nie wieder auftauchen«, sagte Lindy. »Und ich dachte, hunderttausend müssten als Garantie dafür genügen.«

»Er hat Sie erpresst?«, fragte Nina.

»Eigentlich nicht. Ich hab's ihm angeboten. Ich habe ihm einen Teil von dem Geld gegeben, das ich die ganzen Jahre von meinem Gehalt gespart hatte, und die Abfindung, die ich bekommen habe, als ich entlassen wurde …« Sie zögerte. »Dann habe ich ihm zugesagt, ihm noch mehr zu geben, wenn ich gewonnen habe, falls er sich aus dem Fall raushält.«

Das erklärte, warum eine Frau, die zwanzig Jahre lang ein gutes Gehalt bekommen und nie einen Cent davon für ihren Lebensunterhalt ausgegeben hatte, Nina nur eine so geringe Summe als Abschlagszahlung hatte anbieten können. Nina unterdrückte das Bedürfnis, einfach aufzulegen. »Sie glauben wirklich, alle Probleme wären mit Geld zu lösen, nicht wahr?«, fragte Nina.

»Das ist nicht meine einzige Methode. Nur diejenige, die normalerweise am besten funktioniert«, sagte Lindy.

Nina, die bis zum Hals in Schulden steckte, war von Lindy jedenfalls nicht mit Geld überschüttet worden. Wutschäumend sagte sie Auf Wiedersehen. Bob kam herein, warf einen Blick auf sie und machte sich daran, den Tisch abzuräumen und die Spülmaschine einzuräumen.

Sie bekam ihn am Arm zu fassen, als er vorbeiging. »Bob, ohne dich …«

»Komm schon, Mom«, sagte er, ließ sich einmal kurz drücken und machte sich dann leichtfüßig davon. »Ich will hier fertig werden, bevor meine Show anfängt.« Er trug Geschirr zur Arbeitsplatte. »Soll ich dir einen Eimer kaltes Wasser für deinen Fuß bringen?«

Sie antwortete nicht. Er kramte unter einem Schrank und tauchte mit einem braunen Plastikeimer wieder auf. »Weißt du noch, als ich mir mal beim Hockey den Knöchel verstaucht hatte? Da hast du gesagt, es würde wirklich helfen, und ich sagte, das würde es nicht. Wir haben gewettet, und du hast gewonnen.«

Sie massierte ihren Fuß, hörte und schaute zu, wie er im Gefrierfach nach Eis suchte. Ohne ihn …

Der nächste Morgen kam, und mit ihm ein neuer Tag vor Gericht. Eine Strumpfhose über ihren geschwollenen Knöchel zu ziehen tat weh, aber in der morgendlichen Aufbruchshektik vergaß sie ihn, bis sie im Gerichtssaal am Tisch saß und der Knöchel wieder anfing zu pochen.

»Ich rufe Harry Anderssen in den Zeugenstand«, sagte Winston, tätschelte Nina die Schulter, erhob sich und schenkte den Geschworenen ein wohlwollendes Lächeln.

Die Show musste weitergehen. Nina konnte nur hoffen, dass bald ein Zauberer auftauchte und hier für sie zaubern würde. Während der nächste Zeuge vom Justizbeamten vereidigt wurde, nahm Nina sich einen Augenblick Zeit, ihn genauer zu betrachten. Harry Anderssen war drei Jahre lang Lindys Assistent gewesen. Er trug einen Rollkragenpullover unter einem dunkelgrünen Sportsakko, das zu seinen großen dunklen Augen passte, und hatte sich sein langes braunes Haar nach hinten gekämmt. Nina hatte einige Fotos von ihm als Model gesehen. In Broschüren und Videos trug er normalerweise nur Shorts, damit sein ungewöhnlich gut entwickelter Körper besser zur Geltung kam.

Winston fragte ihn nach seinem Hintergrund und seiner Geschichte in der Firma.

»Sie bekleideten eine recht verantwortungsvolle Position?«

»Das würde ich so sagen. Die Markovs, dann Rachel und Hector, die leitenden Angestellten. Ich war die nächste Ebene darunter, aber ich habe direkt für Lindy gearbeitet.«

»Wie würden Sie Ihre frühere Beziehung zu Ms Markov charakterisieren?«

»Arbeitgeberin – Arbeitnehmer.«

»Und wie haben Sie ihre Rolle in der Firma verstanden?«

»Einspruch«, sagte Riesner. »Fordert den Zeugen zu Spekulationen auf.«

»Abgewiesen«, sagte Milne. »Bitte antworten Sie.«

»Sie und Mike führten die Firma.«

»Zusammen?«

»So ziemlich.«

»Haben Sie sie regelmäßig zusammen arbeiten sehen?«

»O ja. Ihre Schreibtische standen direkt nebeneinander.«

»Hatten Sie den Eindruck, dass der eine oder die andere bei Entscheidungen das Sagen hatte?«

»Einspruch«, sagte Riesner, der jetzt eine vorsichtig berechnete Verärgerung an den Tag legte. »Entbehrt jeglicher Grundlage. Fordert den Zeugen zu Schlussfolgerungen auf.«

»Abgewiesen«, sagte Milne. »Er fragt nach dem Eindruck des Zeugen, nicht nach Schlussfolgerungen aus Fakten.« Dieses eine Mal hatte Nina das Gefühl, dass die Entscheidungen in ihre Richtung ausschlugen. Sie hatte herausgefunden, dass Milne dazu neigte, ein wenig mehr zuzulassen, als er unter den strengen Regeln der Beweisführung hätte zulassen müssen. Dies verringerte die Zahl der Berufungsgründe und kam der Wahrheitsfindung zugute. Zum tausendsten Mal schickte sie ein Dankgebet gen Himmel, dass Tahoe so einen großartigen Richter hatte.

»Sie dürfen antworten«, sagte Milne zu dem Zeugen.

»Nein. Ich hatte den Eindruck sie waren beide gleich wichtig«, sagte Harry. Er sah sich im Gerichtssaal um und lächelte. Harry schien gern zu lächeln und setzte das Lächeln ein, so oft er konnte.

»Wer, glaubten Sie, sei der Inhaber der Firma?«

»Ich habe es als Familienunternehmen im Besitz und unter Leitung der Markovs betrachtet.«

»Hatte irgendjemand mehr Verantwortung für die Leitung der Firma als Lindy Markov, abgesehen von Mr Markov?«

»Nein.«

»Hatten Sie den Eindruck, dass Lindy eine Art Assistentin von Mr Markov war?«

Er lachte, was ihm noch eine Gelegenheit gab, seine perfekten weißen Zähne zu präsentieren. »Nein. Sie hatten viele Auseinandersetzungen, und Lindy ging oft als Siegerin hervor.«

»Kam das Thema ihres Familienstands je zur Sprache?«

»Für uns waren sie Mr und Mrs Markov. Natürlich haben wir alle angenommen, sie wären verheiratet.«

»Und in Bezug auf den Inhaber der Firma? Haben Sie jemals die entsprechenden Firmenunterlagen zu sehen bekommen?«

»Nein. Warum sollte ich? Ich hab als Lindys Assistent angefangen, und jetzt bin ich nur noch der Pin-up-Boy.« Er streckte charmant das Kinn vor, und in der Geschworenenbank leckte Maribel Grzegorek sich die Lippen. Rachel lächelte ihm zu.

»Wer, glaubten Sie, bis zu dem Zeitpunkt, als die Markovs sich trennten – wer, glaubten Sie, war Inhaber der Firma?«

»Oh, die beiden zusammen.« Er warf Mike einen Blick zu. »Wir haben bei der Arbeit herumgealbert und sie Mom und Pop genannt. Genauso war es, ein Familienbetrieb wie der Eckladen, der von Mom und Pop geführt wird.«

»Mom und Pop«, wiederholte Winston. Das war eine ausgezeichnete Variation ihres Mantras.

Lindy regte sich auf ihrem Stuhl neben Nina. »Er hat eine gehässige Ader. Das wird Mike nicht gefallen«, flüsterte sie Nina ins Ohr.

»Er sagt genau das, was uns nützt, Lindy.«

»Und in Gesprächen mit Kunden, haben Sie da häufig von Lindy Markov als der Inhaberin der Firma gesprochen?«, fuhr Winston fort.

»Ja.«

»Hat Mr Markov je etwas getan oder gesagt, was Ihnen den Eindruck vermittelt hätte, dass er die Firma ganz allein besitzt und führt?«

»Nein. Er sagte immer ›wir‹. *Wir* werden einen neue Produktreihe einführen. *Wir* möchten in London ein Solo-Spa-Outlet eröffnen. Was nicht bedeutet, dass sie in der Firma nicht verschiedene Verantwortungsbereiche hatten. Mikes Ding ist eher die praktische Seite. Lindy ist die Planerin.«

Riesner kam gleich zur Sache.

»Sie wissen, dass Ihre Zeugenaussage Ms Markov helfen wird, nicht wahr, Mr Anderssen?«, fragte er.

»Es ist, wie es ist.« Noch so ein sagenhaftes Lächeln. Wenn heute Fotos für die Zeitungen gemacht werden, dachte Nina, dann ist er morgen ein Star.

»Apropos. Es gibt da sicher noch was, was Ihnen am Herzen liegt, nicht wahr?«

»Wie bitte?«

»Sie möchten doch nicht, dass Mr Markov gewinnt, nicht wahr?«

»Ich fühle mich verpflichtet, die Wahrheit zu sagen, auch wenn Mike mein Arbeitgeber war«, sagte er.

»Und zufällig der Mann ist, der vorhat, die Frau zu heiraten, die Sie lieben – sieht das nicht nach einem kleinen Problem aus?«, fragte Riesner. Er drehte sich nicht um, um Mike anzuschauen, und Nina wusste, warum. Jetzt war es an Mike, eine unerfreuliche Überraschung von seinem Anwalt zu erleben. Mikes Augen brannten, aber es gelang ihm, den Mund zu halten. Trotz der öffentlichen Szene zwischen ihm und Harry hatte er Riesner offensichtlich gebeten, die Information nicht vor Gericht zu verwenden, um Rachel und ihm die Peinlichkeit zu ersparen. Aber Riesner hatte einer solchen Gelegenheit, Befangenheit vorzuführen, nicht widerstehen können. Nina konnte die kleinen Reportergehirne in den hinteren Reihen förmlich summen hören, die überlegten, wie sie über diese hübsche Andeutung von Sex berichten sollten.

»Ich weiß nicht, wie Sie das meinen«, sagte Harry.

»Klar wissen Sie das, Harry. Sie und Ms Pembroke, Mr Markovs Verlobte, waren bis vor ungefähr sechs Monaten ein Paar. Das stimmt doch, oder?«

»Ja. Aber …«

»Ihnen liegt noch etwas an ihr.«

»Das leugne ich nicht. Aber …«

»Sie wünschten, sie würde Sie heiraten, nicht wahr?«

»Wie auch immer«, sagte Harry, und zum ersten Mal blitzte Wut auf in seinen grünen Augen. »Sie hat 'ne kluge Wahl getroffen. Ich nehm's ihr wirklich nicht übel. Sie hat sich fürs Geld entschieden.«

Nicht einmal Deputy Kimura konnte den Gerichtssaal jetzt

zur Ruhe bringen. Riesner warf den Kopf zurück, in seinem Gesicht stand die schiere Wut, unkontrollierbar wie ein Gewitter.

»Antrag auf Streichung der letzten beiden Sätze, unerheblich!«, rief er schnell über das Stimmengewirr hinweg und zwang sein Gesicht wieder zu der Grimasse, die bei ihm ein normaler Gesichtsausdruck war.

Winston beugte sich zu Nina hinüber. »Hast du das gehört?«, murmelte er. »Jetzt wissen die Geschworenen Bescheid.«

»Stattgegeben. Die Geschworenen werden die letzten beiden Sätze des Zeugen außer Acht lassen, sie werden aus dem Protokoll gestrichen. Ruhe im Saal!« Milnes Hammer sauste nieder, und der Lärm legte sich.

Nina beobachtete Mike, der schon halb aufgestanden war. Rebecca hatte sich zu ihm hinübergebeugt und redete schnell auf ihn ein. Nina verstand nicht, was sie sagte, hörte jedoch den besänftigenden Tonfall. Rebecca versuchte, Mike davon abzuhalten, den Fehler, den Riesner gemacht hatte, noch größer zu machen.

Was immer sie auch gesagt haben mochte, es tat seine Wirkung. Mike ließ sich schwer auf seinen Stuhl fallen. Riesner wischte sich mit seinem seidenen Taschentuch über die Augenbrauen und verbrachte viel Zeit damit, Harry durch weitere harmlose Themen zu führen, um die Bombe zu entschärfen. Winston fuhr nach dem Mittagessen mit seiner Vernehmung fort, dann wurde Harry entlassen. Als die Nachmittagspause angesagt wurde, stürzten sich die Reporter auf ihn. Er hatte es nicht eilig wegzukommen und willigte freundlich ein, für alle gewünschten Schnappschüsse zu posieren.

Nina empfand fast so etwas wie Mitleid mit Riesner, der seinen Mandanten zum Idioten gemacht hatte und mit ansehen musste, wie seine Bemühungen nach hinten losgingen. Das machte den gestrigen Tag fast – aber nicht ganz – wieder wett.

19

Freitagmorgen wachte Bob mit Fieber auf. Andrea musste arbeiten. Matt musste arbeiten. Nina musste arbeiten. Matt versprach, im Laufe des Tages ein paar Mal vorbeizuschauen, um nach ihm zu sehen. Also blieb Nina nur das, was allen Alleinerziehenden blieb: Sie pumpte Bob voll Medikamente und setzte ihn mit einem Sixpack Kindercola und Crackern vor den Fernseher, außer Hitchcocks Reichweite. Als sie ging, lag Bobs Kopf auf Hitchcocks Rücken, und er sah sehr blass aus. »Im Notfall piep mich an«, sagte sie und fühlte sich wie eine Idiotin. Was für eine Mutter würde ihr krankes Kind allein lassen, nur um zur Arbeit zu gehen? Sie würde es wieder gutmachen, wenn der Prozess vorüber war.

Sie kam viel zu spät zum Gericht. Milne hatte gerade die erste Vormittagspause ausgerufen. Zum Glück war Winston für sie eingesprungen. »Du schuldest mir was«, flüsterte er und reichte ihr die Fackel in derselben Sekunde, in der sie ihren Aktenkoffer auf den Stuhl geworfen hatte.

»Winston. Auf ein Wort.« Nina nahm ihn beim Ärmel, als er gerade vom Anwaltstisch aufstehen wollte. Er folgte ihr in die Kammer neben der Gerichtsbibliothek. Nina schloss die Tür. Er klärte sie darüber auf, was sie im Gericht verpasst hatte. Und für den Fall, dass er es irgendwie verpasst haben sollte, klärte sie ihn darüber auf, was da draußen in der Welt passiert war.

Die Berichterstattung in den Medien hatte mit einer Betrachtung beider Parteien im Fall Markov angefangen, aber dann hatten die Kommentatoren die Sache an sich gerissen. In den ersten paar Tagen des Verfahrens war Lindy als vollkommene Projektionsfläche erschienen. Eine bekannte Bostoner Feministin schrieb in ihrer in mehreren Zeitschriften erscheinenden Kolumne, der Markov-Fall symbolisiere die Tatsache, dass Frauen längst noch nicht so weit waren, wie sie dachten. Lindy lehnte alle Interviewanfragen ab, was den Medien freie Hand gab, die ganze Geschichte so auszuschmücken, wie es zur Sichtweise des Beitrags am besten passte.

Aber nun hatte Riesner einen Ehemann ausfindig gemacht, jedenfalls einen Mann, der viel länger Lindys rechtlich angetrauter Gatte gewesen war, als Lindy alle hatte glauben lassen. Daraufhin war Lindy als Projektionsfläche hastig fallen lassen worden, und nun versuchte man es mit Mike.

Doch der Tonfall der Medien war nur ein Echo der veränderten Stimmung im Gerichtssaal. Bevor Lindy vor den Augen der Geschworenen den freien Fall antrat, den sie nicht überleben würde, mussten Nina und Winston sofort mit der unmittelbaren Schadensbegrenzung in Sachen ihres Images beginnen.

»Ich rufe Florencia Morales in den Zeugenstand.«

Eine junge Hispanoamerikanerin betrat den Zeugenstand, neben sich einen Übersetzer, und wurde vereidigt.

»Sind Sie Mike Markovs Haushälterin?«, fragte Nina. Mrs Morales hörte sich die Übersetzung an und antwortete. Sie sprach ganz gut Englisch. Der Übersetzer war nur da, um sicherzustellen, dass sie die Fragen richtig verstand.

»Ja, das ist richtig«, sagte sie.

»Und sind Sie in den letzten sieben Jahren bei den Markovs angestellt gewesen?«

»Ja.«

»Nun, Mrs Morales, als Haushälterin müssen Sie viel von dem mitbekommen, was sich bei den Markovs abspielt.«

»Ja.«

»Wie viele Tage in der Woche arbeiten Sie?«

»Ich bin jeden Tag da. Ich wohne in dem Haus. An den meisten Tagen arbeite ich.«

»Also waren Sie am achtundzwanzigsten März vergangenen Jahres da, als Gilbert Schaefer kam, um Lindy Markov mitzuteilen, dass sie noch immer verheiratet waren?«

»Einspruch«, sagte Riesner. »Beeinflussung der Zeugin, spekulativ, unwichtig, ermangelt jeder Grundlage …«

»Stattgegeben.«

»An dem Tag vor etwa einem Jahr, haben Sie da mitbekommen, dass ein Mann namens Gilbert Schaefer ins Haus kam?«

»Ich habe ihm die Tür geöffnet. Er hat sich vorgestellt.«

»Was ist dann passiert?«

»Ich habe Lin… Mrs Markov gerufen. Sie kam herunter.«

»Und wie hat sie reagiert, als sie Mr Schaefer gesehen hat?«

»Hörensagen, Euer Ehren«, sagte Riesner. »Wir erheben Einspruch.«

»Stattgegeben.«

»Würden Sie uns bitte nur das mitteilen, was Sie beobachtet haben, nichts, was sie aus anderen Unterhaltungen erfahren haben.«

»Okay«, sagte Mrs Morales. »Sie kam die Treppe herunter. Als sie ihn sah, wurde sie erst weiß, dann fast grau. Sie wollte wissen, wieso er nach so vielen Jahren wieder auftauchte.«

»Und warum war er gekommen?«

»Er sagte …«

»Einspruch«, sagte Riesner.

»Stattgegeben.«

»Hat er ihr gesagt, warum er gekommen ist?«

»Ja. Er rückte sofort damit raus. Peng.«

»Und können Sie seine Stimmungslage zu dem Zeitpunkt beschreiben?«

»Er spielte den Clown, als ob alles ein Witz wäre.«

»Wie reagierte sie, als er ihr sagte, warum er gekommen war?«

»Sie hörte ihm zu. Erst glaubte sie ihm nicht, aber er zeigte ihr ein paar Papiere, die bewiesen, dass es stimmte, was er sagte. Dann ließ sie sich auf die Couch sinken, als ob ihr jemand mit der Axt auf den Kopf geschlagen hätte. Sie war sehr überrascht über das, was er ihr sagte.«

Nina schritt ruhig vor den Geschworenen auf und ab, die

Hände hinter dem Rücken verschränkt, den Kopf gesenkt, als stellte sie sich die Szene vor. Sie gab allen reichlich Zeit, um zu begreifen, dass Lindy entsetzt war, als sie erfuhr, dass sie gar nicht von diesem Mann geschieden war. Sie sah die Geschworenen an. Mrs Lim machte sich Notizen. Kris Schmidt sah gereizt aus. Cliff Wrights Miene war schwer zu deuten. »Nun zu einem anderen Thema«, sagte Nina. »Ist Ihnen bekannt, dass Mr Markov eine Nichte hat, die siebzehn Jahre alt ist und in Ely lebt?«

»Ja. Ich habe sie ein paar Mal gesehen.«

»Wenn sie zu den Markovs kam?«

»Ja, genau.«

»Und wenn sie zu den Markovs kommt, wie nennt sie Mr Markov?«

»Onkel Mike.«

»Und was ist mit Lindy Markov?«

»Tante Lindy.«

Nach der Nachmittagspause führte Nina die Befragung von Mike Markov fort, die Winston begonnen hatte. Sie versuchte den Geschworenen zu zeigen, dass Mike Markov alle Vorteile einer Ehe mit Lindy genutzt hatte, ohne sich auf die rechtlichen Verpflichtungen einzulassen, aber Riesner hatte seinen Mandanten gut vorbereitet. In den letzten drei Verhandlungsstunden des Tages beteuerte Markov stoisch, Lindy habe in der Firma eine unwesentliche Rolle gespielt. Er ließ sich nicht provozieren. Den Solo Spa habe er ganz allein erfunden. Er habe von ihr nie als von seiner Frau gesprochen, weder in der Öffentlichkeit noch privat.

Dann war Nina an der Reihe, mit Bildern zu spielen. Sie bat darum, das Licht zu dimmen, und legte ein Video ein, das Paul von jemandem aus der Marketingabteilung bekommen hatte.

Hinter einem Stehpult hielt Mike eine Ansprache: »Meine verehrten Damen und Herren, liebe Mitarbeiter und Freunde. Es ist mir ein großes Vergnügen, Ihnen meine Gefährtin, Partnerin, Muse und Ehefrau Mrs Lindy Markov vorzustellen!«

Die Leinwand war wieder weiß.

Neben Genevieve ertönte ein Geräusch. Nina drehte sich nicht zu Lindy um, die dort saß.

»Frischt das Ihr Gedächtnis auf?«, fragte sie Mike Markov.

Bevor der aus dem Konzept gebrachte Beklagte eine Chance hatte, sich davon zu erholen, dass er vor dem Gericht als Lügner dastand, holte Nina zum Schlag aus. Sie brachte ihn zu dem entscheidenden Eingeständnis. Er gab zu, dass Lindy gesagt hatte: »Nun können wir heiraten«, als sie die Vereinbarung zur Gütertrennung unterschrieb.

Am Abend sagte sie das Arbeitsessen mit Genevieve und Winston ab. Sie mussten sich ohne sie über die Arbeit des vergangenen Tages zanken oder bis Samstag damit warten. Trotz ihres relativ wirkungsvollen Auftritts an diesem Tag fühlte sie sich nicht gut. Sie konnte sich nicht erinnern, jemals mit dermaßen glühendem Eifer analysiert worden zu sein, all ihre Schritte vor Gericht, die guten und die schlechten. Manchmal rieben diese Beurteilungen sie fast auf.

Sie rief Sandy an, um sie auf den neuesten Stand zu bringen und ihr Anregungen zu geben, wie sie den Betrieb in ihrer vernachlässigten Kanzlei aufrechterhalten konnte, dann fuhr sie nach Hause zu Bob. Es gelang ihr, ihm eine Vogelportion Suppe zwischen seine vom Fieber geschwollenen Lippen zu träufeln, bevor er um halb acht schon wieder schlappmachte.

Als das Telefon klingelte, ging sie nicht ran. Sie befürchtete, es könnte Lindy sein, und Nina war einfach außer Stande, sie in diesem Moment zu beruhigen. Sie konnte sich ja nicht einmal selbst beruhigen.

Dieser Prozess brachte eine bislang unbekannte Reizbarkeit aller Beteiligten mit sich. Alle stürzten sich auf den kleinsten Fehler. Jede noch so nebensächliche Enthüllung hatte hektisches Gekritzel in den Notizbüchern der Reporter zur Folge.

Sie zog ein Nachthemd an und kroch ins Bett. Draußen wehte der Wind, und sie versuchte einzuschlafen. Abbrechende Äste fielen polternd auf das Dach; erschöpft, wie sie war, klangen die Geräusche dumpf und beunruhigend.

20

Über das Wochenende war Bobs Fieber so weit zurückgegangen, dass er sich vor den Computer setzen konnte, wo er mit seinem Cousin Troy hingebungsvoll an einer Website bastelte, auf der es um ihrer beider Abscheu vor betrügerischen Menschen und ihre Vorliebe fürs Boogie Boarding ging. Also ging Nina am späten Samstagvormittag ins Büro, direkt aus einem gleißend hellen sonnigen Maitag hinein zu Sandy, die ihr einen zornigen Blick zuwarf.

»Ich kann dieses Büro allein schmeißen«, sagte sie, »aber deine übrigen neunundfünfzig Mandanten sind sich da vielleicht nicht so sicher.«

»Sandy, es tut mir wirklich Leid. Aber du weißt, dass ich einen Prozess am Laufen habe, und Bob war krank …«

»Ja. Er hat gestern hier angerufen, als du im Gericht warst.«

»Ging's ihm gut?«

»Klang niedergeschlagen.«

»Was hat er gesagt?«

»Nicht viel. Also habe ich ihm von dem Schamanen in der Nähe von Woodfords erzählt, als meine Mutter noch lebte. Einem Heiler. Zuerst hat er eine Pflanze geraucht, die ihm half, zu erkennen, was nicht in Ordnung war. Dann hatte er zwei Heilmethoden. Als Erstes sang er. Manchmal half das.«

»Und die andere Methode?«, fragte Nina fasziniert. Sandy war sicher einsam, den ganzen Tag hier allein …

»Er hat am Körper des kranken Menschen gesaugt, um die ›Schmerzen‹ rauszuziehen.«

»Was hat Bob dazu gemeint?«

»Sagte, er würde es vielleicht erst einmal damit versuchen, Radio zu hören.« Sandy sah so ernst aus, dass Nina jeden Impuls zu kichern unterdrückte.

Genevieve riss die Bürotür auf. »Hallo, Sandy, Nina. Mann, was für ein toller Monat, was?« Mit Unmengen von Akten auf den Armen segelte sie an ihnen vorbei ins Konferenzzimmer. »Kaffee mit Vanille! Sandy, du bist die Größte!«

Sandy und Nina sahen zu, wie sie von hier nach da wirbelte, ihnen beiden eine frische Tasse Kaffee brachte und im Vorbeigehen Sandys Blumen goss.

»Man würde nie vermuten, dass sie schwerhörig ist«, sagte Sandy, als sich die Tür hinter Genevieve schloss. »Ist es nicht toll, zu sehen, wie gut ein behinderter Mensch zurechtkommt?«

Nina, die noch die saubere Luft und den Optimismus einatmete, den Genevieve stets zu verbreiten schien, stimmte ihr zu und wünschte, sie wäre ebenso optimistisch. Wo sollte sie das Geld auftreiben, um den Prozess durchzuziehen? Was sollte sie mit ihren restlichen Mandanten machen?

»Weißt du, was ich mir wünsche?«, fragte sie. »Ich wünschte, Bob und ich könnten jetzt, heute Abend, irgendwo hinfahren und jeden Morgen lange schlafen und braun werden und den ganzen Tag im Wasser sein.«

»Wenn du dir schon was wünschen musst«, meinte Sandy, »dann wünsch dir was Nützliches. Wie wär's mit einer Million Dollar?«

Später kam auch Winston vorbei und brachte kaltes Brathähnchen und Salat mit. Sie aßen und unterhielten sich dabei.

Ein paar Minuten diskutierten sie über die Orte in Tahoe, an denen sie lange nicht gewesen waren und die sie besuchen wollten, sobald sie die Klausur aufhoben, die sie sich für die Dauer eines Prozesses stets auferlegten. Da sie keinen Spaß haben konnten, stellten sie sich wenigstens vor, Spaß zu haben, und freuten sich daran. Sandy setzte sich eine Weile zu ihnen, dann ging sie in ihr Büro, um auf ihren Computer einzudreschen.

Nina eröffnete den beiden ihren neuesten Plan: Mit Bob und Matts Familie zum Picknick nach Fannette Island zu fahren. Winston, der für sein Leben gern Kajak fuhr, war begeistert. Er beschloss, als Erstes Kajak fahren zu gehen, sobald der Prozess vorbei war. Danach wollte er ein verlängertes Wochenende zum Wandern, dann zwei Tage am Strand liegen. Dann würde er oben im Squaw Valley schwimmen und den ganzen Weg von dort zurückwandern.

Genevieve meinte, sie hätte in den letzten Wochen nicht genug Zeit in Gesellschaft eines Spielautomaten verbracht, um von mehr als einer beiläufigen Bekanntschaft reden zu können. Der Prozess ließ ihr keine Zeit zum Spielen.

»Okay, ihr wartet sicher auf meinen Bericht«, sagte sie, sobald sie aufgegessen hatten, mit diesem bezaubernden Selbstvertrauen, das man mit weniger Wohlwollen leicht als Überheblichkeit hätte missdeuten können.

»Tun wir das?«, fragte Winston zum Spaß.

»Analyse dessen, wie wir uns schlagen, in einem Wort: fanbeschissentastisch.«

»Ist das wie so ein Aufkleber, den die Leute früher auf ihre alten VW-Käfer geklebt haben, ›fukengruven‹?«, fragte Winston. »Die meisten dieser alten Käfer waren ja kaum in einem Zustand, dass man damit angeben konnte.«

»Ich glaube nicht, dass wir allzu viel haben, mit dem wir prahlen können«, meinte Nina.

»Das ist ganz gut so. Wir möchten nicht, dass ihr beide überheblich werdet.« Genevieve griff nach einem gelben Zettel und las ihn, dann legte sie ihn wieder weg. »Lasst uns also mit dem anfangen, was nicht gut gelaufen ist. Die Sache mit Gilbert Schaefer hat wehgetan. Einige Geschworene haben Lindy nicht mehr zugehört. Die meisten haben irgendwann während dieser

Zeugenaussage die Stirn gerunzelt. Ich glaube, wir haben Kris Schmidt verloren, und wahrscheinlich Ignacio Ybarra.«

»Es hat wehgetan, klar. Ich habe mich gefühlt wie bei einer dieser Operationen in China, wo die Patienten hypnotisiert werden statt narkotisiert, nur dass ich nicht mal hypnotisiert worden war«, sagte Winston. Sie lächelten freudlos darüber, und diesmal empfand Nina es als tröstlich, ihren Kummer mit Kollegen teilen zu können. Kein Wunder, dass sich Anwälte zu Sozietäten zusammenschlossen.

»Die gute Nachricht ist, dass die Bergsteigerin, Diane Miklos, und Mrs Lim fest auf Lindys Seite stehen. Sie mögen Mike nicht, das ist ihren Mienen deutlich abzulesen. Nina, du hast sie mit deiner Eröffnung wirklich gepackt, darüber haben wir schon kurz gesprochen«, fuhr Genevieve fort, »hinsichtlich der Vernehmungen. Also alles, was ich über dich gehört habe, stimmt. Du bist sehr direkt und überzeugend. Augenkontakt ist der einzige Bereich, an dem du noch arbeiten musst, obwohl du bei Markov gute Arbeit geleistet hast, dieser lange harte Blick am Ende. Sehr gut. Und lächle mehr, Schatz, bitte.

Also, hier ist noch was, was ihr wissen solltet. Wir haben ein Problem. Bevor Paul uns verlassen hat, hat er einige brandaktuelle Informationen ausgegraben, die uns wehtun werden. Wright hatte Eheprobleme. Unglücklicherweise ist es jetzt zu spät, ihn abzulehnen.«

»Ich hab davon gehört«, sagte Winston. »Und ich möchte dazu etwas sagen.«

»Nur zu«, meinte Genevieve großzügig.

Es störte ihn, dass sie ihm die Erlaubnis erteilte, das sah man ihm einen Augenblick lang deutlich an. »Ich finde, wir sollten zugeben, dass Nina bei ihm den richtigen Riecher hatte. Ich finde, das sind wir ihr schuldig, sie hat's verdient.«

»Oh, Nina braucht meine Anerkennung nicht so wie andere Menschen. Und wir können ihn wieder auf unsere Seite ziehen. Unterstreiche die traditionelle weibliche Rolle, die Lindy zu

Hause gespielt hat. Auch wenn er ein politisches Schlitzohr ist, allen Berichten zufolge mag er traditionelle Frauen.«

»Du kannst nicht alle anderen Geschworenen ignorieren, nur um diesen einen Typen zu gewinnen«, sagte Winston. »Wenn wir sie einmal auf unsere Seite gezogen haben, möchten wir sie nicht mehr verlieren.«

»Niemand spricht davon, sie zu ignorieren. Es ist eine subtile Angelegenheit, mit der Nina sicher zurechtkommt, nicht wahr?«

»Nein«, sagte Nina. »Das mache ich nicht. Abgesehen von dem schlechten Geschmack, den das bei mir hinterlässt, haben wir alle immer wieder gesagt, dass Lindys Trumpfkarte ihre gleichberechtigte Mitarbeit in der Firma ist. Ich habe immer vorgehabt, sobald wir die Sache mit der Vereinbarung zur Gütertrennung hinter uns haben, unsere Beweisführung damit zu krönen, dass sie von Anfang an entscheidend zum Erfolg der Firma beigetragen hat.«

Winston nickte. »Du weißt, dass ich deine Seifenblasen nur ungern zum Platzen bringe, Genevieve«, sagte er, »aber Nina hat Recht. Ich finde nicht, dass wir unsere Strategie ändern sollten, um ihn auf unsere Seite zu ziehen. Das bringt nichts.«

»Was ist los mit euch?«, fragte Genevieve. »Ihr redet wie Verlierer! Wir lassen uns doch von einem Arschloch nicht das Spiel verderben! Wir brauchen neun Geschworene auf unserer Seite, und wir kriegen sie. Dafür garantiere ich persönlich.«

»Ich habe schon einmal einen Fall wegen der Führungsqualitäten eines einzigen wütenden Mannes kippen sehen …«, meinte Nina.

»Unserer kippt nicht. Wir sind schlauer als er.« Genevieve schlug ihr Notizbuch zu, als wollte sie damit alle weiteren Diskussionen zu dem Thema beenden. »Also, dann mal weiter …«

Den größten Teil des Nachmittags und Abends sprachen sie die Verhandlung durch und knabberten dabei Pfefferminzbonbons und Nüsse. Sie hatten nur sehr wenig Zeit, die kommende Woche vorzubereiten, in der Riesner die Zügel in die Hand nehmen und dem Fall eine neue Richtung geben würde. Und immer, wenn Nina einen Augenblick zum Innehalten und Nachdenken hatte, kam ihr der Fehler, dass sie zugelassen hatte, dass Clifford Wright dort oben saß, wieder in Erinnerung wie ein hartes Plastiketikett in einem Kleid, das so lange kratzte, bis die Haut wund war.

Am Sonntag luden Andrea und Matt Nina und Bob ein, mit zum Strand zu fahren. Nina sagte zuerst Nein, weil sie ausschlafen, ihre Notizen durchgehen und Bob die Chance geben wollte, seine Krankheit auszukurieren, aber Andrea kam die Treppe zu ihrem Zimmer rauf, zog ihr die Steppdecke weg und hetzte Hitchcock auf sie. Also stopfte Nina ihre Unterlagen in ihre Aktentasche und erklärte sich einverstanden, mitzukommen, wenn sie sie einfach mit ihrer Arbeit an einem Tisch sitzen lassen würden. Hatte sie nicht erst gestern in der Mittagspause mit den anderen im Büro gesessen und gejammert, dass sie niemals rauskamen?

Am Pope Beach, wo der Lake Tahoe sich marineblau bis zum Horizont erstreckte, breiteten sie zwei Handtücher in der warmen Maisonne aus. Nina legte bis auf ihren Badeanzug alle Kleider ab. Dann bettete sie den Kopf auf die Aktentasche und schlief prompt ein.

Das Nächste, was sie mitbekam, war, dass etwas Kaltes und Nasses auf ihrem Rücken gelandet war und sich seinen Weg nach unten bahnte. Sie sprang kreischend auf.

»Mensch, Mom, es ist nur ein nasser Ball«, sagte Bob und griff nach etwas, das nach einem explodierten Gummistern aussah.

Sie fasste sich an den Rücken. »War das Hitchcocks Sabber an dem Ball oder Seewasser?«, fragte sie.

»Ein bisschen von beidem«, meinte Bob.

Also musste sie sich waschen, oder? Los ging's. Sie stürzte sich kopfüber in das eisige Schmelzwasser, gefolgt von Hitchcock, Bob, seinem Cousin Troy und seiner Cousine Brianna. Sie machten eine Wasserschlacht, bis Brianna blaue Lippen bekam, dann wärmten sie sich an einem Feuer, das Matt auf einem Rost entfacht hatte. Danach gab es Hot Dogs und ein schnelles Schachspiel gegen Matt, das Nina mit wenig Anstand verlor. Lachend, müde, mit Sand in allen Poren, quetschten sie sich in die Autos und winkten zum Abschied.

Bob schnitt seiner Cousine und seinem Cousin Grimassen, bis die beiden Autos schließlich am Pioneer Trail in verschiedene Richtungen fuhren.

»Ich weiß, dass ich nicht alles bis Sonntagabend aufschieben soll«, gab Bob zu, »aber ich hab noch ziemlich viele Hausaufgaben nachzumachen, mit denen ich gestern nicht fertig geworden bin.« Er streckte sich quer über den Sitz, um den Kopf an Ninas Schulter zu legen.

»Da bist du nicht der Einzige«, meinte Nina.

Bob schlief unterwegs ein, und Nina beobachtete die Lichter der Stadt, die links und rechts des Highway 50 auf sie zukamen, Stück für Stück, Farbe für Farbe. Um nicht in ermüdende Sorgen wegen des Falls zu geraten, versuchte sie, sich auf eine habgierige kleine Fantasie einzulassen, in der sie eine Million für ihr eigenes Privatschloss hinblättern würde. Dort würde sie Brandy trinken und die Aussicht auf die glitzernden Casinos genießen, die am anderen Ufer wie Kerzen leuchteten.

Aber die Fantasie machte ihr auch Angst. Was passierte? Warum hatte sie das Gefühl, die Dinge gerieten außer Kontrolle, wo sie ihre Sache – oberflächlich betrachtet – doch ziemlich gut machten?

Paul hatte Recht. Das Markov-Geld hatte sie alle infiziert. Riesner, Winston, Genevieve und sie selbst benahmen sich wie überdrehte Kinder auf einer Geburtstagsparty. Die ersten Schläge waren bereits auf den Topf niedergegangen, und durch eine Ritze im Karton hatten sie einen kurzen Blick auf den Preis erhascht, und jetzt droschen und prügelten sie alle wohl oder übel aufeinander ein. Gott, es war ein Wunder, dass noch keiner umgebracht worden war.

21

Winstons Kreuzverhör von Mike Markov nahm den Großteil des Montags in Anspruch. Er kam auf alle Höhepunkte und auf alle Tiefpunkte zu sprechen, und nur ein paar Mal klang er ungeduldig. Nina beobachtete ihn und lernte immer noch etwas dazu.

Sie beobachtete, wie es diesem gebildeten Afroamerikaner aus L.A. gelang, dass sich die weißen, überwiegend aus der Arbeiterklasse stammenden Geschworenen mit ihm identifizierten. Er ließ ab und an kleine persönliche Hinweise fallen, dass er in seinen mittleren Jahren war, dass er einen schlimmen Rücken hatte, dass er am Morgen lieber Tee als Kaffee trank, dass seine kranke Mutter in einem Pflegeheim untergebracht war. Diese Hinweise waren so flüchtig, dass Riesner nie die Chance bekam, Einspruch zu erheben, aber auf die Geschworenen verfehlten sie ihre Wirkung nicht. Langsam sahen sie ihren Vater, Onkel oder Bruder in ihm. Sie erwärmten sich für Winston und wollten, dass er gut abschnitt.

Winston hatte noch eine Fähigkeit, die sie bewunderte. Er nahm sich Zeit. Er schöpfte das zur Erläuterung stehende Thema ganz aus, und es schien ihm nichts auszumachen, wenn ein Geschworener unruhig wurde oder wenn es langweilig wurde. Nina raste immer mit halsbrecherischem Tempo durch die Zeugenaussagen und versuchte, das Interesse der Geschworenen wach zu halten. Als sie Winston zusah, wurde ihr klar, dass sie ihre Geschwindigkeit drosseln musste und dass ihr Problem mangelndes Selbstbewusstsein war.

Er hielt das ganze Verhör hindurch eine Strategie durch, die Genevieve vorgeschlagen hatte und die die Sympathie für Mike in engen Grenzen halten sollte. Nur einmal gestattete sich Winston, seinen negativen Gefühlen freien Lauf zu lassen.

»Mr Markov, wollen Sie uns weismachen, dass Sie keine Drohungen ausstießen, um diese Frau, die seit Jahren mit Ihnen zusammenlebte, dazu zu bringen, all ihre Rechte an Sie abzutreten?«, fragte er am späten Nachmittag mit deutlich hörbarem Verdruss.

»Ich habe sie nie bedroht.«

»Sie hatte Angst, Sie würden sie verlassen, wenn sie nicht unterschrieb, oder?«

»An so etwas erinnere ich mich nicht.«

»Sie haben nie gesagt, dass Sie gehen würden und dass sie Sie niemals wieder sehen würde, für den Fall, dass sie nicht unterschrieb?«

»Nein.«

»Sie sagten auch nichts in der Art: ›Unterschreib dies, und ich verspreche dir, dass wir bald heiraten‹?«

»Nein, so etwas habe ich nicht gesagt.«

»Warum haben Sie das Papier dann überhaupt aufgesetzt? Wenn es nicht darum ging, dass Sie über Heirat sprachen, worum ging es dann?«

»Weil ich wollte, dass die Grenze zwischen uns klar ist. Mit uns beiden lief es nicht gut. Aber ich habe nie gesagt, ich würde sie verlassen.«

»Zu dem Zeitpunkt waren sie sieben Jahre zusammen. Glauben Sie, das mussten Sie ihr sagen? Sie konnte das doch an Ihrem Stirnrunzeln erkennen, an der Art und Weise, wie Sie sie berührten, an Ihrer Stimme, oder etwa nicht?«

»Einspruch.«

»Stattgegeben.«

»Nun ist dies alles vor dreizehn Jahren passiert. Was für eine Wertsteigerung hat das Geschäft in diesen dreizehn Jahren – der Zeit zwischen dem Unterschreiben der Vereinbarung und Ihrer Trennung – wohl erfahren, was würden Sie schätzen?«

»Einspruch. Unwichtig.« Heute hatte Rebecca Dienst.

»Abgelehnt.«

Mike schüttelte lächelnd den Kopf. »Tja, ich würde sagen, seit der Zeit, wo das Unternehmen auf ein paar tausend Dollar geschätzt werden konnte, hat es ziemlich zugelegt.«

»Glauben Sie, sie hätte eine solche Vereinbarung unterschrieben, wenn sie geahnt hätte, dass das Dokument dreizehn Jahre später dazu benutzt werden würde, sie zu betrügen, und zwar um hundert Millionen …«

»Einspruch! Suggestivfrage. Strittig.«

»Zurückgenommen«, sagte Winston. »Ich möchte es einmal so formulieren: Man darf wohl sagen, dass sie der Ansicht war, die Rechte über ein paar tausend Dollar abzugeben.«

»Zu der Zeit, ja.«

»Sie lebte weiterhin mit Ihnen zusammen, und sie arbeitete weiterhin mit Ihnen im Unternehmen?«

»Wie gesagt.«

»Warum haben Sie ihr keine Durchschrift der Vereinbarung gegeben?«

Achselzucken. »Sie hat mich nie darum gebeten.«

»Warum sind Sie nicht zu einem Notar gegangen, damit Lindy wenigstens erklärt bekommen hätte, dass sie ihre Zukunft abtrat?«

»Einspruch.«

»Stattgegeben.«

»Warum«, fragte Winston etwas lauter, »haben Sie nie wieder mit ihr darüber gesprochen?«

»Das Thema kam nie zur Sprache.«

»Sie wussten, dass sie glaubte, das Papier sei längst weggeworfen worden, oder nicht?«

»Ganz und gar nicht.«

»Sie wussten, dass sie von Ihnen abhängig war und sich darauf verlassen hat, dass Sie fair mit ihr umgehen würden?«

»Ich war fair.«

»Fair! Glauben Sie wirklich, dass Sie das Recht haben, dieses Wort zu benutzen?«, fragte Winston und verdrehte die Augen, allerdings ohne dass der Richter ihn sehen konnte, aber in voller Sichtweite der Geschworenen.

»Einspruch gegen die Formulierung der Frage!«, sagte Rebecca.

»Stattgegeben.«

Winston machte den Eindruck, als wollte er Mike entlassen, und blätterte noch einmal schnell seine Notizen durch. »Ach, da fällt mir gerade noch etwas ein«, sagte er.

Mike, der bereits aufgestanden war, so sehr war ihm daran gelegen, aus dem Zeugenstand entlassen zu werden, lehnte sich abwartend zurück.

»Es geht um den Solo Spa, das erfolgreichste Produkt, das ihr Unternehmen hervorgebracht hat. Während der direkten Befragung letzte Woche durch Mr Riesner zeigten Sie uns eine Zeichnung, die Sie davon angefertigt haben.«

»Ja.«

»War das die erste Zeichnung?«

»Ja.«

»Ist es nicht vielmehr so, dass Lindy Markov Sie veranlasst hat, diese erste Zeichnung anzufertigen?«

»Mich dazu ›veranlasst‹ hat? Nein.«

»Sie hat Ihnen von ihrer Idee erzählt, und Sie haben eine Skizze gemacht?«

»Nein.«

»Hat sie vielleicht selbst eine kleine Skizze gemacht, die Sie abgezeichnet haben?«

»Nein. Diese Skizze, die ich mit dem roten Füller gemacht habe, den ich immer benutze, war die erste.«

Winston nahm die Zeichnung und zeigte sie den Geschworenen. Währenddessen stellte Nina einen Overheadprojektor auf, und Deputy Kimura platzierte ein Projektionsgestell mit einer Leinwand neben der Protokollführerin.

»Nun wollen wir uns Ihre Zeichnung mal etwas genauer ansehen«, sagte Winston, und auf sein Zeichen hin wurde der Saal abgedunkelt. Auf der Leinwand, enorm vergrößert, war Mikes mit rotem Füller ausgeführte Skizze. Winston deutete mit der Spitze seines Bleistiftes neben einen der roten Striche. »Was ist das?«

»Was?« Mike beugte sich vor.

»Diese kurzen Linien hier« – er klopfte mit seinem Bleistift gegen die Leinwand – »und hier? Für mich sieht das aus wie ein Bleistiftstrich. Sieht das für Sie auch aus wie ein Bleistiftstrich, Mr Markov?«

Mikes Mund öffnete und schloss sich wieder. Die Striche waren schwach, aber deutlich erkennbar.

»Ja?«

»Das scheinen Bleistiftstriche zu sein. Ja, ich muss das zuerst mit Bleistift entworfen haben.«

»Aber Sie benutzen doch immer Ihren roten Füllfederhalter, um zu zeichnen, haben Sie das nicht gerade ausgesagt?«

»Offensichtlich habe ich das hier nicht getan.«

»Offensichtlich nicht. Nun, lassen Sie mich Ihre Aufmerksamkeit auf das Datum in roter Tinte unten auf der Seite lenken. Sehen Sie diese Zeichen hier?«

»Ich kann das nicht lesen.«

»Nein? Dann wollen wir es etwas vergrößern.« Das Datum füllte den unteren Rand der Leinwand aus, und ganz nah unter dem Datum sah man zwei mit Bleistift geschriebene Buchstaben.

»Darf ich Ihre Aufmerksamkeit auf die Buchstaben am Fuß der Seite lenken? Was sind das für Buchstaben?«

»Ich weiß es nicht.«

»Wirklich? Können Sie nicht erkennen, dass da ›LM‹ steht?«

Alle konnten das sehen, nur Mike nicht, der sagte: »Ich kann das nicht erkennen.«

»Sie können diese Buchstaben nicht lesen, die dort, schwarz auf weiß, auf der Leinwand stehen?«

Mike gab keine Antwort. Die Geschworenen sahen von der Leinwand zu Mike.

»Er hat ausgesagt, dass er das Gekritzel nicht erkennen kann. Einspruch. Die Frage wurde gestellt und beantwortet«, brachte Riesner fauchend hervor.

Sie hatten es geschafft! *Ja!*, schrieb Genevieve. Winston war derjenige gewesen, der die Skizze vergrößert und die Initialen identifiziert hatte. Selbst Lindy hatte sich zuerst nicht daran erinnert, dass sie den Solo Spa als Bleistiftskizze entworfen hatte. Sie hatten ihre Überraschung direkt vor Riesners Nase versteckt.

»›LM‹. Hat Lindy Markov nicht immer so ihre Memos unterschrieben, Mr Markov?«, fragte Winston, und fuchtelte mit einem Stapel Memos herum, um Mike zu provozieren, einen Streit darüber anzufangen.

Mike schluckte und gab es zu.

»Das wäre alles, Euer Ehren«, sagte Winston und zuckte die Schultern, um dem Mann im Zeugenstand hinter ihm seine Gleichgültigkeit zu zeigen. Mike stand langsam auf und trat aus dem Zeugenstand. Zum ersten Mal seit Beginn seiner Aussage sah er Lindy unglücklich an.

Am nächsten Morgen übernahm Jeffrey Riesner wieder das Kommando. Er rief Hector Galka, den Marketingleiter, in den Zeugenstand. Heute sah Hector tadellos aus, sein buschiger Schnurrbart war sorgfältig getrimmt, und sein gut trainierter Körper steckte in einem maßgeschneiderten Anzug. Nina gefielen seine schönen haselnussbraunen Augen.

Als er sich setzte, vermied er es, Lindy anzusehen.

Aus dem Protokoll seiner Zeugenaussage wussten sie bereits, was er zu sagen hatte, und er enttäuschte sie nicht. Er druckste unheimlich herum, aber letzten Endes gab es für Hector bei Markov Enterprises nur einen Chef: Mike Markov.

Beim Kreuzverhör führte Winston Hectors Voreingenommenheit vor. »Übrigens, wo liegt eigentlich Ihr jährliches

Grundgehalt bei Markov Enterprises in Ihrer Eigenschaft als Leiter der Marketingabteilung?«, fragte er. »Prämien und sonstige Vergünstigungen nicht mitgerechnet?«

»Ehm. Bei hundertsechzig.«

»Hundertsechzigtausend Dollar im Jahr?«, wiederholte Winston, wobei er die Worte effektvoll dehnte. »Und wie viel verdiente Lindy zu der Zeit, als ihr gekündigt wurde?«

Sehr langsam, so als habe er noch nie darüber nachgedacht, antwortete Hector: »Fünfundsiebzigtausend im Jahr.«

Winston hatte Hector die Frage so schnell untergejubelt, dass dieser gar nicht anders konnte, als sie zu beantworten. Während der eidlichen Zeugenaussage war die Frage nicht aufgeworfen worden, und Hector war nicht darauf vorbereitet.

Und nun trat Winston zurück und sagte überhaupt nichts mehr.

Die Geschworenen, die anderen Anwälte, die gegnerischen Parteien, das Publikum, alle warteten, aber er bückte sich, um seine Schnürsenkel zu binden. Also dachten sie über die letzte Frage und Antwort nach.

Eine neue Stimmung legte sich über den Gerichtssaal. Hinter Nina wurde erregt geflüstert, und sie dachte, jetzt sind sie dran, jetzt sind sie dran, wir schaffen es trotz allem. Warum sollte Lindy so verhältnismäßig schlecht für eine Arbeit bezahlt werden, von der Hector gerade ausgesagt hatte, sie sei der seinen ähnlich? Unter dem Tisch ballte sie die Hände und wünschte sich, dass Winston diese Chance ergriff.

»Warum bekam Lindy Markov weniger als Sie?«, fragte Winston, als er bereit war und alle darauf warteten, dass er das sagte.

»Weil … weil …«, stammelte Hector.

Winston stand geduldig vor dem Zeugenstand; er schien ewig warten zu können. »Sie sind leitender Angestellter der Firma. Wenn es irgendjemand wissen könnte, dann Sie. Warum?«

Hectors linker Zeigefinger bewegte sich sehr langsam auf seinen Schnurrbart zu und strich sachte darüber. »Ich denke …

wissen Sie, sie lebte mit Mike zusammen, sie hatte keine Ausgaben ...«

»Weil sie eine Frau war und Mike es nicht für notwendig erachtete, sie vernünftig zu bezahlen?«

»Nein, natürlich nicht.«

»Weil die Bezahlung nur Spielgeld für die Firmeninhaber war? Wie viel bekam Mike?«

»Dasselbe wie Lindy«, antwortete Hector.

»Und dass er ein Gehalt bekam, machte ihn das auch zum Angestellten?«

»Nein ... wissen Sie ...«

»Ja, ich weiß, Mr Galka. Wir wissen es alle. Erinnern Sie sich daran, dass Sie ausgesagt haben, dass Mike Direktor und Lindy Vizedirektorin geworden ist, weil der Mann immer der Direktor wird? Erinnern Sie sich an die Frage von Seite dreiunddreißig, Zeilen zehn bis zweiundzwanzig Ihrer eidlichen Zeugenaussage: ›Geht es hier um das männliche Ego?‹ Und Ihre Antwort lautete: ›Ja, so in der Art. Er war der Mann.‹«

»Ich wollte nur ... ich wollte nur ...«

»Die Wahrheit sagen?«

»Einspruch«, rief Rebecca.

Milne zitierte Rebecca und Winston zu einer Beratung nach vorne. Nina zeichnete beim Warten Sternchen auf ihren Block. Nach einer geflüsterten Auseinandersetzung setzte Rebecca sich wieder, und Winston ging zurück zum Podium.

»Nun, Sie kennen Mike länger als zwanzig Jahre, und Sie haben Mike und Lindy in jedem Stadium ihres gemeinsamen Lebens erlebt. Also, lassen Sie mich etwas fragen, Mr Galka, und bitte sagen Sie uns die ungeschminkte Wahrheit. War es für Mike sehr wichtig, dass es so aussah, als sei er der Boss in der Beziehung und im Geschäftsleben, egal, wie die tatsächlichen Verhältnisse waren?«

»Tja ... wahrscheinlich schon«, flüsterte Hector fast unhörbar. Er blickte Mike an, der verwirrt aussah, als sei er sich nicht sicher, wo das Problem lag. Nina hatte den Eindruck, Mrs Lim sei Mikes Reaktion aufgefallen, und einigen anderen Frauen auch.

Wenn sie damit nicht ein paar der weiblichen Geschworenen für sich gewannen, dann würde es ihnen überhaupt nicht gelingen.

In den nächsten Tagen ließen Riesner und Rebecca die Gruppe antreten, die Genevieve außerhalb des Gerichts höhnisch als »Lakaien und Fußvolk« von Markov Enterprises bezeichnete. Sie bemühten sich darum, das von Nina und Winston detailliert entworfene Bild der Teamarbeit und des Managementstils von Mike und Lindy zu unterwandern. In den Kreuzverhören arbeiteten Nina und Winston daran, es wieder aufzubauen.

Die letzte wichtige Zeugin der Verteidigung, Rachel Pembroke, sollte Ende der Woche aussagen. Den ganzen Prozess hindurch hatte sie direkt hinter Mike gesessen, hervorragend ausgesehen und ab und an mit Mike Händchen gehalten. Die beiden waren immer zusammen gegangen. Nina kannte Rachels Zeugenaussage auswendig, und ihr war klar, dass Rachels Aussage auf die Geschworenen durchaus voreingenommen wirken konnte, weil Rachel mit Mike verlobt war. Nichtsdestoweniger fürchtete sie Rachels sympathisches, professionelles Auftreten. Sie war dankbar, dass der Vorfall an Mikes Geburtstagsparty im Rahmen des Vorverfahrens von Milne als Gegenstand des Prozesses ausgenommen worden war. Aus diesem Grund war der so genannte Angriff auf Rachel, über den sich alle seit Wochen das Maul zerrissen, in der Verhandlung gar nicht zur Sprache gekommen. Ihre Verletzungen waren geringfügig gewesen, und das Ereignis war als unwichtig eingestuft worden, sollte es überhaupt stattgefunden haben.

Rachel hatte den Reportern monatelang von ihrer innigen Romanze mit Mike erzählt, und wie sehr sie ihre Leidenschaft bekämpft hätten. Die Geschichte, die sie sich nun im Zeugenstand abrang, war von einer einnehmenden Wehmütigkeit, die auf Übung beruhte. Im Verlauf ihrer Aussage brachte sie es irgendwie fertig, dass viele Zuhörer ihre Meinung änderten und glaubten, sie – und nicht Lindy – hätte in dieser traurigen Liebesgeschichte am meisten zu leiden gehabt.

»Rufen Sie Ihren nächsten Zeugen auf«, sagte Milne, als sie fertig war und Riesner sitzen blieb.

Riesner stand auf und sagte: »Euer Ehren, wir haben entschieden, den letzten Zeugen nicht mehr aufzurufen.«

Und einfach so, wie eine Kerze plötzlich in der Zugluft erlöscht, beendete die Verteidigung die mündliche Verhandlung. Das kam manchmal vor.

Ohne mit der Wimper zu zucken, wandte sich Milne an Nina und fragte: »Gibt es Einwände?« Sie beriet sich schnell mit Winston und Genevieve. »Nein, Euer Ehren.«

»Die Vertreter des Klägers erklären die Beweisführung für abgeschlossen?«, fragte Milne breit lächelnd. Er schien sich über das abrupte Ende teuflisch zu freuen.

»Das ist richtig, Euer Ehren. Wir übergeben dem Gericht die gekennzeichneten Beweisstücke.«

»In Ordnung.« Er wandte sich an die Geschworenen und sagte: »Die Beweisaufnahme des Verfahrens ist abgeschlossen. Wir werden Sie heute Nachmittag etwas früher entlassen, meine Damen und Herren. Ich bin mir sicher, es macht Ihnen nichts aus. Morgen kommen wir zu den Schlussplädoyers.« Er wiederholte seine täglichen Verwarnungen, dass sie weder miteinander noch mit anderen über den Fall sprechen durften. Allgemeines Lächeln und Nicken. Deputy Kimura führte sie hinaus.

Eine weitere halbe Stunde, in der die Beweisstücke sortiert und dem Gericht überlassen wurden, und der Gerichtstag war vorüber.

»Zum Schluss wurden wir geschlagen, aber alles in allem haben wir Punkte gemacht, Nina«, sagte Winston, als sie an diesem

Nachmittag das Gebäude verließen. Er blieb stehen und lächelte sie an. »Mein Gott, ich kann nicht glauben, dass es endlich doch zu Ende geht.«

»Du warst großartig, Winston, einfach großartig«, sagte Nina und meinte es wirklich so. Er hatte mit seinen Zeugen ganze Arbeit geleistet.

»Ist euch klar, dass wir bald ein Urteil haben? Unglaublich«, fuhr Winston fort, der von dem Tag im Gericht wie elektrisiert war.

»Ich glaube, uns sind mindestens fünf der Geschworenen sicher«, sagte Genevieve, die neben ihnen hertrottete. »Wenn ihr wollt, gehe ich es mit euch durch und erkläre euch, warum. Mindestens zwei davon sind potenzielle Führertypen … das ist die eine Sache, um die wir uns während der Geschworenenauswahl nicht genug gekümmert haben. Wir haben uns keinen wirklichen Führertyp herangezogen.«

»Mach dir keine Sorgen, Genevieve. Und wenn es dir nichts ausmacht, überspringen wir die Analyse. Ich muss nach Hause, meinen Knöchel kühlen und Abendessen für Bob machen.«

»Aber wann überarbeiten wir Winstons Schlussplädoyer?«, fragte Genevieve. »Am späteren Abend?«

»Das wird nicht notwendig sein«, sagte Nina. »Wir sind es ja schon durchgegangen. Und ich habe mich entschieden, das Schlusswort zu übernehmen.«

Sie standen vor Winstons Mietauto. »Warte mal, wir haben das doch alles besprochen«, sagte Winston. »Ich dachte, wir hätten uns geeinigt, dass ich das Ende übernehmen sollte.«

»Ich weiß. Es tut mir Leid.« Wie konnte sie ihm diese bittere Pille versüßen? Sie hatten sich geeinigt, dass er das Schlussplädoyer übernehmen würde, weil sie zaghaft gewesen war. Aber es war ihr Fall. Lindy hatte Nina ihre Vertretung anvertraut, also musste auch Nina das letzte Wort haben. Und wenn es schief ging, musste sie die Verantwortung übernehmen. Allerdings würde sie ihm das nicht sagen.

»Das nimmst du mir nicht weg«, sagte Winston, der allmählich ziemlich wütend aussah.

»Ich denke, Winston hat eine Glückssträhne«, sagte Genevieve. »Und er hat die Erfahrung.«

»Es tut mir Leid«, wiederholte Nina. »Wichtig ist nur mein Fall.«

Winston knallte seine Aktentasche auf die Kühlerhaube. »Unser Fall!«, brüllte er. »Unserer! Wir machen uns doch alle in die Hose! Du kannst jetzt nicht hier herumpfuschen und alles ruinieren!«

»Traust du mir nicht zu, dass ich das hinkriege?«, fragte Nina. Die beiden Anwälte standen einander gegenüber, unwillkürlich leicht breitbeinig, wie Gegner im Ring.

»Das ist arrogant!«, sagte Winston. »Du glaubst, du kannst dich da oben hinstellen, deine langen Haare schütteln, eine Träne aus dem Auge kullern lassen und die Geschworenen davon überzeugen, Lindy ein paar Millionen Dollar zu geben? Wie viele Fälle dieser Art hast du denn schon gewonnen? Nicht einen! Ich habe Dutzende gehabt und Dutzende gewonnen. Ich kann argumentieren, bis dir schwindlig wird …«

Genevieve trat leichtfüßig vor Winston.

»Hör mal. Du musst dich auf einen Kompromiss einlassen«, sagte sie zu Nina. »Er hat Recht. Er ist in Topform und weiß, wie man die Geschworenen beeinflusst. Er hat eine größere Chance, harte Nüsse zu knacken, falls welche dabei sind.«

»Nein«, sagte Nina. Und diesmal sagte sie nicht, dass es ihr Leid tat. Wozu auch?

»Wie wäre es, wenn er anfängt und du das Plädoyer beendest?«

»Fertig machen wäre der richtige Ausdruck!«, sagte Winston.

»Milne wird uns nicht gestatten, uns beim Schlussplädoyer abzuwechseln«, sagte Nina.

Winston drehte sich um und stolzierte um das Auto herum. Dann setze er sich hinein und starrte wütend vor sich hin.

»Lass uns heute Abend noch mal darüber sprechen. Ich rufe dich an«, sagte Genevieve und berührte Ninas Arm.

»Ich muss das auf meine Art machen.«

»Du tust, als hättest du den Glauben an uns verloren«, sagte Genevieve. »Ist das so?«

»Nein, überhaupt nicht. Es tut mir Leid, dass ich das so spät ändere. Es ist nicht gegen Winston gerichtet. Es ist nur … Ich bin Lindys Anwältin. Ich kann mich am besten alleine vorbereiten.« Nämlich in ihrem Garten, wo sie mit den Bäumen sprechen konnte, ohne sie zu manipulieren, ohne sentimental zu werden, ohne sie beeinflussen zu wollen. Das Schlussplädoyer gehörte ihr.

»Nina, pass auf, dass du deine Entscheidung nachher nicht bereust. Willst du nicht noch einmal darüber nachdenken?«

»Okay, sag, was du auf dem Herzen hast, Genevieve«, sagte Nina. »Glaubst du, dass ich es nicht kann? Ist Winston schlauer? Ist er der bessere Anwalt? Ist es das, was du denkst?« Sie sagte es so laut, dass Winston sie hören konnte. Ein paar Meter weiter wurden Leute auf sie aufmerksam.

Genevieve sah sie einen Moment lang aufmerksam an, dann gab sie nach. Sie hatte offensichtlich entschieden, dass sie diesen einen Streit nicht gewinnen konnte. »Ich weiß, dass du es nicht in den Sand setzt, Nina«, sagte Genevieve. »Ich weiß, dass du das nicht tun wirst. Das kann sich niemand von uns leisten.« Ohne es zu wollen, erschütterte sie mit dieser Antwort Ninas Zuversicht. Genevieve stieg ins Auto, und sie fuhren los.

22

In der Stille des Gerichtssaals konnte Nina sich beinahe einbilden, sie sei in dem Garten hinter ihrem Haus, wo sie gestern Nachmittag an die dunkle Rinde eines Baums gerichtet ihr

Schlussplädoyer geübt hatte. Die Mondgesichter da draußen waren alle nur Kiefernzapfen. Besser, sich das so vorzustellen, als sich einzugestehen, dass da hundert Richter saßen, die ihren Auftritt beurteilten. Die Einzigen, die wirklich zählten, waren die Gesichter ihrer Geschworenen, und diese lächelte sie an, bevor sie sich an sie wandte.

Sie fing vorne an. Sie legte es so dar, wie sie es sah, und wenn ihr einige Geschworene auch nicht zuhörten, so unternahmen die meisten doch den heroischen Versuch, ihr zu folgen. Sie war ihnen unheimlich nah. In den letzten Wochen hatte sie nur eines gewollt, und zwar zu jedem Einzelnen von ihnen eine Verbindung herzustellen. Sie waren mehr als Freunde, und im Augenblick fühlte sie sich ihnen noch viel näher und glaubte, einige von ihnen verspürten das gleiche Interesse an ihr. Das hoffte sie zumindest.

»Und dann verließ Mike sie.« Nina ging einmal mit gesenktem Kopf vor der Geschworenenbank auf und ab. Sie besaß nicht das Geschick, das Zerstörerische, das in diesen Worten steckte, zu vermitteln. Alles, was sie tun konnte, war, einen Augenblick andächtig zu schweigen, um damit ihren Respekt vor Lindys Leiden zum Ausdruck zu bringen.

»Aber es gab nichts, worüber Lindy sich hätte Sorgen machen müssen, nicht wahr?«, fuhr sie fort und hob den Kopf, um die Geschworenen einen nach dem anderen anzusehen. Mrs Lims Gesicht war ihr zugewandt.

»Hier vor Gericht, wir haben es alle gehört, hat Mike gesagt, sie müsse sich keine Sorgen machen. Er würde sich ein Leben lang ›um Lindy kümmern‹.

Das hat er gesagt. Er empfand es als seine Pflicht, sich für den Rest ihres Lebens um sie zu kümmern, sie zu schützen. Und wie hat er das gemacht? Sie haben es gehört. Er hat sie aus dem Haus geworfen, ihr gekündigt und dafür gesorgt, dass alles, aber auch wirklich alles, was sie besaßen, auf seinen Namen lief. Dann hat er ihr eine dreizehn Jahre alte Vereinbarung vor die

Füße geknallt, die sie unterzeichnet hatte, als die Firma wertlos war, weil er ihr versprach, sie zu heiraten.«

Sie machte eine Pause. »Der Richter wird Ihnen eine rechtliche Belehrung vorlesen, die in diesem Fall möglicherweise anzuwenden ist. Es klingt sehr einfach. Und das ist es auch. Ein Versprechen – in unserem Fall ein von Lindy in Erwartung einer Heirat schriftlich gegebenes Versprechen, auf alles zu verzichten, als Gegenleistung dafür, das Mike sie heiraten wird – ist rechtsungültig, wenn es nicht zu einer Eheschließung kommt!

Und genau das macht die so genannte ›Vereinbarung zur Gütertrennung‹ rechtsungültig!«

Sie sah Cliff Wright direkt an. Er gähnte.

»Ja, das Versprechen wurde schriftlich festgehalten. Aber dieses Blatt Papier, das sie unterzeichnete, ohne wirklich zu wissen, was es bedeutete, wurde nicht notariell beglaubigt. Kein Anwalt hat es ihr damals auseinander gesetzt oder erklärt. Dieses groteske und unfaire Dokument war nicht das Ergebnis einer Einigung. Kein vernünftiger Mensch kann unter diesen Umständen davon ausgehen, dass ihre Entscheidung sachlich fundiert war. Die Vereinbarung ist unredlich, sie wurde in infamer Absicht verfasst, und sie erfüllt nicht die erforderlichen Bedingungen, um rechtlich bindend zu sein. Sie sollten ihr keine Beachtung schenken.«

Sie wandte sich Lindys großem Pluspunkt zu. Durch das Handeln der Parteien war ein Vertrag zustande gekommen – zwanzig Jahre hatte Lindy Seite an Seite mit Mike gearbeitet. Sie kannte ihr Schlusswort so gut, dass sie in den Pausen zwischen den Sätzen Zeit zum Nachdenken fand: über die Gesichter der Geschworenen – gespannt, gelangweilt, müde oder aufmerksam –, über die langen Tage der Zeugenvernehmungen, die sie an diesen Punkt gebracht hatten, und über Lindy selbst.

Sie erzählte von Lindys Leben, versuchte, die Geschworenen dazu zu bringen, die liebevolle Hingabe dieser dünnen, bleichen Frau zu würdigen, über die sie zu urteilen hatten. Sie sprach von den Kindern, die Mike und Lindy nie gehabt hatten, und sagte, dass die Firma beiden gehört hatte wie ein Kind, aber im Gegensatz zu einem Kind durchaus in der Mitte geteilt werden konnte. Und Lindy verdiente die Hälfte.

»Es liegt in Ihren Händen«, sagte sie schließlich. »Vielen Dank.«

Nina setzte sich, sie war erschöpft. Sie hatte für Lindy ihr Bestes gegeben.

Riesner, zuversichtlich lächelnd und sachlich, hielt sein Schlusswort noch knapper und stellte Mikes Position mit möglichst einfachen Worten dar, um den Geschworenen den Eindruck zu vermitteln, die anstehende Entscheidung wäre leicht.

»Dies ist eine einfache Situation«, sagte er, als er zum Schluss kam. »Lindy und Mike trennen sich. Aber Lindy hat jetzt diese Vereinbarung am Hals, die sie vor Jahren unterzeichnet haben. Die Versuchung, sie zu ›vergessen‹ oder ihren Inhalt zu bestreiten, ist für sie sehr groß. Da ist Geld zu holen, überlegt sie sich, und sie will was davon. Sie muss etwas tun, also engagiert sie ein Team von schicken Anwälten, die Ihnen sagen, dass es keine rechtsgültige Vereinbarung ist.

Aber hier steht es schwarz auf weiß, meine Damen und Herren. Sie waren sich einig, keine Gütergemeinschaft einzugehen. Sie waren sich einig, getrennte Konten zu führen. Das Unternehmen und die Immobilien liefen auf Mikes Namen, weil sie einzig und allein ihm gehören. Davon sind sie ausgegangen, das war ihre Vereinbarung. Und damit es keine Missverständnisse gab, entwarfen sie ein Schriftstück, das sie beide unterschrieben, um einander zu versichern, dass sie sich einig waren.

Das war die Abmachung. Der Deal«, wiederholte er. »Klar und eindeutig. Schwarz auf weiß. Schriftlich. Lesen Sie die Beweisstücke. Und lassen Sie diesmal nicht die Habgier obsiegen.«

Seine letzten Worte standen im Raum und verströmten Energie. Nina hörte, dass sich hinter ihr das Publikum zu regen begann. Sie wollte etwas tun, um den Biss dieser Worte zu mildern, und so berührte sie Lindys Handgelenk, auch wenn sie wusste, dass es sinnlos war.

Jetzt blieb nur noch zweierlei: Die Geschworenen zu unterweisen und sie zu bitten, ihrer Aufgabe nachzukommen.

Das amerikanische System des Geschworenengerichtsverfahrens ist mit einem unverzeihlichen Makel behaftet – die Geschworenen müssen sich das ganze Verfahren anhören, ohne den rechtlichen Rahmen zu kennen, in den die Fakten eingeordnet werden sollen. Wie es ihnen am Ende gelingen soll, ihren eigenen improvisierten Rahmen zu verwerfen, um einen neuen anzunehmen, vermag niemand zu sagen. Schlimmer noch, die Rechtsbelehrungen sind weitschweifig, widersprüchlich und manchmal sogar verwirrend.

In Ninas Ohren klangen die Belehrungen lächerlich vereinfachend. Hinter jeder einzelnen von Milnes Darlegungen steckten Tausende von subtilen Unterscheidungen, hergeleitet aus Tausenden von Fällen in Hunderten von Jahren. Die Geschworenen würden jedoch nur die vereinfachte Version hören.

Die Geschworenen schauten Richter Milne an, der seine Brille zurechtrückte. Sie schienen eine ganz andere Gruppe zu sein als die zurückhaltenden Individuen, die am Anfang vereidigt worden waren; eine neue Gemeinschaft war entstanden. Sie kleideten sich sogar einheitlicher. Mrs Lims steife Jacketts waren verschwunden, ebenso wie Kevin Dowds gestrickte Golfhemden und Maribel Grzegoreks Haarspray.

Heute hatten sie sich fein gemacht. Sie wirkten selbstbewusst, würdevoll und beeindruckend. Nina fragte sich, ob ihr Eindruck daher rührte, dass die Geschworenen im Augenblick eine äußerst wichtige Rolle in ihrem Leben spielten. Nein, sie hatte das auch schon bei anderen Verfahren beobachtet, bei denen sie in der Zuschauermenge gesessen hatte, diese beruhigende Aura von Anständigkeit, die Menschen bekamen, die bald ein Urteil sprechen würden. Sie repräsentierten die amerikanische Öffentlichkeit, und sie waren sich dessen bewusst.

Würden sie im Geschworenenzimmer ebenso souverän, ebenso anständig bleiben? Nina saß mit Lindy, Winston und Genevieve sehr aufrecht an ihrem Tisch und versuchte, die gleiche Anständigkeit zu vermitteln.

Milne trank einen Schluck Wasser und benetzte sich die Lippen. In gemessenem Tonfall sagte er: »Es ist jetzt meine Pflicht, Sie in den Gesetzen zu unterweisen, die in diesem Fall zur Anwendung kommen. Und es ist Ihre Pflicht, sich an diese Gesetze zu halten.«

Er räusperte sich und fuhr fort: »Als Geschworene haben Sie die Pflicht, die Rechtswirksamkeit und den Wert der Beweise zu beurteilen und alle strittigen Fakten zu bewerten. Sie dürfen sich weder durch Mitgefühl noch durch Vorurteile oder Leidenschaften beeinflussen lassen.«

Er fuhr fort, indem er erklärte, dass die Beweislast auf Lindys Seite lag, da sie die Partei war, die die Klage angestrengt hatte. Er unterwies die Geschworenen, dass sie entscheiden mussten, zu welcher Seite das Pendel der Beweise ausschlug.

Er las die in seinen Besprechungen mit den Anwälten näher bestimmte Standard-Geschworenenunterweisung vor. Es durfte kein einziges spontanes Wort gesprochen werden, sonst konnte das Urteil in der Berufung aufgehoben werden. Die Unterweisungen waren in möglichst einfachen Worten verfasst, aber viele der Begriffe und Vorstellungen waren den Geschworenen dennoch neu, und ihre Gesichter zeugten von Verständnislosigkeit, während Milne mit gleichförmiger Stimme fortfuhr, ohne die eine oder andere Unterweisung zu betonen.

»Bei einem durch schlüssiges Handeln als abgeschlossen geltenden Vertrag oder Quasi-Vertrag, wie er manchmal auch genannt wird, sieht der Gesetzgeber vor, dass aus Gründen der Fairness oder Gerechtigkeit eine gesetzliche Schuldigkeit oder Verpflichtung entsteht. Eine solche Schuldigkeit oder Verpflichtung basiert nicht auf der ausdrücklichen oder augenscheinlichen Absicht der Parteien.

Ein Vertrag kann mündlich abgeschlossen werden. Ein mündlicher Vertrag ist genauso rechtskräftig und einklagbar wie ein schriftlicher Vertrag.«

Und jetzt kam Milne zu ein paar speziellen Unterweisungen. Riesner hatte sich für die erste eingesetzt, eine Bestimmung aus dem Zivilgesetzbuch, die so interpretiert werden konnte, dass Lindy sich nicht einfach an allem schadlos halten konnte, nur weil Mike versprochen hatte, sie zu heiraten, und sein Versprechen nicht gehalten hatte.

»Aus dem Bruch des Eheversprechens ergibt sich kein Klagegrund«, fuhr Milne mit seinem unparteiischen Vortrag fort.

Würden die Geschworenen befinden, dass sich Lindys Fall nur darum drehte? Möglicherweise. Nina schauderte und warf ihnen einen flüchtigen Blick zu, konnte ihre Mienen aber nicht deuten.

Dann war Lindy an der Reihe. Milne tastete sich durch das altehrwürdige Gesetz voran, das Nina hervorgekramt und für das sie sich so engagiert eingesetzt hatte, damit es in die Unterweisungen aufgenommen wurde, Paragraph 1590 des Zivilgesetzbuches. Es war in vornehmeren Zeiten erlassen worden, um die Rückgabe der Mitgift sicherzustellen, wenn eine Verlobung gelöst wurde. Milne hatte eingesehen, dass es zur Anwendung kommen könnte, und sich über Riesners empörte Einwände hinweggesetzt.

»Da, wo eine von beiden Partein bei einer beabsichtigten Heirat auf Grund der Annahme, dass die Heirat stattfinden wird, dem anderen Geld oder Besitz schenkt, erhält der Schenkende in dem Fall, dass der Beschenkte sich weigert, die vereinbarte Ehe einzugehen oder wenn diese in gegenseitigem Einvernehmen nicht geschlossen wird, ein solches Geschenk zurück.«

Jetzt zuckte Riesner zusammen. Auch hier würden die Geschworenen Lindy glauben müssen, nicht Mike oder den schriftlich fixierten Worten der Vereinbarung zur Gütertrennung. Aber wenn sie überzeugt waren, dass Mike Lindy die

Hochzeit in Aussicht gestellt hatte, damit sie die Vereinbarung unterschrieb, dann hatte sie das Recht, ihre »Mitgift«, nämlich ihren Anteil an der Firma und am restlichen gemeinsamen Vermögen, zurückzubekommen.

Waren die Geschworenen von diesem ganzen Gerede über Beschenkte und Schenkende jetzt völlig verwirrt? Waren diese Menschen intelligent genug, das alles zu verstehen?

Milne sprach noch erstaunlich lange über Verträge, bevor er zu den abschließenden Rechtsbelehrungen kam. »Jeder von Ihnen muss den Fall für sich entscheiden, was er aber erst tun sollte, nachdem er über die Ansichten aller anderen Geschworenen nachgedacht hat. Sie sollten Ihre Meinung ruhig ändern, wenn Sie davon überzeugt sind, dass sie falsch ist. Sie sollten sich jedoch nicht beeinflussen lassen, eine Frage auf eine bestimmte Weise zu entscheiden, nur weil eine Mehrheit der Geschworenen, oder auch nur einer von Ihnen, eine solche Entscheidung vorzieht.

… Vergessen Sie nicht, dass Sie bei dieser Sache weder Parteigänger noch Anwälte sind …«

Diesmal trank Milne einen kräftigen Schluck Wasser. Sein Vokabular hatte zehn Tage lang hauptsächlich aus »abgewiesen« und »stattgegeben« bestanden, daher setzte diese lange Rede seinen Stimmbändern zu. Zum Glück war er bald fertig.

»Wenn Sie sich zurückgezogen haben, bestimmen Sie einen aus Ihrer Gruppe zum Sprecher. Sobald neun oder mehr Geschworene sich auf ein Urteil geeinigt haben, sollten Sie das Urteil und die Begründung von Ihrem Sprecher mit dem Datum versehen und unterzeichnen lassen und damit in diesen Saal zurückkehren.«

Milne hielt inne. Der Gerichtssaal erwachte aus seiner Lethargie. Der Richter legte das letzte Blatt Papier beiseite und sagte mit gütiger Stimme, die so gar nicht zu dem zweistündigen roboterhaft anmutenden Vortrag passte: »Es ist spät geworden, Sie werden morgen um neun Uhr wieder im Gericht erscheinen, um mit Ihren Beratungen zu beginnen.«

Vollkommen geräuschlos gingen die zwölf Menschen, die ausgewählt waren, um die Zukunft einer Reihe anderer Menschen im Gerichtssaal zu bestimmen, einer nach dem anderen durch die Tür hinter ihnen, gefolgt von den beiden Ersatzgeschworenen.

Nina legte Lindy den Arm um die Schultern. »Das war's«, sagte Genevieve mit blassem Gesicht.

Das Warten hatte begonnen.

VIERTES BUCH

VIERTES BUCH

Das Urteil

*Mit der ersten Verdrehung der Wahrheit
durch einen der Anwesenden nehmen
die krankhaft verderbten Vorstellungen
ihren Lauf.*

GUSTAVE LE BON

23

Klick
Geschworene, erster Tag, Vormittag:
Die sechs Frauen und sechs Männer suchen sich Plätze am Tisch, die beiden Ersatzleute setzen sich ein Stück entfernt vom Tisch hin. Etwa zwanzig Minuten lang diskutieren sie, wer Sprecher werden soll. Die eine Hälfte befürwortet Mrs Lim, Clifford Wright stellt sich als zweiter möglicher Sprecher heraus. Bei der zweiten Abstimmung erhält er eine Stimme mehr.

Cliff: Sie wissen, warum wir hier sind. Wir haben uns zehn Tage lang alle Zeugenaussagen angehört, und wir hatten mehr als genug Zeit, sie zu überdenken, stimmt's?

Zustimmendes Kichern.

Cliff: Während der Pausen haben einige von uns sich schon mal etwas beschnuppert, ohne dass wir etwas getan hätten, was der Richter uns untersagt hat, nur um eine Idee zu bekommen, wo der andere steht. Es war manchmal schwer, nicht die Beherrschung zu verlieren.

Mann: Kann man wohl sagen.

Cliff: Aber wir sind auf der Zielgeraden, Leute. Lasst uns reibungslos und ergebnisorientiert arbeiten. Ich finde, es wäre eine gute Idee, eine Testabstimmung zu machen, um zu sehen, ob wir uns nicht wie durch ein Wunder schon einig sind.

Einige murmeln zustimmend.

Mann: Der Richter sagte, wir sollen zuerst darüber sprechen.

Frau: Ja, was ist, wenn wir mit der ersten Abstimmung schon zu einem Urteil kommen? Ich glaube nicht, dass das die richtige Auffassung von unserer Aufgabe ist.

Mann: Warum sollen wir unnötig unsere Zeit verschwenden? In dem Moment, als diese Anwälte ihre Eröffnungsplädoyers beendet hatten, wusste ich, wie ich abstimmen würde.

Cliff: Selbst wenn wir eine Mehrheit haben, gilt diese Abstimmung nicht. Wir müssen uns alle zuerst äußern, wie es der Richter gesagt hat.

Sie stimmen anonym auf Zetteln ab. Clifford Wright liest die Antworten eine nach der anderen vor. Acht finden, Lindy Markov soll gewinnen. Vier sind gegen ihre Forderungen.

Wright: Nun gut, wir haben ja schon fast eine Mehrheit. Sie erinnern sich bestimmt alle, dass wir in einem Zivilprozess nur neun brauchen.

Mann: Die Mädels sind mal wieder ihrem Herzen gefolgt, nicht ihrem Hirn.

Frau: Und die meisten Männer waren zu dumm, um auf eines von beiden zu hören.

Wright: Leute, lasst uns nicht zanken.

Mann: Es macht mehr Spaß, wenn man es als Krieg zwischen den Geschlechtern ansieht. Hier haben wir von allem etwas. Romantische Vorstellungen und die Gier einer Frau …

Frau: Verrat, Macht und das Ego eines Mannes. Nur dass die Frauen diesmal ausnahmsweise gewinnen!

Wright: Wir sollten etwas systematischer vorgehen. Der nächste Schritt ist wohl, dass jeder der Reihe nach zu Wort kommt. Alle bekommen die Chance, sich vorzustellen und zu erläutern, was sie denken. Wir folgen dem Uhrzeigersinn. Damit wären Sie der Erste, Mr Binkley. Ist es allen recht, wenn wir uns mit Vornamen anreden? Ich bin so schlecht mit Namen.

Die meisten stimmen zu.

Bob Binkley: Ich bin Geschichtslehrer drüben am College. Ich bin zweiunddreißig Jahre alt, und ich spüre jede einzelne Minute. Nicht verheiratet und zurzeit auch nicht liiert. Regen Sie sich nicht auf, wenn Sie bemerken, dass ich manchmal Probleme mit dem Atmen habe. Es ist nur ein leichtes Asthma.

Ich habe jedenfalls die Nase voll von diesem Prozess. Diese beiden, das sind doch Gierhälse, und die Summe, über die sie sich streiten, ist obszön. Ein Leben, das damit verbracht wird, Vermögen um seiner selbst willen anzuhäufen, ist verschwendet.

Mann: Ich habe das nicht so aufgefasst, dass Geld ihr Ziel war. Es ging mit ihrem Erfolg einher.

Bob: Niemand sollte so viel Geld haben, ohne es umzuverteilen.

Frau: Lindy Markov hat sich in der Wohlfahrt engagiert. Ich bin im Zusammenhang mit unterschiedlichen karitativen Anlässen, für die sie sich stark gemacht hat, mehrfach über ihren Namen gestolpert.

Bob: Gut für sie. Doch wenn man bedenkt, dass da immer noch zweihundert Millionen oder so sind, die dafür verwendet werden, irgend so ein neues Teil zu produzieren, das einzig und allein unserer kulturellen Schlankheitsparanoia verpflichtet ist, kann mich das nicht gerade beeindrucken. Diese beiden fetten Katzen hätten sich außergerichtlich einigen können, ohne unsere Zeit zu verschwenden.

Cliff: Können Sie uns sagen, wie Sie gestimmt haben und aus welchem Grund?

Bob: Oh, ich finde nicht, dass die Frau etwas kriegen sollte. Sie waren nicht verheiratet. Ich bin für Mike, weil das Gesetz auf seiner Seite ist, aber ich habe noch eine bessere Idee. Ich finde, wir sollten ihr Geld nehmen und es unter uns aufteilen. Also, das wäre fair. Bestimmt hätten wir eine bessere Verwendung dafür.

Einige lassen sich von seiner Idee anstecken. Sie fantasieren, bis Cliff Wright eingreift.

Cliff: Ignacio?

Ignacio Ybarra: Ich bin dreiundzwanzig und arbeite für die Telefongesellschaft als Telefontechniker. Meine Frau ist vor zwei Jahren gestorben. Ich habe eine Tochter, die drei Jahre alt ist, und in meiner Freizeit spiele ich Theater in unserer Gemeinde.

Als wir uns neulich beim Mittagessen darüber unterhalten haben, habe ich ja schon gesagt, was ich denke. Ich finde, sie sollte etwas bekommen.

Cliff: Also, Sie glauben, sie hat einen gesetzlichen Anspruch? Denken Sie daran, dies ist ein Rechtsfall.

Ignacio: Das ist nicht so leicht zu sagen. Ich bin auch der Ansicht, dass das Gesetz uns leiten sollte, das Richtige zu tun, aber wenn es einem keine klare Richtung vorgibt, muss man in sein Herz sehen, um herauszufinden, was richtig ist. Ich habe für Lindy gestimmt.

Cliff: Macht es Ihnen etwas aus, zu sagen, warum?

Ignacio: Ich möchte mir zuerst lieber die anderen anhören.

Cliff: Okay. Was ist mit Ihnen, Maribel?

Maribel Grzegorek: Ich lebe seit zweiundzwanzig Jahren hier oben. Bin zum Skifahren hergekommen und nicht mehr weggefahren. Ich bin über vierzig und unter siebzig, nicht dass das irgendwen einen feuchten Kehricht angeht. Hab mal als Geberin im Casino gearbeitet. Jetzt bin ich Kassiererin im Mikasa Outlet Store.

Mein größtes Problem mit diesem Fall ist, dass mir Riesner auf die Nerven geht.

Er erinnert mich an diese alte Katze, die ich mal hatte, das gemeinste Vieh, das man sich vorstellen kann. Wisst ihr, bei mir verliert Mike Markov gleich ein paar Punkte, weil er sich so einen Anwalt ausgesucht hat. Und an dem Tag, an dem Reilly gestolpert ist? Jede Wette, dass dieser Anwalt ihr ein Bein gestellt hat!

Mann: Wenn er das getan hat, hat sie's jedenfalls verdient.

Andere, die sich für dieses Thema interessieren, mischen sich ein. Es wird viel spekuliert, bis schließlich …

Cliff: Wissen Sie, Maribel, ich mag den Anwalt auch nicht. Und es ist leicht, sich durch solche Gefühle beeinflussen zu lassen. Aber ich weiß, wenn die Zeit kommt und ich mich entscheiden muss, dann muss ich mich über diese Gefühle hinwegsetzen und meinen Kopf benutzen. Also, ich merke, dass Sie eine kluge Frau sind, die den Unterschied zwischen ihren Gefühlen und wirklichen Beweisen kennt …

Frau: Wisst ihr, was mir bei Reilly wirklich komisch vorkam? Sie sah so merkwürdig aus in diesen blassen Farben, irgendwie unprofessionell …

Mann: Erinnern Sie sich nicht an das Theater, als Marcia Clark im Simpson-Prozess ein helles Kostüm trug? Das machen die, damit wir sie besser finden.

Frau: *(lachend)* Was für ein Humbug!

Sie diskutieren über die Kleidung der Anwälte.

Cliff: Kommen wir noch einmal auf Maribel zurück, okay? Was ist mit Lindys Anspruch?

Maribel: Wisst ihr, ich verliere die wirklichen Beweise nicht aus dem Blick, keine Sorge. Aber trotzdem muss ich sagen: Wo wäre Mike Markov heute ohne Lindy? Im besten Fall würde er irgendwelche Jungs trainieren. Sie hat die Vorstellungskraft und die Power. Er war ein alter Kämpfer, und als sie ihn kennen gelernt hat, war er ein Loser auf dem absteigenden Ast. Und dann kam sie mit ihrer Muntermacher-Energie und hat ihn zu sich hochgehievt. Sie war sein Ticket in ein besseres Leben. Trotzdem muss man das ganz klar sehen: Das Gesetz ist nicht immer fair. Ich kannte da mal so'n Mädchen …

Cliff: Also, Sie denken, das Gesetz unterstützt ihren Anspruch nicht, aber Sie spüren, dass sie etwas bekommen sollte.

Maribel: Ja, ich spüre das, andererseits müssen wir uns ans Gesetz halten.

Cliff: Sonny?

Sonny Ball: Ich passe.

Cliff: *(Pause)* Okay, Sonny. Diesmal überspringen wir Sie. Aber irgendwann, hoffe ich, werden Sie uns Ihre Gedanken anvertrauen. Courtney?

Courtney Poole: Ich will noch etwas über diese Anwältin, Ms Reilly, sagen. Kann ich das?

Cliff: Lassen Sie uns versuchen, beim Thema zu bleiben ...

Mrs Lim: Ich finde, Courtney sollte ruhig sagen, was sie sagen wollte ...

Courtney: Weil ich finde, dass das wirklich stimmt, was sie gesagt hat. Warum sollte Mrs Markov nichts abbekommen, nicht mal 'ne Zahnbürste? Ich meine, ihre Zahnbürste hat sie ja wahrscheinlich mitgenommen, aber für mich klang es so, als ob sie das Haus eingerichtet hat. Er hatte gar kein Interesse daran. Und dann dreht er sich um und schmeißt sie raus.

Bob: Ja, aber denken Sie daran, die beiden waren nicht rechtskräftig verheiratet. Rein rechtlich gesehen ist das Haus seines.

Cliff: Können wir die Diskussion noch aufschieben, bis alle einmal dran waren? Wir sind fast durch. Was denken Sie, Kevin?

Courtney: Entschuldigen Sie, aber ich war noch nicht fertig.

Cliff: Entschuldigung. Bitte fahren Sie fort.

Courtney: Es ist ja nicht so, dass sie einfach losgeht und einen Job kriegt. Sie ist schon so alt. Und ist Ihnen aufgefallen, wie sie ihn verteidigt hat? Sie liebt ihn immer noch, selbst nach all dem, was er ihr angetan hat. Ich finde, er schuldet ihr etwas.

Andererseits, hat sie irgendwelche Rechte? Wie können wir beurteilen, worauf sie sich geeinigt haben? Wir waren ja nicht bei ihnen im Schlafzimmer oder in der Kirche. Wir haben sie vor Gericht gesehen, wo sie beide geschwindelt und Informationen unterschlagen haben. Man kann nie wirklich beurteilen, was zwischen zwei Leuten vor sich geht. Deswegen habe ich viele Zweifel.

Ach, übrigens, ich bin zweiundzwanzig und wohne mit meiner Mutter an den Keys. Ich studiere in Reno. Mein Hauptfach ist Psychologie, und ich lerne hier eine ganze Menge, du liebe Güte!

Bob: Ja klar, mit einer Hand voll Irrer in einem Raum eingeschlossen!

Maribel: Hey, Leute! Merkt euch das! Bob Binkley gibt offen zu, ein Irrer zu sein.

Gelächter. Sie unterbrechen für eine fünfzehnminütige Pause. Es dauert ein paar Minuten, bis alle wieder auf ihren Plätzen sitzen.

Cliff: Kevin, ich glaube, Sie sind an der Reihe.

Kevin Dowd: Ich muss was zu dem sagen, was Bob am Anfang gesagt hat, denn wir haben hier eine grundsätzliche Meinungsverschiedenheit. Meiner Meinung nach schulden Lindy und Mike Markov der Welt gar nichts. Jeder Mann ist für sich da draußen, und man muss arbeiten, um zu überleben. Wenn du fällst und nicht mehr aufstehen kannst, hast du Pech. Was die beiden haben, haben sie sich verdient. Sie sollten selbst entscheiden können, wie sie es ausgeben, ohne dauernd von nichtsnutzigen Dreckskerlen angegriffen zu werden.

Ich kenne mich mit solchen Umständen aus. Ich will das hier nicht an die große Glocke hängen, aber ich bin ein vermögender Mann. Und ich sage nie etwas gegen Damen, der Herr segne sie. Wo wären wir ohne sie? Sie hat ihm in vielerlei Hinsicht geholfen, daran kann es keinen Zweifel geben.

Aber Tatsache ist, und hier stimme ich mit Bob überein, sie war Angestellte der Firma. Sie hat ein Gehalt bezogen. Und Tatsache ist, sie war Mike Markovs Geliebte. Aber das macht sie noch nicht zu seiner Frau. Also kann sie auch keinen Anspruch auf sein hart verdientes Geld erheben.

Cliff: Was ist mit Ihnen, Kris. Was sagen Sie?

Kris Schmidt: Ich bin Hausfrau mit zwei Kindern, und ich sollte jetzt zu Hause sein. Meine Kids brauchen mich, vor allem nachmittags, damit ich ihnen bei den Hausaufgaben helfe. Die Probleme von diesen Leuten sind so weit von Joes und meinen entfernt wie nur irgendwas. Er repariert Boote und arbeitet im Jachthafen im Trockendock. Wir kommen über die Runden. Was uns wundert, ist, dass es Leute wie die Markovs gibt, ich meine, deren größte Sorge ist es doch, welche ihrer Jachten sie heute nehmen sollen.

Ich wünsche mir nur, ich könnte das Richtige sagen, damit

wir alle hier rauskommen. Der ganze Rechtskram ist mir manchmal einfach zu hoch. Neulich abends haben Joe und ich uns unterhalten, wir haben natürlich nicht über den Fall gesprochen. Ich weiß ja, was der Richter gesagt hat. Wir haben uns ganz allgemein über die Situation unterhalten. Joe sagt, dass Frauen bei diesen Unterhaltsprozessen fast nie was bekommen. Ich finde das merkwürdig, ich meine, warum nicht, wenn doch so viel da ist.

Dann fiel mir ein, wie schwer es ist, von Joe auch nur einen Pfennig für die Kinderklamotten zu kriegen oder fürs Kino, egal wofür. Ich denke, Männer kämpfen auf verlorenem Posten, um die Frauen unter der Fuchtel zu halten.

Ich finde, es gibt keinen Grund, warum sie arm hier rausgehen sollte, wenn Mike Markov hundertmal reicher ist als wir alle, mit Ausnahme von Kevin vielleicht. Ist irgendwem hier aufgefallen, wie er gesagt hat, er würde sich um sie kümmern? Das würde ihm so gefallen. Es würde ihm gefallen, wenn sie für den Rest ihres Lebens bettelnd vor ihm kriechen müsste. Das ist doch erbärmlich.

Cliff: Grace?

Grace Whipple: Ich bin vierundfünfzig, geschieden und kümmere mich um mein erwachsenes behindertes Kind. Ähnlich wie Kevin meine ich, etwas von der Situation zu verstehen, aber nicht, weil ich im Geld schwimme.

Man muss sehr viel Charakterstärke haben, um bei jemandem zu bleiben, der einen braucht. Loyalität ist eine unterschätzte Tugend. Nicht dass sie für ihre Liebe belohnt werden sollte, aber vielleicht sollte sie irgendeine Kompensation dafür bekommen, dass sie so viel von sich selbst, von ihrem Leben in dieses Unternehmen gesteckt hat, von dem jetzt ausschließlich Mike Markov profitiert. Sie hat wirklich aus fast nichts etwas aufgebaut.

Sie ist in etwa so alt wie ich. Ich denke gerne, dass ich noch viele Jahre zu leben habe. Wenn sie ohne einen Pfennig hier rausgeht, muss sie noch einmal von vorne anfangen. Stellen Sie sich doch bloß mal so eine Frau vor, wie sie sich um einen Job bewirbt. Niemand wird sie haben wollen. Es ist wirklich nicht zu viel von ihm verlangt, ihr ein paar von diesen Millionen abzugeben.

Cliff: Frank.

Frank Lister: Ich bin pensionierter Biologe. Zuletzt habe ich eine Bio-Lebensmittelkooperative mitorganisiert. Meiner Meinung nach muss man die Dinge hier auf ihren Kern reduzieren. Was Mike Markov tut, ist normales Paarungsverhalten, er sucht sich eine jüngere Partnerin, jetzt wo seine bisherige aus dem gebärfähigen Alter raus ist. Unser Zweck hier ist die Fortpflanzung. Das haben wir mit den meisten Tieren gemeinsam.

Cliff: Frank, wofür haben Sie gestimmt?

Frank: Die rationalste Herangehensweise ist es, sich das Gesetz anzusehen. In diesem Fall glaube ich nicht, dass es fraglich ist. Sie sollte nichts bekommen. Es ist im Gesetz nicht vorgesehen.

Cliff: Hm. Diane?

Diane Miklos: Ich bin neununddreißig Jahre alt und Profi-Bergsteigerin. Und ich …

Bob: Bezahlt jemand Sie fürs Klettern?

Diane: Ich bekomme Mittel von Sponsoren, von Outdoor-Läden, Campingausrüstern und so weiter. Ich nehme die Sachen mit und fotografiere sie, wenn ich am Klettern bin. Sie nutzen die Fotos für ihre Anzeigen. Ich mache auch Diashows und bringe die Leute dazu, etwas beizusteuern. Ich will die älteste Frau sein, die die höchsten Gipfel auf allen sieben Kontinenten besteigt. Drei habe ich schon geschafft.

Frau: *(sehr leise)* Beeil dich lieber, Diane, denn wenn du neununddreißig bist, bin ich die Königin von Saba.

Diane: Wir haben hier eine ganz typische Situation. Wie dieser schwarze Anwalt Reynolds immer wieder gesagt hat: »Er ist ein Betrüger.« Dieser Bastard Mike hat Lindy jahrelang unterdrückt. Erst hat er sie an sich gefesselt. Und als er hatte, was er von ihr wollte, hat er sie fallen lassen.

Sie hätte sich besser schützen sollen. Sie hat damit gerechnet, dass er sich um sie kümmert, und das war ihr großer Fehler. Nun sind wir hier, um die Sache ins Lot zu bringen.

Cliff: Susan?

Mrs Lim: Bitte, wenn es Ihnen nichts ausmacht, Mrs Lim.

Cliff: Fahren Sie fort, Mrs Lim.

Mrs Lim: Ich verkaufe Häuser. Ich bin Immobilienmaklerin. Seit dreiundzwanzig Jahren mit Mr Lim verheiratet, und ich habe zwei erwachsene Kinder.

Ich habe für Lindy Markov gestimmt. Wissen Sie, wenn man genau zuhört, dann kann einem nicht entgehen, wie sich die Leute fühlen, die da oben aussagen. Ich habe sie weinen sehen. Ich habe auch Mike Markov leiden sehen. Was wir uns in diesem Fall ansehen müssen, ist ganz einfach. Wir untersuchen die Beweislage. Der Richter hat uns aufgetragen, »die Gültigkeit und den Wert der Beweise« abzuwägen und die Sachfragen zu klären, also sollten wir das tun.

Bob: Wenn Sie sich die Beweise ansehen, wie können Sie dann guten Gewissens zu Lindy Markovs Gunsten abstimmen? Was ist mit der Vereinbarung?

Mrs Lim: Das ist ein gutes Beispiel. Nicht alle Beweise sind das, was sie scheinen. Denken Sie daran, was uns gesagt wurde, dass ein gültiger Vertrag einen rechtsgültigen Inhalt haben muss sowie einen angemessenen Ausgleich. Der Ausgleich muss etwas wert sein. Damals hatten sie kein Geld, sie hatten gar nichts. Sie bekam nichts dafür, dass sie ihre Rechte bis in alle Ewigkeit abtrat.

Diane: Warum sollte sie so ein Papier unterschreiben, wenn er sie nicht dazu gezwungen oder ihr irgendetwas dafür versprochen hat? Das ergibt doch keinen Sinn.

Frank: Sie spürte, dass er das Interesse an ihr verlor. Sie klammerte sich so sehr an ihn, wie sie nur konnte. Sehen Sie, eine allein stehende Frau muss in dieser Gesellschaft leiden. Sie wird ärmer. Sie verliert ihr Prestige. Das muss nicht heißen, dass er sie gezwungen hat.

Diane: Das ist lächerlich und beleidigend. Sie mag blöd gewesen sein, den Wisch zu unterschreiben, aber ich möchte Sie daran erinnern, dass er gesagt hat, er würde sie heiraten. Da er sie nicht geheiratet hat, kann sie jetzt nichts gegen ihn durchsetzen. Ich schätze, das bedeutet, dass ihr wenigstens ein Teil der Firma zusteht.

Kevin: Selbst wenn Sie glauben, dass sie die Wahrheit gesagt hat, und selbst wenn Sie glauben, die Vereinbarung sei nicht rechtsgültig, so stand doch ganz klar drin, was sie bedeutet. Wie kann sie behaupten, nicht gewusst zu haben, was für eine Übereinkunft sie getroffen hatten? Sie hat das Papier doch unterschrieben?

Diane: Sie hat unterschrieben, um ihm seine Unsicherheit zu nehmen. Wie jede andere gute Frau seit Anbeginn der Zeit hat sie alles getan, um einen Schwächeren zu unterstützen. Sie hat es nicht ernst genommen. Warum sollte sie? Zu dem Zeitpunkt war kein Geld im Spiel.

Cliff: Sonny? Haben Sie dem irgendetwas hinzuzufügen?

Sonny: Nein. Wir sollten das hinter uns bringen.

Cliff: Okay. Jetzt waren alle dran. Ich halte meinen Sermon kurz, damit wir in die Diskussion einsteigen können. Ich bin fünfundvierzig. Seit zwölf Jahren verheiratet, seit kurzer Zeit leider getrennt lebend. Ich halte mich selbst für einen Feministen. Die meisten von Ihnen wissen bereits, dass ich vor ein paar Jahren Abgeordneter war. Ich bin zurzeit Kampagnenmanager für einen Kongressmann, aber ich denke darüber nach, im November selbst wieder zu kandidieren. Mit Mitte zwanzig habe ich ein paar Jahre Jura studiert, danach habe ich als Anwaltsassistent gearbeitet und beschlossen, stattdessen in die Politik zu gehen.

Bob: Jeder weiß, dass man dafür keine Ausbildung braucht.

Alle lachen.

Cliff: Das stimmt. Also glauben Sie mir, ich weiß auch nicht mehr als alle anderen hier. Wir haben alle derselben Beweisaufnahme zugehört.

Wie einige von Ihnen fand auch ich die Argumente für Lindys Forderung sehr überzeugend. Es scheint ja auch reichlich Geld vorhanden zu sein. Wenn es uns hier nur um Fairness ginge, dann müsste sie allerdings etwas bekommen. Ich unterstütze viele liberale Anliegen, auch gleichen Lohn für Frauen und sogar Aktionen gegen die gute alte Diskriminierung.

Aber hier müssen wir uns darauf konzentrieren, wie die Gesetzeslage ist, und nicht, wie wir sie gerne hätten. Das kalifornische Recht sieht nirgends eine finanzielle Versorgung für eine Frau vor, die nicht gesetzlich mit einem Mann verheiratet ist. Es gibt nicht einmal einen Hinweis auf Unterhalt. Es gibt nur eine Ausnahme. In San Francisco und vielleicht noch in ein paar anderen Städten wird das, was dort Haushaltspartner genannt wird, von Versicherungen abgedeckt.

Frank: Woher wissen Sie das?

Cliff: Ich wusste es einfach, aber um sicherzugehen, habe ich in meinen alten Büchern nachgesehen.

Mrs Lim: Der Richter uns doch gesagt, wir sollten keine eigenständigen Recherchen durchführen?

Cliff: Ich habe das nachgesehen, bevor er uns diese Anweisung gegeben hat. Jedenfalls habe ich nichts über Unterhalt gefunden, was Ihnen klarmachen sollte, wie weit hergeholt Lindys Forderung ist.

Vom Gesetz ausgehend, können wir ihr meiner Meinung nach nichts zugestehen. Ich wünschte mir, ich könnte etwas anderes sagen. Aber wissen Sie, Mike Markov hat gesagt, dass er sich um sie kümmern wird. Rein rechtlich gesehen muss er das nicht. Ich glaube, er wird es trotzdem tun.

Diane: Was ist in fünf Jahren, wenn er eine Horde Kinder hat und Lindy nur noch eine gruselige Erinnerung ist?

Cliff: Nun, Sie können Männer hassen und ihnen nie vertrauen. Aber ich glaube, die meisten Leute versuchen, ihren Verpflichtungen nachzukommen.

Diane: Das ist doch Schwachsinn! Er wird ihr ein paar Münzen vor die Füße werfen und glauben, er hätte seine Pflicht getan. Nein, es ist an uns, ihn zu zwingen, das Richtige zu tun.

Maribel: Na ja, ihr müsst zugeben, dass Cliff da etwas Wichtiges gesagt hat, und ich muss auch sagen, dass mir das, was Kevin gesagt hat, gefallen hat. Wir sollen uns an das Gesetz halten. Und nur weil der Mann Geld hat, heißt das nicht notwendigerweise, dass sie etwas bekommen sollte.

Diane: Das kann ich nicht glauben. Dass Sie sich um hundertachtzig Grad drehen! Zwei Minuten den Männern zugehört, und schon ändern Sie Ihre Meinung.

Maribel: Ich habe das Recht, meine Meinung zu ändern, nachdem ich anderen zugehört habe. Der Richter hat es gesagt.

Diane: Einige Frauen tun einfach alles, um von Männern beachtet zu werden.

Maribel: Oh, was wissen Sie denn schon von männlicher Aufmerksamkeit? Hat Ihre Mutter Ihnen nie einen Tipp gegeben, dass man von zu viel Sonne Falten bekommt?

Cliff: Bitte meine Damen, bitte.

Diane: Bitte, Männer, bitte. Hört auf, uns Damen zu nennen.

Cliff: Was würden Sie vorziehen?

Maribel: »Damen« passt auf einige von uns ganz gut.

Cliff: Genug, Leute. Gehen wir wieder an die Arbeit. Ich schätze, der nächste Schritt ist, die Aussagen durchzuarbeiten und zu sehen, woran wir unsere Meinungen festmachen können, und das sollten wir so schnell wie möglich tun. Ich weiß, dass alle den beteiligten Parteien Gerechtigkeit widerfahren lassen und so schnell wie möglich hier rauskommen wollen!

Bevor wir fortfahren, möchte ich Sie daran erinnern, dass unsere Ersatzleute Patti Zobel und Damian Peck sind. Sie hören unserer Diskussion zu, aber sie beteiligen sich nicht daran. Wir sollten ihnen viel zum Nachdenken geben.

Kevin: Jetzt habe ich etwas auf dem Herzen.

Cliff: Was ist das, Kevin?

Kevin: Wie wird das hier mit dem Mittagessen gehandhabt? Ich komme um vor Hunger.

Klick

24

Klick

Geschworene, erster Tag, Nachmittag:

Wright: An die Arbeit. Also, wer will zuerst?

Kevin: Wer hat das Mittagessen bestellt? Von Fast Food bekomme ich Magenverstimmungen.

Bob: Allerdings haben Sie ganz so ausgesehen, als würden Sie ihr Essen genießen.

Kevin: Das müssen gerade Sie sagen.

Maribel: Sie essen nie etwas, Cliff. Wir futtern hier alle zwischendurch wie verrückt, und dann stürzen wir uns auch noch aufs Mittagessen. Ich wünschte, ich hätte Ihre Selbstbeherrschung.

Cliff: Das hat nichts mit Disziplin zu tun. Ich halte mich nur an einige strenge Diätregeln.

Frank: Vegetarier? Das ist eh das Beste. Wünschte, ich könnte mich dran halten.

Cliff: Ja, auch. Aber ich habe auch starke Allergien.

Courtney: Ich kann keinen Knoblauch essen. Wenn ich es doch tue, müssen Sie alle zehn Schritte zurücktreten!

Cliff: Bei mir ist das etwas anderes.

Courtney: Was dürfen Sie nicht essen?

Cliff: Frische Äpfel, falls Sie mir das glauben. Also, das ist sehr merkwürdig. Diese spezielle Nahrungsmittelallergie kann saisonabhängig sein.

Frank: Im Ernst? So was hab ich ja noch nie gehört.

Cliff: Ich habe ziemlich viel darüber gelesen, glauben Sie mir. Wenn ich einen rohen Apfel esse, schwillt mein Hals zu und ich kriege keine Luft mehr. Es könnte mich umbringen.

Diane: Das ist doch mal 'ne nette Art, sich zu verabschieden. An einem Apfel zu ersticken.

Frank: Und wie ist's mit den normalen Allergien? Erdbeeren, Erdnüsse und so weiter?

Cliff: Ja, steht beides auf meiner schwarzen Liste.

Courtney: Ist das wie bei den Menschen, die an Bienenstichen sterben?

Cliff: Ja, das Gleiche. Falls wir noch länger hier festsitzen, werde ich demjenigen, der sich um unser Essen kümmert, von einem guten Restaurant mit Lieferservice erzählen, die jede Menge frische Sachen und viel Gemüse nehmen. Mögen alle Chinesisch?

Gemurmel. Die meisten mögen es.

Frank: Machen Sie Witze? Solche Läden schütten bergeweise Natriumglutamat und alle möglichen Zusatzstoffe ins Essen.

Cliff: Die nicht. Vertrauen Sie mir. Und jetzt lassen Sie uns zum Thema zurückkommen. Ich will die Diskussion mit ein paar Gedanken eröffnen, und Sie unterbrechen mich einfach, wenn Sie so weit sind.

Diane: *(leise)* Ja, erzählen Sie uns, was Sie davon halten, Cliff.

Cliff: Oh, und ich möchte Sie daran erinnern, dass wir uns auf den Fall konzentrieren. Wir wollen nicht persönlich werden. Wir müssen uns nur die Fakten anschauen und eine gute Entscheidung treffen. Vielleicht noch heute!

Obwohl ich Ihnen erzählt habe, wie ich bei der ersten geheimen Wahl gestimmt habe, betrachte ich meine Rolle als Ihr Leiter als unparteiisch. Ich weiß, dass viele von uns Lindys Ansprüche unterstützen. Sie muss zum ersten Mal in ihrem Leben allein zurechtkommen. Ihr langjähriger Lebensgefährte hat sie verlassen. Ihr Job wurde gekündigt. Da gibt es vieles zu bedauern. Ich verstehe wirklich, dass viele von uns sich auf ihre Seite geschlagen haben. Aber bevor wir ihr Millionen von Dollars hinterherwerfen, sollten wir vielleicht sichergehen, ob wir wissen, wer sie ist und warum sie Mike Markov verklagt.

In meinen Augen haben wir es hier mit einer sehr kompetenten Frau zu tun, die wirklich auf Draht ist. Sie wird nicht in der Gosse enden und einen Einkaufswagen durch die Gegend schieben. Sie hat reiche Freunde, ein gut etabliertes Netzwerk. Es ist also nicht so, als würden wir die Frau arm und mittellos machen, wenn wir entscheiden, dass ihre Forderungen unberechtigt sind.

Und während sie diesen Typen verklagt, verteidigt sie ihn gleichzeitig bei jeder Gelegenheit. Warum? Sie liebt ihn immer noch. Es gibt noch eine andere Art, die Sache zu betrachten. Gut möglich, dass es bei dem Prozess eigentlich gar nicht um Geld geht, sondern um Rache.

Frank: Gut möglich. Wir sind alle Opfer unserer Gefühle. Sie ist wütend, und sie zahlt's ihm heim.

Cliff: Da ist auch noch ihre Zeugenaussage. Lassen Sie uns einen Blick darauf werfen. Wie haben Sie das empfunden? Man hat uns gesagt, ein mündlicher Vertrag ist genauso gut wie ein schriftlicher. Hat sie die Wahrheit gesagt, als sie behauptete, sie seien sich einig gewesen, alles zu teilen?

Bob: Sie lügt das Blaue vom Himmel herunter. Sie lügt wie gedruckt.

Frank: Wie meine erste Frau sagen würde, sie lügt wie ein Bandit. Das passt ziemlich gut.

Cliff: Sie sagen, sie hat gelogen. Wie? Meine Damen? Verzeihen Sie, Diane. Noch jemand dieser Meinung?

Maribel: Also, ich glaube, sie hat geschwindelt, als sie gesagt hat, sie wollte die ganze Zeit, dass Mike Markov sie heiratet. Sie hat sich nicht mal darum gekümmert, ob ihre Scheidung rechtsgültig war. Das ist ziemlich wichtig.

Grace: Sie hat die Wahrheit vielleicht ein bisschen verdreht, als sie sagte, sie dachte, er würde sie heiraten. Er hat das nie gesagt. Sie hat gewusst, worauf der Deal hinauslief, und sie hat seine Bedingungen akzeptiert, weil sie keine andere Wahl hatte.

Kevin: In Bezug auf die Vereinbarung zur Gütertrennung hat sie gelogen und behauptet, er hätte damals versprochen, sie zu heiraten. Das kaufe ich ihr nicht ab. Der Typ war schon mal durch eine unschöne Scheidung ruiniert worden. Bei Gott, in so eine Situation würde er sich doch nicht noch einmal bringen! In Bezug auf die Scheidung hat sie gelogen.

Bob: Sie hat gelogen, um das Geld zu bekommen, darauf läuft's hinaus.

Cliff: Sie will das Geld.

Kevin: Das ist offensichtlich. Solange Lindy mit Mike Markov zusammen war, lebte sie auf großem Fuß. Sie hat ihren Mann verloren, aber sie will, auf Teufel komm raus nicht auch noch auf all die guten Dinge verzichten müssen, an die sie gewöhnt ist.

Maribel: Hey, ihr könnt ihr nicht vorwerfen, dass sie's versucht hat.

Bob: Aber sie wusste doch, wie's ausgeht. Selbst Sie müssen das doch einsehen, Diane, es sei denn, Sie halten sie für eine komplette Idiotin.

Diane: Und wenn es mir auch Bauchschmerzen macht, muss ich doch zugeben, dass ich den unangenehmen Verdacht hege, dass sie verdammt genau wusste, dass er sie niemals heiraten würde. In dem Augenblick, in dem er mit dem Blatt Papier aufgetaucht ist, hätte sie sagen sollen: Und tschüss, du knickriger Geizhals.

Grace: Aber so was hat sie nicht erwartet! Sie hat nicht erwartet, dass er sie wegen einer jüngeren Frau in die Wüste schickt!

Maribel: Dann ist sie eine komplette Idiotin.

Grace: Was ich meine, ist, sie hat die Dinge wirklich nicht so gesehen wie er. Wissen Sie, was ich meine? Er hat gesagt, sie würden alles ihr Leben lang zusammen durchziehen, und sie hat ihm geglaubt. Er hat das nur gesagt, damit sie tut, was er will, aber das hat sie nicht kapiert.

Ignacio: Er hat ihr Versprechungen gemacht, das glaube ich.

Cliff: Aber ist ein Versprechen das Gleiche wie ein rechtsmäßiger Vertrag?

Bob: Bingo. Ist es nicht.

Mrs Lim: Ich glaube, wir alle nehmen unser Amt als Geschworene sehr ernst. Wir möchten die Sache richtig machen. Das eigentliche Problem ist, unsere Suche ist so abstrakt. Rechnen Sie mal all die Versprechen, die Ihnen jemand gemacht hat, in Geld um. Das ist sehr schwer.

Diane: Dieses System ist wirklich beschissen. Die Frau hat ein Recht darauf, etwas von ihm zu bekommen, aber was sie wirklich verdient, ist seine Loyalität und seine Liebe, und egal, wie wir entscheiden, die wird sie nicht bekommen.

Kevin: Sie klingen wie ihre Anwältin, dieses freche kleine Ding. Als Nächstes sagen Sie, das Geld ist bedeutungslos. Deswegen können wir ihr ruhig ein paar Millionen hinterherschmeißen.

Diane: Keineswegs. Aber wir müssen das aus der richtigen Perspektive sehen. Er hat Zaster wie Heu, und er schuldet ihr was.

Kevin: Diese Art zu denken macht mich richtig sauer. Nur weil viel Geld da ist, sollte sie was davon bekommen? Das ist Betrug. Dann sind wir nicht besser als ein gemeiner Straßendieb.

Bob: Wir haben die Aufgabe, diesen verrückten Forderungen, die das System zulässt, ein Ende zu machen. Ich werde nicht zu den Geschworenen gehören, die Millionen von Dollars zu irgendwem rüberschaufeln, nur weil das Geld da ist.

Diane: Wir sollten auch noch etwas anderes bedenken. Diese Anwälte, die den Fall vortragen. Sie werden für ihren Job bezahlt. Sie würden alles sagen, damit man ihnen glaubt.

Es folgt eine Diskussion darüber, ob die Anwälte es nur des Geldes wegen machen.

Wright: Lassen Sie uns zum Thema zurückkommen. Wer will?

Frank: Noch mal zu dieser Pseudoheirat in der Kirche. Vergessen Sie nicht, zu diesem Zeitpunkt hatten sie sich gerade erst kennen gelernt. Sie waren noch schwer verliebt ineinander. Also hat er sich mit ihr hingekniet. Wie Kinder haben sie gespielt, sie würden heiraten. Er hat um sie geworben.

Ignacio: Ja, aber warum? Warum dieses Versprechen vor dem Altar?

Frank: Das ist ganz einfach. Um sie ins Bett zu bekommen. Taten sprechen eine deutlichere Sprache als Worte. Das muss in unsere dicken Schädel rein. Er hat sie nicht geheiratet. Ende der Diskussion.

Cliff: Also sind wir uns einig, dass sie eine Lügnerin ist und …

Mrs Lim: Wissen Sie, das ist schrecklich hart, sie so zu nennen. Und ich frage mich, ob das nicht mit Absicht geschieht, ob diese Hetzreden nicht geführt werden, um sie uns unsympathisch zu machen, damit wir die Beweise vergessen.

Cliff: Ich entschuldige mich für das Wort, wenn es jemanden kränkt. Und ich bin geschmeichelt, dass Sie mich für so einen Meister der Manipulation halten, dass ich jeden dazu bringen kann, alles Mögliche zu denken. Aber ich akzeptiere den Einwand. Wir werden aufpassen, wie wir über die Klägerin sprechen …

Diane: *(sehr leise)* Cliffy, Sie wissen wohl sehr viel darüber, wie man Menschen manipuliert, nicht wahr?

Kevin: Ich erinnere mich an keinen einzigen Beweis zu ihren Gunsten. Ich erinnere mich an die vier Beweispunkte, die sein Anwalt aufgezählt hat. Sie waren nicht verheiratet. Sie war Angestellte der Firma. Alle Unterlagen stützen seine Behauptung, dass er der alleinige Eigentümer der Firma ist. Und sie hat schriftlich zugestimmt, ihren Besitz getrennt zu halten.

Ein paar Augenblicke schweigen alle.

Cliff: Sie sind schrecklich ruhig da hinten. Sonny, haben Sie etwas zu der Diskussion beizutragen?

Sonny: Es ist kurz vor fünf. Lassen Sie uns abstimmen.

Sie stimmen noch einmal ab. Es steht sieben zu fünf für Lindy Markov. Bewegung, als die Stühle zurückgeschoben werden. Geräusche von Menschen, die umherlaufen.

Diane: Sie waren's, nicht wahr? Sie haben Ihre Meinung geändert.

Maribel: Diane, haben Sie Erbarmen. Ich habe keine Gönner. Ich habe einen Job. Und sieben Dollar am Tag als Entschädigung für die Geschworenen sind nicht gerade überwältigend.

Diane: Ihr Arbeitgeber ist verpflichtet, Ihnen auch die Tage zu zahlen, an denen Sie nicht da sind.

Maribel: Oh, das wird er. Aber wissen Sie, was? Aus dem Auge, aus dem Sinn. Ich möchte nicht, dass meine Vertretung zur festen Einrichtung wird.

Diane: Und was ist mit Lindy? Sie müssen doch der Meinung gewesen sein, ihre Ansprüche seien berechtigt. Sie haben für sie gestimmt.

Maribel: Ich mag sie. Ich wünsche ihr alles Gute. Aber sie hat da draußen gelogen, und ich kann ihre Gedanken nicht lesen. Ich weiß nicht, wie die Fakten in diesem Fall liegen, aber ich weiß, dass ich mich fühle wie auf einem Katamaran, dauernd werde ich von einer Seite zur anderen geschleudert. So war es während des Prozesses auch schon die ganze Zeit. Ich habe völlig die Orientierung verloren. Ich weiß nicht mehr, was ich denken soll.

Diane: Diese Diskussionen sollen Ihnen helfen, Ihre eigenen Schlussfolgerungen zu ziehen …

Maribel: Ich schätze, das haben sie auch. Ich bin zu dem

Schluss gekommen, dass es nicht klarer wird, selbst wenn ich mir die Argumente von hundert Menschen anhöre.

Diane: Wir können Ihnen helfen, es zu durchdenken. Geben Sie uns nur eine Chance. Bleiben Sie unvoreingenommen …

Maribel: Wir sollten uns mit dem Gedanken trösten, dass sie, selbst wenn sie verliert, immer noch besser dasteht als ich, wie Kris gesagt hat.

Courtney: *(flüstert)* Kevin! Nehmen Sie Ihre Hand von meinem Knie. Ich mein's ernst. Sofort.

Kevin: *(flüstert ebenfalls)* Ich habe gesehen, wie Sie mich angeschaut haben.

Ignacio: Alles in Ordnung, Courtney?

Courtney: Ich … jetzt ja.

Ignacio: Würde es Ihnen was ausmachen, die Plätze zu tauschen? Bob ist's egal.

Courtney: Gute Idee.

Bewegung.

Bob: Hab gehört, Sie waren um Gesellschaft verlegen, Kev. Vielleicht ist es ja auch Ihr Deo.

Kevin: Dann hat der junge Bock ja doch ein bisschen Feuer im Hintern.

Noch ein paar Kommentare, ein paar Beschwerden, dass man am nächsten Tag wiederkommen muss, und sie beenden die Sitzung.

Klick

25

Klick

Geschworene, zweiter Tag, Vormittag:

Mrs Lim: Ich habe letzte Nacht viel nachgedacht. Es kommt mir so vor, als hätten wir gestern den ganzen Tag nur über die oberflächlichen Beweise gesprochen. Was ist aber mit dem, was sich darunter verbirgt, was das Paar zum Beispiel dazu gebracht hat, zwanzig Jahre lang seinen Jahrestag zu begehen?

Bob: Und wieder legen wir ab für eine Tour auf dem *Love Boat*.

Mrs Lim: Sie waren eine Familie. Denken Sie daran, dass seine Nichte sie Tante nannte. Sie teilten alles miteinander, das Leben, das Haus, die Firma. Bei wichtigen Entscheidungen verließen sie sich aufeinander. In der Öffentlichkeit traten sie als Mann und Frau auf.

Maribel: Was mehr ist, als man von manchen verheirateten Paaren sagen kann.

Mrs Lim: Warum sollte sie ihm denn nicht glauben und seinem Rat folgen? Warum sollte sie nicht manchmal Kompromisse eingehen, sich ihm beugen. Sie liebte ihn, sie dachte, sie würden ihr ganzes Leben lang zusammenbleiben, und auf eine altmodische Art und Weise zeigte sie ihm Respekt als Mann, indem sie ihn die Sachen auf seine Art machen ließ.

Papierrascheln.

Diese beiden Menschen waren sich in jeder Hinsicht sehr nah. Sie haben sich sehr gut verstanden. Nach all den Jahren, in denen sie gelebt haben, als gehörten sie vor dem Gesetz zusammen, wissen wir, dass Lindy sich in einer falschen Sicherheit wiegte, ja. Aber selbst er hat zugegeben, dass er immer versprochen hat, sich um sie zu kümmern. Sie hat ihn geliebt und ihm vertraut, und deshalb hat sie ihm geglaubt. Ich glaube, dass er die Worte auch meinte, als er sie aussprach. Sehen Sie? Sie hatten Übereinkünfte, und das waren explizite, von beiden verstandene Übereinkünfte.

Grace: Sie haben sich verstanden, das stimmt.

Courtney: Sie sagen, es sei ein »fester Bund getreuer Herzen« gewesen?

Mrs Lim: Ja.

Ignacio: »Der unbewegt auf Sturm und Wellen schaut.«

Courtney: Mögen Sie Shakespeare?

Ignacio: Das war das Lieblingssonett meiner Mutter.

Kris: Hallo? *(Sie klopft auf den Tisch.)* Können wir die Romanze auf Samstagabend verschieben?

Mrs Lim: Und was ist hiermit? Sehen Sie, hier steht: »Ein Geschäftspartner ist gesetzlich gegen seinen wortbrüchigen Partner geschützt. Beide sollten ihren Anteil bekommen.« Sie war eine gleichberechtigte Teilhaberin. Ihre Schreibtische standen direkt nebeneinander. Er hat viele Versprechen gebrochen. Das Gesetz sollte sie beschützen.

Cliff: Was ist das, was Sie da vorlesen?

Mrs Lim: Meine Aufzeichnungen von der Verhandlung.

Cliff: Ich glaube nicht, dass das aus einer Aussage ist, oder? Das hört sich nach einem dieser Plädoyers an.

Bob: Ich dachte, wir hätten uns darauf geeinigt, dass die Anwälte ihre eigenen Interessen genauso verfolgen wie die gegnerischen Parteien, also sollten wir vorsichtig sein.

Cliff: Ich meine, wir sind angehalten, den Richter zu bitten, wenn wir etwas aus dem Protokoll vorgelesen haben wollen.

Kris: Oh, bloß nicht! Dann müssen wir in den Gerichtssaal zurück, und dann wieder hierher. Das dauert doch ewig.

Cliff. Wir sollten uns nur auf unser Gedächtnis verlassen, wenn wir uns ganz sicher sind.

Mrs Lim: Hören Sie, Mr Wright, meine Aufzeichnungen stimmen! Wollen Sie vielleicht behaupten, ich hätte mir das hier ausgedacht?

Cliff: Mrs Lim, das ist doch kein Grund, so emotional zu werden. Natürlich sind Ihre Aufzeichnungen nicht absichtlich falsch. Wir sind jedenfalls weit vom Weg abgekommen. Wo ist das Blatt Papier, auf dem steht, dass sie geheiratet haben? Sie haben es nicht getan, und all das Reden darüber, wie sie gelebt haben, geht an der Sache vorbei.

Mrs Lim: Da bin ich aber ganz anderer Ansicht.

Cliff: Wenn Sie darauf bestehen, rufe ich den Gerichtsdiener.

Wir werden sehen, ob die Protokollführerin uns diesen Teil der Aussage noch einmal vorlesen kann. Oh, und während wir dabei sind, wollen wir klären, was es mit dem gegenseitigen Einverständnis auf sich hat. Mrs Lim sagte, sie sei sich nicht sicher, dass sie sich auf dieselbe Sache geeinigt hätten ...

Mrs Lim: Nein, Mr Wright. Ich habe gesagt, ich bin sicher, dass sie sich auf dieselbe Sache geeinigt haben.

Bob: Wissen Sie, Mrs Lim, mir kommt es so vor, als ob Sie das alles eine Spur zu ernst nehmen. Warum sollte man sich so für Lindy Markov ins Zeug legen? Was haben Sie denn davon?

Mrs Lim: So ein Kommentar verdient keine Antwort.

Unruhe kommt auf.

Kris: Müssen wir da wirklich durch? Können wir nicht einfach noch einmal abstimmen?

Sie verlassen den Raum für eine halbe Stunde. Bevor sie zurückkehren, machen sie eine Pause.

Cliff: Ich bin mir sicher, dass wir jetzt alle klarer sehen, da wir das Protokoll noch einmal gehört haben.

Diane: Als ob es beim zweiten Mal plötzlich klarer würde!

Cliff: Offensichtlich stammte das, was Mrs Lim vorgelesen hat, aus Nina Reillys Eröffnungsrede, und ihre Aufzeichnungen waren fast, aber nicht ganz wortgetreu, also bin ich froh, dass wir das klären konnten. Wir dürfen nicht vergessen, dass der Richter gesagt hat, das, was die Anwälte sagen, hätte keine Beweiskraft, außer wenn es von anderen Beweisen untermauert würde. Wir können nicht davon ausgehen, dass sie das, was sie sagen, auch beweisen werden ...

Mrs Lim: Es gab genügend Beweise. Er hat Versprechungen gemacht. Er hat sie gebrochen. Er tut, als hätte er sie vergessen. Ist das nicht praktisch? Glauben Sie, er erinnert sich nicht mehr daran, wie er in dieser Kirche aufs Knie gesunken ist und ihr versprochen hat, sie für immer zu lieben? Glauben Sie, er erinnert sich nicht daran, dass sie am Anfang alles geteilt haben oder dass er sie die ganze Zeit als seine Frau vorgestellt hat? Er schämt sich vor sich selbst, aber er hat die Maschinerie in Gang gesetzt, und nun ist er zu stur, um sie zurückzudrehen.

Diane: Es stimmt, er hat sich wirklich gewunden da oben.

Grace: Er sieht überhaupt schlecht aus. Haben Sie heute Morgen das Bild von ihm in der Zeitung gesehen?

Diane: Schwer zu glauben, dass er sich auch nur aus einer Papiertüte herausgeboxt hat.

Cliff: Ich muss Sie daran erinnern, dass wir keine Zeitungen lesen sollen. Der Richter hat gesagt …

Grace: Wir haben uns einfach nur die Bilder angesehen, stimmt's, Diane?

Diane: Wer hat schon die Zeit, dieses Gefasel zu lesen? Ich hab was Besseres zu tun. Ich trainiere für den Mount McKinley. Drei Stunden am Tag auf dem Stepper, zwei auf dem Rad, joggen …

Grace: Ich glaube, er hat viel zu verbergen. Er weiß, dass er ihr Unrecht tut. Er muss sich selbst hassen.

Courtney: Ich traue ihm nicht. All die Jahre hat er sie als seine Frau vorgestellt. Dann war das jedes Mal eine Lüge, jedenfalls aus seiner eigenen Perspektive!

Sie sprechen über das Video im Gericht, auf dem eine solche Szene zu sehen war, und darüber, dass Mike Markov nicht überrascht zu sein schien.

Ignacio: Ich glaube, im Herzen weiß er, dass er ein verheirateter Mann ist. Aber das Geschäft – nun, die Anwältin nannte es »ihr gemeinsames Kind«. Das ist wie ein Kampf ums Sorgerecht. Er wird alles sagen, nur um die Kontrolle darüber zu behalten.

Kevin: Das geht doch völlig an der ganzen Sache vorbei. Es tut nichts zur Sache, ob er gelogen hat. Tut auch nichts zur Sache, ob er ein Schuft ist. Wir sind hier, weil Lindy Markov sein Geld will. Und ich möchte erst noch den Grund hören, aus dem wir es ihr geben sollen, außer dass er sie ein paar Mal geküsst und umarmt und im Lauf der Jahre ein paar Sachen gesagt hat, die er so nicht meinte und die er inzwischen bereut.

Bob: Ich ärgere mich über die kostbare Zeit, die bei einer Sache draufgeht, die einfach … belanglos ist. Hat einer von Ihnen sich mal überlegt, wie viel diese beiden reichen Leute ihren Anwälten zahlen? Es gab ja Zeiten während der Verhandlung, da saßen auf jeder Seite vier oder fünf Leute an den Tischen. Wie viel verdienen Anwälte? Ein paar hunderttausend im Jahr? Da liegt praktisch eine Million Mäuse, das hat die doch ein Jahr gekostet, sich auf diese Verhandlung vorzubereiten. Plus der Richter, die Protokollführerin, der Gerichtsdiener … die bezahlen wir alle von unseren Steuergeldern!

Maribel: Und wir dürfen auch nicht die kleinen Leute vergessen!

Bob: Stimmt. Wir legen uns hier ins Zeug für die Gerechtigkeit. Und was haben wir davon?

Kevin: Na, Bob, wir haben die Genugtuung, ein wesentlicher Bestandteil der amerikanischen Gerichtsbarkeit zu sein.

Sie lachen.

Cliff: Lassen Sie uns auf unsere Diskussion von vorhin zurückkommen. Wir haben viel Zeit damit verbracht, Mike Markovs Zeugenaussagen zu besprechen. Aber ob er gelogen hat, steht gar nicht zur Debatte. Zur Debatte steht, ob Lindy etwas in der Hand hat.

Diane: Wissen Sie, ich kann das einfach nicht durchgehen lassen. Jedes Mal, wenn Sie sich auf ihn beziehen, nennen Sie ihn Mike Markov. Jedes Mal, wenn Sie sich auf sie beziehen, nennen Sie sie einfach Lindy. Ist das sonst noch jemandem aufgefallen?

Bob: Was für einen Unterschied macht das?

Diane: Er hört sich wichtiger an.

Cliff: Das tut mir Leid, Diane, wirklich. Wenn ich das getan habe, dann unbewusst.

Diane: Das Schlimme ist, dass ich Ihnen glaube. Sie sind sich Ihrer Art, in der Sie diese Frau, und viele der hier anwesenden Frauen mit ihr, in Grund und Boden treten, gar nicht bewusst.

Maribel: Würden Sie wohl aufhören, sich für mich einzusetzen, Diane? Ich fühle mich nicht niedergetrampelt. Das ist doch wirklich die Höhe!

Kevin: Meine Damen und Diane, ich sehe, dass dies für Sie schwer ist. Sie sehen einen Mann, der eine gute Frau hat fallen lassen. Aber wo, ja wo steht geschrieben, dass er deswegen für den Rest seines Lebens zahlen muss? Sie hatten es gut zusammen. Nun ist es vorbei.

Frank: Sie muss ihn vergessen und was anderes machen.

Bob: Ich würde sagen, wir helfen ihr sogar noch, indem wir ihr einen Tritt in den Hintern geben.

Kris: Wissen Sie, was? Ich würde gerne noch mal abstimmen.

Diane: Sie geben sie auf.

Kris: Sie hat ihre reichen Freunde, die helfen ihr beim Absprung. Ich muss zu meinen Kindern, und vom Universum her gesehen, wen kümmert es schon, ob sie arm oder reich nach Hause geht. Sie wird sich weiter abmühen wie wir alle.

Diane: Geht das wirklich so? Irgendjemand will nach Hause, also lassen wir Lindy Markov im Stich?

Kris: Diane, ich wünschte, ich wäre auch so ein Engel wie Sie, ach, was sag ich, eine Heilige! Aber ich bin's nicht. Ich bin einfach nur ein Mensch, der sich durchkämpft. Und hierfür habe ich keine Zeit.

Diane: Wissen Sie, was? Bis jetzt hatte ich ein Fünkchen Vertrauen in das Geschworenensystem. Wenn mich Leute gefragt haben, ob nicht ein kluger Richter das Urteil fällen sollte, warum man die Zeit der Leute verschwendet, dann habe ich immer gesagt, also, wenn eine Geschworenenjury alles ist, was zwischen dir und einem Bigotten steht oder einem Politiker, der allen in den Arsch kriecht, oder einem Gestaporichter, aber von der harten Sorte, oder …

Maribel: Wie können Sie so etwas Schreckliches über Richter Milne sagen!

Diane: Gott, das ist doch genau das, was ich meine! Ich spreche nicht von Richter Milne. Ich spreche über ein System, das so fair ist, wie es nur geht. Es gibt kein besseres. Trotzdem sind wir hier und lassen es zu, dass diese Typen mit uns flirten, uns überreden und einschüchtern, bis wir unseren Standpunkt ändern.

Maribel: Wer flirtet denn hier? Sie teilen doch nur Hiebe aus.

Kris: Ich lasse mich nicht von Männern einschüchtern. Ich denke allein nach. Ihnen fällt es nur schwer, zu akzeptieren, dass andere Frauen vielleicht nicht so denken wie Sie, Diane. Aber wir haben alle unsere Lebenserfahrung und auch etwas Grips.

Und lassen Sie sich das gesagt sein: Er hat gesagt, er kümmert sich um sie. Er hat wirklich ein schlechtes Gewissen, das ist offensichtlich. Also glaube ich, dass er es auch tun wird. Wie ich schon gesagt habe, wäre es mir auch lieber, wenn sie ihn nicht darum bitten müsste, aber ich merke einfach, woher der Wind weht, und ich bin bereit, mit dem Strom zu schwimmen, denn egal, wie es ausgeht, sie wird schon was von ihm bekommen, wahrscheinlich mehr, als ich in meinem ganzen Leben je zu sehen kriegen werde. Und wenn sie betteln muss, tja, willkommen im richtigen Leben, Baby.

Diane: Kris, bitte. Sie haben am Anfang gesagt, dass sie etwas verdient. Denken Sie doch in Ruhe darüber nach.

Kris: Haben Sie nicht gehört, was ich gesagt habe? Ich habe keine Zeit mehr, mich mit den Problemen dieser Frau abzugeben. Ich habe meine eigenen. Sie kommt ja nicht für ein Verbrechen, das sie nicht begangen hat, ins Gefängnis oder so! Hier geht es doch nur um Geld. Nicht um Leben oder Tod.

Diane: Ich bitte Sie nur, sich Zeit zu nehmen, bevor Sie sich neu entscheiden.

Kris: Courtney ist nicht die Einzige, die etwas von Psychologie versteht. Ich weiß auch ein paar Sachen über Ihren Typ.

Diane: Hä?

Kris: Ja, die Bergsteiger-Mentalität. Das sind Leute, die in Extremsituationen am glücklichsten sind, wo ihre ganze Aufmerksamkeit gefordert ist. Sie sind lausig schlechte Alltagsmenschen. Das ist ihnen zu langweilig. Ich glaube, Sie würden dies hier gerne in die Länge ziehen. Ich glaube, dass Ihnen das Spaß macht. Sie sollten mal was aus Ihrem Leben machen.

Diane: Das ist unfair. Ich weiß, wie man Betten macht und den Abwasch, genau wie Sie!

Kris: Lindy kann es jedenfalls nicht. Können wir nun bitte abstimmen?

Cliff: Es ist fast Mittagszeit.

Kris: Das wird nicht lange dauern.

Frank: Chinesisch heute?

Cliff: Nein, sie hatten schon was anderes geplant. Aber wenn wir morgen noch hier sind …

Kris: Jesus, ich hoffe nicht.

Cliff: Okay, lassen Sie uns sehen, wo wir stehen.

Mrs Lim: Ich würde gerne etwas sagen.

Cliff: Und wir wollen es alle gerne hören. Nach unserer Mittagspause. Jetzt haben wir gerade noch Zeit zum Abstimmen.

Sie stimmen ab. Es steht unentschieden, sechs zu sechs.

Klick

26

Klick

Geschworene, zweiter Tag, Nachmittag:

Cliff: Ich möchte den Nachmittag damit beginnen, dass ich darüber nachgedacht habe, was Diane vorhin gesagt hat, dass ich über Mike sehr viel respektvoller rede. Das ist etwas, was mich bei anderen schier verrückt macht, es hat also richtig weh-getan. Ich habe gründlich darüber nachgedacht, auf welche Weise ich durch eigene Vorurteile beeinflusst bin.

Ich habe ja erwähnt, dass ich seit kurzem getrennt lebe. Und ich habe in meinem Herzen danach geforscht, ob das einen Einfluss darauf hatte, wie sehr ich von Anfang an auf Mikes Seite gestanden habe. Ich muss ganz ehrlich zu Ihnen sein: Dem war so. Ich habe mir diese Vorstellung, dass das Geschäft ihr Kind war, sehr zu Herzen genommen.

Ich habe ein Kind, und ich sehe voraus, dass meine Frau und ich einen harten Kampf um das Sorgerecht ausfechten werden. Ich sehe, dass meine Tochter verletzt werden wird, egal, was ich tue, aber ich kann sie nicht aufgeben. Ich werde bis aufs Blut um sie kämpfen. Genau wie Mike um seine Firma kämpft. Also verstehe ich ihn wahrscheinlich. Ich sehe, dass Lindy in gewisser Weise auch Besitzrechte hat, aber es kann nicht geteilt werden, sonst wird es zerstört, wie in der biblischen Geschichte, wo die richtige Mutter nicht zulassen will, dass das Kind in zwei Teile geschnitten wird, aber die falsche Mutter schon. Ihre Firma wird großen Schaden nehmen, vielleicht sogar irreparablen, wenn Lindy einen fetten Brocken vom gemeinsamen Vermögen bekommt. Er muss sich einen Arm abhacken und vielleicht ein Bein und …

Diane: Oh, bitte! Er wird vielleicht ein paar Gebäude und Maschinen verkaufen, wenn überhaupt. Seit wann blutet Metall?

Grace: Können Sie ihn nicht ausreden lassen? Ich möchte den Rest hören.

Cliff: Vielen Dank, Grace. Wie dem auch sei, was ich sagen will, ist wohl Folgendes: Es ist richtig, sich von persönlichen Erwägungen freizumachen, auch wenn das unmöglich scheint. Also bin ich meine ganze Argumentationskette noch einmal durchgegangen …

Diane: Lassen Sie mich raten. Mike gewinnt trotzdem!

Cliff: Also, ja. Es gibt einfach nicht den geringsten Beweis, der Lindys Forderung unterstützen würde.

Diane: Zahlen.

Cliff: Keine schriftlichen Versprechungen, keine Heiratsurkunde, keine Zeugen für ausdrückliche Versprechen. Bei dem mündlichen Vertrag läuft es darauf hinaus, dass ihr Wort gegen seines steht. Wie hätte Mike es denn noch deutlicher machen sollen, dass er nicht heiraten wollte? Ich meine, sie waren zwanzig Jahre zusammen. Hätte er es mit Blut schreiben sollen?

Nein, im Gegenteil, was ich sehe, ist, dass sie ihren Namen unter eine Vereinbarung gesetzt hat, die besagte, sie sollten ihr Vermögen trennen. Lindys Anwältin hat angedeutet, dass er sie dazu gezwungen hat, indem er psychischen Druck ausgeübt hat, aber mir kommt er wie ein sehr geradliniger Mensch vor. Sie hat genau das bekommen, was sie gesehen hat.

Mrs Lim: Wirklich? Was ist mit der Tatsache, dass er sie in den zwanzig Jahren der ganzen Welt als seine Frau vorgestellt hat und dann behauptet, das hätte er nicht getan? Beweist das nicht, dass er unehrlich ist?

Frank: Das hat er aus Rücksicht auf ihre Gefühle getan. Er wollte sie nicht verlieren, ohne allzu viele Zugeständnisse zu machen. Und was seine Behauptung betrifft, er würde sich nicht erinnern – ist doch möglich, dass er's vergessen hat …

Diane: Gut möglich, dass ich eine ringelschwänzige Lemure bin, aber ich sehe weder wie eine aus, noch benehme ich wie eine. Aber einige Menschen ziehen es vor, sich ihren Wahnvorstellungen hinzugeben …

Frank: Oder sein ganz normaler Selbsterhaltungstrieb hat sich eingeschaltet.

Cliff: Wie dem auch sei, ich hoffe, wir versuchen alle, nach der Gesetzeslage zu entscheiden und nicht nach Eigeninteressen. Lassen Sie uns sichergehen, dass wir die Beweise angemessen würdigen. Und egal, wie sehr wir die armen Anwälte verhöhnen, sie machen eine notwendige Arbeit. Sie müssen sehr viel Müll durchpflügen, um das Zeug rauszusuchen, das wir hören müssen, um eine gute Entscheidung zu treffen. Ich denke, sie haben alle überzeugende Argumente vorgetragen. Es ist nur so, dass Mikes Anwalt objektiv betrachtet besser war.

Courtney: Wie können Sie das behaupten? Lindys Anwälte waren genauso gut wie seine. Außerdem waren Mr Riesner und

Ms Carey in meinen Augen ziemlich arrogant, da sie die ganze Zeit so getan haben, als wäre die Sache total offensichtlich. Also, für mich ist es überhaupt nicht so offensichtlich.

Diane: »Selbstgefällig« ist nur eines von vielen Wörtern, die die beiden treffend beschreiben.

Courtney: Im Grunde liegt es an uns.

Grace: Cliff, ich will noch einmal auf das zurückkommen, was Sie gesagt haben. Sie haben mich nachdenklich gemacht. Ich bin ein sehr emotionaler Mensch. Ich bin völlig in Lindys Problemen aufgegangen, weil ich so gestrickt bin. Ich kann einen toten Hund einfach nicht auf der Straße liegen lassen, wissen Sie. Ich steige aus dem Auto, suche einen Sack und begrabe das arme Ding irgendwo …

Cliff: Sie haben ein großes Herz, Grace. Ich bin sicher, wir alle haben das mitbekommen.

Er fragt sie nach ihrem Kind, und sie erzählt eine ganze Weile, wie es ist, die einzige Bezugsperson für einen behinderten Erwachsenen zu sein. Etliche haben Mitgefühl mit ihr. Man spürt, dass sie sich entspannt, weil sie mit ihren Problemen auf offene Ohren stößt. Er schlägt ihr vor, ihn im Büro anzurufen, sobald der Prozess vorbei ist. Er kennt einige soziale Einrichtungen, die sie vielleicht entlasten können. In der anschließenden fünfzehnminütigen Pause sprechen etliche von ihrer Sorge, dass sie schon ziemlich lange von ihrer Arbeit und ihrem Alltagsleben abgeschnitten sind. Außer Frank trinken alle viel Kaffee, die meisten essen auch eine Kleinigkeit.

Cliff: Es ist klar, dass wir alle genau wie Grace viele wichtige Verpflichtungen haben, die auf der Strecke bleiben, während wir uns bemühen, diese Sache hier zu entscheiden. Lassen Sie uns also versuchen, zügig voranzukommen. Lassen Sie uns versuchen, zu einer Einigung zu gelangen. Der Trend scheint zu Gunsten von Mike zu gehen. Ich frage mich, was die letzten unnachgiebigen Lindy-Fans noch brauchen, um sich überzeugen zu lassen.

Diane: *(lachend)* Na, na, na. Jetzt ist es also vorbei damit, wie die Katze um den heißen Brei herumzuschleichen. Sie glauben, Sie haben's im Sack. Wissen Sie, ich muss Sie bewundern, Cliff. Sie sitzen hier und schaffen es fast ohne fremde Hilfe – nur gelegentlich springen Ihnen Ihre männlichen Mitbrüder stotternd zur Seite –, diese Gruppe auf Ihren Standpunkt einzuschwören. Ich begreife vollkommen, warum Sie in der Politik so erfolgreich sind. So funktioniert es doch, oder? Sie zielen auf die schwächsten Glieder, und dann verkürzen Sie allmählich …

Grace: Schwächste Glieder?

Diane: Ich muss über Ihre Tochter staunen, Cliff, die heute Morgen plötzlich wie aus heiterem Himmel aufgetaucht ist. Sie haben sie vorher noch nie erwähnt. Gibt es sie wirklich, oder war sie rein rhetorisch?

Cliff: Ich habe sehr viel persönlichen Schmerz erlitten, Diane. Ich rede nicht gerne darüber. Ich bin sicher, Sie können das verstehen.

Diane: Sie haben meine Frage nicht beantwortet.

Grace: Sie betrachten mich als schwaches Glied, Diane? Jetzt mal Klartext. Sie glauben also, ein Mensch muss mit einem Pogostock einen Berg hochhüpfen, um seinen Wert zu beweisen? Für mich liegt der Wert des Lebens ganz woanders, gnädige Frau. Stärke bedeutet, sich um die Menschen zu kümmern, die man liebt, lebenslange Bande zu knüpfen, alles, was man tut, gut zu machen, und das schließt auch ein, sich regelmäßig um die Wäsche zu kümmern.

Wissen Sie, was ich von Ihnen nicht höre, Diane? Ich höre kein einziges Wort über Ihre Familie.

Kris: Sie haben keine Kinder, nicht wahr, Diane? Das wäre ja auch ganz schön verantwortungslos.

Frank: Nein, Menschen mit einem riskanten Beruf wie Diane müssen ihre natürlichen Instinkte unterdrücken.

Kevin: Zehn zu eins, dass sie nicht mal verheiratet war.

Grace: Sie setzen sich so für Lindy ein, weil Sie das Ganze genießen. In Ihrem Leben ist ansonsten nicht viel los.

Diane: Ich habe Familie. Und ich bin mit dem im Reinen, was ich tue. Wie wär's also, wenn der Rest von Ihnen auch darüber hinwegkäme und wir uns wieder mit dem Fall beschäftigen könnten?

Also, Grace, Sie haben über Lindy Markovs Treue gesprochen, darüber, dass Sie als Belohnung dafür etwas verdient. Das ist kein juristisches Argument, sondern ein moralisches. Das, was schicklich scheint, muss nicht immer das Richtige sein. Ich glaube, Ignacio hat so was Ähnliches gesagt.

Ignacio: Ja, dem pflichte ich bei.

Diane: Verheiratet oder nicht, ausdrückliches Versprechen hin oder her, verdient sie nach zwanzig Jahren nicht einen bestimmten Anteil vom Gesamtvermögen, und wenn auch nur einen kleinen? Sie besitzt nicht mal ihr eigenes Haus! Er lebt da draußen mit seiner neuen Tussi in der Villa, und sie hat überhaupt nichts mehr.

Grace: Also, nicht jeder besitzt ein eigenes Haus. Ich wohne zur Miete.

Bob: Ich auch.

Diane: Er hat ihr Vertrauen missbraucht. Vor allem dadurch, dass er sich eine Neue gesucht hat. Das hat sie nicht getan.

Grace: Das rechne ich ihr hoch an. Jawohl.

Kevin: Ich glaube, das tun wir alle. Sie ist ein sympathisches Mädchen, diese Lindy Markov. Und sie war wirklich erfolgreich. Glauben Sie, wir würden ihr nicht genug Anerkennung zollen? Sie hat sich aus dem Nichts etwas aufgebaut. Wenn sie das einmal geschafft hat, gelingt es ihr auch ein zweites Mal.

Diane: Warum sollte sie? Muss Mike Markov das tun? Und geben Sie damit nicht zu, dass sie die treibende Kraft hinter dem geschäftlichen Erfolg war?

Mrs Lim: Ich möchte etwas sagen, aber zuerst will ich festhalten, dass ich mit Dianes Charakterisierung, dies sei ein moralisches Urteil und kein rechtliches, nicht einverstanden bin. Ich glaube, Lindy und Mike hatten einen mündlichen Vertrag, der ebenso gültig und rechtsverbindlich war wie ein schriftlicher. Ich glaube, diese Firma gehört mindestens zur Hälfte ihr. Es geht nicht darum, ob er ihr Geld gibt. Es geht darum, dass wir dafür sorgen, dass sie das bekommt, was ihr bereits gehört.

Ich bin auch Geschäftsfrau, und ich kann ihren Erfolg nur bewundern. Also, ich bin auch neidisch, und ich glaube, da bin ich hier nicht die Einzige. Aber um in dieser Situation fair zu sein, versuche ich, meine kleinliche Stimme zu überhören und diesen Fall mit dem angemessenen Ernst zu erörtern.

Grace: Das tun wir doch alle.

Mrs Lim: Ich hoffe, dass wir alle das versuchen, so gut wir können. Also, hier ist noch ein Punkt, den ich zur Sprache bringen will. Hat jemand mitbekommen, dass Lindy den Aussagen des Zwangsverwalters kaum Beachtung geschenkt hat? Sie schien sich kaum für die Zahlen zu interessieren. Ihre Augen wurden ganz glasig.

Kevin: Ich habe gedacht, darüber hätten wir schon gesprochen. Sie wollte ihre Rache, indem sie Mike da traf, wo sein Lebensnerv liegt, nämlich in seiner Brieftasche. Das Ausmaß des Schadens spielt da wahrscheinlich keine große Rolle.

Mrs Lim: Nein. Die Summe ist für sie nicht wichtig, aber aus einem anderen Grund. Sie klagt aus Prinzip. Wir haben hier die Prinzipien zu erörtern. Sie besitzt die Hälfte der Firma. Und selbst wenn sie eigentlich Mike haben will, können wir ihr ihren Anteil geben.

Grace: Egal, was wir beschließen, sie verliert. Sie bekommt ihn nie mehr zurück, und die Firma aufzuteilen wird alles zerstören, was sie aufgebaut haben. Wäre es nicht nett, wenn wir Mike zwingen könnten, zu ihr zurückzugehen? Das ist es doch, was sie will.

Courtney: Ich hab versucht, ihn zu hassen, aber es ging nicht. Ich finde nur, was zwischen ihnen abläuft, ist ziemlich tragisch.

Cliff: Ja, es ist traurig. Vielleicht ist das der Grund, warum es uns so schwer fällt, diese Diskussion zum Abschluss zu bringen und hier rauszukommen. Geld wird ihr eh nicht helfen.

Diane: Lassen wir doch das Melodramatische beiseite. Nina Reilly hat mehrmals gesagt, dass die einzige Entschädigung, die es in diesem Fall geben kann, finanzieller Art ist. So funktioniert das Rechtssystem.

Grace: Ich hab's satt, darüber zu sprechen. Es ist schwer, sich immer noch über Lindys Probleme aufzuregen, nachdem wir fast zwei Tage darüber gesprochen haben, obwohl ich bei meiner ursprünglichen Position geblieben bin, weil ich ganz ohne Frage Mitgefühl mit ihr habe.

Cliff: Erinnern Sie sich an die Rechtsbelehrungen des Richters? Sie dürfen sich nicht von Mitgefühl leiten lassen. Ich habe ja schon gesagt, dass das auch für mich ein Problem war.

Diane: Wir mögen uns ja vielleicht langweilen, aber wir haben Recht, Grace. Das bedeutet sehr viel.

Grace: Davon verstehe ich nichts. Vielleicht hat Kevin ja Recht. Nur weil da Geld ist, heißt das noch lange nicht, dass sie welches bekommen sollte.

Diane: Es geht nicht nur darum, dass da Geld ist. Es geht, wie Mrs Lim eben gesagt hat, darum, dass das Geld beiden gehört!

Kevin: Zeigen Sie uns ein Stück Papier, irgendein Stück Papier, das das beweist.

Cliff: Sind alle bereit abzustimmen? Es ist Viertel nach vier, ein guter Zeitpunkt, zu überprüfen, wo wir stehen.

Kris: Ja! Vielleicht können wir ja dem Richter sagen, er soll morgen früh eine Sitzung anberaumen. Vielleicht haben wir diesmal ein Urteil!

Sie stimmen ab. Fünf Stimmen für Lindy, sieben gegen sie. Sie streiten sich noch eine weitere Stunde, ohne dass sich das Votum ändert, bis sie für diesen Tag Schluss machen.

Klick

27

Klick

Geschworene, dritter Tag, Vormittag:

Cliff: Heute habe ich ein gutes Gefühl! Ich wette, wir kommen zu unserem Urteil!

Das ist vielleicht ein Ding. Angefangen haben wir mit acht zu vier zu Gunsten von Lindy Markov, und jetzt steht es sieben zu fünf gegen sie. Ich habe den Eindruck, während wir den Fall diskutieren und einer richtig vernünftigen Prüfung unterziehen, setzt sich allmählich die Logik durch, dass das Gesetz in diesem Fall Mike Markov schützen sollte.

Diane: Nicht die Logik, Cliff, Sie.

Mrs Lim: Noch einmal, Mr Wright, ich kann nicht dulden, wie Sie reden. Sie verdrehen die Wahrheit, indem Sie andeuten, alle, die nicht Ihrer Meinung sind, würden unlogisch denken. Ich habe von Anfang an gesagt, dass ich mich an die Beweise halte. Von meinen Gefühlen lasse ich mich sowieso nicht leiten.

Cliff: Mrs Lim, kann es sein, dass Englisch nicht Ihre Muttersprache ist? Ich glaube, Sie hören Nuancen in meinen schlichten Äußerungen, die einfach nicht vorhanden sind.

Fahren wir fort. Gestern Abend hat Ignacio mich in die Enge getrieben, als er fragte, ob wir nicht über die kirchliche Zeremonie sprechen könnten.

Ignacio: An diesem Tag sind zwei Menschen vor Gott niedergekniet und haben sich das Versprechen gegeben, an diesem Tag haben sie geheiratet. Vor Gott sind sie verheiratet.

Kris: Hat Gott im Gerichtssaal heutzutage noch Zutritt? Ansonsten darf ja kaum einer rein.

Kevin: Gott oder nicht Gott, es geht um einen juristischen Fall, Ignacio.

Ignacio: Natürlich.

Kevin: Sie stellen sich eine Frau im Brautkleid und einen

Mann im Abendanzug vor, die sich eines schönen Tages auf den Weg zur Kirche machen. Jetzt kommt die Realität. Eines Nachmittags trinken die beiden das eine oder andere Glas. Er geht mit ihr in die Kirche, um ihr eine Freude zu machen, und an dem Abend fallen sie glücklich ins Bett. Falls Gott dabei war, hat er missbilligend den Kopf geschüttelt.

Courtney: Sie sind einfach abscheulich! Ich glaube, es war ganz anders.

Cliff: Courtney, Sie brauchen nicht gleich Kevins Gefühle zu verletzen. Aber Sie sind furchtbar jung, nicht wahr? Sie haben selbst gesagt, man könne nicht wissen, was zwischen den Menschen vorgeht, oder?

Courtney: Ja, aber …

Cliff: Ich entdecke da jugendliche Skepsis. Wie wohltuend. Außerdem entdecke ich, dass Sie bisher zwar Lindy unterstützt haben, aber dennoch eine Menge Zweifel hegen, oder?

Courtney: Ein paar.

Diane: Moment mal. Hört jetzt auf damit. Mit dieser Heiratssache, meine ich. Damit Ignacio umschwenkt, stellt Kevin Mike und Lindy als Trunkenbolde dar, die vor einem schmierigen One-Night-Stand in die Kirche taumeln. Nachdem euch das gelungen ist, fallt ihr über Courtney her. Aber hört mal alle zu. Wie viele Leute kennt ihr denn, die eine solche Begegnung zwanzig Jahre lang als Hochzeitstag feiern? Beide haben zugegeben, dass sie das getan haben. Es war eine feierliche, ehrliche und tief empfundene Zeremonie.

Cliff: Wann sind Sie das letzte Mal in die Kirche gegangen, Ms Miklos?

Diane: Was? Was hat das mit …

Cliff: Sie geben vor, Sie würden Ignacio zustimmen, aber das ist gar nicht der Fall.

Diane: Ich gebe gar nichts vor.

Cliff: Na los, wann war das? Mit sechs Jahren an Ostern, als Ihre Oma Sie hingeschleift hat?

Diane: Schluss jetzt!

Cliff: Sie glauben doch gar nicht, dass sie vor Gott oder sonst irgendwie verheiratet waren, oder?

Diane: Warum greifen Sie mich an?

Cliff: Sie weichen meinen Fragen aus. Und wieso? Weil Sie wissen, dass Ignacio gerade begreift, dass diese Hochzeit mit dem Fall überhaupt nichts zu tun hat. Sie wollen ihn in die Irre führen und verwirren, indem Sie allem widersprechen, was wir zu Mikes Unterstützung vorbringen, sei es noch so logisch, vernünftig und bewiesen.

Diane: Es stimmt, ich gehöre keiner organisierten Religionsgemeinschaft an, aber ich habe meinen eigenen Glauben.

Cliff: Das haben Sie zweifellos in Tibet aufgeschnappt, nachdem ein Sherpa Sie für über fünfundsechzigtausend Dollar auf den Mount Everest geschleppt hat.

Diane: Ich war noch nie in Tibet.

Bob: Du lieber Himmel, ist Bergsteigen so teuer?

Cliff: Sicher. Es ist ein Sport für die Weltelite.

Diane: Ich kämpfe um jeden Penny! Ich arbeite sehr hart, um mir den Respekt und die Unterstützung meiner Sponsoren und Freunde zu verdienen!

Bob: Diavorführungen und Wandern. Wow. Ein harter Job, aber irgendeiner muss ja …

Courtney: Sie sollen nicht auf ihr herumhacken!

Cliff: Wenn sie es in die Diskussion wirft, ist es auch unser Bier. Wir wollen einfach rational vorgehen und die Beweise untersuchen, wie Mrs Lim sagt.

Kevin: Pause! Der Kaffee ist alle. Das ist untragbar. Ich sage dem Gerichtsdiener Bescheid.

Sie machen eine Pause.

Cliff: Zuerst möchte ich mich entschuldigen, falls meine Argumentation zu hitzig ausgefallen ist. Sie setzen Vertrauen in mich, und ich nehme diese Pflicht so ernst, dass ich vielleicht ein wenig übertreibe, um zu einem Urteil zu kommen.

Courtney: Aber Cliff, es ist doch offensichtlich, dass Sie von uns nur ein Urteil gegen Lindy wollen.

Cliff: Diesen Eindruck wollte ich nie erwecken. Hätte die Mehrheit für Lindy gestimmt, hätte ich es akzeptiert. Es ist nur so, dass wir uns jetzt, wo alle nacheinander ihre Meinung sagen, in die andere Richtung zu bewegen scheinen.

Bob: Eine Sache möchte ich noch besprechen. Nämlich Ignacios Ansicht, dass Lindy und Mike verheiratet waren, weil sie in eine Kirche gegangen sind und einander irgendwas versprochen haben.

Ich sehe das so: Unser Land gründet sich auf die Trennung von Kirche und Staat. Sie wurde eingeführt, damit die Menschen ihre Religion ausüben konnten, wie es ihnen gefiel, während der Staat eigene Regeln für das Allgemeinwohl aufstellte.

Ignacio, können Sie in diesem Fall wirklich von Ihrem Glauben ausgehend entscheiden? In einem Fall, der vor dem Staat verhandelt wird. Sollten wir uns nicht lieber an die Gesetze halten?

Ignacio: (*seufzt tief*) Darüber muss ich nachdenken.

Cliff: Natürlich müssen Sie mit gutem Gewissen abstimmen können. Aber betrachten Sie es einmal so: Sie können gerne glauben, dass die beiden verheiratet waren, ohne zwangsläufig dafür zu stimmen, dass Lindy etwas bekommt.

Ignacio: Wie meinen Sie das?

Cliff: Na ja, Sie sagten, sie seien vor Gott verheiratet. Aber wir sind uns alle einig, dass sie nicht nach den Gesetzen dieses Staates verheiratet waren. Daraus folgt logischerweise, dass die üblichen Gesetze in Hinsicht auf die Gütergemeinschaft bei einer bevorstehenden Trennung keine Anwendung finden.

Mrs Lim: Aber diese Analyse ist unrichtig. Wenn er glaubt, dass sie bereit waren zu heiraten, muss ihm klar sein, dass sie damit auch bestimmte Verpflichtungen eingegangen sind, denen sie beide zugestimmt haben. Der Richter hat gesagt, falls es einen Vertrag gäbe – und Ignacio sagt, er glaube, es habe von jenem Moment an einen Vertrag gegeben –, dann könnten wir aus dem Verhalten der Parteien Schlüsse über sein Vorhandensein und die Vertragsbedingungen ziehen. Auf jeden Fall haben sie sich so verhalten, als wären sie verheiratet. Warum sollten sie nicht nach den üblichen Vertragsbedingungen behandelt werden?

Cliff: Mrs Lim, es gab keinen schriftlichen Vertrag, und …

Mrs Lim: Es gibt eine bestimmte Auffassung von der Ehe, ob sie nun vor Gott oder vor einem Vertreter des Staates Kalifornien geschlossen wurde.

Cliff: Man könnte vorbringen, dass sie viel mehr in diesen Moment hineininterpretiert hat, als er je beabsichtigte.

Mrs Lim: Er hat sie als seine Frau vorgestellt!

Cliff: Und woher sollen wir seine Absicht kennen, wenn nicht aus seinen Aussagen vor Gericht? Er hat es getan, um ihr eine Freude zu machen. Es gab keine insgeheime Übereinkunft, nach der sie verheiratet waren. Warum sonst hätte sie sagen sollen, sie hätte sich geschämt, nicht verheiratet zu sein? Sie wusste, dass sie es nicht waren! Und er auch!

Diane: (*schreit*)

Courtney: Diane! Was ist los?

Bob: Was hat sie denn?

Kevin: Kann jemand dieser Verrückten mal das Maul stopfen?

Die Tür geht auf.

Deputy Kimura: Alles okay hier drinnen? Ich dachte, ich hätte was gehört.

Diane: Alles bestens. Ich hatte nur einen … Albtraum.

Deputy: Einen Albtraum? Hm. Soll ich einen Arzt holen?

Cliff: Nein, nein. Ich glaube, die Dame wollte etwas klarmachen. Laut und deutlich.

Deputy: Stimmt das?

Diane: Sicher, mir geht's gut.

Deputy: Wenn Sie meinen …

Die Tür geht zu.

Cliff: Und jetzt werden Sie wohl darauf bestehen, uns allen zu erzählen, warum Sie uns gerade zu Tode erschreckt haben.

Diane: Es war eine symbolische Geste der Verzweiflung, Cliff. Niemand kann den Fantastereien folgen, die Sie als Logik bezeichnen, doch das ist Ihnen egal. Sie werden uns hier so lange festhalten, damit wir uns Ihre faszinierenden Gedankenspielchen anhören, bis wir alle hypnotisiert sind und so abstimmen, wie Sie es gerne hätten.

Courtney: (*kichert*) Ich wünschte, ich hätte geschrien. Mir war jedenfalls danach.

Cliff: Meinen Sie nicht, man sollte verlangen, dass Geschworene so reif und intelligent sein sollten, dass sie unter normalen Erwachsenen nicht unnötig auffallen?

Courtney: Wieso … ich bin doch auf dem College.

Cliff: Ja, genau das gibt mir zu denken. Ich habe gehört, dass heutzutage jeder Trottel aufs College gehen kann.

Courtney: Kein Wunder, dass Ihre Frau Sie verlassen hat.

Sonny: (*schreit*) Scheiße, haltet endlich die Klappe!

Schweigen. Die Wanduhr tickt.

Bob: Hättet ihr gedacht, dass er reden kann?

Sonny: Willst du noch mehr hören?

Bob: Lieber nicht.

Cliff: Ich glaube, es ist Zeit für eine Abstimmung. Was meinen Sie, Ignacio? Haben wir Ihre letzte Frage ausreichend behandelt?

Ignacio: Ja, ich habe viel darüber nachgedacht.

Sie stimmen ab. Acht zu vier gegen Lindy.

Courtney: Ignacio, das kann doch nicht wahr sein!

Ignacio: Tut mir Leid, Courtney. Aber vorher hatte ich nicht nach dem Gesetz abgestimmt. Ich hatte nach meinem Glauben abgestimmt.

Courtney: Wo sonst wollen Sie sich denn an Ihren Glauben halten?

Cliff: Mal sehen. Ich glaube, es bleiben noch Diane, Mrs Lim,

Courtney und Mr Ball für Lindy. Es wird Zeit, dass wir etwas über Ihre Ansichten in dieser Sache hören, Mr Ball.

Sonny: Sonny.

Cliff. Klar doch. Sonny.

Sonny: Ich bin auf ihrer Seite.

Cliff: (*nach einer Pause*) Und?

Sonny: Nichts und.

Cliff: Können Sie uns sagen, wieso?

Diane: Er muss Ihre Argumente kennen, Sonny, damit er sie durch seine eigenen ersetzen kann …

Sonny: Was schon. Die ganze Knete. Sie war treu. Hat ihn nie beschissen. Wenn er ein Mann ist, muss er fair zu ihr sein.

Cliff: Wie würden Sie sich fühlen, wenn ich Ihnen sagte, dass sie ihn sehr wohl beschissen hat? Sie hat gelogen. Das haben wir bewiesen.

Sonny: Woher wollen Sie das wissen?

Cliff: Das ist es doch gerade, oder? Wir wissen es nicht. Wie können wir das schwer verdiente Geld dieses Mannes einer Frau übergeben, die ihm womöglich nicht einmal treu war? Besser gesagt, wahrscheinlich nicht treu war.

Diane: Dafür gibt es nicht den geringsten Beweis. Darüber wurde kein Wort gesagt …

Cliff: Ich habe das Gefühl, und darin werden mir die meisten hier wohl zustimmen, dass es hierbei einzig und allein um Rache geht. Er hat eine neue Freundin. Er verändert sich. Warum bemüht man dafür überhaupt ein Gericht?

Sonny: Das ist mal 'ne gute Frage.

Cliff: Warum sollte sie auch nur einen Pfennig bekommen?

Diane: Cliff, in diesem Fall kann es nur eine finanzielle Entschädigung geben. Wir entscheiden lediglich über Fakten und Beweise. Ob sie beispielsweise einen Vertrag geschlossen hatten …

Cliff: Sie ist eine Lügnerin und vermutlich auch eine Betrügerin. Ich meine, Sie haben ihn doch da drinnen erlebt. Er ist viel älter als sie. Sieht aus, als würde ihm eine kleine Nummer ganz schön schwer fallen.

Mrs Lim: Sie sind schamlos, Mr Wright.

Diane: Ich finde wirklich …

Cliff: Ich glaube, ich sprach gerade mit Sonny. Seien Sie bitte so höflich, und lassen Sie mich ausreden. Da sitzt sie nun mit ihm. Hatte vermutlich einiges nebenher laufen. Was man ihr kaum übel nehmen kann. Doch dann hat er es herausgefunden und sie verlassen, und nun denkt sie, huch, weg ist die Altersversorgung.

Hat sie versucht, sich mit ihm zu versöhnen? Nein, sie rennt weg und nimmt sich einen Anwalt, wedelt gleich mit dem Gesetz vor seiner Nase herum.

Diane: Cliff, Sie sprechen mit der Leidenschaft eines Mannes, der das aus eigener Erfahrung kennt.

Cliff: Stimmt das, Sonny? Ich meine, wer will schon mit dem Gesetz zu tun haben? Wer braucht so was?

Sonny: Keiner. Das steht mal fest.

Cliff: Verzeihen Sie, wenn ich frage, aber wer trifft bei Ihnen zu Hause die finanziellen Entscheidungen?

Sonny: Was glauben Sie denn?

Cliff: Sie natürlich. Und wieso?

Sonny: Ich treffe alle wichtigen Entscheidungen.

Cliff: Sie erinnern mich sehr an Mike Markov. Nicht äußerlich. Er ist jetzt ziemlich am Ende. Aber er war mal ein starker Mann wie Sie, Sonny. Ein Boxer. Ein altmodischer Typ. Er trifft die wichtigen Entscheidungen, weil er weiß, dass er der Richtige dafür ist. Wissen Sie noch, wie er vor Gericht versprach, sich um Lindy Markov zu kümmern? Das hat er gesagt. Und in seiner Vergangenheit gibt es nichts, was einen anderen Schluss nahe legen würde. Schließlich wohnen sie in einem Riesenhaus, für das er all die Jahre bezahlt hat.

Diane: Mit dem Geld aus der Firma, die ihnen beiden gehört.

Cliff: Vielleicht weiß er etwas, was wir nicht wissen. Vielleicht weiß er, dass sie das Geld für Klamotten und neue Autos hinauswirft. Vielleicht spielt sie. Vielleicht hat er gute Gründe dafür, sein Geschäft selbst zu kontrollieren, weil er Angst hat, sie könnte es gegen die Wand fahren!

Mrs Lim: Da muss ich widersprechen. Das sind nur Spekulationen über Fragen, die vor Gericht nicht einmal erwähnt wurden. Vielleicht ist sie ein Finanzgenie! Das wissen wir doch gar nicht.

Sonny: Es reicht. Ich will abstimmen.

Diane: Einen Moment. Sonny, bei Ihnen habe ich ein ungutes Gefühl.

Sonny: Danke.

Diane: Sie werden anders stimmen, damit das hier endlich vorbei ist, oder?

Sonny: (*antwortet nicht*)

Diane: Erinnern Sie sich an die Anweisungen des Richters? Sie dürfen nicht in einer bestimmten Weise entscheiden, nur weil andere Geschworene diese Entscheidung befürworten, und schon gar nicht, weil dieser Spinner Sie über den Tisch ziehen will.

Sonny: Mich zieht keiner über den Tisch.

Courtney: Sie waren die ganze Zeit auf Lindys Seite. Sie wissen, dass sie etwas von diesem Geld verdient.

Sonny: Lasst uns abstimmen.

Doch der Gerichtsdiener klopft an. Das Mittagessen steht im Flur bereit. Muss jemand schnell nach draußen, bevor sie essen? Kris und Cliff schnappen sich ihre Zigaretten und gehen hinaus, gefolgt von einem Gerichtsdiener. Andere gehen zur Toilette.

Als alle wieder da sind, nimmt Cliff sich sein Spezialgericht mit der Aufschrift vegetarisch und fragt die anderen, wie ihnen das Essen schmeckt. Plötzlich gibt er würgende Geräusche von sich.

Kevin: Immer mit der Ruhe, Kumpel. Haben Sie sich an was verschluckt? Kennt jemand den Heimlich-Handgriff?

Courtney: Ich!

Bob: Sonny, helfen Sie mir, ihn hinzustellen.

Courtney bemüht sich.

Courtney: Es nützt nichts! Ich glaube nicht, dass er sich verschluckt hat.

Kevin: Vielleicht hat er einen Herzanfall.

(Cliff keucht und fegt Gegenstände vom Tisch.)

Cliff: *(Er spricht so leise, dass ihn in dem Tohuwabohu niemand zu hören scheint.)* Meine Jacke! Holt meine Jacke! Lasst mich los!

Mrs Lim: Sonny, setzen Sie ihn hin. Lassen Sie ihn nicht so auf den Boden fallen.

Courtney: Meinen Sie, er braucht seine Jacke? Sie hängt vermutlich im Vorraum.

Bob: Das meint er nicht ernst, oder er hat den Verstand verloren. Hier drinnen sind an die dreißig Grad.

Mrs Lim: Deputy Kimura! Kommen Sie!

Cliff: *(unverständlich)* Das Notfall-Set!

Kevin: Er will etwas sagen.

Mrs Lim: Was ist los, Cliff? Was sollen wir tun?

Der Ersatzgeschworene Damien Peck will Hilfe holen. Er stößt mit dem Gerichtsdiener zusammen.

Deputy Kimura: Bleiben Sie bitte hier. Keiner darf die Räumlichkeiten verlassen.

Er ruft laut nach einem Krankenwagen.

Diane: Er bekommt keine Luft! Hier, Leute, legt ihn auf den Tisch. Er braucht eine Mund-zu-Mund-Beatmung.

Sie kümmert sich um ihn, bis Deputy Kimura zurückkehrt und weitermacht. Es passiert wenig, man hört nur den Deputy bei der Beatmung. Eine Frau weint.

Mrs Lim: Deputy Kimura, sie sind da. Wir sollten besser aus dem Weg gehen.

Frank: Schaut euch das an. Er schwillt richtig an. Sieht aus, als wäre er in einen Bienenschwarm geraten.

Courtney: Wir können nichts mehr tun. Kommen Sie, Diane, gehen Sie beiseite.

Sanitäter: Sein Herz … Schaffen Sie die Leute hier raus.

Schritte, alle huschen davon.

Sonny: (*im Gehen*) Nicht aufgeben, Alter.

Gerichtsangestellte scheuchen die Leute aus dem Zimmer, damit die Rettungssanitäter hereinkommen können.

Klick

Am Donnerstag nach dem Mittagessen rief ein Gerichtsbeamter an. Nina wurde um zwei Uhr erwartet.

»Haben sie eine Frage an den Richter? Soll ein Teil der Zeugenaussagen noch einmal verlesen werden?«

»Nein. Ich glaube, der Richter muss einen Geschworenen ersetzen«, sagte der Beamte.

»Was ist passiert?«

»Kommen Sie einfach vorbei, Nina. Ich glaube, der Richter möchte es Ihnen lieber selbst erklären.«

Nina rief Winston und Genevieve an, die ausnahmsweise in ihren Hotelzimmern zu erreichen waren, und kam gerade noch rechtzeitig zum Gericht. Sie traf sich draußen mit ihrem Team, und zu dritt drängten sie sich an den neugierigen Reportern vorbei, die vor der Tür herumlungerten.

»Was ist los?«, wollte Winston wissen, doch Nina zuckte nur die Schultern. Er sah furchtbar aus, genau wie alle anderen. Jeff Riesner holte sie im Flur ein. Sein bleiches Gesicht und die Tränensäcke verrieten, dass er auch nicht schlafen konnte.

»Ein Urteil?«

»Wir werden es gleich wissen.«

28

»Nehmen Sie bitte Platz«, sagte der Justizbeamte.

Sie setzten sich, während die Geschworenen hereinkamen. Nina betrachtete forschend ihre Gesichter. Aber ... wo war Clifford Wright? Sie sah nur dreizehn Geschworene. Ihren verstörten Mienen nach zu urteilen, war etwas Schreckliches geschehen.

Mit ernstem Blick nahm Milne auf der Richterbank Platz. »Es tut mir Leid, dass ich Sie so eilig herbestellen musste. Bei der Urteilsberatung hat es einen unglücklichen Zwischenfall gegeben. Anscheinend erlitt Mr Wright, einer unserer Geschworenen, eine allergische Reaktion auf etwas, was er gegessen hatte. Er wurde ins Boulder-Krankenhaus gebracht.

Vermutlich wird er nicht so bald wieder entlassen, um seine Tätigkeit fortzuführen. Daher muss der Ersatzgeschworene Nummer dreizehn eingesetzt werden. Wir fragen Sie nun, ob Einwände gegen die Berufung der Ersatzgeschworenen bestehen. Ruhe! Ruhe da hinten, sonst müssen Sie den Saal verlassen.«

»Einen Augenblick, Euer Ehren«, sagte Nina. Sie riss den Umschlag mit dem Namen der Geschworenen auf. Winston blickte ihr über die Schulter. Genevieve studierte ihre Notizen.

»Patti Zobel«, flüsterte Genevieve. »Geschieden, um die vierzig, arbeitet für eine Gesellschaft, die Ferienwohnungen auf Zeit in einem Kurort verkauft. Ihr Mann hatte eine Affäre. Fantastisch. Schau nicht so glücklich. Das wird den Geschworenen nicht gefallen.«

»Wir bedauern das sehr, Euer Ehren«, sagte Nina. »Wir erheben keine Einwände gegen den Ersatz.«

Riesner wirkte verblüfft. Er flüsterte aufgeregt mit Rebecca. Schließlich sagte er: »Wir beantragen eine vierundzwanzigstündige Unterbrechung, um abzuwarten, ob Mr Wrights Zustand sich bessert, Euer Ehren. Vielleicht hat er sich nur den Magen verdorben und kann morgen weitermachen. Wir sollten nichts übereilen.«

Das Telefon auf Deputy Kimuras Schreibtisch klingelte. Er nahm den Hörer im Stehen ab, wobei sein strenger Blick auf der Menge ruhte. Dann machte er dem Justizbeamten ein Zeichen und schrieb etwas mit. Der Justizbeamte gab wiederum Milne ein Zeichen, der daraufhin sagte: »Wir unterbrechen für fünf Minuten. Die Geschworenen bleiben im Saal.« Mit flatternder Robe verließ er die Richterbank, gefolgt von dem Deputy und dem Justizbeamten.

Der Gerichtsreporter des *San Francisco Chronicle* war zu spät gekommen und fragte Nina: »Wer ist der Ersatz?« Nina nannte ihm den Namen, sonst nichts. Patti Zobel, eine unscheinbare, kraushaarige Frau im Jogginganzug, saß auf ihrem Platz unter den anderen Geschworenen und gab sich ruhig, obwohl sie offenbar sehr aufgeregt war. Sie war wochenlang Zweitbesetzung gewesen und hatte soeben eine Hauptrolle erhalten.

Fünf Minuten vergingen. Nina schaute zu Patti Zobel hinüber. Patti Zobel erwiderte den Blick. War da die Andeutung eines Lächelns in ihren Mundwinkeln? Wollte sie vielleicht signalisieren, ich bin auf Ihrer Seite? Nina schaute weg, ihr wurde ganz schwindlig vor Hoffnung, doch sie wollte nicht, dass die anderen Geschworenen es merkten.

Milne kam mit langem Gesicht zurück, Schweigen senkte sich über den Saal.

»Ich muss Ihnen leider mitteilen, dass der Geschworene Nummer sechs, Mr Clifford Wright, vor wenigen Minuten im Boulder-Krankenhaus verstorben ist«, sagte er.

Keuchen und unterdrückte Schreie in der Geschworenenbank. Kris Schmidt vergrub das Gesicht in den Händen. Nina und Winston sahen einander erstaunt an. Genevieve kritzelte etwas hin. *Super!,* stand da.

Milnes Trauer wirkte echt. »Ich bin seit siebzehn Jahren Richter und habe noch nie erlebt, dass ein Geschworener während der Verhandlung verstorben ist«, sagte er. »Ich persönlich und die Mitarbeiter des Gerichts möchten Mr Wrights Familie und Freunden unser aufrichtiges Beileid aussprechen und ihnen sagen, wie sehr wir seine Arbeit an diesem Fall zu schätzen wissen.«

Er wandte sich an die Geschworenen. »Obwohl ich Ihre Traurigkeit durchaus verstehen kann, da Sie in den vergangenen Wochen eng mit Mr Wright zusammengearbeitet haben, muss ich Sie dennoch bitten, sich wieder Ihrer Aufgabe zu widmen. Ich glaube, das wäre auch im Sinne von Mr Wright.«

Riesner bat, an die Richterbank treten zu dürfen, und Nina schloss sich ihm an. Riesner sagte so, dass die Geschworenen es nicht hören konnten: »Ich lege Einspruch ein wegen eines Verfahrensmangels. Diese Geschworenen können nicht weitermachen. Es ist eine Sache, einen kranken Geschworenen zu ersetzen, aber das hier ist traumatisch. Man kann von ihnen nicht verlangen, in aller Ruhe die Beweise zu erörtern …«

Milne nickte. »In gewisser Hinsicht stimme ich Ihnen zu«, sagte er. »Für die anderen dürfte es schwierig werden.«

»Es ist nicht einfach«, meinte Nina, »aber bedenken Sie, wie viel Zeit und Kraft sie in diesen Prozess investiert haben. Wir sollten diesen Geschworenen gestatten, zu einem Urteil zu kommen. Das System der Ersatzgeschworenen wurde doch einzig zu dem Zweck eingeführt, damit die bereits geleistete Arbeit nicht umsonst war. Bitte, Euer Ehren, denken Sie an die entstandenen Kosten. Die Parteien, die Anwälte … der Gedanke, dass sie dies alles noch einmal durchstehen sollen, ist einfach … einfach furchtbar.«

Milne winkte ab, als Riesner antworten wollte, und die Anwälte standen da und warteten, während er nachdachte. Schließlich sagte er: »Ich möchte die Geschworenen gern einzeln in meinem Büro befragen, ob sie sich in der Lage sehen weiterzumachen. Was halten Sie davon?«

Nina nickte, doch Riesner meinte: »Nein. Es ist egal, was sie sagen. Ich plädiere auf Verfahrensmängel.«

»Ich nehme diesen Antrag unter Vorbehalt an und werde zunächst mit den Geschworenen sprechen«, sagte Milne. »An die Arbeit.«

Erneute Unterbrechung. Die Geschworenen kehrten ins Geschworenenzimmer zurück und warteten, dass man sie einzeln zum Richter rief. Die Anwälte stärkten sich mit Koffein. Die Reporter unterhielten sich aufgeregt. Lindy machte einen Spaziergang.

Eine Stunde, bisher die qualvollste Stunde, verging. Während sie Kaffee tranken, kam Edith, Milnes Justizbeamtin, herunter, und Genevieve versuchte, etwas aus ihr herauszubekommen. Als sie an den Tisch zurückkehrte, sagte sie: »Wow. Ärger in River City. Edith sagt, der Arzt im Krankenhaus sei sich ziemlich sicher, dass Cliff auf irgendwas in dem Essen, das das Gericht geliefert hat, allergisch reagiert hat. Sie haben Chinesisch gegessen. Die übrigen Geschworenen müssen fix und fertig sein.«

»Falls er dem Gericht gesagt haben sollte, dass er gegen bestimmte Substanzen allergisch ist, und sie trotzdem zugelassen haben, dass man es ihm vorsetzt, würde ich seine Familie gern vor Gericht vertreten«, sagte Winston.

»Wäre ein Novum«, sagte Nina. »Den Bezirk wegen Tötung eines Geschworenen zu verklagen. Unglaublich. Aber selbst das ist mir egal. Ich habe solche Angst, Milne könnte auf Verfahrensmängel befinden, dass ich mir den Kaffee über den Rock gekippt habe.«

»Mir geht's ähnlich. Ich dachte, man nimmt einfach den nächsten Ersatzgeschworenen, wenn einer krank wird oder stirbt«, sagte Genevieve. »Ich kann nicht glauben, dass der Richter es übers Herz bringt, die ganze Arbeit in den Wind zu schreiben.«

»Wenn wir weitermachen könnten«, sagte Winston, »hätten

wir wichtige Unterstützung im Geschworenenzimmer. Ich habe gesehen, dass Patti dir zugezwinkert hat.«

»Winston, der ewige Optimist. Das hier ist mein letzter Prozess«, sagte Nina. »So etwas stehe ich nicht noch einmal durch. Der arme Mann. Ich komme mir richtig schlecht vor, weil ich so unfreundlich über ihn geredet habe.«

Deputy Kimura kam zur Tür herein und deutete nach oben. »Er ist fertig.«

Milne nahm auf der Richterbank Platz, die Geschworenen kamen wieder herein. »Ich habe mit allen Geschworenen gesprochen«, sagte er. »Alle einschließlich der Geschworenen Nummer dreizehn haben erklärt, dass sie sich in der Lage fühlen weiterzumachen; daher lehne ich den Antrag auf Verfahrensmängel ab.«

Nina wagte wieder zu atmen. Sie war traurig, erleichtert und ängstlich zugleich. Winston drückte ihr unter dem Tisch die Hand.

Milne las den Geschworenen die kalifornischen Geschworenen-Unterweisungen vor, in denen auch das soeben eingetretene Ereignis behandelt wurde. Die Geschworenen hörten aufmerksam zu, allen voran Patti Zobel, als wollte sie damit ihre Bereitschaft unter Beweis stellen, die Vorschriften einzuhalten und ihre Sache gut zu machen.

»Meine Damen und Herren Geschworenen«, sagte er. »Ein Geschworener ist, hm, verhindert, an seine Stelle tritt eine Ersatzgeschworene.

Dem Gesetz nach steht jeder Partei in diesem Verfahren dann das Recht auf ein Urteil zu, wenn ein solches nach der Teilnahme aller Geschworenen an den Beratungen ergeht, die das Urteil schließlich abgeben.

Dieses Recht kann im vorliegenden Fall nur gewahrt werden, wenn die Geschworenen mit ihren Beratungen noch einmal von vorn beginnen.«

O Mann, schien Bob Binkley mit seinem genervten Kopfschütteln zu sagen.

»Daher weise ich Sie an, alle bisherigen Beratungen außer Acht zu lassen und von vorn zu beginnen. Dies bedeutet, dass alle Geschworenen die bisherigen Beratungen behandeln müssen, als hätten sie nicht stattgefunden.

Sie werden sich jetzt gemäß der Unterweisung zu Ihren Beratungen zurückziehen.«

Milne kehrte zu seinem normalen Ton zurück. »Es ist bereits vier Uhr, und ich bin mir sicher, dass viele von uns verstört sind und gern nach Hause zu ihren Familien möchten. Daher vertagt sich das Gericht auf morgen früh, neun Uhr. Und denken Sie an meine Unterweisungen.«

»Komm schon, Nina, lass uns ausgehen«, meinte Genevieve, als sie in den kühlen Nieselregen traten. Sie griff nach Winston, der daraufhin zärtlich den Arm um sie legte und sie in seinen Mantel hüllte. Nina sah, wie Genevieve zu ihm aufblickte, und dachte, sie benimmt sich, als würde er ihr gehören, und das wird ihm nicht gefallen. »Ich glaube, wir bekommen alle unser Geld! Hey, Win, lass uns heute Abend zum North Shore fahren und in dem Restaurant gegenüber vom Casino in Incline essen.«

Nina entschuldigte sich und lächelte über Genevieves lautstarke Zuversicht. »Vielleicht«, sagte sie. »Aber ich treffe mich mit Lindy im Büro, um ihr zu erklären, was das alles für sie bedeutet. Und vergesst nicht, es ist erst vorbei …«

»Wenn es vorbei ist«, sagte Winston. »Du solltest dir ein bisschen Schlaf gönnen.« Er löste sich sanft von Genevieve. »Danke für das Angebot, Gen, aber ich gebe den Spieltischen die Chance, mich noch einmal zu verführen. Heute scheint uns die göttliche Vorsehung hold zu sein, und ich möchte sehen, ob sie nicht noch ein Extralächeln für mich übrig hat.«

Als sie an diesem Abend ins Bett kroch, hatte Nina das Gefühl, dies sei die letzte Nacht, die sie mit der höllischen Warterei verbrachte. Sie legte sich auf den Rücken und dachte nach. Falls sie gewannen – o Gott, falls sie gewannen. Wie üblich wachte sie alle paar Stunden auf, lag da und grübelte, aber wenigstens hatte sie einen lustigen Traum.

Sie träumte, sie wäre ein Star und würde von Sophia Loren frisiert. Sophia hatte auch eine neue Sonnenbrille für sie.

Anscheinend war ihr Unterbewusstsein dabei, ein wenig verfrüht mit Genevieve zu feiern.

Spät am nächsten Vormittag kam der Anruf. Es gab ein Urteil. Nina und Sandy fuhren in Ninas Wagen zum Gericht. Sandy löcherte sie mit Fragen über schwebende Verfahren, doch Nina war nicht zu gebrauchen. Sie konnte nicht sprechen. Ihr Gehirn war völlig leer. Sie machte die vertrauten Bewegungen, lenkte, fuhr durch die bekannten Straßen, sah aber nichts als die kommende Katastrophe, falls … Im Radio schwafelte ein Naturforscher über Singvögel und die vielen Wildblumen, die man um diese Jahreszeit in Tahoe entdecken konnte, doch er hätte ebenso gut das Leben auf dem Mars beschreiben können. Nina schaltete das Radio aus, noch bevor sie den Wagen abstellte.

Die ganze Stadt schien da zu sein, um das Urteil zu hören, was von der außergewöhnlichen Aufmerksamkeit zeugte, mit der sich die Medien dem Prozess widmeten. Es gab keine freien Plätze mehr, und sogar hinten im Saal standen die Leute.

Nina setzte sich auf die eine Seite von Lindy, Sandy auf die andere. Genevieve und Winston waren bereits da. Sie nickten kurz und wandten ihre Aufmerksamkeit dem Podium zu. Nina kreuzte die Finger im Schoß und wartete mit beinah schmerzhafter Spannung auf Milne.

In den nächsten Minuten, in denen der Richter Platz nahm und die Geschworenen hereinkamen, durchlebte sie eine ganze Ewigkeit. Falls sie verloren …

Mrs Lim schob ihre Brille zurecht. Sie räusperte sich, schaute zum Richter und dann wieder auf das Blatt, das sie in der Hand hielt. Sie verlas das Urteil.

Sie hatten gewonnen.

Die Geschworenen sprachen Lindy Markov die Gesamtsumme von 68,6 Millionen Dollar zu.

Nina klammerte sich am Tisch fest, konnte bei der hektischen Aktivität um sie herum nichts mehr sehen, im Lärm nichts mehr hören. Sie bekam mit, wie der Richter aufstand und die Geschworenen hinausgingen und ihr zulächelten.

Sie hatten gewonnen.

Der Raum schwankte wie ein sinkendes Schiff. Nina sah nur noch ihre weißen Hände und die Finger, die sich ans Holz klammerten, während Welle um Welle der Begeisterung über sie hinwegspülte, ihr den Atem nahm.

Sie hatten gewonnen.

Sie konnte es einfach nicht glauben. Trotz der Pläne, trotz ihrer Fantasien hatte sie nie damit gerechnet, zu gewinnen.

Das Gefühl der Unwirklichkeit dehnte sich auf ihre Umgebung aus. Der Gerichtssaal hatte sich verändert, wirkte prachtvoller, als hätte sich das Dach geöffnet, Sonnenlicht strömte herein, wo zuvor nur dumpfe Glühlampen gewesen waren.

Sie stützte sich ab und stand auf, bemüht, die Gefühlsaufwallung in den Griff zu bekommen.

Lindy kniff die Augen zu. Riesner flüsterte Mike hektisch etwas ins Ohr.

Mike sah mitgenommen aus. Auf dem Weg nach draußen taumelte er gegen einen Mann von CNN, der aus einer Sitzreihe trat und ihn gerade noch auffangen konnte.

Die Menge im Saal gratulierte Lindy und Nina lautstark, die zahllose Hände schütteln mussten.

Lindys Freundin Alice umarmte Nina. »Sie haben es geschafft, Süße. Ein linker Haken in die Fressen der grinsenden Affen da draußen!«

Lindy ergriff Ninas Arm. »Mein Gott«, sagte sie. »Wenn mein Dad mich jetzt sehen könnte!«

»Lindy, ich freue mich so für Sie«, sagte Nina schwach. Es

hätte schon mehr gebraucht, um etwas so Ungeheures und Fantastisches in Worte zu kleiden.

Sie spürte, dass Lindys Fingernägel sich in ihren Arm gruben, roch die Erregung in der stickigen Luft. Sie hörte die Stimmen, die sich zu einem höllischen Lärm steigerten. Sie blieb stehen, sog den süßen Moment tief ein, dachte an Bob.

Doch die Menge drängte von hinten, und Lindys Hand auf ihrem Arm begann zu zittern.

»Bloß raus hier«, sagte Nina.

»Wir sitzen in der Falle«, flüsterte Lindy in Panik.

»Wir werden später mehr dazu sagen, jetzt müssen wir es erst einmal verdauen«, sagte Nina zu den Reportern und zog Lindy weg.

»Nehmen Sie den nichtöffentlichen Flur«, sagte sie zu Lindy und Alice. »Bleiben Sie drin, bis alle weg sind.«

»Danke für alles, Nina«, sagte Lindy und umklammerte ihre Hand.

»Ein gottverdammter Triumph«, meinte Alice und zerrte Lindy mit sich zur Tür neben der Geschworenenbank.

Und was für ein Triumph.

Kalifornien und das ganze Land erlebten in den Abendnachrichten, wie Nina auf der Treppe vor dem Gericht das Siegeszeichen machte, flankiert von Genevieve, Winston und Sandy.

An diesem Abend kamen Matt und Andrea mit zwei Flaschen Champagner vorbei. Während die Kinder auf Sofakissen die Treppe hinunterrutschten, zogen die Erwachsenen ihre Jacken an und setzten sich auf die Veranda.

Matt trank eine Flasche allein aus. Nach mehreren Trinksprüchen erklärte er: »Ich möchte Nina etwas sagen.«

»Klingt ernst«, meinte Andrea und schenkte sich nach.

»Ist es auch«, sagte er. »Nina, ich glaube, ich habe nie ein Geheimnis daraus gemacht, dass mir das, was du tust, nie gefallen hat. Ich habe mit meiner Meinung über deinen Beruf nie hinter dem Berg gehalten. Du arbeitest zu viel. Reibst dich auf für einen Haufen Landplagen, die dir gar nicht dankbar genug sein können.«

»Komm schon, Matt«, sagte Nina.

Er hob beschwörend die Hand. »Ich fand immer, das sei es nicht wert. Und habe das auch offen gesagt, wie du nur zu gut weißt. Aber«, sagte er, »jetzt muss ich etwas eingestehen. Du hast mich heute widerlegt. Anscheinend hat das, was du tust, doch einen Sinn.«

»Kann man so sagen«, meinte Andrea lachend. »Und zwar gute dreieinhalb Millionen Dollar!«

»Stimmt«, sagte Matt. »Ich hoffe nur, du weißt auch, dass du sie wirklich verdient hast, Nina.«

»Und es hätte keiner netteren Spezialistin für scheußliche Fälle passieren können«, sagte Andrea und tätschelte Ninas Hand.

»Nina, hast du es schon verdaut?«, fragte Matt und schaute sie dabei an. »Von jetzt an kannst du dir so ziemlich alles kaufen, was du willst.«

»Eine Couch von Roche Bobois«, sagte Andrea. »Duette-Jalousien für die Fenster vorn. Hey, Nina, du könntest dir sogar eine anständige Jeans leisten. Ich wollte dir schon länger sagen, dass deine ein paar Löcher unter der Gesäßtasche hat.«

»Eine Jacht«, sagte Matt.

»Ehrlich? Sie könnte sich eine Jacht kaufen?«, wollte Andrea wissen.

»Ja«, sagte Matt, »ich glaube schon. Wie viel kostet eigentlich eine Jacht?«

»Keine Ahnung«, meinte Andrea.

»Um deine erste Frage zu beantworten«, warf Nina ein, »nein, ich habe es noch nicht verdaut.«

»Okay, jetzt geht's los«, sagte Andrea. »Hier kommt die Frage, die sich jede trauernde Prominente, jedes Opfer eines Erdrutsches und jeder Lotteriegewinner irgendwann stellen lassen muss.«

»Und welche Frage wäre das?«, fragte Nina.

»Wie fühlt man sich dabei?«

Nina lehnte sich im Liegestuhl zurück, zog den Mantel enger um sich und schaute zum Himmel empor. »Als wäre einer von diesen Sternen in meinen Garten gefallen.«

Die Abstimmung war neun zu drei ausgegangen, das Minimum. Patti Zobel hatte erklärt, als sie später in der Eingangshalle mit der Presse sprach, dass sie die neunte Stimme zu Gunsten von Lindy abgegeben habe. Courtney Poole sagte, es sei ungeheuer knapp gewesen. Cliff hatte unmittelbar vor seinem Zusammenbruch einige Geschworene überredet, ihre Meinung zu ändern und für Mike zu stimmen, doch der Richter hatte sie angewiesen, von vorn zu beginnen. Als sie ihre ursprünglichen Positionen einnahmen und Pattis leidenschaftliche Argumente für Lindy hörten, hatte sich die Unterstützung für Mike Markov in Luft aufgelöst.

Zwei Tage lang genoss Nina ihren Erfolg. Sie wurde von den großen Fernsehsendern, dem Radio und sogar auf einer Website interviewt. Bob half ihr bei der Organisation, sodass sie gar keine Zeit hatte, den Schock zu verarbeiten.

Die Aufmerksamkeit, die man ihr entgegenbrachte, wirkte oft ein wenig feindselig und schien vom Geschlecht ihres Gesprächspartners abzuhängen. Männer gaben sich ungläubig und empört über Lindys Erfolg. Frauen nannten den Fall bahnbrechend, eine Ehrenrettung.

Nina gefiel es nicht, dass das Thema in den Medien zu einem Geschlechterkrieg hochstilisiert wurde. In den Interviews sagte sie immer wieder, die Wahrheit liege irgendwo in der Mitte. Sie erinnerte die Leute daran, dass der Fall Markov einmalig sei, weil Lindy am Geschäft beteiligt war. Die meisten Unterhaltsfälle hatten eher mit langjährigen emotionalen Bindungen zu tun und drehten sich um einen Antrag auf Unterhaltszahlung oder Rehabilitierung. Sie sei der Meinung, dass der Fall für die

Frage der finanziellen Gleichheit bei unverheiratet zusammen-
lebenden Paaren unerheblich sei. Mehrere Geschworene, die
ebenfalls interviewt wurden, bestärkten sie in dieser Ansicht,
indem sie sagten, es sei immer nur um Lindys Arbeit gegangen.

Die Geschworenen hatten entschieden, dass die Vereinbarung zur Gütertrennung ungültig war, dass Lindy den Vertrag
in dem Glauben unterzeichnet hatte, er wäre mit einem Eheversprechen verbunden. Sie entschieden außerdem, dass zwischen
den Parteien eine Art mündliches Abkommen bestanden hatte,
wonach Lindy zwar nicht die Hälfte der Firma, wohl aber ein
Anteil versprochen wurde, den sie mühsam berechnet und mit
einem Drittel angesetzt hatten.

Susan Lim sagte im Lokalfernsehen: »Jeder kann mit einer
guten Idee anfangen und sie ausbauen. Was in der Wirtschaft
wirklich zählt, ist das Marketing. Wenn niemand etwas kauft,
verdient man auch kein Geld. Ms Markov schien mir eine intelligente Frau zu sein, die bei dem geschäftlichen Erfolg eindeutig eine große Rolle gespielt hat. Wer hat das wichtigste Produkt des Unternehmens entwickelt? Sie. So haben wir argu-
mentiert, auf der Grundlage sorgfältiger und objektiver Berück-
sichtigung der Beweise.«

Die Geschworenen hatten die Beweisführung erörtert und zu
Lindys Gunsten entschieden. Ein ausgezeichnetes Beispiel für
das amerikanische Geschworenensystem.

Und jetzt war es vorbei.

FÜNFTES BUCH

Die Überraschung

Geld! Geld! Geld!
Wahngepeitscht allmächtiges
Geld der Illusion

ALLEN GINSBERG

29

Paul flog am Freitag von Washington nach Sacramento zurück. Er hörte die Nachricht über Ninas Prozess im Fernsehen, als er bei Sam's in Placerville gerade in einen dicken Cheeseburger biss. Sam's machte nach dreißig Jahren dicht, und er würde die alte Scheune mit dem Sägemehl auf dem Boden und dem nostalgischen Dekor vermissen.

Da Nina seine Anrufe nicht entgegennahm, wollte er sie persönlich aufsuchen. Er hatte gehofft, rechtzeitig zur Urteilsverkündung dort zu sein, da sie gewöhnlich am zugänglichsten war, wenn der Druck nachließ, doch nun musste er es eben so versuchen.

Er nahm ihr übel, wie sie mit ihm umgesprungen war, wusste aber, dass er sich mit seiner Glanzleistung einen Klaps verdient hatte. Dass sie nicht zurückrief und den Kontakt praktisch abgebrochen hatte, ging dann aber doch zu weit.

Allerdings war er nicht überrascht, dass sie so übertrieben reagierte. Große Prozesse führten meist zu einem Kontrollverlust. Anwälte kämpften unterhalb der Gürtellinie, Klienten begannen zu trinken, Zeugen verließen die Stadt, starke Richter wurden zu Jammerlappen. Vermutlich hatte er selbst auch übertrieben auf Riesner reagiert. Und wenn schon? Er hatte dem Burschen doch kaum was getan.

Es interessierte ihn nicht, wenn er nie wieder für sie arbeiten würde. Er wollte mehr von dieser warmherzigen Frau, die wie Schneewittchen unter kaltem Glas lag. Er wollte das Glas zerbrechen und sie packen, wachrütteln. Doch das ging nicht. Sie würde es ihm nie verzeihen. Sie brauchte das Glas, um sich in der Arbeitswelt zu schützen, und sie liebte diese Welt zu sehr, um sie aufzugeben.

Bis jetzt. Jetzt hatte sie ihren großen Fall gewonnen, den ganz großen Fall. Sie konnte nicht damit rechnen, so etwas noch einmal zu erleben, oder? Wie bei Sam's in Placerville ging wohl auch in Ninas Leben eine Ära zu Ende.

Falls nicht etwas Unvorhergesehenes geschah, war Nina jetzt Millionärin. Markov blieben dreißig Tage, um Berufung einzulegen. Vermutlich wäre ihm ein Vergleich lieber gewesen, und selbst wenn er Berufung einlegte, würden die Anwälte früher oder später ihren Anteil bekommen.

Nina hatte nur ausweichend über die Einzelheiten gesprochen, doch sie war schlau und würde sich die Gelegenheit nicht entgehen lassen, einen Riesengewinn zu machen. Fast ein Jahr hatte sie sich mit dem Markov-Fall abgemüht. Sie war ganz oben und musste nichts mehr beweisen.

Sie könnte sogar aufhören zu arbeiten.

Sie könnte nach Carmel ziehen, mit ihm zusammenleben und den gläsernen Sarg selbst zerschlagen.

Vor ihr lag eine herrliche Zukunft. Er aß seinen Cheeseburger, trank das Bier aus und warf zum letzten Mal einen Vierteldollar in Madame Zeldas Schlitz.

Die gleichgültige Holzzigeunerin mit dem Kopftuch bewegte sich in ihrem Glaskasten und wirbelte eine Staubschicht auf. Hinter ihr ging ein rubinrotes Licht an. Ihr Finger fuhr über die gelben Karten, die vor ihr lagen, und hielt inne. Eine Karte fiel in den Schlitz.

> Die Schlange ihren Schaden bringt,
> Der ferne Donner warnend klingt,
> Das Wasser plätschert ruhelos,
> Doch die Gefahr für dich ist groß.
> Der Narr ist wohl sein Geld bald los.

»Schönen Ruhestand, alte Hexe«, murmelte Paul unbehaglich und hätte schwören können, dass Madame Zelda ihn anblinzelte.

In dieser Nacht lagen sie zusammen in Ninas Himmelbett, nachdem sie sich in einer Stunde zweimal geliebt hatten, zuerst bei Mondlicht auf einem großen Polster auf der hinteren Veranda, dann wieder im Bett, zumindest teilweise im Bett. Bob war bei seinem Großvater in Monterey und würde am Sonntag von San Francisco aus einen Schulausflug nach Williamsburg unternehmen und die ganze nächste Woche nicht zu Hause sein.

Nina rieb Pauls Wange.

»Wie schön, so herzlich empfangen zu werden«, sagte er träge, die Augen geschlossen. »Wir sollten uns öfter streiten.«

»Nein. Lass uns nie wieder streiten.«

»Wenn wir heirateten und in Carmel lebten, würden wir uns niemals streiten.« Um das zu sagen, war er hergekommen. Er glitt mit der Hand über ihren weichen Oberschenkel.

»Warum ziehst du nicht nach Tahoe, Paul?«, entgegnete sie nicht ganz unerwartet.

»Würdest du mich dann heiraten?«

Schläfrig vergrub sie ihren Kopf an seiner Brust und sagte: »Ich würde es mir überlegen.«

»Klar, aber würdest du es tun?«

»Weißt du eigentlich, wie kompliziert du alles machst?«

»Ich sehe das anders. Für mich ist es ganz einfach. Mann, Frau, Sehnsucht, Liebe, um den großen Eric Burdon zu zitieren. Oh, ich habe darüber nachgedacht, aber ich habe ein gut gehendes Büro da unten. Ich arbeite länger in Carmel als du in Tahoe. Komm zu mir, ich meine es ernst.«

»Was ist mit deinem Job in Washington?« Sie klang sehr träge.

»Für dich würde ich ihn wie eine heiße Kartoffel fallen lassen, Liebes.«

Doch Nina hörte ihm nicht mehr zu. Sie schien eingeschlafen zu sein. Paul gähnte. Das große Bett war wie ein ganzes Universum, die Decken so dick und warm ... auch er schlief ein.

Paul erwachte gegen ein Uhr nachts mit knurrendem Magen. Nina lag noch auf der Seite, ihr langes braunes Haar floss über ihre weiße Schulter. Schade, dass er so hungrig war. Er rüttelte sie sanft und sagte: »Aufwachen, Bienchen. Wir haben das Essen übersprungen. Besorgen wir uns was.«

Sie schlug die Augen auf und schien froh, ihn zu sehen. Was konnte ein Mann sonst noch verlangen? Außer einer guten Mahlzeit vielleicht?

»Aber ich habe noch eine Frage wegen dieser Sache, bevor wir die Decken zurückschlagen und du deinen verlockenden Körper meinen ehrfürchtigen Blicken darbietest.«

»Was?«

»Wegen Clifford Wright.«

»Was ist mit ihm?«

»Du hast wirklich Glück gehabt.«

»Was?«

»Kommt es dir nicht eigenartig vor?«

Sie wurde ganz schnell wach. »Eigenartig?«, fragte sie. Hingerissen betrachtete Paul die Verwandlung von der Geliebten zur Rechtsanwältin, von zarten Wangen und vollen Lippen zu hartem Kiefer und intelligentem Blick. »Es gibt nichts Neues über ihn. Der Fall wurde abgeschlossen. Nur ein verrückter medizinischer Zwischenfall.«

»Hast du den Bericht des Leichenbeschauers gelesen?«

»Warum sollte ich?«

»Riesiger Zufall oder die Hand Gottes?«, meinte Paul. »Nur Madame Zelda weiß Bescheid, und sie geht in Pension.«

Ninas Mund wurde hart. »Dir kommt einfach alles verdächtig vor, was? Hier gibt es kein Geheimnis. Er starb an einem anaphylaktischen Schock, nachdem er etwas Unverträgliches gegessen hatte.«

»Die meisten Leute wissen, dass sie eine Allergie haben, bevor sie im Geschworenenzimmer umkippen.«

»Er wusste doch, dass er gegen einige Lebensmittel allergisch war«, sagte Nina. »Das hat er so gut wie jedem erzählt. Selbst wir wussten es aus diesen tollen Fragebögen, die über die Geschworenen angefertigt werden. Hat dir das niemand gesagt?«

»Kann mich nicht erinnern.«

»Anscheinend hatte er etwas dabei, das ihn gerettet hätte, doch keiner wusste Bescheid. Wie heißt es doch gleich …«

»Du meinst ein Adrenalin-Kit.«

»Genau. Man spritzt sich Epinephrin ins Bein, dann hört die allergische Reaktion sofort auf. Sandy hat mir von einem Arzt in Südkalifornien erzählt, der gegen Schalentiere allergisch war und kürzlich an Anaphylaxie gestorben ist. Hatte seine Nase über einen Topf mit kochenden Schalentieren gehalten und das Allergieset nicht dabei.«

»Warum hat Wright seines nicht benutzt?«

»Die Geschworenen sagen, er hätte etwas von seiner Jacke gemurmelt, die im Schrank hing, doch sie glaubten, er wäre im Delirium. Deputy Kim fand das Set, nachdem Wright ins Krankenhaus gekommen war. Seine Atmung war so rasch blockiert gewesen, dass er es nicht mehr benutzen konnte.«

»Du willst also keine weiteren Nachforschungen anstellen.«

»Warum denn? Es ist schlimm, hat aber nichts mit mir zu tun.«

»Kein Bedürfnis, die Gans, die goldene Eier legt, näher zu untersuchen«, sagte Paul. »Ich kann dich verstehen.« Ganz so lapidar hatte es nicht klingen sollen, doch er konnte nicht anders.

»Mach dich nicht lächerlich«, sagte Nina und schob seine Hand weg.

»Was ist los?«, fragte er und zog sie wieder an sich.

Sie schob seine Hand heftig weg. »Warum kannst du nicht einfach akzeptieren, dass ich diesen Fall gewonnen habe? Warum gönnst du mir das nicht? Du nörgelst an meinem Erfolg herum, machst Andeutungen, ich hätte es ohne Clifford Wrights Tod nicht geschafft. Verdammt noch mal.«

Paul schwieg einen Moment.

»Tut mir Leid«, sagte er schließlich, »ich habe dir noch gar nicht gratuliert. Und du bist so wunderbar, auch außerhalb des Betts. Du bist brillant, wunderschön, tapfer, vollbusig …«

»Danke«, sagte Nina.

»So gut wie reich«, meinte er.

Sie war anscheinend beschwichtigt, denn sie sagte: »Jetzt komm mir nicht auf die Tour.«

»Schon gut. Wenden wir uns wieder der Frage zu, die uns wie ein Schwarm hungriger Moskitos verfolgt. Wir müssen darüber sprechen, ob die Veränderung deiner finanziellen Verhältnisse einen Einfluss auf unsere Beziehung haben wird. Es gibt da einiges zu bedenken.«

»Ich dachte, wir verhungern«, sagte Nina.

»Pst.« Er legte ihr einen Finger auf die Lippen. »Beginnen wir mit den Versandhauskatalogen. Du kannst dir endlich die gewisse Unterwäsche leisten … du weißt schon, was für welche? Wo hier nichts ist«, sagte er und deutete auf die betreffenden Stellen, »und hier auch nicht.« Seine Hand verweilte dort. »Seien wir leichtsinnig. Kauf dir zwei, aus schwarzer und roter Seide. Dazu Netzstrümpfe und eines dieser Dinger, die Frauen in den guten alten Zeiten trugen, als die Männer noch unwidersprochen das Universum beherrschten …«

»Einen Strumpfhalter?«

»Genau! Mm, lecker. Die Möglichkeiten mehren sich wie … wie …«

»Wie Schimmelpilze an der Wand!«, sagte sie.

»Wie dein brennendes Herz in meiner Hand«, sagte Paul und schob ihr die Zunge ins Ohr.

Bevor Nina noch etwas sagen konnte, war er schon über ihr.

Danach gingen sie in die Küche und machten sich Toast und Eier und tranken Milch.

Am Samstag mieteten sie zwei Paddelboote und jagten einander durch Zephyr Cove, bis die untergehende Sonne sie blendete, dann gingen sie zu Nina und warfen sich in Schale, weil Lindy an diesem Abend ein Festessen im Summit für sie gab.

Nina ergriff Pauls Arm, als sie das Restaurant im siebzehnten Stock von Harrah's betraten. Klaviermusik umflutete sie, sinnlich wie Weihrauch.

»Ich komme mir plötzlich so erwachsen vor«, sagte sie, genoss sein raues Jackett auf ihrer Haut und freute sich, dass er hier war und den Abend mit ihr verbrachte. »Weißt du noch, wie wir uns in Carmel kennen gelernt haben?« Der Oberkellner führte sie durch das Restaurant.

»Wie könnte ich das vergessen? Ein Blind Date. Und dann hast du einfach Jack geheiratet.«

»Wann sind wir zu Leuten geworden, die solche Etablissements besuchen? Wo ist die Band mit den elektrisierten Haaren und diesem Pedal, das die Töne so verzerrt?«

»Es ist perfekt, Nina«, sagte Paul und begrüßte Winston.

Sie setzten sich an einen Tisch am Fenster. Weit unter ihnen funkelten die Lichter der Stadt. Lindy hatte schon Champagner bestellt. Sandy trug ein glänzendes amethystfarbenes Perlenshirt zu einem langen schwarzen Rock und stritt mit Nina, wer den Lachs mit Zitronenkuskus bestellen durfte und wer den Lammrücken. Sie beschlossen, beides zu teilen. Neben ihr demonstrierte Sandys Sohn Wish, wie man mit Löffeln eine Melodie von Scott Joplin spielte.

Lindy trug eine smaragdgrüne Jacke zu einer weißen Hose und Schuhe mit flachen Absätzen, sie saß dem Fenster gegenüber. Nina wusste, dass sie ihre Freundin Alice eingeladen hatte, die jedoch verhindert war.

Nachdem sie Nina und Paul begrüßt hatte, beugte sie sich vor und schaute auf die Lichter hinter der Scheibe. Sie wirkte etwas benommen. »Ist es nicht aufregend, wie alles gelaufen ist?«, fragte sie Nina. »Ist es nicht seltsam?«

Sandy brachte einen Toast auf »Tahoe, den See des Himmels« aus, »wo alles möglich ist und wird«, und sie leerten zwei Flaschen Champagner, bevor das Essen serviert wurde.

Während der Mahlzeit spürte Nina, dass sich zwischen Winston und Genevieve etwas verändert hatte. Genevieve passte sich weiterhin seiner Stimmung an, bot ihm Butter, Salz und alles an, was er zu brauchen schien, doch er wirkte zerstreut. Nina nahm an, dass er an die Zukunft dachte, eine Zukunft, in der Genevieve keine so große Rolle mehr spielen würde.

»Wohin gehst du, Genevieve?«, fragte sie.

»Ach, ich habe schon so viele Ideen! Aber weißt du, was? Ich kann noch gar nicht richtig darüber nachdenken. Ich rege mich dabei so auf, dass ich nicht mehr schlafen kann. Allerdings kann ich mir nicht vorstellen, nach L.A. zurückzukehren und wieder von vorn zu beginnen, obwohl ich vermutlich genau das machen werde.« Sie sah müde aus und hörte sich auch so an. Trotz der Fröhlichkeit waren sie wohl alle erschöpft. Sie hatten die Arbeit von Jahren in acht Monaten bewältigt. Und gewonnen!

Ein paar Minuten klagten sie, wie schwierig es sein würde, nach der ungeheuren Intensität der vergangenen Monate wieder zum Alltagsgeschäft überzugehen.

»Wie meine Mutter zu sagen pflegte«, warf Paul ein, »es gibt schlimmere Probleme. Lindy, was haben Sie als Nächstes vor?«

Sie wirkte überrascht angesichts der plötzlichen Aufmerksamkeit. Ihr Teller war noch voll. Der Champagner war ihr anscheinend lieber gewesen. Ihre Augen waren leicht glasig. »Oh, ich mache einfach das, was eine reiche Frau so tut«, sagte sie. »Tee. Partys. Das Haus einrichten.«

»Sie Ärmste«, meinte Genevieve, um die Stimmung zu heben.

»Ich Reichste, meinen Sie wohl«, sagte Lindy, und alle lachten, sie selbst eingeschlossen.

Nach dem Essen erkundigte Nina sich nach Winstons Plänen.

»Ich habe noch Papierkram zu erledigen und muss Sandys Auslagen zusammenrechnen«, sagte er, wobei er Sandy zuzwinkerte. »Dann will ich ein paar Tage Urlaub machen, ein bisschen Bewegung brauche ich auch. Mir ist, als hätte ich mich monatelang nicht bewegt.«

»Das ständige Jogging in jeder freien Minute zählt wohl nicht«, sagte Sandy.

»Ach, und ich habe noch was mitgebracht. Als kleines Dankeschön für eure Hilfe.« Aus einer Tasche neben seinem Stuhl holte Winston ein riesiges Paket für Sandy und eine krawattengroße Schachtel für Wish.

»Schau nicht so düster«, sagte er und gab Wish die Schachtel. »Ich verspreche dir, du brauchst bald eine Krawatte.«

»Also wirklich, Mr Reynolds. Das ist ja einfach toll.« Wish lächelte schwach. Er riss das Band ab und die Schachtel auf. »Seide, was?«

»Stimmt.«

»Super.« Wish hielt sich die blaue Krawatte vor die Augen, als könnten ihm die Einzelheiten des Musters verraten, weshalb ein smarter Typ wie Winston ein so verrücktes und unpassendes Geschenk ausgewählt hatte.

Winston lachte aus vollem Hals. »Freut mich, dass sie dir gefällt.«

Sandy öffnete behutsam ihr großes Paket, legte das geblümte Papier neben sich, löste das Band und faltete das Seidenpapier säuberlich zusammen, während Wish aussah, als hätte er ihr die Schachtel am liebsten entrissen und selbst aufgemacht.

In der Schachtel lag etwas Dickes, Weiches wie ein Tier im Nest.

»Was ist das, Mom?«, fragte Wish ungeduldig. »Na los, nimm's schon raus.«

»Ich habe mir ein paar mottenzerfressene Exemplare angeschaut, bevor ich dieses fand. Sie ist gut gepflegt«, sagte Winston.

»Wo hast du sie gefunden?«, fragte Sandy.

»In einem Geschäft in Minden. Der Besitzer erzählte mir, die

Familie, der sie gehört, habe letzten Monat alles verkauft und sei nach Stockton gezogen. Der Urgroßvater des Mannes hätte sie angefertigt. Es sei die Letzte, die er gemacht habe, bevor er irgendwann in den Fünfzigerjahren starb, zumindest behauptete das der Verkäufer. Sie fanden sie in einem mit Zedernholz ausgeschlagenen Koffer. War noch nie benutzt worden.«

Doch Sandy schaute lange in die Schachtel, bevor sie den Inhalt herausnahm und hochhielt. »Eine Kaninchenfelldecke«, sagte sie. »Meine Mutter hatte so eine, als ich klein war.«

»Sie bedeuteten den Washoe sehr viel«, sagte Wish zu Nina, die erstaunt zugesehen hatte.

»Das hat mir der Händler erzählt. Selbst im Winter und auf zweitausend Metern halten sie einen nachts so warm, dass man nackt in einem Schuppen schlafen kann«, neckte Winston. »Da habe ich natürlich an dich gedacht, Sandy.«

Doch Sandy reagierte nicht auf den Witz, sondern strich ehrfürchtig über die Decke. »Eine Decke hält drei Jahre, dann macht man eine neue.« Sie musterte prüfend die Vorder- und Rückseite, dann schaute sie Winston mit dem gleichen eindringlichen Interesse an. »Du musst eine Menge dafür bezahlt haben.«

»Sie sind selten«, stimmte Winston ihr zu.

»Die Washoe jagten Kaninchen mit Netzen, sie schossen mit Pfeilen nach ihnen, damit sie ins Netz rannten«, erzählte Sandy. »Oft wurden vier- oder fünfhundert an einem Tag getötet. Dann schnitten sie die Häute in Streifen und trockneten sie anderthalb Tage. Fünfundzwanzig Streifen ergaben eine Kaninchendecke für zwei Leute.«

»Ich spare für eine Daunendecke«, sagte Wish entschlossen. »Dafür müssen keine Tiere sterben, und sie ist genauso warm.«

»Aber als diese Decke gemacht wurde, war das Leben noch anders«, sagte Sandy und drückte die Decke an ihre Wange. »In jenen Tagen überlebte man ohne Geld. Selbst hier oben in Tahoe, wo es richtig kalt wird.«

Die Atmosphäre hatte sich kaum merklich verändert. Winston überreichte weitere Geschenke, exotische Blumen für Nina, Genevieve und Lindy, einen Füller für Paul. Sandy hängte die Kaninchendecke über einen Stuhl.

Sie lag dort als Erinnerung an Zeiten, da Geld noch nichts bedeutet hatte. Das Gespräch verlief schleppend.

»Ist das Wetter dieses Jahr nicht schön?«, meinte Nina in der Hoffnung, die Stimmung wieder zu beleben. »Schöner denn je. Kobaltblauer Himmel, Zeichentrickwolken, wir haben einen großen Erfolg zu feiern …«

»Hört euch das Mädchen an. Der Erfolg hat ihr den Kopf verdreht!«, sagte Lindy. »Noch einen letzten Trinkspruch, auf Nina und ihr irisches Glück.«

Sie hoben Kaffeetassen und Gläser und tranken.

»Das alles hatte nichts mit Glück zu tun«, meinte Nina. »Ohne euch alle …«

»Stoppt sie, bevor sie eine Volksrede hält«, befahl Winston.

»Und Paul hier …«, sagte sie.

»… dem wir verziehen haben, dass er Wright nicht als Problem erkannt hat«, sagte Winston, womit er ihren Gedankengang unterbrach.

»Nicht schon wieder, Winston«, meinte Genevieve. »Keiner von uns hatte Wright durchschaut, außer vielleicht Nina. Jedenfalls kann er uns nicht mehr gefährlich werden.«

»Paul sieht das anders«, sagte Nina. Sie verspürte den Drang, darüber zu sprechen, obwohl ihr klar war, dass es die gute Stimmung verdarb.

»Wie meinst du das?«, fragte Sandy.

»Ob ihr es glaubt oder nicht, er hat angedeutet, dass er die Umstände von Wrights Tod verdächtig findet.«

»Wie kann eine Allergie verdächtig sein?«, fragte Winston.

»Keine Ahnung«, meinte Nina. »Fragt den Experten.«

Winston wandte sich an Paul. »Wie meinst du das?«

»Er meint, jemand hätte ihm was ins Essen getan«, sagte Nina. »Verrückt, was?«

Der Kellner nahm Lindys Kreditkarte und die Rechnung und ging wieder, während die ganze Gesellschaft Paul fassungslos anschaute.

»Die Fahrerei zwischen Carmel, Washington und Tahoe hat dir komplett den Kopf verdreht«, sagte Winston.

»Es ist nur sonderbar«, meinte Paul, »dass er einfach so umkippt. Vielleicht …«

»Hör auf«, sagte Winston. »Das sind doch sinnlose Spekulationen. Ist dir klar, dass es eine ungeheure Verzögerung für uns bedeuten kann, wenn du mit jemandem darüber sprichst? Wenn es zu einer polizeilichen Untersuchung kommt, können wir monatelang auf unser Geld warten.«

»Glaub mir, ich wollte niemandem gegenüber etwas andeuten.«

»Er mag nur keine sonderbaren Dinge«, sagte Nina und begriff auf einmal, dass auch sie zu viel getrunken hatte. In ihrem Kopf drehte sich alles …

Paul nahm ihren Arm und half ihr auf. »Ich glaube, wir gehen besser«, sagte er. »Soll ich jemanden mitnehmen?«

Niemand meldete sich.

»Du willst das doch nicht weitertreiben, oder?«, fragte Winston, als alle aufstanden, um sich zu verabschieden.

»Nein, keine Sorge«, antwortete Paul. »Soweit ich weiß, gehen alle von einem Unglücksfall aus.«

»Schon gut«, sagte Winston. »Hm, es fängt immer so harmlos an, aber später gibt es dann lautes Geschrei und Gerenne.«

»Wovon redest du eigentlich?«, wollte Sandy wissen.

»Das ist aus einem Film, in dem Monster losgelassen werden«, sagte Winston.

30

Als Paul am Montagmorgen die Hand nach Nina ausstreckte, fand er neben sich nur den Abdruck ihres Körpers. Er reckte sich, zog seine Khakishorts an und tappte barfuß in die Küche, wo sie ihm eine Kanne dampfenden Kaffee hinterlassen hatte, der rabenschwarz war, so lange stand er schon da. Ein Zettel auf der Arbeitsplatte verriet ihm, wo Müsli und Bananen zu finden waren, aber er hatte keine Lust auf Frühstück. Nachdem er sich frischen Kaffee aufgebrüht hatte, nahm er einen Becher und die Morgenzeitung mit auf die Veranda hinters Haus und machte es sich unter den Kiefern in Ninas Garten gemütlich.

Eine Stunde später hatte er genug Koffein intus und war zum Aufbruch bereit. Er packte seine Sachen zusammen und warf die Steppdecke über Ninas ungemachtes Bett. Bevor er ging, verbrachte er fast eine Stunde am Telefon. Er rief in seinem Büro an, bei der Telefonauskunft, Sandy in Ninas Büro und eine Nummer unten im Süden.

Als er im Auto saß, überlegte er einen Moment, was er heute alles unternehmen konnte. Mittagessen mit Nina, das stand fest.

Heute Abend würde er nach Hause fahren. Ein kleines Spiel am Montagmorgen? Zu dekadent. Eine Runde Laufen in der dünnen Bergluft? Das würde ihm sicher gut tun, aber … es reizte ihn mehr, die blöde kleine Sache zu überprüfen, die ihm keine Ruhe ließ.

Aus dem Kasten zwischen den beiden Vordersitzen zog er ein Telefonbuch von Lake Tahoe, das er mal als Dauerleihgabe aus einem Motel mitgenommen hatte. Er schlug die Seiten mit den Ämtern der Bezirksregierungen auf und blätterte zum County El Dorado. Was er suchte, lag am Johnson Boulevard.

Er wählte eine Nummer, bat um eine Wegbeschreibung und einen fünfzehnminütigen Termin, der ihm – zu seiner Überraschung – sofort gewährt wurde.

Dieser Gerichtsmediziner hatte sein Büro in dem gleichen Gebäudekomplex, in dem auch das Gericht lag, wo er Nina später treffen wollte. Wie praktisch.

»Schön, dass es wieder ruhiger läuft«, sagte Sandy, als Nina endlich von dem Aktenberg auf ihrem Tisch heruntergeklettert kam, um eine Kaffeepause einzulegen. »Alle kommen zu spät.« Sie stand in der Tür zu Ninas Büro und hatte ebenfalls eine Tasse frischen Kaffee in der Hand.

»Alle sind fix und fertig«, sagte Nina. Die letzten Monate waren die Hölle gewesen. Sie hatten es sich verdient, auszuschlafen. »Habe ich dir schon dafür gedankt, dass du den Laden hier am Laufen gehalten hast, während ich bis zum Hals in diesem Prozess steckte?«

»Ja, aber tu dir keinen Zwang an, sag's ruhig noch mal.« Sandys breiter Mund wurde noch ein bisschen breiter.

»Und dir steht ein großer Bonus zu, sobald ich mein Honorar bekommen habe.«

Das kurze Flattern eines Augenlids verriet, dass Sandy das für eine sehr aufregende Nachricht hielt. »Sollen wir uns nach einem größeren Büro umsehen?«

»Nein.«

»Warum denn nicht? Du willst doch sicher ein bisschen expandieren. Natürlich nicht zu sehr, um alle Pläne über den Haufen zu werfen, aber doch ein bisschen? Seit dem Ende des Prozesses siehst du aus wie ein Geist, der mit seinen Ketten rasselt. Du brauchst ein neues Projekt.«

»Nach einem Prozess fällt man immer erst mal in ein Loch, aber ich bin mir nicht sicher, ob ich wirklich expandieren soll.«

Sandy starrte sie an. »Du hast noch etwas anderes im Sinn, was du mir bisher noch nicht verraten hast?«

»Vielleicht nehme ich eine Auszeit. Vielleicht ein Jahr.«

Sandy schnappte nach Luft. »Darauf läuft es also hinaus«, sagte sie.

»Worauf?«

»Geld. Das macht es … es kriecht in die Leute. Sie vergessen, wer sie sind.« Sie schien sich an etwas sehr Unerfreuliches zu erinnern. »Ich hätte es wissen müssen. Seit dieser Prozess angefangen hat, bist du Kompromisse eingegangen wie verrückt.«

Ein Grund, den Laden dichtzumachen und etwas anderes zu tun, war: Sandys Neugier. »Rede keinen Unsinn«, sagte Nina und übte sich in Geduld. »Das Geld gibt mir nur die Möglichkeit, über Alternativen nachzudenken.«

»Du würdest die Arbeit vermissen.«

Nina fielen sehr viele gute Gründe ein, nicht zu arbeiten, heute nicht, morgen nicht, nie wieder, aber im harten Licht von Sandys dunklen Augen betrachtet, schienen sie ihr im Augenblick wenig stichhaltig zu sein. »Ich weiß nicht, was ich machen werde. Ich möchte nur keine voreiligen Entscheidungen treffen.«

Diesmal musterte Sandy sie versöhnlich. »Also«, sagte sie schließlich, »wenn du das Ganze klein halten und den unverhofften Geldregen vorübergehend anlegen willst, sag nur einen Ton. Ich hab da diesen Exschwager bei Charles Schwab …«

»Wenn das Geld da ist, kommt es mir sicher realer vor, Sandy. Bis dahin fantasiere ich nur herum.« Sie warf einen Blick auf die Papiere auf ihrem Schreibtisch und dachte: Eigentlich kann ich's gar nicht glauben, dass es kommt. Das ist das Problem.

»Dir geht doch noch was anderes im Kopf herum, oder?«, fragte Sandy. »Geht's um den Geschworenen, der gestorben ist?« Sie besaß die unfehlbare Gabe, genau den wunden Punkt zu treffen, eine Begabung, die sie mit Paul teilte.

»Nein, sonst gibt es nichts mehr«, log Nina. Sie raschelte mit ein paar Papieren und trank noch einen Schluck Kaffee, dann stellte sie die Tasse energisch auf den Tisch. »Ich möchte mich noch mal in Ruhe mit Lindy unterhalten. Wir haben seit der Urteilsverkündung kaum miteinander gesprochen. Versuch sie bei ihrer Freundin Alice oder über ihren Auftragsdienst zu erreichen, okay?«

Sandy zuckte die Schultern und ging an ihren Schreibtisch zurück.

Nina machte sich wieder an die Arbeit. Sie war emotional ein wenig durcheinander. Das Wochenende mit Paul war schön gewesen, aber leicht war es mit ihm nie. Er war ihr sehr eng verbunden, körperlich, gefühlsmäßig und sogar durch die Arbeit. Sie hoffte, er würde die Sache mit dem Geschworenen vergessen. Wright war tot, und der Prozess war vorbei.

Sie hatte nicht mal Zeit gehabt, Bob zu vermissen, der am Sonntag zu einem von seinem Großvater finanzierten Schulausflug an die Ostküste gefahren war und irgendwann heute mit seinen Klassenkameraden die Bundesdruckerei besuchen würde. Eine Tasse Kaffee gab ihr oft die Illusion, sie könnte klar denken, und so konzentrierte sie sich auf einige unerledigte Fälle, die ihrer Aufmerksamkeit bedurften. Von ihrem Fenster aus hatte sie einen Blick auf den Lake Tahoe, und sie genehmigte sich fünf schöne Minuten, um vor ihrem geistigen Auge Bilder von exotischen Landschaften und finanzieller Sorgenfreiheit heraufzubeschwören, bevor sie ihre Tasche packen, ihre alltäglichen Pflichten wieder aufnehmen und zum Gericht eilen musste.

»Sie sind der Typ, der wegen Wright hier ist«, sagte Dr. Clauson und musterte Paul durch die dicken Gläser seiner Bifokalbrille. Er war ein magerer Mann mit beginnender Glatze und trug ein zerknittertes kurzärmliges Hemd über Hosen, die an den Knien glänzten.

Paul war noch nie im Büro des Gerichtsmediziners gewesen. In seiner Vorstellung trieb sich Dr. Clauson immer im Kellergeschoss des Leichenschauhauses herum, wo er ihn zum ersten Mal getroffen hatte.

Clauson trat hinter einem zerkratzten Eichentisch hervor, der mit Kaugummipapieren, zusammengeknülltem Abfall und hundert Aktendeckeln bedeckt war. »Kenne ich Sie?«

»Wir sind uns schon mal begegnet. Ich arbeite mit Nina Reilly zusammen.«

»Mit der?«, sagte Clauson und steckte sich einen Juicy-Fruit-Kaugummi in den Mund. »Zieht sie mich jetzt in den nächsten Schlamassel rein? Hat sie Sie geschickt?«

»Ich bin hier, um meine Neugier zu befriedigen. Hat nichts mir ihr zu tun.«

Paul sah, dass die Antwort Clauson gefiel. Er hatte selbst ein paar Zusammenstöße mit Nina erlebt und konnte ihn verstehen.

»Also, es ist nur ein ganz normaler Fall«, sagte Clauson und zog eine Akte aus einem Stapel neben seinem Schreibtisch.

Er las einen Augenblick darin, dann sagte er: »Einer der Gerichtsdiener wählte neun-eins-eins. Als die Sanitäter ankamen, war es so gut wie zu spät. Sie versuchten es mit Adrenalin, intravenös, aber es war nichts mehr zu machen.«

»Dr. Clauson«, setzte Paul an.

»Nennen Sie mich Doc.«

»Okay, Doc, ich bin neugierig, was auf seinem Totenschein steht.«

»Anaphylaktischer Schock«, Clauson nickte, »mit immunologischer Komponente. Das bedeutet: im Gegensatz zu anaphylaktogenem Schock, verwandt mit unspezifischer Freisetzung von Überträgerstoffen.«

Er lehnte sich in seinem Stuhl zurück, als gefiele ihm die Gelegenheit, den Fall noch einmal durchzusprechen, und fuhr in den abgehackten Sätzen fort, die Paul schon vertraut waren. »Erst der zweite Fall, der mir unterkommt. Der erste war 'ne Frau; starb, weil sie einen Mann geküsst hat, der gerade eine Tüte Erdnussbutterbonbons mit Schokoglasur weggeputzt hatte. War innerhalb von Minuten tot. Durch einen Kuss ums Leben gekommen. Klingt unglaublich, ich weiß, ist aber passiert.«

»Würde es Ihnen was ausmachen, mir in allgemein verständlichen Worten zu beschreiben, was ein anaphylaktischer Schock ist?«

»Keineswegs. Zuerst führt man einen fremden Wirkstoff, ein Antigen, in einen Organismus ein, und dann beginnt der Organismus einen Großangriff gegen sich selbst, legt die Atmung oder den Kreislauf still oder beides.«

»Was verursacht den Schock?«

»In diesem Fall Hülsenfrüchte. Erdnüsse sind die beliebtesten Hülsenfrüchte. Erdnuss ist keine Nuss im eigentlichen Sinn. Wir glauben, einige Menschen entwickeln Allergien, weil sie diesen Nahrungsmitteln ausgesetzt sind, bevor ihr System so ausgereift ist, dass es damit zurechtkommt. Wahrscheinlich sollten Mütter keine Erdnüsse essen, solange sie ihre Babies stillen, und Kinder unter drei Jahren sollten keine Erdnussbutter essen.«

Paul zählte die Tausende von Erdnussbutter-Sandwiches zusammen, die er als Junge gegessen hatte. »Aber nicht jeder, der so was als Kind isst, entwickelt eine Allergie.«

»Stimmt. Die meisten nicht.«

»Gibt es neben der Allergie gegen Erdnüsse noch andere, die tödlich sein können?«

»Natürlich, für anfällige Menschen. Spinnengift, Pollen, Antibiotika, Vitamine. Die meiste Zeit seines Lebens konnte mein Vater keine Äpfel essen. Heute weiß man, dass eine Reaktion auf Äpfel mit einer allergischen Reaktion auf Birkenpollen oder Traubenkraut zusammenhängen kann. Während der Pollensaison können ähnliche Proteine in frischem Obst bei einem beeinträchtigten Immunsystem Reaktionen hervorrufen. Das ist aber eher die Ausnahme. Sie haben sicher von allergischen Reaktionen auf Bienenstiche gehört, oder?«

»Klar.«

»Kann lebensbedrohlich sein. Ratsam, von klein an darauf zu achten, was man isst«, sagte Clauson und tätschelte einen Bauch, der seit den Tagen, in denen er an Camels gesaugt hatte, als wären sie M&Ms, leicht gewachsen war.

»Haben Sie bei Wright eine Autopsie durchgeführt?«

»Ja.«

»Würde es Ihnen was ausmachen, für mich auf Einzelheiten einzugehen?«

»Klassischer Fall von Anaphylaxie. Larynxödem, Heiserkeit – er schrie immer noch, als die Sanitäter dort ankamen, aber nicht mehr lange. Stridor – das sind pfeifende Atemgeräusche. Angioneurotisches Ödem, das ist eine tiefe ödematöse Hautveränderung … Es ist das charakteristischste äußere Merkmal dieses Zustands – großer Nesselausschlag. Aber schauen Sie hier, ich habe ein Foto.« Er reichte Paul ein großes, glänzendes Farbfoto.

»Mann«, sagte Paul. »Was für eine Art, zu sterben.«

Clausen legte das Foto vor Paul auf den Tisch und sah ihn an. Er krümmte einen dünnen Finger und zeigte auf das Foto.

»Es ist das charakteristischste äußere Merkmal dieses Zustands – ein riesiges Exanthem.« Er sah in seinem Bericht nach und las vor, wobei er beflissen mit den medizinischen Fachbegriffen jonglierte. »Hautquaddeln mit erythematösen, sich ausbreitenden Rändern und weißem Inneren … Diskrete Ränder, aber Sie können es hier sehen, so riesig, dass er von Kopf bis Fuß anschwoll. Die Augen sind am schlimmsten.«

»Wie schnell konnte sich das entwickeln?«

»In diesem Fall innerhalb von Minuten. In einigen Fällen sterben Menschen in Sekunden. Wenn er lange genug gelebt hätte, um behandelt zu werden, dann wären diese großen roten Klumpen in den nächsten paar Tagen wieder verschwunden.«

»Hat er noch was gesagt?«

»Der Hals war stark geschwollen. Also, es gibt zwei Arten, daran zu sterben. Das angioneurotische Ödem – das er empfindet wie einen Klumpen, der ihm die Atemwege versperrt – kann tödlich sein, indem es respiratorische Insuffizienz hervorruft. Die zweite Art wäre der Kreislaufkollaps, der mit oder ohne Hypoxie eintreten kann. Das angioneurotische Ödem hat ihn umgebracht. Ich konnte das durch die viszerale Kongestion ohne eine Veränderung der Verteilung des Blutvolumens nachweisen. Und die Lungen zeigten Überblähung – das kann man mit dem bloßen Auge und unter dem Mikroskop sehen, üblich bei tödlichen Fällen von klinischer Bronchialobstruktion. Hier habe ich ein Foto.«

»Was wäre passiert, wenn er an sein Notfallset gekommen wäre und sich eine Spritze gesetzt hätte?«

»Er hätte sich wieder gänzlich beruhigt und weitergemacht mit der Show.«

»Und das ist genau der Punkt, den ich nicht verstehe. Wenn er wusste, dass er so extrem allergisch auf Erdnüsse reagierte, warum hat er dann nicht besser aufgepasst? Warum hat er sie gegessen?«

»Offensichtlich hatte er keine Ahnung, dass er Erdnüsse aß.« Clauson las aus seinen Notizen vor. »Die letzte Mahlzeit war das Mittagessen im Geschworenenzimmer. Vegetarisches Chow-Mein, Frühlingsröllchen und Glücksplätzchen. Von den Plätzchen hat er nicht mehr viel gehabt. Nur eine winzige Spur im Magen.«

»Sie haben Erdnüsse in Chow-Mein getan?«

»Nein.«

»In die Frühlingsröllchen?«

»Nein.«

»Die Plätzchen?«

»Nein.«

»Ich nehme an, Sie haben mit dem Restaurant gesprochen?«

»Ein Restaurant auf dem Ski Run Boulevard. Die Besitzerin schwört, dass keine Erdnüsse im Essen waren. Wright hat vorher dort angerufen, um es ihnen zu erklären und sie zu bitten, in seinem Essen auf keinen Fall welche zu verwenden.«

»Ich kapier's nicht.«

Wenn man von Augen, die so farblos waren wie Aprikosenkerne, sagen konnte, dass sie funkelten, dann traf das jetzt auf Clausons Augen zu. »Hab mir vor ein paar Tagen das Gleiche gesagt. Dann fuhr ich nach Hause. Ich geh abends nach Hause, und dann passiert nicht mehr viel. U-Bahn, die Katze rauslassen, Bett. Ich bin Junggeselle. Frauen mögen meine Arbeit nicht.«

»Und?«

»Hab früher geraucht wie der Teufel. Die Kippen leisteten mir irgendwie Gesellschaft, wenn auch nicht so gut wie eine Frau.«

Clauson kaute nachdenklich auf seinem Kaugummi. Paul wartete, dass er endlich zum Punkt kam.

»Hab am College einen Kochkurs für asiatische Küche belegt, um ein paar Frauen kennen zu lernen. Hab keine Frau gefunden, aber kochen gelernt.«

»Aha.«

»Hab beschlossen, mir ein Szechuan-Huhn und selbst gemachte Frühlingsröllchen zu machen.«

»Ja?«

»Hab auf die Flasche in meiner Hand geschaut. Erdnussöl. Viele Menschen, die chinesisch kochen, benutzen Erdnussöl, um die Frühlingsröllchen zuzukleben.«

»Aber … ist es nicht das Protein in den Erdnüssen, das die allergische Reaktion auslöst?«

»Bei einigen Menschen reicht auch ein Tropfen Öl.«

»Aha!«

»Wie gesagt«, sagte Clauson.

»Haben Sie den Koch gefragt?«

»Köchin. Schwört, sie hat's nicht getan.«

»Sie glauben, dass sie lügt?«

Clauson zuckte leicht die Schultern, als wäre er gekitzelt worden. »Muss wohl. Ansonsten war das Essen nicht schlecht genug, um jemanden umzubringen.« Er kicherte über seinen Witz, dann wurde er wieder sachlich. »Nachlässigkeit hat zum Tod geführt, aber niemand wird's weiterverfolgen. Ein Typ mit so einer Zeitbombe im Körper hätte immer sein eigenes Mittagessen mitbringen müssen.«

»Sie glauben, dass sie Angst haben, dass man sie verklagt?«

»Ganz richtig, aber ich bin zufrieden, dass ich weiß, was passiert ist. Von Frühlingsröllchen erledigt.«

»Sind Sie sich sicher, dass die Köchin gelogen hat?«, fragte Paul.

Clauson seufzte. Paul hatte seine Geduld offensichtlich ein wenig strapaziert. »Kein Zweifel an der Todesursache. Man schaut sich die Krankengeschichte des Patienten an, bevor man eine Diagnose stellt. Er war etwa seit seinem dritten Lebensjahr allergisch.«

»Aber diesmal hat's ihn umgebracht.«

»Das war das fast vorhersagbare Ergebnis eines ähnlichen Kontakts mit Allergenen. Erst vor ein paar Wochen kam er ins Krankenhaus, nachdem er Eis gegessen hatte, bei dem Mandeln auf der Zutatenliste standen, wo man aber heimlich Erdnüsse als Füll- und Geschmacksstoff zugesetzt hatte, ohne das Etikett zu ändern. Also, das war vielleicht schwer rauszufinden. Dies hier ist offensichtlich, ob das Restaurant die Verantwortung dafür übernimmt oder nicht.«

Paul hatte seine fünfzehn Minuten bekommen. Doc Clauson stand auf und sagte, er müsse gehen.

»War nett, mich mit Ihnen zu unterhalten«, sagte er. »Niemand interessiert sich besonders für natürliche Todesarten, nicht mal bei interessanten Ursachen, außer vielleicht die Versicherungsleute, und die interessieren sich nur dafür, wie viel sie der trauernden Familie schulden.«

»Es ist faszinierend, wie viele Wege zum Tod führen«, meinte Paul.

»Oh, Doc«, sagte er, als Clauson die Hand nach der Türklinke ausstreckte, »nur eines noch.«

Clauson musste ein letztes Mal in seine Notizen schauen, um eine Adresse rauszusuchen.

Nina wartete auf ihrer Lieblingsbank vor dem Gericht auf Paul, wo sie Sonne tanken und dem Wind lauschen konnte, der in den

Ästen der Bäumen spielte, dem Summen der Insekten und dem Lärm von dem Highway eine Meile entfernt. Sie schloss die Augen vor der gleißenden Helligkeit und überließ sich eine Weile einem dunklen, unbekümmerten Wohlgefühl.

»Ich warte und warte. Warte auf dich«, sagte eine Stimme. Der Teddybär war zurückgekommen, der, den Paul ihr geschenkt hatte, als er ihr vor langer Zeit einen Heiratsantrag gemacht hatte, und der mit Pauls Stimme gesprochen hatte. Aber wie konnte er hier sein? Er hauste zusammen mit ihren Skistiefeln in dem Einbauschrank, wo seine nörgelnde Stimme fürs Erste von einer Daunenjacke gedämpft wurde. »Wach auf, Schlafmütze.« Eine Hand – keine pelzige Tatze – griff nach ihr und schüttelte sie sanft.

»Ich schlafe nicht!« Zu ihrer Überraschung hatte ihre Wange den Weg auf die kalte, harte Sitzfläche der Bank gefunden, obwohl ihre Füße noch den Boden berührten.

»Wenn Sie es sagen, Eure Ladyschaft.« Paul half ihr auf die Füße. Sie strich sich die Jacke glatt und zerrte den Rock nach vorn.

»Ich muss eingedöst sein. Und nenn mich nicht so.«

»Ja, das bist du, und ich werd's mir überlegen«, erwiderte Paul. »Und wie wär's jetzt mit Mittagessen? Es ist allerdings falsch, das Nickerchen vor dem Essen zu machen.«

»Ich hab dieses Wochenende nicht viel Schlaf bekommen«, sagte Nina. »Und was glaubst du, warum?«

»Hattest was Besseres zu tun«, sagte Paul und schob sich hinters Lenkrad. »Hat dir endlich mal jemand den Kopf zurechtgerückt.«

Nina lachte.

»Hm. Wie hungrig bist du denn?«

»Ich hab Zeit für was auf die Schnelle«, sagte Nina.

»Ich wachse mit den Herausforderungen«, meinte Paul und warf den Motor an, dessen Dröhnen schnell in ein Schnurren überging.

»Essen, meine ich.«

»Oh, gut.« Er fuhr den Hügel hinunter Richtung Stadt.

»Wohin fahren wir?«, fragte Nina. »Es ist so schön. Lass uns irgendwo draußen essen.«

»Ich dachte an Chinesisch.«

»Irgendwo, wo sie eine Terrasse haben?«

»Ich glaube nicht. Das gibt's bei den Chinesen eigentlich nicht.«

»Woher weißt du das?«

»Sie haben meist nicht mal Fenster. Ich wette, das ist 'ne Feng-Shui-Regel.«

Nina nahm ihre Bürste raus und fuhr damit durch ihr zerzaustes Haar. »Magst du Chinesisch?«, fragte sie und zuckte zusammen, als sie mit der Bürste an einem Knoten hängen blieb.

»Lass uns einfach sagen, das Essen wird auf eine ungewöhnliche Art zubereitet.«

»Du bist voller Überraschungen, was?«

»Verdammt. Schon wieder ein Geheimnis gelüftet«, sagte Paul und bremste vor einer Ladenfront mit einem großen Parkplatz. »Als Nächstes findest du raus, wie viele Frauen ich geliebt und verloren habe.«

»Wie viele?«

»Keine«, sagte er, hielt inne und fügte dann hinzu, »die so schön war wie du.«

»Aha, Paul drückt sich um eine Antwort«, sagte Nina und gab ihm einen Kuss. »Aber das ist okay. Es reicht mir, im Dunkel der Nacht von deinen zwei Exfrauen verfolgt zu werden.«

Das niedrige, flache Restaurantgebäude hatte ein feuerwehrrot lackiertes Schild, flankiert von schwarzen Kacheln, die rosafarbene, mit goldenen Verzierungen bemalte Wände nach oben abschlossen. Das Ganze erweckte irgendwie die Illusion eines prachtvollen orientalischen Zelts.

»Was ist das hier?«, fragte Nina und stieg aus dem Auto. »Sieht nach mehr aus als nach einem Restaurant.«

»Ist es auch. Sie vermieten auch Zimmer. Herzlich willkommen in der Herberge der fünf Glückseligkeiten«, sagte Paul. Er eilte voran, um an dem Messingknauf zu ziehen. Die Tür ging auf, und ein angenehmer Duft nach frischem Essen und Gewürzen hüllte sie ein.

Sie setzten sich. Nina ließ die Speisekarte liegen. »Ich nehme immer das Gleiche«, sagte sie. »Cashew-Hühnchen.«

»Bestell doch was anderes, wenn du willst«, meinte Paul. »Niemand zwingt dich.«

»Nein, ich sag's dir doch gerade. Ich möchte Cashew-Hühnchen.«

»Nicht zu Experimenten aufgelegt. Erwischt«, sagte Paul und schaute interessiert hoch, als ein Asiat mit weichen Gesichtszügen, den Block in der Hand, leise neben ihm auftauchte. »Okay. Einmal Cashew-Hühnchen. Einmal vegetarisches Chow-Mein. Ein Dutzend Frühlingsröllchen. Gedämpften Reis. Zweimal Tee.«

Der Keller neigte leicht den Kopf und verschwand.

»Du musst ja schrecklich hungrig sein«, meinte Nina. »Du willst wirklich ein ganzes Dutzend essen?«

»Es gibt immer 'ne Tüte für die Reste«, sagte Paul.

»Hitchcock würde so was nicht essen.«

»Für deinen gefräßigen Kerl von einem Sohn.«

»Hast du vergessen, dass Bob diese Woche nicht in der Stadt …«, fing Nina an.

Aber Paul entschuldigte sich, um sich die Hände waschen zu gehen. Sie vertrieb sich die Zeit damit, die anderen Gäste zu beobachten,

Paul ging zur Küche, schob in John-Wayne-Manier zwei Schwingtüren auf und kam sich vor wie ein ungewöhnlich groß gewachsener Störenfried, der in eine fremde Landschaft einfiel.

Die Küche war weiß gestrichen, hatte einen schwarz-weiß gefliesten Fußboden und war eher klein. Das Küchenpersonal trug weiße Schürzen über Jeans, klirrte und klapperte mit den Küchenutensilien und bewegte sich anmutig von einer Seite zur anderen. Ein wuchtiger silberner Herd nahm eine ganze Wand ein. Von der Decke hingen Kupfer- und Edelstahltöpfe, die glänzten, als würden sie von der feuchten Luft poliert.

»Nein, nein!« Ein junger Bursche um die zwanzig winkte mit einem flachen Holzspatel in Pauls Richtung. »Raus!«

Ein Mädchen im Teenageralter, das an einem Hackblock stand und mit einem scharfen Messer Kohl und Frühlingszwiebeln schnitt, ignorierte ihn. Ihr Haar, das man nur als scharlachrot beschreiben konnte, stand ihr in allen möglichen Längen vom Kopf ab wie ungemähtes Gras. Eine kleine ältere Frau mit einem Haarnetz hob den Deckel eines Topfs an, in dem ein ganzer Fisch mit Kopf im Dampf garte. Zu ihrer Linken bediente ein anderer Junge eine Spülmaschine, schob riesige Tabletts mit schmutzigem Geschirr an der einen Seite rein und holte sie an der anderen Seite wieder raus.

»Riecht gut«, sagte Paul.

»Küche«, sagte der junge Mann und trat auf Paul zu. Er war einen guten Kopf kleiner als Paul, aber sehr muskulös, und er wich nicht von der Stelle.

Paul sah sich in einem Jackie-Chan-Film, gleich würde er ein paar gezielte Schläge verpasst bekommen, dann herumgewirbelt und schließlich durch die Schwingtüren nach draußen befördert werden. »Sehen Sie, ich habe einen Kurs für chinesische Küche belegt«, sagte Paul so höflich wie möglich. »Und zum Abschluss sollen wir Frühlingsröllchen machen. Jetzt hab ich ein Problem. Ich habe oft geschwänzt und wirklich keine Ahnung, wie ich das machen soll. Also dachte ich, na ja, hier bin ich also und esse Frühlingsröllchen zu Mittag. Eine gute Gelegenheit, zuzusehen, wie sie gemacht werden.«

»Nein!«, sagte der Junge, aber die ältere Dame, die den Fisch auf eine Servierplatte schob, sagte etwas auf Chinesisch zu ihm, und er trat mit einem finsteren Blick zur Seite. Er wandte Paul den Rücken zu, hievte das Tablett auf einen Arm und schob sich ins Restaurant.

»Wir sind ein Familienunternehmen. Er ist mein respektloser Sohn«, sagte sie entschuldigend, während sie mit der Vitalität einer Triathletin ein schweres Edelstahlsieb mit Garnelen ausspülte. »Er ist sehr unhöflich.«

»Überhaupt nicht«, sagte Paul. »Ich weiß, dass Sie normalerweise keine Gäste in die Küche lassen. Aber ich wäre Ihnen wirklich dankbar …«

»Klar«, piepste das Mädchen und schenkte Paul ein Lächeln, das ihre Mutter nicht sehen konnte. »Es ist langweilig hier, wenn ich mich nur mit meinem Bruder und meiner Mutter unterhalten kann. Kommen Sie, sehen Sie mir zu, ich bin Expertin. Ich wette, ich habe allein dieses Jahr schon zehntausend Frühlingsröllchen gemacht.«

Die Mutter des Mädchens, die ihre Arbeit keine Sekunde unterbrochen hatte, warf die Garnelen, etwas gedämpften Reis und Gemüse in einen Wok. Aus Flaschen neben dem Herd goss sie etwas hiervon und etwas davon dazu und beobachtete mit unbewegter Miene, wie Paul neben das Mädchen trat.

»Ich heiße Colleen«, sagte das Mädchen und warf ihre roten Haare nach hinten.

»Paul.«

»Schütteln sie mir bloß nicht die Hand, außer Ihre Freundin ist scharf auf Zwiebeln.« Mit dem Messer schob sie ein Häufchen Beilagen in eine Schale und wischte sich mit dem Arm über die Stirn. »Den Geruch wird man nicht mehr los.«

Nina hatte wieder von ihrem Honorar geträumt. Im Traum hatte sie ein Haus am See gekauft, mit einem Steg und einem hübschen Boot, mit dem sie und Bob lernen konnten zu segeln. Sie würde Matts lausiges Boot durch ein neues ersetzen, für ihn, Andrea und die Kinder nur das Beste vom Besten. Dann würde sie das Starlake Building kaufen, es renovieren, die beiden obersten Etagen übernehmen, Teilhaber suchen und Sandy befördern, damit sie zusammen mit Nina die Aufsicht führte. Paul würde sie nicht mehr mit dem Heiraten nerven. Ihre aufregende Affäre würde noch viele Jahre so weitergehen, bis Nina sich plötzlich entschließen würde, häuslich zu werden und noch ein Kind zu bekommen, während er zur gleichen Zeit vollkommen treu und ein fantastischer Vater werden würde.

Weil sie in ihrer Traumlandschaft so zufrieden war, verging einige Zeit, bis ihr auffiel, dass Paul noch nicht zurückgekommen war. Verwirrt sah sie auf der Toilette nach, aber die war leer. Als sie zum Tisch zurückkkam, saß er über einen Teller dampfender Nudeln gebeugt am Tisch, der mit Schüsseln bedeckt war.

»Alles in Ordnung?«, fragte sie.

»Großartig, großartig«, gluckste er. »Komm, hau rein. Die wissen hier wirklich, wie man kocht. Gutes Essen.«

Sie griff nach ihren Essstäbchen und zeigte damit auf ihn. »Wo warst du?«

»In der Küche, hab gelernt, wie man Frühlingsröllchen macht«, sagte Paul. »Es ist ein Familienbetrieb. Die Mutter überwacht die Küche. Die zwei älteren Söhne, Tan-Kwo und Tan-Mo, machen sauber und bedienen. Die tun nur ganz frischen Kohl in ihre Röllchen«, sagte er und biss in eines. »Hm.«

»Aber du kochst doch so gut wie nie. Du grillst. Und dann nur Steak.«

»Das stimmt.«

»Und?«

»Weißt du, was? Der Vater hier hatte vor zwei Jahren einen Herzanfall. Danach haben sie die Küche komplett umgestellt. Kein fettiges schlechtes Zeug mehr. Alles total frisch.«

Nina hatte Mühe, nicht die Geduld zu verlieren. »Was redest du da?«

»Reines Rapsöl.«

Sie knallte ihre Serviette auf den Tisch, hielt ihre Essstäbchen aber noch in die Höhe. »Wirst du mir wohl sagen, wovon du sprichst?«, fragte sie. »Zwing mich nicht, dich zu foltern.«

»Dieses Restaurant hat Clifford Wrights letzte Mahlzeit geliefert«, sagte Paul. »Doc Clauson hat gesagt, er muss in irgendeiner Form Erdnüsse gegessen haben. Sie haben behauptet, sie hätten keine verwendet. Er dachte, sie würden lügen.«

»Und?«

»Sie benutzen kein Erdnussöl mehr. Sie kochen überhaupt nichts mit Erdnüssen. Sie nehmen nur Cashewnüsse.«

Nina hörte die Verwirrung in ihrer Stimme. »Aber sind Cashews denn keine Nüsse?«

»Er war nicht allergisch gegen Nüsse. Er war allergisch gegen Hülsenfrüchte, und dazu gehören Erdnüsse.«

»Woher weißt du das?«

»Verschiedene Quellen.«

»Dann ... dann hat er versehentlich irgendwo anders Erdnüsse gegessen. Was für einen Unterschied macht das schon?«

»Nina, wenn das Mittagessen keine allergische Reaktion ausgelöst hatte, woran ist er dann gestorben?«

Sie schob ihren Teller von sich. »Paul, nein. Nein, nein, nein.« Sie fasste sich mit der Hand an die Stirn und schüttelte den Kopf.

»Tan-Kwo in der Küche sagt, Clifford habe, bevor er sein Essen angerührt hat, im Restaurant angerufen, um zu fragen, ob sie Erdnussöl benutzen. Wright hat ihnen erklärt, wie ernst seine Allergie war, aber das wussten sie schon.

Er klingt, als wäre er gerade erst ins Land gekommen, aber er tut nur so. Tan-Kwo ist Medizinstudent am University College in Berkeley.«

»Paul ... du ... du ...«

»Ich habe heute Morgen mit Clifford Wrights Familie gesprochen. Sie sind verstört und würden gerne genauer erfahren, was passiert ist.«

Nina saß ganz still da, die Gedanken schossen in ihrem Kopf herum wie Pingpongbälle. »Wenn jemand die Jury manipuliert hat, wird der Richter das Urteil aufheben. Wir hätten einen Prozess mit Verfahrensmängeln. Willst du andeuten, dass jemand Erdnüsse in sein Essen getan hat?«

»Ich denke nur über die Möglichkeit nach.«

»Du glaubst wirklich, dass es da was rauszufinden gibt?«

»Ich spüre einfach, dass da was nicht stimmt.«

»Warum kannst du die Sache nicht einfach auf sich beruhen lassen? Paul, wenn dieses Urteil aufgehoben wird, stecke ich so tief drin, dass ich womöglich gar nicht mehr rauskomme. Ich habe alles darauf gesetzt, dass wir gewinnen. Ich bin verschuldet bis zur Hutkante.«

Es war eine Bitte. Paul zog die Augenbrauen zusammen.

»Also, was wirst du tun?«

Er nahm ihre Hand. »Sag du's mir.«

31

Die Rückfahrt zu Ninas Auto, das am Gericht geparkt war, verlief in angespannter Stimmung. Sie erklärte, sie sei erschöpft, schaltete das Radio ein und schloss die Augen, um ihn nicht mehr hören oder sehen zu müssen. Sie sammelte ihre Sachen zusammen und stieg aus. Dann beugte sie sich noch einmal ins Auto.

»Okay, Paul, nur zu. Verdammt. Ich kann ja doch nicht schlafen, bis du mir sagst, dass du dich geirrt hast.«

»Das ist meine Nina«, sagte Paul.

Sie knallte ihm die Tür vor der Nase zu.

Paul fuhr geradewegs zum Polizeirevier von South Lake Tahoe, um einem alten Bekannten, Sergeant Cheney, einen Besuch abzustatten.

Cheney begrüßte ihn lächelnd und bot ihm einen Platz an. Er hatte einen Telefonhörer zwischen Schulter und Wange geklemmt und kritzelte etwas. »Hm«, sagte er, »klar.« Es ging einige Minuten so weiter. Paul betrachtete unterdessen die Fotos auf Cheneys Schreibtisch, vor allem das seiner Frau – sie war reizend, hatte hellbraune Haut und helleres Haar und sah viel jünger aus als der übergewichtige Cheney.

Schließlich legte Cheney auf. Das Telefon klingelte erneut. Er beachtete es nicht.

»Lange nicht gesehen«, sagte er. »Abgesehen davon, dass du in zwei der fünf Todesfälle verwickelt warst, mit denen ich in den letzten Jahren zu tun hatte.«

»Ich sehe, du hast viel zu tun«, meinte Paul. »Ich weiß es zu schätzen, dass du dir Zeit für mich nimmst. Daher fasse ich mich kurz.«

»Ich helfe dir gern«, sagte Cheney. Er blickte auf seine Unterlagen. »Clifford Wright, weiß, männlich, zweiunddreißig. Starb an einer schweren allergischen Reaktion, genannt anaphylaktischer Schock, vermutlich nach dem Genuss von Erdnüssen. So weit richtig?«

»Nun ja«, meinte Paul völlig überrascht, »woher wusstest du, dass ich wegen Wright hier bin?«

»Vergiss nicht, ich bin vom Fach«, sagte Cheney, »außerdem hat Doc Clauson mich eben angerufen. Er sagte, du hättest heute Morgen beim Gerichtsmediziner herumgeschnüffelt. Jetzt ist der Doc neugierig geworden. Er hat mich inoffiziell gebeten, mir ein paar Dinge anzuschauen.«

»Als da wären?«

»Dieses chinesische Restaurant verwendet Erdnussöl, nicht wahr?«, meinte Cheney. »Ich werde heute Abend wohl mal reinschauen. Irgendwie ist mir nach Kung-Pao-Krabben. Weißt du, ob man die dort bekommt?«

»Hab nicht darauf geachtet.«

Cheney klatschte in die Hände. »Dachte ich mir doch, dass du schon dort warst. Du hast bestimmt auf alles geachtet, was mit Erdnüssen zu tun hat.«

»Sie verwenden weder Erdnüsse *noch* Erdnussöl.«

»Hätte ich mir denken können, sonst wärst du wohl nicht gekommen.«

»Ich glaube, du hast meine Frage schon beantwortet.« Paul stand auf.

»Welche Frage?«

»Wie endgültig ist der gerichtsmedizinische Befund bezüglich Wrights Tod? Rechtlich gesehen, meine ich. Die Familie hat mich beauftragt, die Sache zu untersuchen.«

»Wie bist du denn an die gekommen?«

»Ich habe angerufen, um mein Beileid auszusprechen, und zufällig erwähnt, dass Versicherungsgesellschaften bei einem natürlichen Todesfall nicht so gut zahlen. Man erbt mehr, wenn jemand nachgeholfen hat. Es stellte sich heraus, dass Wright eine ganz ordentliche Lebensversicherung hatte. Angenommen, ich kann beweisen, dass sein Tod nicht ganz koscher war, wird Clauson dann seinen Befund überarbeiten?«

»Sein Bericht ist endgültig. Außer, er ändert seine Meinung.«

»Das kann er doch.«

»Klar. So schnell, wie er einen von den Kaugummis einschmeißt, die überall bei ihm herumliegen. Aber die Antwort lautet, dass der Fall in unseren Akten offen bleibt. Und du hast uns jetzt eine brandneue Richtung für die laufenden Ermittlungen aufgezeigt. Warum bleiben wir nicht in Kontakt?«

»Nur zu gern«, sagte Paul.

Im Wagen wählte er eine Nummer. »Sandy«, sagte er, »hast du eine Idee, wie ich Wish erreichen kann?«

»Er ist hier.«

»Gib ihn mir.«

»Wieso?«, fragte Sandy.

»Ich habe was für ihn zu tun.«

Das Telefon musste zu Wish geflogen sein, denn er meldete sich eine Sekunde später. »Hugh«, sagte Wish, »Häuptling Wish Whitefeather am Apparat«, gefolgt von einem dumpfen Knall und einem »Au!«. Sandys Sohn nahm seine Abstammung mit Humor, der seiner Mutter offensichtlich fehlte.

»Du bist jetzt also Häuptling«, sagte Paul. »Zu wichtig, um ein paar Stunden für mein derzeitiges Projekt zu erübrigen?«

»Ich schaue mal in meinen Kalender.«

»Ich meine es ernst.«

»Ich auch«, sagte Wish gekränkt. »Ich besuche Abendkurse. Polizeiverwaltung.«

»Oh, Verzeihung«, sagte Paul.

»Wann brauchst du mich?«

»Heute, möglicherweise bis morgen.«

»Was machen wir?«

»Interviews.«

»Und du leitest die Show?«

»Nein. Du bist vom Assistenten zum Detektiv in Ausbildung befördert worden.«

»Wahnsinn! Aber … woher soll ich wissen, welche Fragen ich stellen muss? Verrätst du mir, worum es geht?«

Paul erklärte ihm alles.

»Okay, mal sehen, ob ich es kapiert habe. Du meinst, jemand hätte, unmittelbar bevor der Geschworene seine Stäbchen reinsteckte, etwas in das chinesische Essen getan.«

»Ja, jemand, der rausging, um eine zu rauchen oder sich die Beine zu vertreten. Jemand hat sich um unseren Freund Clifford Wright gekümmert.«

»Woher willst du wissen, dass es so war?«, fragte Wish ein wenig skeptisch. »Ich habe nichts davon gehört, dass er getötet worden wäre.«

»Ich weiß es auch nicht. Es ist nur so eine Vermutung.«

»Oh«, sagte Wish.

»Ich habe heute Morgen schon kurz mit Grace Whipple, einer Geschworenen, gesprochen. Sie sagte, der Gerichtsdiener habe das Mittagessen ein bisschen später, so gegen zwölf Uhr fünfzehn, gebracht. Sie hätten sich wie Kriegsgefangene darauf gestürzt. Sagte, es sei ein echter Höhepunkt an einem üblen Morgen gewesen. Vermutlich hatten sie seit einer Stunde an nichts anderes mehr gedacht. Niemand hätte sich unter diesen Umständen vor den Augen der übrigen Geschworenen am Essen zu schaffen machen können.«

»Du meinst also, es ist passiert, als das Essen, nachdem es geliefert worden ist, etwa fünfzehn Minuten lang im Flur stand und die Geschworenen hin und her liefen, bevor sie aßen.«

»Ja, es stand vor dem Vorraum in einem nichtöffentlichen Flur, der zu den Büros der Justizbeamten und den Amtsräumen des Richters führt. Dieser Flur ist abgeschlossen. Man muss mit dem Gericht zu tun haben oder dort arbeiten, um hineinzukommen.«

»Du glaubst also, es war einer der Geschworenen.«

»Wenn überhaupt. Nur sie wissen, was in diesem Geschworenenzimmer passiert ist. Im Moment glaube ich nicht, dass irgendjemand irgendetwas getan hat. Ich bin nur interessiert.«

»Meinst du wirklich, jemand hat geplant, diesen Kerl mit seiner Allergie umzubringen?«

»Eigentlich nicht. Falls er wirklich umgebracht worden ist, dann war es wohl eher so, dass jemand wütend wurde, die Gelegenheit erkannte und ergriff, ohne mit derart ernsthaften Folgen zu rechnen. Vielleicht dachte er, es würde ihn vorübergehend daran hindern, sein Amt auszuüben.«

»Woher kamen die Erdnüsse?«

»Anscheinend hatten die meisten etwas zum Knabbern dabei.«

»Das kapier ich nicht.«

»Was?«

»Nina hat den Fall doch gewonnen. Warum macht sie sich Gedanken um diesen Geschworenen?«

»Sie hat mir gesagt, ich soll die Sache überprüfen, Wish.« Paul hatte es von vornherein gewusst. Letztlich war Nina die Wahrheit zu wichtig, selbst wenn sie zu ihrem Nachteil sein sollte. »Sie rechnet damit, dass wir nichts finden.«

»Aber wenn ihn ein anderer Geschworener erledigt hat, wird Ninas Urteil aufgehoben, nicht wahr?«

»Davon sind wir noch weit entfernt, Wish. Wir haben jetzt die Aufgabe, Informationen zu sammeln, statt zu spekulieren, was geschehen sein könnte.«

»Okay. Zu wem soll ich gehen?«

Paul beschloss, Wish den Hauptteil der Geschworenen zu überlassen, jene, die Mike zunächst unterstützt hatten, und jene, die später von Cliff überredet worden waren. Das hatte er den Interviews entnommen, die sie den Medien gleich nach der Urteilsverkündung gegeben hatten. Sie hatten weniger Grund gehabt, Wright etwas anzutun. Paul würde die anderen übernehmen, die gegen Wright gewesen waren – Diane, Mrs Lim, Courtney und womöglich Sonny. Und dann würde er mit Lindy sprechen müssen. Sie hatte am meisten zu gewinnen, obwohl ihm nicht klar war, wie sie ohne Komplizen hätte wissen sollen, was im Geschworenenzimmer vor sich ging.

»Ich brauche deine Hilfe an zwei Fronten. Vor allem brauche ich dich, um … hm.« Einiges war heikel; er wollte nicht, dass Wish etwas Unmoralisches tat, um ihm zu helfen, doch war es einfacher und vernünftiger, die Ermittlungen so kurz wie möglich zu gestalten. »Um mir die Adressen der Geschworenen, Telefonnummern und so weiter zu besorgen. An dieser Front arbeitet Nina mit.«

»Ist doch easy!«, rief Wish begeistert. »Hier gibt's bestimmt irgendwo 'ne Liste.«

»Schön, schön. Und dann« – jetzt kam der wichtige Teil, der Teil, den Nina nicht so begeistert aufnehmen würde –, »falls du auf etwas Relevantes stoßen solltest …«

»Ich halte die Augen offen«, sagte Wish. »Natürlich kann ich dir nichts wirklich Privates liefern.«

»Natürlich nicht«, meinte Paul und hoffte dennoch, dass Wish in seiner hilfsbereiten Unschuld auf etwas Nützliches stoßen würde.

»Ich werde dich nicht enttäuschen«, sagte Wish.

»Wer hat dir beigebracht, so zu reden?«, fragte Paul.

»Das war wohl ich«, sagte Sandy. »Nur ein kleiner mütterlicher Rat. Und davon gibt es noch mehr. Such dir einen anderen Handlanger.«

»Du hast eine private Unterhaltung zwischen mir und deinem Sohn belauscht«, sagte Paul. »Das wird Nina nicht gefallen.«

»Er ist minderjährig. Und ich sage dir, was Nina nicht gefallen wird. Nina wird es nicht gefallen, dass du meinen Sohn benutzt, um dich an unsere vertraulichen Akten heranzumachen.«

»Das ist beleidigend«, sagte Paul. »Wish würde das nie tun und ich ebenso wenig. Außerdem möchte Nina, dass diese Untersuchung so schnell wie möglich vorbei ist. Sie dürfte nichts dagegen haben, wenn wir schnell und effizient arbeiten.«

»Ach nein?«, meinte Sandy. »Bleib dran, ich frage sie.«

»Ach, komm schon. Wir können uns die Namen der Geschworenen auch aus öffentlich zugänglichen Unterlagen besorgen. Dürfte ich Wish für ein paar Stunden ausleihen, wenn ich verspreche, ihn nicht darum zu bitten, Vorteile aus seiner Position in eurer Kanzlei zu ziehen, indem er Mülleimer durchwühlt oder Ähnliches?«

»Für wie viel?«, fragte Sandy.

»Lindy?«

Eine dunkle Gestalt öffnete die Tür von Lindys Wohnwagen und blieb unentschlossen stehen.

Lindy kam aus der kleinen Küche, wischte sich die nassen Hände an einem Waschlappen ab und rief: »Alice?«

»Ich bin's.« Sie sah Mike, die Sonne hinter ihm ließ sein Haar wie einen fransigen Heiligenschein aufleuchten.

»Ich, hm, hoffentlich lässt du mich rein. Kein Telefon, ich konnte nicht anrufen.«

»Was willst du, Mike?«

»Darf ich reinkommen?«

Sie war so perplex, dass sie beiseite trat und ihn hereinließ. »Ich kann nicht glauben, dass du dich noch hieran erinnerst.« Er folgte ihr in den Wohnwagen, und sie deutete zu dem Tisch mit den eingebauten Bänken. »Ich wollte gerade Kaffee machen.«

»Nein, danke, bloß keine Umstände«, sagte Mike. Er setzte sich, stützte die Ellbogen auf den Tisch und kratzte sich am Kopf, alles vertraute Bewegungen.

Mit Mike darin kam ihr der Raum kleiner vor. In den letzten Monaten hatte sie niemand in ihrer Einsamkeit gestört. Vor langer Zeit hatten sie einmal kurz gemeinsam hier gewohnt. Sie konnte sich kaum noch daran erinnern.

Lindy ging ans Fenster und hielt Ausschau nach einem Anwalt, einem Sheriff oder nach Rachel, doch Mikes schwarzer Cadillac stand ganz allein am Ende der Straße. Die Staubwolke, die er aufgewirbelt hatte, hing noch in der Luft. Neben Comanches Stall und dem Vorratsschuppen lag die felsige Wüstenlandschaft mit den hohen Sträuchern schweigend und schattenlos in der Mittagssonne.

»Ich sehe, du packst«, sagte Mike. »Du hättest nie an diesen alten, einsamen Ort gehen sollen.«

»Wo hätte ich denn sonst hingehen sollen?«, fragte Lindy. Etwas in Mikes Gesicht ließ sie verstummen, sie sagte nicht, was zu sagen ihr Recht gewesen wäre. »Dad hat es geliebt«, sagte sie stattdessen. »So schlimm war es nicht.«

»Weißt du noch, wie wir mal hier draußen gelebt haben? Tumbleweed Flats haben wir es genannt. Kein Telefon, kein Fernsehen. Verdammt, war das heiß. Dürfte immer noch heiß sein, was?«

»Warum bist du gekommen? Du hättest mich morgen bei deinem Anwalt sehen können.«

Mike schaute aus dem Fenster auf den gewellten braunen Hügelkamm und kaute auf der Lippe.

»Hat er dich so weit geschickt, um mich weich zu kochen?«
Sie ging wieder in die kleine Küche und kam mit zwei Flaschen
Bier zurück. Es war ihr egal, ob er deswegen gekommen war, sie
war froh, ihn zu sehen, obwohl sie ihm das nicht verraten würde, das hatte er nicht verdient. Sie knallte die Bierflasche auf
den Tisch und sagte: »Hier, ich nehme auch eins.«

»Du hast das Recht, zu sagen, was du willst, Lin.«

Er sah aus wie ein Mann unter der Guillotine, resigniert und
verängstigt. Er hatte allen Mut zusammengenommen, um her-
zukommen und ihr – was zu sagen? »Du siehst furchtbar aus«,
meinte Lindy.

»Du siehst toll aus. Kein Wunder. Hast mich ganz schön fertig gemacht. Ehrlich.«

Sie trank einen großen Schluck aus der Flasche. »Ich mag das
Bier hier draußen. Kühlt besser als Wein.«

»Wir haben lange nicht geredet«, sagte Mike.

»Wir hatten unsere Lautsprecher.«

»Klar.«

»Wie geht's dir so?«

»Nicht gut.«

Er wollte nicht zum Kern der Sache kommen, doch das war
ihr egal. Er war in den leeren Raum getreten und füllte ihn aus,
vervollständigte ein flüchtiges Bild. Sie wollte nur dasitzen und
so lange wie möglich seine Gegenwart genießen.

»Ich bin mit Comanche durch die ganze Wüste geritten«, sagte sie nach einer Minute. »Sieh mal.« Sie kippte den Inhalt eines schmutzigen Baumwollbeutels auf den Tisch. Weiße Steine
fielen heraus, wie Haifischzähne gezackt. »Die habe ich vor ein
paar Tagen gesammelt. Ich musste fünfzehn Meter hoch auf einen Felsvorsprung klettern und mit dem Hammer draufschla-
gen. Ich bezweifle, dass je ein Mensch an dieser Schicht war.
Ich habe noch mehr davon in einem Wassereimer mitgebracht.«
Mike drehte die Steinbrocken um, hielt einen gegen das Sonnenlicht, das über den Tisch strömte.

»Wunderschön. Du wolltest schon immer Opale suchen.«

»Hier gibt es welche. Dad hat nach Silber gesucht, aber das war schon abgebaut, bevor er herkam. An Opale hat er nie gedacht. Leider ist dieses Vorkommen wohl nicht so reichhaltig, wie ich gehofft hatte. Ich finde nicht viel.«

Mike nickte, er sah müde aus, wie meistens im Gericht. Lindy verspürte den Drang, sich zu entschuldigen, weil sie die Sache durchgefochten hatte, beherrschte sich aber. Er hatte sie rausgeworfen und sich für Rachel entschieden. Wofür sollte sie sich entschuldigen? »Es ist eine lange Fahrt hierher. Warum ruhst du dich nicht aus? Du siehst müde aus.«

»Danke. Aber ich muss gleich wieder los.«

Ja, du musst schnell nach Hause zu deiner hübschen jungen Geliebten, sagte sich Lindy. Dieser schmerzhafte Gedanke rührte an ihre Wunden, und sie ermahnte sich, sich zu schützen. Er hatte nicht mehr das Recht, ihr wehzutun.

»Ich wollte mit dir reden.« Nun, das war offensichtlich. Sie sah, wie unbehaglich er sich fühlte.

»Ein letztes Mal?«, fragte sie. »Ich dachte, wir hätten uns in der Nacht am See verabschiedet.«

»Ich verkaufe das Unternehmen, mache was anderes.«

Sie war auf der Hut, als er auf die Firma zu sprechen kam, und sagte: »Das musst du entscheiden, Mike, obwohl es mir Leid tut, das zu hören. Willst du Ratenzahlung vereinbaren? Falls du deswegen hier bist, kein Problem.«

Mike trank fast die ganze Flasche in einem Zug und knallte sie auf den Tisch. »Du hast den letzten Bericht des Zwangsverwalters gelesen. Mein Rechtsanwalt hat mich angerufen, bevor ich losgefahren bin. Die Expansion in Europa, an der du gearbeitet hast, ist zusammengebrochen, nachdem du weg warst. Und auf dem amerikanischen Markt haben wir an Boden verloren. Eine chinesische Firma hat uns unterboten. Irgendwie ist es mir egal.«

»Wie viel haben wir verloren?«

»Wir können siebzig Millionen bekommen, wenn wir das Unternehmen verkaufen. Weniger, wenn wir liquidieren und die Geschäfte einfach einstellen.«

Sie konnte ihren Schock kaum verbergen. »Aber wie konnte das passieren? Ich meine, war es am Anfang nicht mindestens zweihundert wert?«

»Monatelange Vernachlässigung«, sagte er schlicht. »Ich habe es einfach laufen lassen, genau wie dich.«

»Siebzig Millionen. Mike, das ist mein Anteil. Das ist das Urteil, an dem meine Anwältin gerade schreibt.«

»Das hat man mir auch gesagt. Ich habe es zuerst nicht kapiert, aber mein Anwalt sagt, es sei der Wert der Firma von dem Zeitpunkt an ...«

»Ja. Von dem Zeitpunkt an, wo wir uns getrennt haben. Das sind furchtbare Neuigkeiten, Mike. Es tut mir Leid.« Sie dachte nach. »Gehst du in Berufung?«

»Nein. Von Gerichten habe ich genug.«

»Mike, warum musst du so stur sein ...«

»Bitte, Lin, jetzt nicht.« Dies war die Gelegenheit, ihm alle Fehlschläge unter die Nase zu reiben, doch sie konnte es nicht, weil er in seiner Niederlage so hilflos und alt aussah. Sie wollte nach seiner Hand greifen, aber dann tauchten Gedanken auf, die sie innehalten ließen. Im Zeugenstand hatte er ihre Rolle in der Firma kaum gewürdigt. Er hatte sie erniedrigt, beleidigt, betrogen ... während Rachel ihm irgendwas ins Ohr flüsterte, seinen Arm berührte ... Sie zog die Hand zurück.

»Hör zu«, sagte er gleichgültig, anscheinend zu sehr mit seinem inneren Kampf beschäftigt, um sie richtig wahrzunehmen. »Weißt du, was das Schlimmste ist? Das Schlimmste ist, dass ich nicht verstehe, was mit mir passiert. Gerade waren wir noch glücklich, am nächsten Tag falle ich in ein tiefes Loch.«

Sie biss sich auf die Zunge und ging in die Küche, um noch ein Bier zu holen. Als sie zurückkam, hielt er einen Stein in der Hand. Er drehte ihn im Licht hin und her und schien davon vollkommen in Anspruch genommen.

Er legte den Stein in den Beutel. »Rachel hat mich heute Morgen verlassen«, sagte er, die Augen nicht auf sie, sondern auf den Beutel gerichtet.

Lindy verschränkte die Arme. »Der Bericht des Zwangsverwalters.«

»Sie hat ihn gelesen. Dann hat sie ihn auf den Esstisch gelegt, die Tasche über die Schulter geschwungen und gesagt: ›Bye-bye, Mike.‹ Und ging zur Tür hinaus und zurück zu dem schönen Harry, wie ich vermute.«

»Und du bist hergekommen, um dich bei mir auszuheulen.«

»Nein, Lin, ich …«

»Du hast vielleicht Nerven«, sagte Lindy und konnte ihren Zorn nicht verbergen.

»Ich wollte dir sagen, dass du Recht hattest. Du warst klüger als ich, Lindy. Du bist klüger, du lebst dein Leben. Ich war zu alt für Rachel, und sie hatte es nur auf mein Geld abgesehen.«

»Das wird dir jetzt erst klar?«

»Ich wusste es wahrscheinlich schon länger, Lin, aber ich wollte sie trotzdem. Es gibt keine Entschuldigung, keine Erklärung. Ich bin vom Weg abgekommen.« Mehr sagte er nicht.

So fertig hatte Lindy ihn seit den alten Tagen im Ring nicht gesehen, wenn er ein paar üble Schläge auf den Kopf erhalten hatte. »Na ja, du hast sie wohl geliebt«, sagte sie.

»Ein oder zwei Monate lang.«

»Lag es daran, dass wir keine Kinder haben?«

»Nur ein bisschen.«

»Ist trotzdem schade, denn dann könnten wir uns um Wichtigeres streiten als um Geld.« Sie lachte lautlos.

Mike schaute sie an. »Du färbst dir die Haare nicht mehr. Und trägst sie länger. Das gefällt mir. Passt toll zu deiner Sonnenbräune. Du siehst wieder stark aus. Während des Prozesses habe ich mir Sorgen um dich gemacht.«

»Schmier mir keinen Honig ums Maul.« Sie sagte ihm nicht, dass sie sich auch um ihn gesorgt hatte. Wozu auch?

Mike glitt hinter dem Tisch hervor und trat hinter sie. Er beugte sich vor, legte seinen Kopf auf ihre Schulter. Er strich über ihr Haar, zog es sanft nach hinten, fuhr mit den Fingern hindurch. »Ich glaube, das war's. Ich sollte besser gehen.«

»Ja, du solltest gehen.«

Er zog sie vom Stuhl hoch und drehte sie zu sich herum. Dann ergriff er ihre Hände. »Ich möchte mich entschuldigen, Lin«, sagte er und legte seine Wange an ihre, »weil ich alles zerstört habe.«

»Ich vertraue dir nicht mehr«, sagte sie.

»Ich weiß.«

Mit geschlossenen Augen schmeckte sie seinen salzigen Schweiß.

32

»Sie sind der Pflichtverteidiger?« Sonny Ball saß in dem von Glaswänden umgebenen Kasten im Bezirksgefängnis und sprach durch ein Telefon. Er bewegte sich schnell und ruckartig, wie ein Mann, der jeden Moment aus der Haut fährt.

»Nein, tut mir Leid. Ich komme aus Nina Reillys Büro. Ich spreche mit allen Geschworenen im Fall Markov.«

»Dafür habe ich keine Zeit. Ich habe genug eigene Probleme.« Sonny spielte am Telefon herum, sein Kopf bewegte sich zu einem schnellen Rhythmus, den nur er hören konnte, vor und zurück.

»Sieht mir eher so aus, als hätten Sie haufenweise Zeit, Sonny«, sagte Paul.

»Was erklärt, warum ich einen Anwalt brauche.«

»Wenn Ihr Anwalt kommt, gehe ich.«

»Ja, tun Sie das. Da wären wir also. Was wollen Sie wissen? Ihr Team hat doch gewonnen, oder?«

»Also, wir möchten noch besser werden«, meinte Paul. »Es

ist immer hilfreich, die Geschworenen zu befragen, egal, ob man gewonnen oder verloren hat, um rauszufinden, welche Fehler man gemacht hat oder was gut gelaufen ist.«

Sonny fuhr sich mit der Zunge im Mund herum. »Was kriege ich dafür?«

»Also, ich kann Ihnen nichts zahlen, aber …«

»Einen Anruf für mich erledigen?«

»Klar, denke schon.«

»Ich sag Ihnen die Nummer.«

Paul schrieb sie auf.

»Sagen sie ihm, er soll herkommen und mich, verdammt noch mal, gegen Kaution hier rausholen.«

»Geht klar.«

»Also gut, dann.« Sonny setzte einen unglaublich komischen, ernsten Gesichtsausdruck auf, trommelte, spielte gleichzeitig mit dem Telefon, nickte und sagte: »Ist das nicht ein Witz? Ich komme meiner staatsbürgerlichen Pflicht nach, und sie überprüfen meinen Namen und stoßen auf diesen dämlichen Haftbefehl wegen Drogen. In dem Augenblick, in dem ich an dem Tag aus dem Geschworenenzimmer spaziere, verhaften sie mich. Das ist der Dank.«

»Ihr Engagement als Geschworener wurde sehr gewürdigt.«

»Glauben Sie, es könnte helfen, mich hier rauszuholen?«

»Ich kann nichts versprechen.«

»Es ist ja nicht so, als wenn man mich in der Toilette des Geschworenenzimmers beim Kokainschnupfen erwischt hätte.«

»Ich will nichts davon hören, selbst wenn es so gewesen wäre. Ich möchte mit Ihnen über den letzten Tag der Beratungen sprechen.«

»Klar, schon klar.«

»Am Ende haben Sie für Lindy Markov gestimmt?«

»Richtig.«

»Macht's Ihnen was aus, wenn ich Sie frage, welche Faktoren Sie am meisten beeinflusst haben?«

»Ich mochte Markov nicht. Er gehört zu den Typen, die immer auf ihren Vorteil aus sind und die ganze Anerkennung einheimsen. Ein Scheißkerl, 'ne richtige Landplage. Außerdem war seine Freundin hochnäsig. Sie hat mich nicht mal angesehen. Und ich habe in diesem Geschworenenzimmer so viel Scheißdreck gehört, dass ich echt Kopfweh davon bekam. Es war Zeit zu gehen. Und dann gab es Gründe.«

Paul schrieb alles auf.

»Schreiben Sie auf, dass ich das Gefühl hatte, dass es so einen Quasi-Vertrag gab. Und der Alte hat sie das Papier so unterschreiben lassen, dass es nicht zählte.«

»Ich hab gehört, Sie wären an einem Punkt, kurz bevor Mr Wright zusammenbrach, drauf und dran gewesen, Ihr Votum zu ändern und für Mr Markov zu stimmen.«

»Ja. Ich hätt's fast getan. Dann kippte Cliff um. Sie hätten sein Gesicht sehen sollen. Ich werde es mir gut überlegen, bevor ich noch mal Chinesisch esse.«

»Warum wollten Sie denn Ihr Votum ändern?«

»Cliff hat mich bearbeitet.«

»Seine Argumente haben Sie überzeugt?«

Sonny unterbrach kurzzeitig seine rhythmischen Kopfbewegungen, um ein Schnauben auszustoßen. »Er hat mich in der Vormittagspause erwischt und mir ein paar Dinge gesagt, die mich die Sache noch einmal überdenken ließen. Ich hatte so lange widerstanden, weil ich dachte, Markov hätte im Zeugenstand volle Kanne gelogen. Er hatte so einen verschlagenen Blick, den ich schon öfter gesehen habe. Und wir sollten den Mist glauben, den er im Zeugenstand von sich gab, von wegen, er habe dies vergessen, er habe jenes vergessen?«

»Warum haben Sie Ihre Meinung geändert?«

»Kurz vor dem Mittagessen hat Cliff sich vor allen Leuten auf mich gestürzt. Hey, er hatte schon Recht mit Lindy Markov. Sie war ziemlich hübsch für so 'ne alte Dame. Hat uns wahrscheinlich an der Nase herumgeführt. Er brauchte meine Stimme, um zu gewinnen, und die drei Frauen waren nicht bereit, auf Mikes Seite zu wechseln. Also gab ich mir 'nen Ruck. Sich so 'nen Typ wie Cliff zum Freund zu machen wäre am Ende bestimmt besser, als ihn gegen sich zu haben.«

»Was hat er zu Ihnen gesagt?«

Die Frage schien Sonny zu nerven. »Oh, vielleicht würde er mir einen Job besorgen oder so.«

»Das hat er gesagt?«

»Lassen Sie es uns einfach dabei belassen, dass er wusste, wie man Leute überzeugt.«

»Aber nachdem er, ähm, zusammengebrochen war, haben Sie doch für Mrs Markov gestimmt?«

»Also, der alte Cliff war nicht mehr in der Lage, mir zu helfen, oder? Also bin ich zu meinem ursprünglichen Votum zurück, wie der Richter uns angewiesen hat.«

»Ich bin neugierig«, sagte Paul. »Warum sollte Cliff Leute unter Druck setzen, seinen Standpunkt zu übernehmen? Glauben Sie, er hatte eine besondere Verbindung zu Mr Markov?«

»Nein«, meinte Sonny. »Das hatte nichts mit Markov zu tun. Er war ein Machtmensch. Er musste die Frauen ausstechen, das war alles. Die Bergsteigerin mit den Stahlkappen in den Schuhen, die Immobilienlady und die süße kleine Studentin. Courtney. Er musste beweisen, dass er besser war als sie, indem er den Kampf gewann.«

»Aber warum?«

Sonny sah Paul mitleidig an und sagte: »Na ja. Lass sie gewinnen, lass dir von ihnen die Eier abschneiden. Das hat er zu mir gesagt. Reicht das?«

Paul zuckte die Schultern. »Okay. Außer dass Sie das nicht so empfanden.«

»Weil ich mir keine Sorge gemacht habe, dass diese Frauen etwas mit meinen Eiern machen würden, was ich nicht wollte.«

»Übrigens, haben Sie gesehen, wie an dem Tag das Mittagessen reingebracht wurde?«

»Haben wir alle gesehen. Wir hatten Hunger. Es roch gut.«

»Ist jemand raus auf den Flur gegangen, bevor das Essen reingebracht wurde?«

»Wir haben eine Pause gemacht, und alle sind herumgelaufen, haben geraucht, was getrunken, sich die Nase geputzt.« Er lachte. »Was, zum Teufel, interessieren Sie sich denn für unsere Pause?«

»Ist eine der Frauen hinaus auf den Flur gegangen, bevor das Mittagessen reingebracht wurde?«, fragte Paul mit Nachdruck.

»Ich war beschäftigt, okay? Wer weiß, und wen interessiert es?«

Courtney wohnte mit ihrer Mutter in einem großen Farmhaus an den Tahoe Keys. Als sie an die Tür kam, war Paul überrascht, Ignacio Ybarra, einen anderen Exgeschworenen, bei ihr zu sehen. Er hielt ihre Hand.

Sie unterhielten sich ein paar Minuten, aber wie Paul befürchtet hatte, konnte keiner von beiden ein Licht auf Cliffs Tod werfen.

»Fällt Ihnen sonst jemand ein, der vielleicht raus auf den Flur gegangen ist, wo das Essen stand?«, fragte Paul, bevor er ging. »Irgendwann, sagen wir, in der Stunde, bevor Sie Mittagspause machten?«

Sie sagten unisono: »Nein.«

»Wollen Sie andeuten, jemand hat Cliff vergiftet?«, fragte Courtney.

»Keinesfalls. Aber nur mal als Gedankenspiel, falls jemand ihn hätte vergiften wollen, wer hätte das sein können?«, fragte Paul.

»Niemand!«, sagte Courtney.

»Diane«, sagte Ignacio.

Paul aß in einem neuen mexikanischen Restaurant zu Mittag, das gerade in der Round Hill Mall aufgemacht hatte, dann fuhr er zurück in die Stadt. Er wischte sich Chile Colorado vom Mund und überlegte, ob er in dem Moment, in dem er Diane Miklos sehen würde, wissen würde, ob sie Cliff etwas ins Essen getan hatte, was Erdnüsse enthielt. Manchmal war es so.

Sie lebte in einer Art Landhaus auf dem Hügel, der nach Heavenly hinaufführte. Paul parkte um die Ecke in einem hübschen Gelbkiefernwäldchen und sah seine Notizen noch einmal durch. Mitte vierzig, alt für eine Bergsteigerin. Genevieve hatte einen Artikel aus einer Klettererzeitschrift über Dianes Erfolge in die Akte gelegt. Diane war erst spät zum Bergsteigen gekommen, hatte ein paar Jahre damit verbracht, sich fit zu machen, und in Jackson Hole und North Conway Bergsteigerkurse besucht, beides gute Orte dafür. Dann hatte sie mehrere Berge bestiegen. Sie hatte ihre Sache gut gemacht und war für ein Jahr in die Alpen gegangen, wo sie eine Winterbesteigung des Mont Blanc unternahm, eine ziemliche Leistung. Dort hatte sie sich offensichtlich mit dem Bergsteiger Gus Miklos zusammengetan, einem Mann von Weltruf aus Athen. Sie hatten vor ein paar Jahren geheiratet und kletterten gelegentlich zusammen.

Sie wollte die Seven Summits besteigen, das gefiel Paul. Die Idee war, den höchsten Berg auf jedem Kontinent zu besteigen, natürlich einschließlich des Mount Everest. Neben Mt. Elbrus, dem höchsten Berg Europas, hatte sie die Carstensz Pyramid in Indonesien bestiegen, im vergangenen Jahr den Aconcagua in Argentinien und im Jahr davor den Kilimandscharo. Den Mount Everest und die anderen, Mt. McKinley in Alaska und Mt. Vinson in der Antarktis, hatte sie noch vor sich, falls sie so lange lebte.

Paul fand das sehr interessant. Er hoffte, dass Diane Miklos Wright nicht umgebracht hatte. Sie musste wirklich eine starke Persönlichkeit sein, um diesen besonderen Traum zu leben.

Zuerst machte niemand die Tür auf, also klingelte er noch einmal. Schließlich öffnete sie und stöhnte, als sie ihn sah. »Ich habe vergessen, dass Sie kommen«, sagte sie. »Muss das wirklich sein?«

»Ich halte Sie nicht lange auf. Wir sind Ihnen sehr dankbar, dass Sie uns Ihre Zeit opfern.«

»Dann können Sie genauso gut reinkommen. Machen Sie sich nichts aus dem Durcheinander.« Sie setzte sich wieder mitten auf den Fußboden. Überall lagen Rucksäcke, Seesäcke, Kocher, Seile, Felshaken, Anker und Haken, Helme, Nahrungsmittelpäckchen, dicke Parkas, Karten, Bücher und Stiefel. Sie griff nach etwas, das wie ein Stück Fallschirmseide aussah, und fing wieder an zu nähen. Auf dem Tisch lagen ein Camcorder und Filmröllchen. »Und?«, fragte sie.

Sie war eine kleine, gut gebaute Frau mit schmalen blauen Augen und einem energischen Mund. Sie hörte ihm zu, ohne den Kopf zu heben.

»Wo wollen Sie hin?«, fragte Paul.

»Everest.« Alles, was er von ihr sehen konnte, waren ein blonder Haarschopf und ihre geschickten Hände. »Jemand hat storniert. Ich habe eine unerwartete Gelegenheit bekommen und reise morgen ab.«

»Geht Ihr Mann mit?« Auf einer Anrichte hinter einem schweren Eichenholzesstisch stand ein Bild eines dunkelhaarigen Mannes in einem roten Parka und Sonnenbrille, der in die Kamera grinste, im Hintergrund nichts als blauer Himmel.

»Er hat den Everest 1994 gemacht. Also, nein. Ich bin sozusagen auf mich gestellt.«

»Ich bin beeindruckt.« Und das war er tatsächlich. Er ließ es sich anmerken.

»Warten Sie damit lieber, bis ich oben war.«

»Vor langer Zeit«, sagte Paul, »war ich im Friedenskorps in Nepal. Bin zum Basislager hochgewandert und auf den Kala Patar gestiegen, um den großen Berg zu sehen. Der Jetstream hat von oben runtergeblasen und den Schnee vom Gipfel geweht. Kletterer müssen richtiggehend runtergepustet worden sein, obwohl die Sonne so stark vom Himmel gebrannt hat, dass wir nur T-Shirts trugen. Dunkelblauer Himmel, um uns weiße Berge. Und dann ragt da diese kompakte schwarze Pyramide heraus, so unermesslich hoch, selbst in fünfeinhalbtausend Metern Höhe.« Er sah es vor sich. »Fliegen Sie nach Lukla?«, fragte er. »Wenn ja, hoffe ich, dass sie das Rollfeld ausgebessert haben, seit ich dort war.«

»Versuchen Sie bloß nicht, mir Angst zu machen«, sagte sie, aber sie sah, dass Paul lächelte. Sie taute auf. »Normalerweise wollen die Leute als Erstes wissen, wie viel ich bezahlen muss, damit ein paar Sechzig-Kilo-Sherpas mich an einem kurzen Seil dort hinaufhieven, als hätte ich nicht jahrelang trainiert und wäre geklettert und als würde mein Überleben überhaupt nicht von mir selbst abhängen.«

Er konnte sich denken, wie viel sie bezahlte. Er wollte wissen, woher sie das Geld bekam. »Es ist teuer.«

»Ja, klar. Für diesen Aufstieg habe ich einen reichen Sponsor.«

»Jemand, den ich kennen könnte?«, fragte Paul. Hatte Lindy Diane Geld angeboten, um herauszufinden, was im Geschworenenzimmer vor sich ging? Hatte sie sie bezahlt, damit sie für ein positives Urteil sorgte?

»Nein. Ich habe eine liebe Freundin, eine ehemalige Bergsteigerin mit wackeligen Knien, die es irgendwie geschafft hat, das Geld hierfür zu beschaffen. Sie hat nichts mit den Markovs zu tun, falls Sie das andeuten wollen.« Sie ging wieder in die Defensive.

»Also, Sie wissen so gut wie ich, dass Sie außerordentlich gut sein müssen, um da hochzukommen. Es hat in letzter Zeit sehr viel Wirbel um die Tragödien auf dem Mount Everest gegeben, aber ich habe gehört, Sie sind im Januar unter extremen Bedingungen auf den Vinson hinaufgetanzt?«

»Getanzt?« Sie schlug sich lachend aufs Knie. »Hoch bin ich gewankt und runter getaumelt. Mir war noch nie im Leben so kalt. Aber es war wunderschön. Ich möchte noch einmal hin und irgendwann in der Antarktis klettern. Unvorstellbare Berge, deren Fuß tief unterm ewigen Eis liegt, ganze Bergketten, auf die kein Mensch je einen Fuß gesetzt hat.«

»Sie sind mutiger als ich«, sagte Paul. »Wären Sie die erste Frau, die alle sieben schafft?«

»Nein. Junko Tabei war die Erste, 1991.«

»Wie kamen Sie zum Klettern?«

»Eine Freundin hat mich darauf gebracht«, sagte sie kurz angebunden. Dann fügte sie, als könnte sie nicht widerstehen, hinzu: »Ich war Professorin für Politikwissenschaft.«

»Ich weiß. Aus den Geschworenenfragebögen. Ich dachte mir, Sie müssten ein soziales Gewissen haben, und aus dem Grund haben Sie beschlossen, Ihre Pflicht zu erfüllen und nicht nach einer Entschuldigung zu suchen, um befreit zu werden.«

Sie stand mit einer geschmeidigen Bewegung auf, wandte sich einigen Kartons in der Ecke zu und fing an, darin zu kramen, den Rücken ihm zugewandt. »Schreiben Sie das in Ihren Bericht, wenn Sie wollen. Ich mache so was nie wieder. Ich habe noch nie einen solchen Haufen Idioten gesehen.«

»Ja, ein paar Geschichten hab ich schon gehört.«

»Sie meinen den Schrei? Ich wurde dazu getrieben. Aber die meisten waren dermaßen irrational, sind total auf diesen Wolf im Schafspelz, Cliff Wright, reingefallen. Irgendwann bin ich in die Luft gegangen. Ich hoffe, das Urteil wird nicht aufgehoben. Sagen Sie Mrs Markov, dass es sehr, sehr knapp ausging.«

Paul nickte und sagte: »Auch davon hab ich gehört. Was glauben Sie, was uns gerettet hat?«

Diane drehte sich um und stemmte die Hände in die Hüften. »Wie Sie zweifellos auch schon gehört haben, hat Rasputin die Jury geleitet. Er hatte sie alle hypnotisiert, alle außer Courtney, Mrs Lim und Sonny. Unser System tut mir wirklich Leid. Und dann war Rasputin weg, und die Ersatzgeschworene tauchte auf, und der gesunde Menschenverstand kam wieder zu seinem Recht.«

»Reden Sie über Cliff Wright? Unglaublich, dass er krank wurde.«

»Und dann auch noch in so einem entscheidenden Augenblick. Ich habe gelesen, dass Erdnussöl in seinem Essen war. Ich frage mich, ob es wirklich das Restaurant war, oder ob nicht einfach jemand ein paar Tropfen auf seine Frühlingsröllchen gegeben hat.« Sie war ein überraschend offener Mensch und ganz sicher nicht dumm.

»Warum? Wer sollte so was tun?«, fragte Paul.

»Ich wünschte, ich wär darauf gekommen. Mrs Lim hat innerlich gekocht, aber sie hat's nicht gezeigt. Vielleicht hat sie ihn kaltgemacht. Falls ja, werde ich als Zeugin der Verteidigung aussagen. Das gäbe mildernde Umstände.«

Sie schien sehr sachlich mit den Ereignissen umzugehen. Sie hatte sich – im Lotussitz – wieder auf den Boden gesetzt. Ihre abgetragenen grauen Socken erinnerten Paul an seine eigenen, halb in Vergessenheit geratenen Tage in den Bergen. Als sie merkte, dass er sie beobachtete, sagte sie: »Geschmeidigkeit ist fast so wichtig wie Kraft.«

»Sie scheinen beides zu besitzen.« Das stimmte. Eine Frau wie sie sorgte sich nicht darum, wie sie ihren Lebensunterhalt verdiente. Sie arbeitete Tag und Nacht. Ihr Job war es, zu leben. Sie hatte sogar den passenden Mann gefunden, einen Mitreisenden. Klar, sie war egoistisch, aber sie würde nicht die besten Jahre ihres Lebens an Mandanten vergeuden, die immer nur nahmen und nahmen und niemals pünktlich zahlten. »Aber ich sage Ihnen, was ich für die wichtigste Eigenschaft eines Bergsteigers halte. Es ist die Fähigkeit, einen Schritt weiter zu gehen, als alle anderen für möglich halten. Unter extremen Bedingungen das zu tun, was getan werden muss. Sich von nichts aufhalten zu lassen. Glauben Sie, Sie haben diese Fähigkeit?«

Diane lächelte. »Absolut.«

»Wo wir gerade von extremen Bedingungen sprechen«, fuhr Paul fort, »im Geschworenenzimmer ging's ja auch ziemlich extrem zu. Cliff Wright hat es bei jedem probiert, und Sie scheinen die Einzige gewesen zu ein, die fähig war, ihn zu bremsen.«

»Ich hatte bereits verloren«, sagte Diane und sah ihn an. »Ich konnte nichts mehr tun. Wir waren kurz davor, abzustimmen.«

»Und dann war Cliff weg, und herein kam die Ersatzgeschworene, die einen neuen Blick auf das Ganze warf, wie Sie sagten.«

»Genau im richtigen Augenblick.«

»Sie gingen raus auf den Flur, kurz bevor das Essen reingebracht wurde, nicht wahr?«

»Ich glaube, ich weiß, worauf Sie hinauswollen.«

»Sie standen da und …«

»Sie möchten, dass ich geradeheraus damit rausrücke?«, fragte Diane. »Ist es das, was Sie möchten?«

»Bitte«, sagte Paul, sein Puls raste.

»Okay. Ich will ganz ehrlich sein. Sagen Sie Mrs Markov, sie muss sich um mich keine Sorgen machen. Ich habe sie nicht gesehen und könnte nicht gegen sie aussagen. Sie muss es getan haben, kurz bevor ich rauskam. Sagen Sie ihr, es waren … wie Sie eben sagten, Paul. Sagen Sie ihr, ich sehe es ein, es waren extreme Umstände.

Aber jetzt, Paul, erklären Sie mir etwas. Ich verspreche, es niemandem zu verraten. Ich gebe Ihnen mein Wort. Ich habe immer und immer wieder darüber nachgedacht, und es gibt eine Sache, die ich nicht begreife. Woher, zum Teufel, wusste sie, was im Geschworenenzimmer vor sich ging?«

Paul schüttelte den Kopf.

»War es Courtney? Hat sie sie bestochen?«

»Ich weiß nicht, ob es Mrs Markov war«, sagte Paul schließlich, als er seine Stimme wieder fand.

»Wem sonst wäre die Sache so wichtig, dass er Wright das antut?«, fragte Diane. »Nun sagen Sie schon.«

»Aber, wie Sie sagten, Lindy Markov konnte nicht wissen, in welchen Schwierigkeiten ihr Fall steckte.«

»Dann war es ein äußerst merkwürdiger Zufall.«

»Sie wussten es, Sie sorgten sich, und Sie waren draußen.«

Sie lachte noch einmal. »Ich habe Besseres zu tun mit meinem Leben. Ich würde niemandem etwas antun, um zu gewinnen, selbst unter extremen Bedingungen. Wie alt sind Sie, Paul?«

»Ich? Vierzig, vierzigeinhalb.«

»Ich war so alt wie Sie, vierzig, als ich anfing zu klettern, und das waren die besten Jahre meines Lebens. Das würde ich nicht aufs Spiel setzen, nicht mal für Lindy Markovs Millionen.«

»Ich bewundere, was Sie tun. Es ist etwas, wovon die meisten Menschen nicht einmal zu träumen wagen.« Er dachte eine Minute nach, dann fügte er hinzu: »Was glauben Sie? Ist er umgebracht worden?«

»Nein«, meinte Diane. »Es wird das Restaurant gewesen sein. Vermutlich gibt es eine ganz banale Erklärung.« Aber an der Tür hielt sie ihn noch einmal auf und fragte: »Was glauben Sie? Ehrlich.«

»Ich dachte, Sie wären's gewesen.«

Er fuhr am Gericht vorbei, um sich kurz mit Deputy Kimura zu unterhalten, der ihm versicherte, dass der nichtöffentliche Flur einzig den Angehörigen des Gerichts vorbehalten war. Aber dann gab er zu, dass es hier und da Ausnahmen gab.

Offenbar war fast jeder, der auch nur entfernt mit dem Fall zu tun hatte, irgendwann durchgegangen, einschließlich Lindys Freundin Alice, aber Kimura konnte sich nicht erinnern, sie oder Lindy an dem Tag, an dem Wright starb, dort gesehen zu haben. »Ich achte immer auf Außenstehende«, sagte er. »aber ich habe niemanden gesehen, der dort nichts zu suchen hatte.«

Alice linste ihn durch ein Guckloch in der Tür an. »Ja?«, fragte sie.

»Ich bin hier, um Lindy Markov zu besuchen«, sagte Paul.

»Tatsächlich.« Sie machte die Tür auf. Sie trug Strumpfhosen im Leopardenlook, einen langen gelben Pullover und goldene Sandalen. Ihr blondes Haar war zerzaust, auf der Stirn hatte sie einen leichten Schweißfilm, den sie mit einem Halstuch wegwischte. Paul kannte sie von Mikes Geburtstagsparty auf dem Schiff.

Sie musterte ihn von oben bis unten. »Lindy steckt dieser Tage voller Überraschungen.« Alice war außer Atem. Wahrscheinlich hatte sie gerade Fitnessübungen gemacht. Im Hintergrund hörte er Musik, aber es klang nicht nach Aerobic.

»Ich arbeite für Nina Reilly«, sagte Paul. »Paul Van Wagoner.« Ein Glück, dass er Alice erwischt hatte. Ihr musste daran gelegen sein, dass Lindy gewann.

»Alice Boyd.« Sie schüttelte ihm kurz die Hand. »Es tut mir Leid, aber Lindy ist im Augenblick nicht da. Macht's Ihnen was aus, mir zu erzählen, worum's geht?«

»Nur darum, ein paar offene Fragen zu klären.« In Wirklichkeit lauschte er gerade mit halbem Ohr der Sängerin im Hintergrund, wie sie in dieser verkratzten Aufnahme eine Silbe über mehrere Noten streckte. Er erkannte »My Old Flame«, ein Lied aus den Vierzigern. Ein Punkt für Alices guten Musikgeschmack.

»Es ist doch alles in Ordnung, oder? Ich meine, sie wird ihr Geld doch bekommen, oder?«

»Also …«, sagte Paul und konzentrierte sich wieder auf Alice. Ihre Besorgnis ließ ihn hellhörig werden. »Sie wissen ja, wie das ist, wenn es um so viel Geld geht.«

»Mist. Er legt Berufung ein, nicht wahr?«

»Er kann sehr viel verlieren, wenn er es nicht tut.«

»Ich wusste es. Der Scheißkerl. Er zieht die Sache so lange hin, bis wir … bis Lindy ruiniert ist! Was will ihre Anwältin? Mehr Geld. Schätzchen, bevor wir keinen großen Scheck von Markov Enterprises bekommen, gibt's kein Geld.« Sie musste gemerkt haben, wie pathetisch sie klang, denn sie bremste sich.

»Ich muss wirklich ein paar Minuten mit ihr reden«, wiederholte Paul.

»Ah«, sagte sie. »Sie haben nur ein paar Unterlagen, die sie unterschreiben muss, oder so etwas? Und es geht gar nicht um die Berufung?« Sie versuchte, seine Miene zu deuten. »Jetzt sagen Sie schon. Hat er Berufung eingelegt?«

»Nicht, dass ich wüsste.«

Sie lachte erleichtert auf. »Mein Gott, haben Sie mir einen Schrecken eingejagt. Also, sie ist nun mal meine beste Freundin. Und sie braucht das Geld wirklich.«

Da ist sie nicht die Einzige, Schätzchen, dachte Paul. »Irgendeine Idee, wo ich sie finden könnte?«

»Sie mag es gar nicht, wenn ich verrate, wo sie ist.«

Er seufzte und wandte sich zur Tür. »Zu schade. Ms Reilly wird sehr enttäuscht sein. Das wird eine Verzögerung geben.«

»Aber Sie kommen ja von ihrer Anwältin, richtig? Dann kann ich's Ihnen sicher verraten«, sagte Alice. »Sie ist gleich nach der Urteilsverkündung abgereist. Zu der Hütte draußen in der Wildnis in der Carson Range in der Nähe von Reno.«

»Übrigens, Ms Boyd, wenn's Ihnen nichts ausmacht – würden Sie mir bitte verraten, wo Sie waren, als Clifford Wright starb?«

Alice zog ein Taschentuch hervor und wischte sich Schweiß aus dem Gesicht. »Während wir auf das Urteil warteten, habe ich im Laden gearbeitet. Wir arbeiten ziemlich viel für spontane Hochzeiten. Es gehört zur Ironie meines Lebens, dass ich die meiste Zeit des Tages Blumensträuße und Buketts für Hochzeiten binde. Meine Assistentin wird bestätigen, dass ich am Vormittag dort war, bis wir zur Urteilsverkündung am Nachmittag zusammengerufen wurden. Warum fragen Sie?«

»Waren Sie jemals in dem Flur vor dem Geschworenenzimmer? Wo die Büros der Justizbeamten sind?«

»Ja, natürlich«, sagte sie.

»Macht's Ihnen was aus, wenn ich Sie frage, ob es noch einen anderen Grund dafür gibt, dass Sie so besorgt darum sind, dass Lindy Markov ihr Geld bekommt?«

433

»Sie hat mich jahrelang unterstützt«, sagte Alice einfach. »Das ist die Wahrheit vor Gott. Ich würde alles für sie tun, und da bin ich nicht die Einzige. Würden Sie mir bitte verraten, worum's eigentlich geht?«

»Einige Umstände, die mit Clifford Wrights Tod zu tun haben, müssen hinterfragt werden.«

»Sie meinen … jemand hat ihm absichtlich …?« Der Gedanke regte sie auf. »Verdammt! Ich seh genau, was hier abläuft. Das ist ein Plan, um das Urteil aufheben zu lassen, nicht wahr? Da steckt Mike dahinter. Er würde alles tun, um zu gewinnen! Ich hab's doch gewusst!«

Er überließ sie ihren Beschimpfungen.

Als Paul bei Lindys Wohnwagen ankam, gab sein Van bereits seit gut dreißig Kilometern merkwürdige Geräusche von sich.

Lindy musste es auch gehört haben, denn sie stand mit verschränkten Armen vor der Tür ihres Wohnwagens, in einem gelben Viereck aus Licht, das viele Kilometer weit die einzige Lichtquelle war. Sie schien ihn zu erwarten.

»Brr«, sagte er, als er ausstieg und direkt in eine Pfütze trat.

Eine dunstige Dämmerung hatte sich auf die Berge gelegt wie ein silbernes Band. Lindy trug Jeans und einen dicken Skipullover, aber er sah, dass sie zitterte. »Kommen Sie rein«, sagte sie und machte eine einladende Geste.

Sie schenkte ihm eine Tasse Kaffee ein, der schon fertig war, dann setzte sie sich ihm gegenüber an einen ausklappbaren Tisch. »Was machen Sie hier, Paul? Ist alles in Ordnung? Ich habe heute Nachmittag mit Nina gesprochen, und sie hat nicht erwähnt, dass Sie vorbeikommen.«

Das Gespräch mit ihr würde das schwierigste werden. Er wusste keinen anderen Grund, weshalb er gekommen war, außer der, der ihn hergebracht hatte. »Es sind ein paar Fragen aufgetaucht.«

»Was für Fragen?«

»Sie haben das vielleicht nicht mitbekommen, aber die Polizei hat die Akte über Cliff Wrights Tod noch nicht geschlossen.«

Sie trommelte mit ihren manikürten Fingern auf den Tisch. »Das wusste ich nicht«, sagte sie. »Warum nicht? Ich dachte, er hätte eine Art allergische Reaktion gehabt. Ich dachte, das stünde eindeutig fest.«

»Das stimmt. Aber sie versuchen herauszufinden, was genau seine allergische Reaktion ausgelöst hat.«

»Wie wollen sie denn das bewerkstelligen? Jemand hat mir erzählt, er wäre auf alles Mögliche allergisch.«

»Wer hat Ihnen das erzählt?«

»Ich weiß nicht. Kommt mir so vor, als hätten wir mal über die Geschworenen gesprochen, und da hat jemand es erwähnt.«

Also wusste sie von der Allergie. Das war der Schlüssel. »Ich denke, sie versuchen die Möglichkeiten einzukreisen«, erwiderte er. »Sie glauben, dass ihm jemand vielleicht etwas ins Essen getan hat.«

Sie sah ihn vollkommen ungläubig an. »Sind die verrückt? Die glauben, dass jemand dafür gesorgt hat, dass er einen allergischen Anfall bekommt?«

»Irgendwas in der Art, ja.«

»Warum?«

»Also, das ist es ja gerade. Cliff Wright war wirklich der Anführer der Geschworenen. Haben Sie die Interviews mit den Geschworenen gehört, als sie rauskamen? Er hat sich mächtig für Mike ins Zeug gelegt und hatte die meisten schon auf seine Seite gezogen.«

»Und?«

»Also scheint die Polizei zu glauben, darin könnte ein Motiv liegen.«

Sie schüttelte den Kopf. »Das ist unglaublich. Wollen Sie damit sagen, Sie glauben, ich könnte etwas damit zu tun haben, dass dieser Mann umgekommen ist, weil ich wusste, dass er auf Mikes Seite war?«

»Wright hatte fast alle Geschworenen gegen Sie aufgebracht. Sie hätten alles verloren. Verstehen Sie, Sie hatten guten Grund, sich darüber Sorgen zu machen, was dieser Mann mit den Geschworenen anstellte.«

»Aber Paul … woher hätte ich wissen sollen, was in diesem Zimmer vor sich geht?«

»Wissen Sie, was, Lindy? Soweit ich gehört habe, sind Sie eine kluge Frau. Sie haben Nina verpflichtet, weil Ihnen klar war, dass Sie sich ein Bein ausreißen würde, um Sie gut zu vertreten. Sie haben aus dem Nichts mit Mike zusammen eine große Firma aufgebaut. Sie wissen, dass manche Menschen käuflich sind. Ich glaube, wenn Sie wissen wollten, was im Geschworenenzimmer vor sich geht, würden Sie einen Weg finden, es rauszubekommen.«

Sie stand auf. »Verschwinden Sie.«

»Wer hat Ihnen von Wright erzählt, Lindy? Mrs Lim? Sie hat häufig telefoniert. Sie hätte Sie anrufen und auf dem Laufenden halten können. Hat sie Ihnen gesagt, was für eine Bedrohung er für Sie war? Und dann … Sie waren vorher schon ein paar Mal durch den Flur gegangen. Vielleicht sind Sie an dem Tag durchgegangen, haben sich seinetwegen Sorgen gemacht, und dann stand da sein Mittagessen, besonders gekennzeichnet, vegetarisch. Vielleicht wollten Sie ihn gar nicht umbringen. Vielleicht waren Sie nur wütend und haben es getan, ohne nachzudenken? Denn wenn es so war, dann ist es nur Totschlag …«

Sie zerrte an seinem Arm. »Stehen Sie auf. Raus hier, hab ich gesagt!«

Er stand auf. Sie griff an ihm vorbei und stieß die Tür auf.

»Oder war es Diane?«, fuhr er fort, beide Hände fest um den Türrahmen gekrallt. »Sie brauchte am ehesten Geld, und sie hat wirklich an Ihren Fall geglaubt. Ich glaube ehrlich gesagt nicht, dass sie ein Problem damit hätte, Geld anzunehmen als Gegenleistung dafür, dass Sie Ihnen ein wenig nützlich ist. Weshalb sie praktisch zugegeben hat, dass sie weiß, dass Sie es waren …«

436

Sie versetzte ihm einen Stoß. Er hielt sich fest.

»Sehen Sie, ich schlage Ihnen einen Deal vor«, sagte sie wütend. »Ich erzähle Ihnen, was Sie wissen wollen, und dann verschwinden Sie von hier. Einverstanden?«

Er nickte.

»Ich habe keinen Geschworenen bestochen.«

»Woher wussten Sie dann von Wright?«

Sie schlug ihm auf die Schulter. »Was sind Sie für ein Mensch?«, schrie sie, als er keine Anstalten machte zu gehen. »Wissen Sie nicht, dass die meisten Menschen nie an einen Mord denken würden und sich so etwas selbst für einen Riesenbatzen Geld noch nicht einmal überlegen würden? Oder hat Ihre Arbeit Sie dermaßen stumpf gemacht, dass Sie nicht begreifen können, dass die meisten Menschen nie jemanden umbringen?«

»Ich bin Realist, Lindy. Genau wie Sie.«

Sie machte eine weit ausholende Geste und hielt plötzlich eine Pistole in der Hand, die in der Keksdose auf der Ablage gesteckt haben musste. Lindy richtete sie auf ihn und sagte: »Wenn das so ist, dann wird Ihnen das hier helfen, zu begreifen, dass ich es ernst meine, wenn ich sage, Sie sollen, zum Teufel noch mal, von hier verschwinden.«

Wie immer erschüttert über die Widersprüchlichkeiten und Eigentümlichkeiten des menschlichen Verhaltens, trat Paul aus dem Wohnwagen und wich vor ihr zurück, bis sie ihm die Tür vor der Nase zuknallte.

33

Am Freitagmorgen gestattete Nina sich einen Spaziergang mit Hitchcock, bevor sie sich für die Arbeit umzog. Sie entdeckten eine Wiese mit Butterblumen, auf der er herumtollen konnte, und Regenbogen in den Tautropfen auf den leuchtend gelben Blüten des Goldlacks. Sie sog den betäubenden Duft ein, üppig und dicht wie von tropischen Pflanzen. Auf dem Heimweg kam sie sich verloren vor. Winston und Genevieve würden heute ihre Büros verlassen. Ihre Wege würden sich trennen. Und der Tag schmeckte bittersüß wie der letzte Schultag in der Kindheit.

Als sie ins Büro kam, parkte ein gelber Laster mit Laderampe auf der Straße in der Nähe der Haustür. Wish und ein Freund hievten gerade Genevieves Schreibtisch auf eine Sackkarre.

»Habt ihr ein Kissen oder so etwas?«, fragte Nina. »Die Vermietungsfirma stellt mir jeden Kratzer in Rechnung.«

»Klar doch, Ms Reilly«, sagte Wish. Er hob die Hand, um ihr zu winken, verlor die Balance und ließ den Griff der Sackkarre los. Sein Freund schrie auf, hielt den Schreibtisch aber mit beiden Armen fest. Wish sprang zurück, stieß gegen ihn, wankte und fing sich wieder. »Ich geh's holen.«

»Schon gut«, sagte Nina hastig und huschte ins Gebäude, um keine weiteren Kettenreaktionen auszulösen. Weit kam sie nicht, im Flur herrschte totales Chaos. Kisten mit Akten und Müllsäcke stapelten sich an den Wänden, sodass nur ein schmaler Durchgang blieb.

»Unglaublich, was sich bei einem Prozess so alles ansammelt«, sagte sie zu Sandy, als sie den Empfangsbereich betrat.

»Einige Akten müssen hier bleiben, die anderen können wir im Lagerraum unterbringen.«

»In welchem Lagerraum?«

»Den wir gerade gemietet haben«, sagte Sandy. »Du fängst an, alte Akten anzuhäufen. Wir müssen uns wenigstens bewegen können, bis wir mehr Platz haben.«

»Sandy ...«

»Was?«

»Ist ... ich meine, du wirkst ...«

»Was?«

»Irgendwie niedergeschlagen.«

Sandy zuckte die Schultern und begann, etwas von einem gelben Schreibblock abzutippen.

Nina entdeckte Winston, der im Jogginganzug vor einem Aktenberg in seinem Büro hockte. »Ich glaube, jetzt bin ich durch«, sagte er. »Diesen Stapel nehme ich mit. Der hier« – er klopfte auf einen Haufen – »wird irgendwo eingelagert. Das hier ist Müll. Wo sind die Müllsäcke?«

»Keine Ahnung, tut mir Leid«, sagte Nina.

»Wish!«, donnerte er.

Genevieve, die bereits gepackt hatte, lehnte mit verschränkten Armen an der Wand und beobachtete ihn. »Wenn du so weitermachst, wirst du nie fertig. Hattest du heute Nachmittag nicht eine Verabredung?«

»Der Prozess ist vorbei. Und jetzt heißt es auf Nimmerwiedersehen?«, fragte er.

»Natürlich nicht«, meinte Genevieve. »Aber zieh es nicht in die Länge. Packen ist furchtbar, und ich weiß, wie du dich fühlst. Es ist, als müsste man unbedingt ein Flugzeug erreichen und machte sich Sorgen, ohne Pass am Schalter zu stehen.«

»Es liegt nichts Dringendes an. Ich habe nur etwas Besseres zu tun, als alte Papiere aufzustapeln.«

»Denk dran, Sandy schickt dir alles nach, was du vergessen hast«, sagte Genevieve.

»Mir gefällt das nicht«, sagte Nina.

»Was?«, fragte Winston.

»Dass alle gehen«, meinte Nina. »Das hier.« Sie deutete auf das Durcheinander. »Ich hatte mich daran gewöhnt, beim Mittagessen Gesellschaft zu haben. Ich hatte mich daran gewöhnt, dass ihr beide alles besser wisst, was ich sowieso schon gewusst habe, bevor ihr gekommen seid.«

»Du bist ein soziales Wesen, Nina«, sagte Genevieve. »Du lässt dieser Seite nur nicht genügend Raum. Also, Winston«, sagte sie, »rück mal rüber, dann helf ich dir, die Akten einfach in den Karton zu schmeißen. Das kann ich genauso gut wie du.« Sie stieß ihn mit der Hüfte an, doch Nina fand, dass Genevieve ebenso konfus wirkte wie sie.

Sie schloss die Bürotür hinter sich und setzte sich mit dem Rücken zum Fenster, dachte, wie ruhig es werden würde, und fragte sich, ob ihr die Vorstellung gefiel. Um sich abzulenken, las sie die eingegangenen Nachrichten und begann mit den Rückrufen.

Der Vormittag verging rasch. Um elf war der gelbe Laster unterwegs, um die Möbel zurückzubringen. Winston und Genevieve saßen in dem Konferenzzimmer neben Ninas Büro, in dem noch Stühle standen. Sandy hatte als frühes Mittagessen Sushi und Salat bestellt.

Winston aß rasch. »Du hast mir doch von der Insel erzählt«, sagte er zu Nina und wischte sich den Mund mit einer Serviette ab.

Sie brauchte einen Moment, bis ihr einfiel, wovon er sprach. »Die winzige Insel in der Emerald Bay? Fannette?«

»Genau die. Hast du eine Ahnung, wo ich einen Kajak mieten kann, um hinzukommen?«

»Sicher. In Richardson's Resort. Du fährst auf dem Highway nach Westen und bei der Gabelung biegst du rechts ab. Es sind nur ein paar Kilometer. Dort gibt es einen Jachthafen und ein Dock. Ruf vorher an, damit du auch ein Boot bekommst. Die Saison hat gerade angefangen.«

Er rief an, und sie hörten zu, als er für den Nachmittag einen Kajak mietete.

»Das klingt lustig!«, sagte Genevieve. »Ich wollte schon immer Kajak fahren lernen.«

»Das ist mein Oberkörpertraining. Ich muss mich beeilen, aber vielleicht kann ich dich ein anderes Mal mitnehmen«, sagte Winston.

Genevieves Mund klappte auf. »Okay.«

»Willst du hoch zum Teehaus?«, fragte Nina.

»Vielleicht«, erwiderte er. »Das entscheide ich, wenn ich dort bin.«

Alle halfen, den Müll wegzuräumen. Mit Rücksicht auf ihre distanzierte Art schüttelte Winston Sandy die Hand. Sie bedankte sich für die Kaninchendecke. Nina und Genevieve kamen auch zu einem letzten Händedruck herein. Es gab nichts mehr zu sagen.

»Ich melde mich, Nina«, sagte Winston und ging zur Tür.

»Das solltest du auch tun«, erwiderte sie.

Er bemerkte ihre Stimmung und drückte ihren Arm. »Hey, irgendwann machen wir noch mal einen Prozess zusammen. Das spüre ich. Schön sauber bleiben bis dahin. Das meine ich ernst!«, sagte er, als die anderen lachten. »Meine Damen, tun Sie nichts, was ich nicht auch tun würde«, sagte er im Gehen.

»Lieber nicht, Winston«, rief Genevieve ihm nach. »Ich kann mir kaum etwas vorstellen, was er nicht tun würde«, sagte sie mit einem boshaften Lächeln zu Nina.

Susan Lim wohnte in einem großen zweigeschossigen Haus in Montgomery Estates. Paul kam dieses Wohngebiet immer ein wenig irreal vor, wie eine Art Zwielichtzone, Vorortnormalität am Rande des wilden Königreichs. Die gepflegten Gärten wehrten die Wildnis ab, doch der Wald kroch bis an die Grenzen und drohte, sich das Gebiet zurückzuerobern, sobald die Rasenmäher verstummten.

Sie öffnete die Tür. Paul stellte sich vor, lieferte die üblichen Erklärungen für seine Fragen, und sie war bereit, ihm fünf Minuten ihrer Zeit zu widmen. Sie fing um zehn Uhr mit der Arbeit an, wenn die Immobilienfirma öffnete, und war schon spät dran.

Sie ließen sich auf der Veranda vor dem Haus auf zwei Stühlen nieder. Der Garten war liebevoll gepflegt.

»Zuerst würde ich gern hören, welchen Eindruck Sie ganz allgemein von der Stimmung unter den Geschworenen hatten.

Wie sie, zum Beispiel, auf die Zeugenaussagen reagierten«, sagte er, den Notizblock gezückt.

Mrs Lim, eine unscheinbare Frau mit dunklem, glänzendem Haar, trug einen Hauch von rosa Lippenstift, der zu ihrer Jacke passte und ihr Gesicht heller erscheinen ließ. Seufzend schüttelte sie den Kopf. »Ich fand den Prozess einfach grauenhaft. Es klingt so einfach, man soll sich Informationen anhören, miteinander verknüpfen und entscheiden, ob die Tatsachen und Beweise für die eine oder für die andere Seite sprechen. Doch im Geschworenenzimmer hieß es eher: Wer hat noch nicht, wer will noch mal.«

»In welcher Hinsicht?«

»Jeder hatte so seine Vorstellungen«, sagte sie. »Das ist Ihnen ja auch bekannt. Doch meist treten sie nicht so offen zu Tage. Wir gingen hinein, und die Vernunft flog aus dem Fenster. Nicht, dass es ein Fenster gegeben hätte. Das wäre vielleicht hilfreich gewesen.«

»Darf ich fragen, welche Position Sie vertreten haben?«

»Ich war für Lindy Markov. Ich fand es von Anfang an offensichtlich, dass es gewisse mündliche Absprachen gegeben hatte, dass sie formlos vereinbart haben, alles zu teilen. Sie war zu klug, um ihm nicht wenigstens ein paar Versprechungen abzuringen. Und zunächst waren die Leute auch meiner Meinung.«

»Soviel ich weiß, stimmten bei der ersten Abstimmung acht Geschworene für Lindy.«

»Das ist richtig. Dann packte Cliff seine Geschenke und Drohungen aus …«

»Drohungen?«

»O ja. Ich glaube, er drohte Sonny Ball mit Gefängnis. Er hatte irgendwelche Spuren von Drogen auf der Toilette gefunden. Und ich glaube, er hat Kris Schmidt verführt. Vermutlich haben sie am ersten Tag miteinander geschlafen«, sagte sie mit deutlichem Abscheu.

»Maribel sehnte sich nach Aufmerksamkeit und bekam sie

442

von ihm. Ignacio, tja, das war eine Schande. Er ist ein guter Mensch mit guten Instinkten, kann aber nicht auf Cliffs Niveau argumentieren. Cliff führte ihn in ein Labyrinth und lief im Kreis um ihn herum, während er sich als großer Logiker aufspielte.

Grace brauchte nur ein wenig Sympathie, und da kam er des Weges, der gute Samariter.«

»Also favorisierten Frank, Bob und Kevin von Anfang an Mike«, sagte Paul.

»Ja. Sie duldeten nicht, dass etwas so Unangenehmes wie Logik ihre Gedanken durchkreuzte. Sie hatten eine Position bezogen und würden dabei bleiben, komme, was wolle«, sagte sie leicht sarkastisch. »Cliff musste ihnen nur zeigen, dass sie in seinem Anti-Lindy-Club willkommen waren.«

»Sie mochten Cliff Wright nicht.«

»Für Männer wie ihn habe ich nur Verachtung übrig. Ich verabscheue seine Art, Schwächere zu manipulieren.«

»Warum war er wohl so gegen Lindy eingenommen?«

»Ich glaube, Diane hat das ganz richtig erkannt. Es musste persönliche Gründe haben. Er sagte, er habe sich kürzlich von seiner Frau getrennt. Vielleicht litt er wirklich, wer kann das bei so einem Mann schon wissen? Aber in diesem Raum agierte er hinterhältig und zornig, überzeugend und entschlossen. Ich vermute, Mrs Markov war für ihn der schlimmste Albtraum, eine Frau, die durch eine Trennung die strahlende Zukunft eines Mannes ruiniert.«

»Ich nehme an, Sie waren froh, dass es so kam.«

Sie starrte ihn an. »Sie meinen, dass Cliff starb?«

»Na ja, mit der Ersatzgeschworenen schwenkte die Stimmung wieder zu Lindy um, nicht wahr?«

»Das stimmt.«

»Ich habe gehört, die meisten Geschworenen brachten sich etwas zum Knabbern mit«, sagte er.

»Ja.«

»Hat jemand Erdnüsse gegessen?«

»Nicht, dass ich wüsste.«

»Etwas mit Erdnüssen drin? Schokoriegel?«

Sie fing an zu lachen. »Snickers. Butterfinger. Granola-Riegel mit Nüssen. Erdnuss M&Ms. Mr Van Wagoner, soll das ein Witz sein? Wollen Sie andeuten, dass jemand ...«

»Ich sage ja nur, dass sich die Dinge so entwickelt haben, wie Sie es wollten.«

»Ich wünschte, mein Mann könnte Sie hören. Er meint, ich wäre nicht aggressiv genug. Und Sie wollen andeuten ... korrigieren Sie mich, falls ich mich irre, aber Sie wollen doch andeuten, ich hätte Erdnussbutter in seine Frühlingsrollen geschmuggelt, weil ich so wütend auf ihn war?«

»Es hat schon seltsamere Dinge gegeben, Mrs Lim. Haben Sie oder sonst jemand den Raum verlassen, bevor das Mittagessen serviert wurde?«

»Es gab eine kurze Pause, bevor das Essen gebracht wurde. Die meisten haben den Raum verlassen. Ich habe einen Anruf erledigt. Manche haben geraucht, andere haben sich gedehnt und gestreckt, einige sind zur Toilette gegangen.« Sie zuckte die Schultern. »Alle haben sich auf das Essen gefreut. Ich habe sogar gesehen, dass Diane die Alufolie hochhob und einen Blick riskierte.«

Die Worte trafen sie wie ein Schlag, ihre Wangen wurden flammend rot. »Das Essen roch sehr gut. Das fanden wir alle«, sagte sie und rang um Fassung.

Er blieb hartnäckig, doch sie weigerte sich, weitere Fragen zu beantworten.

Paul schaute sich unzufrieden in seinem Van um. Das alte Fahrzeug sah innen schäbig aus. Der Leopardenbezug auf den Rücksitzen hatte Schimmelflecken, weil der Wagen tagelang auf Flughäfen herumgestanden hatte. Egal, sein Auto war ein Teil von ihm und ging an Vernachlässigung zu Grunde. Die Leute in

Washington wollten nächste Woche eine endgültige Entscheidung. Er wusste nicht, was er ihnen sagen sollte.

Er musste diese Ermittlungen beenden. Er musste über Nina nachdenken.

34

Pünktlich um zwölf Uhr war Paul bei Bizbees am Highway. Er wollte mit Wish Notizen über ihre Gespräche austauschen. Aber erst mal ließ er sich zu einer Runde Darts überreden, bei der er vernichtend geschlagen wurde.

»Dann haben Kevin Dowd und Frank Lister also von Anfang an zu Mike gehalten. Im Grunde waren sie ganz vernarrt in Cliff Wright. Grace Whipple kam gestern Nachmittag im Morgenrock an die Tür, und das war immerhin so gegen zwei. Sie kümmert sich um jemanden, sagte, es sei ihm nicht gut gegangen. Sie hat sich nur durch das Gitter in der Tür mit mir unterhalten und war ziemlich außer sich«, sagte Wish und holte mit dem Arm aus. Mit einem satten »Tack« traf ein weiterer Pfeil ins Schwarze.

»Was hat sie von Cliff Wright gehalten?«

»›Charmant‹ hat sie ihn genannt. Und Maribel, wie-heißt-sie-noch …«

»Grzegorek.«

»Sie war bei der Arbeit drüben im Mikasa, aber es war nicht viel los. Sie erzählte mir, sie hätte Cliff gemocht, aber irgendwann hätte er sie enttäuscht.«

»Aha?«, fragte Paul interessiert und stellte sich in Position.

»Ja. Sie ist wirklich witzig. Hat erzählt, Kris Schmidt hätte ihn ihr bereits weggeschnappt gehabt, als sie endlich merkte, wie gut er aussah. Kevin erzählte mir, sie hätte ihn gefragt, ob sie mal zusammen ausgehen, und er hätte sie abblitzen lassen.«

»Dann hatte ihre Enttäuschung mehr mit einer Romanze und weniger mit dem Fall zu tun.« Paul warf seinen letzten Pfeil neben die Scheibe.

»Ja.«

»Du hast mir nicht erzählt, dass du Ligameister im Freizeitzentrum warst, als du mich zu einem Dart-Spiel herausgefordert hast«, meinte Paul. »Du hast hier einen unfairen Vorteil.«

»Deswegen«, sagte Wish, suchte einen neuen Pfeil aus, beäugte ihn aus der Nähe, schnellte herum und warf ihn behände neben den, der bereits in der Scheibe steckte, »habe ich ja auch nur zehn Dollar gewettet.«

Sein dritter Pfeil landete ebenfalls ganz nah bei den anderen.

»Ich will nicht mehr spielen«, sagte Paul. »Ich bin hier, um zu reden.«

»Na, komm schon«, sagte Wish. »Sei nicht so ein schlechter Verlierer.«

Paul atmete tief durch und stellte sich, den Pfeil in der Hand, in Position. Das Schwarz schien plötzlich kilometerweit weg zu sein. Er warf. »Zwanzig«, sagte Wish und schrieb es auf eine Tafel neben der Darts-Scheibe. »Ganz nett.«

Paul biss die Zähne zusammen, zielte und warf Pfeil Nummer zwei.

»Auf der Linie«, erklärte Wish. Er musterte die Scheibe. »Auf der Seite von der Zwei. Tut mir Leid.«

»Allerherzlichsten Dank auch«, sagte Paul. Das hier war ein Spiel, bei dem er nicht gewinnen konnte. Er konnte genauso gut aufhören. Ohne zu zielen, nur um es hinter sich zu bringen, schleuderte er seinen letzten Pfeil auf die Scheibe.

»Ins Schwarze!«, staunte Wish. Er machte Paul mit ein paar weiteren gut platzierten Pfeilen platt und sagte dann: »Okay, zweites Spiel. Lass uns auf zwanzig hochgehen.«

Aber Paul weigerte sich. Er bestellte noch ein Sodawasser. Wish, der Mittagspause machte, aß ein Submarine-Sandwich. Sie setzten sich in die Nähe des Billardtischs, wo ein schlanker

Mann und eine kräftige Frau ganz in einem Spiel aufgingen. Um sie herum war es so still wie in einer Kirche.

»Okay, lass uns mal sehen, was wir rausgefunden haben«, sagte Paul leise.

Sie besprachen, was sie über die Ereignisse vor Wrights Tod herausgefunden hatten. »Der Vollständigkeit halber habe ich mir außer den Geschworenen auch noch ein paar andere vorgenommen«, sagte Paul. »Rachels Ex, Harry. Er hätte Mike sicher gerne einen Strich durch die Rechnung gemacht. Aber Harry war seinen Kollegen zufolge den ganzen Morgen bei einem Shooting in einer Autovertretung, zudem wäre er sowieso kaum in diesen Flur gelangt, ohne Ärger mit Deputy Kimura zu bekommen. Dann ist da noch dieser andere Typ, George Demetrios, anscheinend ein treuer Fan von Lindy. Das gleiche Problem, auch wenn sein Alibi durch seinen Bruder nicht ganz so stabil ist.

Dann hab ich mir Alice, Lindys Freundin, angeschaut und ihr Alibi überprüft, aber auch bei ihr war es eine Angestellte. Das heißt, keines der Alibis ist wirklich wasserdicht. Aber bei diesen dreien landen wir immer wieder bei einem zentralen Problem: Woher sollten diese Leute wissen, was im Geschworenenzimmer abging? Wie sollten sie an das Essen kommen? Alice war während des Prozesses gelegentlich in dem Flur. Kimura sagte, er habe sie dort gesehen. Aber während die Geschworenen berieten, hatte sie dort nichts verloren. An dem Tag wäre sie dort sicher jemandem aufgefallen.«

Er trank einen Schluck. »Noch 'ne Idee«, sagte er. »Die drei weiblichen Geschworenen haben unter einer Decke gesteckt. Gemeinsam haben sie etwas in sein Essen getan.«

»Hat das nicht schon mal jemand in einer Geschichte geschrieben?«, fragte Wish. »Hübsche Idee.«

»Aber für eine Verschwörung ist einfach nicht genug Leidenschaft im Spiel. Er hat weder den Freund noch den Vater von jemandem umgebracht. Er hat nur ihre Köpfe ein bisschen durcheinander gebracht«, sagte Paul und entzog damit seinen eigenen Vorschlägen den Boden.

Wish zuckte zusammen, als der schlanke Mann mit seinem Queue über den Filz des Billardtischs kratzte. Drei Kugeln verschwanden in den Löchern. »Die Leute bringen sich nicht gegenseitig um, nur weil sie zusammen in einer Geschworenenjury sitzen. Auch wenn sie es gerne tun würden.«

»Heutzutage bringen sich Leute wegen einem Paar Schuhe um, Wish!«

»Aber nicht mit Erdnüssen.«

»Du musst zugeben, dass es, wenn es um so viel Geld geht, doch leicht sein kann, dass jemand gerne etwas davon bekäme und Cliff Wright was antun würde, wenn das dienlich wäre. Lindy Markov hatte das stärkste Motiv. Aber diese Theorie hat ein großes Manko: Woher sollte sie wissen, was im Geschworenenzimmer vor sich ging? Woher sollte sie wissen, dass Wright alle gegen sie aufhetzte? Wir haben es erst erfahren, als die Geschworenen rauskamen und die Interviews gegeben haben.«

»Ein Freund in der Jury?«, schlug Wish vor.

»Darauf bin ich auch gekommen. Vielleicht hat sie jemanden bestochen. Hat einem der Geschworenen 'ne Menge Geld versprochen, damit sie oder er alles dransetzte, dass die Geschworenen sich auf ihre Seite schlugen. Was ist, wenn diese Person begriffen hat, wie Cliff alle gegen Lindy aufhetzte, und auf die geniale Idee kam, wie man ihn bremsen konnte?«

»Aber wer von den Geschworenen?«

»Keine Ahnung. Diane Miklos ist in dem Fall die wahrscheinlichste Kandidatin. Mrs Lim hat an dem Tag sogar gesehen, wie sie unter die Verpackung geschaut hat. Für ihren Lebensstil braucht sie 'ne Menge Geld. Aber sie ist bei den Vorbereitungen für eine Bergbesteigung. Das heißt, sie hat ihr Geld schon im Sack, während Lindy ihres noch längst nicht hat. Und dann ist da noch die Tatsache, dass Lindy schwört, dass sie niemanden bestochen hat. Sie war verdammt glaubwürdig.«

»Was ist mit ihrer Freundin Alice?«, fragte Wish.

»Oh, auch die habe ich mir angeschaut. Lindy hat ihr nach ihrer Scheidung geholfen, ein Haus zu kaufen. Sie hatte einen Zusammenbruch, und der größte Teil von Lindys Gehalt in den letzten Jahren ging drauf, um ihre alte Freundin zu unterstützen.«

»Klingt, als wäre Lindy ziemlich nett«, sagte Wish.

»Man könnte sie auch als diejenige sehen, die das Geld braucht, um bei ihren Freunden und ihren liebsten Wohltätigkeitsvereinen auch weiterhin die Großzügige spielen zu können.« Paul war frustriert. Er schlug mit der Faust auf den Tisch, wobei er versehentlich seine Cola umstieß. Die kräftige Frau am Billardtisch verfehlte ihren Stoß und sah ihn wütend an. Sie flüsterte ein paar bedrohlich wirkenden Freunden etwas zu.

»Wissen Sie, dass ich hier fünfzig Scheine gesetzt habe«, sagte der Nächststehende, schob drohend die Brust vor und rückte Paul unangenehm dicht auf die Pelle.

»Nein, keinen Schimmer«, sagte Paul. Er bückte sich, hob sein Glas auf und eilte, gefolgt von Wish, mit schnellen Schritten auf den nächsten Ausgang zu.

»Dann war es am Ende vielleicht doch ein Unfall«, sagte Wish.

Paul verlangsamte seine Schritte. Er hatte sich da drinnen entschieden, nicht zurückzuschlagen, fünfzig Dollar waren schließlich fünfzig Dollar. Paul konnte den Typ verstehen. »Hast du gesehen, was gerade passiert ist? Der Typ sah aus, als würde er mich gleich zusammenschlagen, vielleicht sogar umbringen, wegen fünfzig Scheinen, und bei dem Markov-Prozess ging's um sehr viel mehr.« Paul blieb neben dem Van stehen und musterte seinen neuen Mitarbeiter von oben bis unten. »Ich weiß nicht, wohin die ganzen Diskussionen uns führen. Ich fürchte, wir stecken fest.«

»Das ist echt ein bizarrer Job«, meinte Wish. »Ich kenne sonst niemanden, der so viel Freude daran hat, wenn andere Menschen sterben.«

Nachdem Winston weg war, war es still geworden in Nina Reillys Kanzlei. Sandy hatte keine Termine mit Mandanten gemacht. Im Empfangsbüro flogen Sandys Finger über die Tastatur. Im Konferenzzimmer war Genevieve mehrmals hin und her gelaufen, um ihre Sachen einzusammeln, dann stellte sie für Sandy eine Liste der Ausgaben zusammen. Nina saß in ihrem Büro und war unfähig zu arbeiten.

Bob würde heute Abend spät mit dem Flugzeug von seinem Schulausflug zur Ostküste in San Francisco landen. Ninas Vater hatte angeboten, ihn vom Flughafen abzuholen. Sie würden zusammen am Samstagmorgen kommen. Nina konnte es nicht erwarten. Sie vermisste ihn, besonders heute, wo alle abreisten.

Das Klingeln des Telefons unterbrach ihre düsteren Gedanken. Der Anrufer war Jeff Riesner. Glaubte man dem Tratsch in der Szene, hatte er Rebecca Casey an eine große Kanzlei in Reno verloren. Nina nahm an, dass er sie sich nicht mehr leisten konnte, nachdem er den Markov-Fall verloren hatte.

»Sie wissen, warum ich anrufe, nicht wahr?«, sagte er, ohne sich vorzustellen.

»Wer ist am Apparat?«, fragte Nina bockig.

»Seien Sie nicht so stur«, sagte er. »Lassen Sie uns versuchen zu reden.«

»Ich nehme an, es geht um Markovs Berufung?«

»Nicht direkt«, erwiderte er ausweichend. »Haben Sie eine Kopie des Abschlussberichts des Zwangsverwalters bekommen?«

»Muss hier irgendwo sein«, sagte Nina. »Ich habe ihn mir noch nicht genauer angeschaut.« Sie tastete auf ihrem Tisch herum, hob Papiere hoch und suchte danach.

»Rufen Sie mich zurück, wenn Sie ihn gefunden haben«, sagte er. Und schon hatte er aufgelegt.

Nina fragte sich, was ihn so aufgebracht haben mochte, suchte und fand den Bericht schließlich in einem Stapel auf dem Boden. Sie las ihn und rief Riesner zurück.

»Ein erstaunliches Dokument«, sagte sie, »wenn ich es richtig gelesen habe.«

»Das haben Sie«, meinte er schroff. »Und jetzt werde ich mit Ihnen Klartext reden, Nina.«

»Ich bin erstaunt und entzückt, das zu hören … Jeff.«

»Sie sehen gleich, wo das Problem steckt. Wenn wir die Forderung zahlen, ist Mike total pleite. Zudem sitze ich in der Klemme. Mike … hat beschlossen, das Urteil nicht anzufechten. Natürlich hat er seinen Entschluss gegen meinen Rat gefasst. Ich kann eine Million Verfahrensfehler aufzählen, die es äußerst ratsam erscheinen lassen, in Berufung zu gehen. Aber er ist fest entschlossen.«

Nina fiel fast vom Stuhl. Das hätte sie nicht gedacht.

»Ich habe mich gefragt, ob Sie mit Ihrer Mandantin darüber sprechen könnten.«

»Was soll ich ihr sagen?«

»Ich glaube, ich habe ein wenig Mitgefühl bei ihr gesehen, als sie im Zeugenstand stand. Sie wird einsehen, dass er völlig übergeschnappt ist. Vielleicht gibt sie ihm ein bisschen Zeit und handelt einen vernünftigen Kompromiss aus.«

»Wir waren immer offen für Verhandlungen, Jeff. Ich hab's unzählige Male gesagt. Aber jetzt nicht mehr. Wir haben unseren Fall gewonnen.«

»Würden Sie einfach bei ihr nachfragen? Ob sie den Bericht gelesen hat. Was sie davon hält. Vielleicht möchte sie was für ihn tun«, sagte er. Es war unglaublich. Er kroch zu Kreuze.

»Mach ich«, meinte Nina. »Aber erwarten Sie nichts.« Sie versuchte, höflich zu klingen und sich ihren Triumph nicht anmerken zu lassen. Riesners bombensicherer Fall hatte sich als Katastrophe herausgestellt. Sein Mandant hatte ihm die Zusammenarbeit aufgekündigt. Da war kein Geld mehr zu holen. Und sie wusste, was für Riesner das Schlimmste war: verlieren. Diesen öffentlich ausgetragenen Streit hatte eine Frau gewonnen, sie, Nina Reilly. Nicht Riesner, der Musterschüler.

Und Mike Markov wäre pleite. Am besten rief sie gleich Lindy an, um jeden Anflug von Mitleid im Keim zu ersticken.

Paul erschien in der Tür. »Hast du mich gesucht?«, fragte er.

»Immer. Was gibt's?«, fragte sie.

»Nicht viel.« Er zog sie hoch und küsste sie lange. »Ich wollte nur mit dir reden.«

Sie sagten kurz Sandy Bescheid, dann gingen sie raus und spazierten zum See hinunter. »Zu Hause wartet Arbeit auf mich, ein Auftrag, der am seidenen Faden hängt«, sagte Paul. »Hab gerade Wrights Familie die Nachricht überbracht, dass ich rein gar nichts gefunden habe, womit sich beweisen ließe, dass sein Tod vielleicht keine natürliche Ursache hatte. Ich hab auch mit Cheney gesprochen. Die örtliche Polizei hat auch nichts. Sie werden seine Akte jetzt schließen.«

»Kein Geschworener darin verwickelt?«, fragte Nina.

»Ich hab nichts gefunden.«

»Super!«

»Ja.«

»Ich höre ein ›aber‹.«

»Ich hasse das Gefühl, dass ich etwas übersehen haben könnte. Nina …«

»Ja?«

»Du weißt wirklich nicht etwas, was du mir nicht erzählst, oder?«

»Nein.«

»Ich weiß, dass dieser Fall für dich sehr wichtig ist, und ich weiß, dass es dich nervös gemacht hat, dass ich mit den Geschworenen gesprochen habe. Aber ich hab's nicht gemacht, um dir zu schaden. Ich konnte es nur nicht auf sich beruhen lassen, ohne einen zweiten Blick darauf zu werfen.«

»Ich bin froh, dass es vorbei ist«, sagte Nina.

Sie kamen an den See und sahen ein paar Kindern zu, die in der Nähe Ball spielten. Ein Hund sprang hinter einem Stock ins Wasser.

»Ich nehme an, du hast mit den Geschworenen über Wrights Einstellung gesprochen«, sagte Nina.

»Ja.«

»Und was kam heraus?«

»Zur Mittagszeit stand es acht zu fünf für Mike. Du warst kurz davor, zu verlieren.«

»Bemerkenswertes Timing«, sagte sie. »Offensichtlich ist die Ersatzgeschworene für Lindy eingetreten, und die anderen haben sich alle noch einmal besonnen.«

»Bemerkenswert, ja.«

»Sieh mich nicht so an. Ich war's nicht.«

»Ich weiß. Vielleicht war's Lindy Markov, aber wenn sie es war, kann ich keine Beweise dafür finden.«

»Dann war's das?«

»Vor einer Felswand bleiben die meisten Menschen stehen.«

»Du fährst?«

»Zurück nach Carmel. Dann D.C.«

»Du gehst zurück?«, fragte sie, und irgendetwas an seinem Benehmen machte ihr plötzlich ein ungutes Gefühl. »Ich dachte, der Job wäre vorbei.«

»Nina, ich muss dir etwas sagen, und das wird nicht leicht. Früher war ich unter ähnlichen Umständen immer großmütig und hab mir die Schuld an allem gegeben. So habe ich bekommen, was ich wollte, und wir hatten beide ein gutes Gefühl, wenn wir auseinander gingen, aber statt dich anzulügen und es mir leicht zu machen, habe ich beschlossen, dir die Wahrheit zu sagen. Du verdienst das. Und ich weiß, dass du's ertragen kannst.«

»Schieß los«, sagte sie mutig. Sie wollte in dem Moment überhaupt nicht hören, was er ihr zu sagen hatte, und am liebsten wäre sie weggelaufen, aber sie wusste, dass sie dem, was kam, letztlich nicht entfliehen konnte.

»Du bist eine egoistische Frau. Du willst, was du willst und wann du es willst. Okay, gut. Das ist modern, sogar cool. Manchmal ist es sogar attraktiv. Außer für mich.«

Sie steckte den Schlag weg. »Vielleicht hast du Recht …«

»Und dieser Fall hat dich verändert.«

»Was meinst du damit?«

»Du hast Dinge getan, die mich überrascht haben.«

»Zum Beispiel?«

»Du hast deine Arbeit über deine Freunde gestellt. Deine moralische Grauzone dehnt sich proportional zur Höhe des Einsatzes aus.«

»Ich kann einfach nicht glauben, dass du kritisierst, wie ich meine Arbeit mache! Du hast dich doch in deinem ganzen Leben an keine Regeln gehalten!«

»Das bin ich«, sagte Paul. »Jetzt reden wir über dich.«

»Halt meine Arbeit da raus.«

»Das geht nicht. Du bist durch und durch Anwältin, ständig sortierst und organisierst du wie verrückt. Alles steckst du in Schubladen. Hier drüben ist Paul, der mich liebt und mich gerne heiraten würde. Ich bin eine sehr beschäftigte Frau. Ich gebe ihm neunundvierzig Prozent. Aber ich geb dir für deine neunundvierzig Prozent keine einundfünfzig. Entweder wir geben beide hundert Prozent, oder es ist Zeitverschwendung.«

»Paul …«

»Warte, lass mich ausreden. Ich nehme den Sicherheitsjob in Washington D.C.«

»Was? Nein!« Das hatte sie nicht erwartet! Sie fühlte sich, als hätte er sie an den Knöcheln gepackt und über Bord geworfen, wie Lindy es damals auf dem Schiff mit Mike gemacht hatte. »Hast du den Verstand verloren? Du willst diesen Job doch gar nicht!«

»Ich will den Job!«

»Ich verstehe dich nicht. Es ist so gut gelaufen. Ich dachte, wir wären glücklich.«

»Das sind wir, Nina, bei den seltenen Gelegenheiten, wenn wir uns sehen«, sagte Paul. »Aber es reicht mir nicht, in deinem Leben nur Zaungast zu sein.«

»Aber das passt zu uns!«

»Es passt zu dir. Du brauchst jemanden, der dich nicht so begehrt wie ich. Du brauchst jemanden, der zur Verfügung steht, wenn du hungrig bist, und den Rest der Zeit geduldig vor sich hin schmort. Ich bin nicht derjenige, den man sich warm halten kann.«

»Ich will nicht, dass du gehst«, sagte sie.

»Nein, sicher nicht«, sagte Paul. »Weil ich pflegeleicht bin. Aber ich gehe.«

»Das kannst du nicht«, sagte sie und suchte verzweifelt nach den richtigen Worten. Vergeblich. Welches Recht hatte sie, ihn zurückzuhalten? Er war ein leidenschaftlicher Mann, und er verdiente eine Frau, die zu ihm passte. »Ich habe jede Menge Arbeit für dich!«, sagte sie und wusste, wie schwach das klang.

»Nina. Tu nicht so, als hättest du nicht begriffen, worum's geht.«

»Ich brauche dich.«

»Ja, und zwar sehr viel mehr, als dir klar ist. Aber vergiss nicht, wir werden immer Freunde sein, bis ans Ende unserer Tage. Wenn dir einer blöd kommt und du jemanden brauchst, um ihm die Fresse zu polieren, weißt du, wo du mich findest.«

»Du bist fast fünftausend Kilometer weit weg.«

»Ein Katzensprung«, meinte er.

Er könnte genauso gut in die Antarktis ziehen. Der kalte Atlantik war sehr, sehr weit weg von diesen Bergen im Westen. »Du gehst für immer?«

»Für ein Jahr, Nina.«

»Wie kannst du aus Kalifornien wegziehen? Was ist mit deinem Büro in Carmel? Du *kannst* nicht weggehen.«

»Ja, ich hab gewusst, dass du nicht damit gerechnet hast.«

»Sieh mal, ich bin egoistisch. Und ich weiß, dass ich anspruchsvoll bin. Aber … vielleicht bin ich es wert!«

»Das bist du, Liebste. Und ich weiß, dass es Dutzende von Typen gibt, die nur darauf lauern, zuzugreifen, wenn ich loslasse.« Er sah auf seine Uhr. »Es ist schon zwei. Jetzt, wo ich's mir von der Seele geredet habe, muss ich aufbrechen. Aber weißt du, was gut wäre?«

Sie hatte nicht die geringste Ahnung, was jemals wieder gut sein sollte.

»Ein letzter kleiner Happen von diesem Tempura bei Sato's auf dem Weg aus der Stadt hinaus wäre jetzt genau das Richtige ...«

»Einen Moment noch, ich will noch was dazu sagen«, meinte Nina.

»Du wirst meine Meinung nicht mehr ändern, also spar dir die Mühe. Möchtest du einen Happen mit mir essen?«

»Nein. Dazu habe ich keine Zeit«, sagte Nina.

Paul legte den Kopf in den Nacken und lachte.

»Wie kannst du das so leicht nehmen!«, schrie sie. »Wir trennen uns gerade!«

»Und mir geht's dabei auch beschissen. Jetzt komm schon. Schenk mir noch eine halbe Stunde deiner kostbaren Zeit, damit wir die Sache ordentlich zu Ende bringen. Du kannst auf meine Rechnung so viel bestellen, wie du willst. Ich lade dich ein.«

»Ich kann wirklich nicht. Genevieve ist noch nicht weg. Ich muss mich von ihr verabschieden.«

Sie gingen Hand in Hand schweigend zurück zu ihrem Büro. Nina konnte nichts sagen, und Paul wirkte wie immer. Ein Erdbeben hatte die Welt erschüttert, aber alles sah aus wie immer und klang auch wie immer. Auf dem Rückweg pfiff er die meiste Zeit vor sich hin.

Als sie ankamen, sagte Paul: »Tschüss dann.« Er küsste sie zärtlich, ging zu seinem Van, winkte und fuhr davon.

Während sie den Flur hinunter zu ihrem Büro ging, dachte sie nicht daran, dass er wegfuhr, sie erinnerte sich stattdessen an die rauen Haare auf seinen Armen und wie schlecht sie beide körperlich zusammenpassten, da er so groß und sie so klein war – wieso waren sie überhaupt so gut miteinander klargekommen? Sie dachte an seine langen Oberschenkel, die über ihre Beine rieben, und seine Arme, mit denen er sie in seinen Geruch einhüllte.

Sandy saß nicht an ihrem Schreibtisch. Nina fand sie bei Wish, der vom Mittagessen zurückgekommen war. Er hatte eine große grüne Mülltüte in der Hand und sammelte im Flur Papierfetzen, Gummibänder und Büroklammern ein.

»Ich werde sie vermissen«, sagte Nina, verschränkte die Arme und sah ihm zu. Sie hing noch kurz ihren Gedanken über ihren Schiffbruch mit Paul nach, dann packte sie mit an. Sie gingen durch die leeren Räume und sammelten das Gröbste auf, damit später staubgesaugt werden konnte. Wo Genevieves Tisch gestanden hatte, glitzerte auf dem Boden eine silberne Kette neben einem vergessenen Ohrring. In Winstons Büro verrieten zusammengeknüllte Bonbonpapierchen seine heimliche Vorliebe für Lakritze, und leere Coladosen waren zum Recyceln fein säuberlich in einer Ecke aufgestapelt.

»Oh-oh«, sagte Nina. Da, wo Winstons Tisch gestanden hatte, hatte sich ein Stück Fußleiste von der Wand gelöst. Der Auszug war dem Büro nicht gut bekommen. Sie kniete sich hin, um die Leiste wieder an die Wand zu drücken, und sah in einer Ecke hinter der Fußleiste etwas, was kaum größer war als eine Spinne. Sie beugte sich vor, um es genauer anzuschauen, und fand eine kleine Metallscheibe, eine Art Batterie. Vielleicht für das kleine Radio, das er immer mitnahm, wenn er joggen ging? Oder für eine Uhr? »Er hat alle möglichen Uhren. Sandy, tu das doch in die Post für ihn. Es ist ungewöhnlich. Vielleicht nicht so leicht zu ersetzen.« Sie hielt es den beiden hin, damit sie es bewunderten. »Unglaublich, wie winzig diese Dinger heutzutage sind.«

Wish griff danach. Er stellte die Mülltüte ab und ging zum Fenster, um es einer genaueren Inspektion zu unterziehen. »Das ist keine Batterie. Sieh dir mal die kleinen Löcher an.«

Nina schaute ihm über die Schulter. »Und was ist es dann?«

»Hm«, sagte Wish, »ein Mikrofon?« Er drehte das kleine Ding zwischen den Fingern.

»Wie bitte?«

»Also, es sieht so aus, als ob es eine Wanze wäre … aber …« Er hielt sich das Objekt ganz nah vor die Augen und musterte es.

»Du hast dir den Kopf mit dem Müll aus diesen Spionagezeitschriften voll gestopft«, sagte Sandy. »Ich hab dir doch gesagt, dass das Zeitverschwendung ist.«

»Kann sein«, sagte Wish. Er legte die Scheibe auf die Fensterbank, »vielleicht irre ich mich ja auch.«

»O mein Gott, hast du mir einen Schrecken eingejagt. Ich hatte die seltsamsten Gedanken«, sagte Nina und legte eine Hand auf ihr wild pochendes Herz. »Ich dachte, vielleicht, ach, ich weiß nicht, was ich dachte …«

Wish ließ Nina und Sandy einen Moment allein und trabte schnell in Sandys Büro, während die beiden noch auf das winzige Ding auf dem Fensterbrett starrten.

Als er zurückkam, hatte er eine dieser Spionagezeitschriften für Teenager in der Hand. »Seht ihr?«, sagte er und zeigte aufgeregt auf eine viertelseitige Anzeige auf einer der letzten Seiten. »Das ist es.«

Die Frauen starrten auf die Zeitschrift. SLY BOY! verkündete die Anzeige in fetten Buchstaben. DIE KLEINSTE WANZE DER WELT!

»Hab's euch doch gesagt«, meinte Wish.

Sandy machte den Mund auf und wieder zu. Sie verschränkte die Arme.

»Aber … wie kommt Winston denn an eine Wanze?«, fragte Nina.

»Überwachungsgeräte kann jeder kaufen«, klärte Wish sie auf. »Wirklich. Im Internet gibt's Kataloge mit Spionageutensilien aus der ganzen Welt. Habt ihr euch das noch nie angesehen? Man kann hübsche Sachen kaufen. Ich habe für einen meiner Kurse einen Aufsatz über den Stand der Technik geschrieben.

In den Fünfzigerjahren haben die Sowjets die amerikanische Botschaft in Moskau verwanzt, indem sie ein kleines rundes Ding wie das hier hinter einem aus Holz geschnitzten amerikanischen Großsiegel versteckten, einem Geschenk von ihnen, das über dem Tisch des Botschafters hing. Wer hat behauptet, die Slawen hätten keinen Sinn für Humor? Das war aber eine andere Wanze.«

»Und wie funktioniert die hier?«

»Das ist ein einfacher Funksender. Es gibt einen bestimmten Frequenzbereich, sagen wir mal achtzig bis hundert Megahertz, wo man sich einschalten kann, um die Signale zu hören.«

»Wie weit kann man weg sein, damit so was funktioniert? Ich meine, könnte ich nach Hause gehen und zuhören?«, fragte Nina und stützte sich auf die Fensterbank.

»Du bräuchtest einen Empfänger. Der kann natürlich auch ganz winzig sein, aber die Qualität ist nicht besonders gut, außer du hast etwas, sagen wir in der Größe eines Transistorradios, um die Signale einzufangen und zu verstärken. Vielleicht zweihundert Meter? Es ist unterschiedlich. Das ist alles ziemlich raffiniert.«

Nina und Sandy sagten nichts mehr.

»Dann hat also jemand Winstons Büro verwanzt«, sagte Wish. »Wer, glaubt ihr, hat sich für Winstons Gespräche interessiert? Hey, Nina. Glaubst du, Riesner und Casey haben sein Büro verwanzt, um rauszufinden, was ihr vor dem Prozess getan habt?«

»Nein«, sagte Nina, »das glaube ich nicht.«

»Wahnsinn, wie winzig das Ding ist«, sagte Sandy und nahm ihrem Sohn den Gegenstand aus der Hand. »Und jetzt, Wish, bringst du den Müll zum Container. Vorne beim Empfang stehen auch noch ein paar Stühle, die du vergessen hast. Die müssen auch noch raus. Ich habe nicht vor, für Schäden aufzukommen, du wirst also sehr vorsichtig sein.«

»Aber ...«

»Tempo!«

Grummelnd, weil er so herumkommandiert wurde, machte Wish sich auf den Weg.

»Du glaubst nicht, dass jemand Winston verwanzt hat«, sagte Sandy.

Nina setzte sich auf den Boden. »Nein. Niemand hat dieses Ding hinter die Fußleiste geklebt. Es lag lose herum. Ich glaube, das Mikro gehört ihm. Gott, was hat er mit dem Ding nur gemacht? Ich weiß, wie verzweifelt Winston diesen Fall gewinnen wollte, aber ...« Sie schniefte. Sandy reichte ihr ein Taschentuch, und Nina putzte sich die Nase. »In den Tagen, an denen die Geschworenen beraten haben, war er nicht hier. Da war er ziemlich oft joggen.«

»Mit diesem CD-Spieler oder Radio, das er immer bei sich trägt«, sagte Sandy und runzelte die Stirn.

»Ob er mitgehört hat? Vielleicht hat er in seinem Auto einen Empfänger an ein Aufnahmegerät angeschlossen und sich's einfach später angehört. Er musste es nur in der Nähe des Gerichts parken.«

»Aber, Nina. Das ist doch völlig sinnlos! Was bringt es denn, das Geschworenenzimmer zu verwanzen? An dem Punkt kann doch niemand mehr den Ausgang des Verfahrens beeinflussen.«

»Mein Gott. Vielleicht hatte Paul Recht. Vielleicht hat er ... Clifford Wright was ins Essen getan, um ihn zu bremsen. Es war ihm vielleicht nicht klar, wie ernst die Sache werden konnte.«

»Aber, Nina, das Essen für die Geschworenen steht doch immer in dem nichtöffentlichen Flur vor dem Richterzimmer, bis es serviert wird. Und die Tür zu diesem Flur ist verschlossen.«

»Niemand kümmert sich darum, wenn die Anwälte durchgehen, und vom Gerichtssaal aus kommt man direkt dorthin. Ich bin auch durchgegangen. Und Winston hatte mit einer der Justizbeamtinnen da hinten … Aus unseren Geschworenenakten wusste er alles über die Allergie, da bin ich mir sicher. Er wusste, dass Cliff Vegetarier war. Cliffs Essen war wahrscheinlich besonders gekennzeichnet. Er hätte ihm was ins Essen tun können.«

»Warum hat er das Mikro dann hier gelassen?«

»Ich weiß es nicht! Ich kann nur raten. Es ist winzig. Es muss beim Möbelrücken runtergefallen sein. Entweder hat er's nicht gemerkt, oder er hat es nicht gefunden.«

»Er hat einen guten Ruf und viele Mandanten. Warum sollte er so was tun?«

»Seinen letzten Fall hat er verloren. Diesen hier wollte er unbedingt gewinnen. Sein beruflicher Erfolg hing davon ab. Und er wusste, dass viel Geld fließen würde, wenn wir den Fall gewinnen, genug, um einige Schulden zu bezahlen. O Sandy.« Sie ließ sich wie ein Sack Mehl nach hinten fallen und schlang die Arme um den Oberkörper. »O mein Gott. Mein Fall.«

»Du solltest Paul anrufen.«

Sie konnte sich nicht bewegen. Die Wirklichkeit hatte sie eingeholt, und sie wusste nicht, was sie tun sollte. »Paul ist weg, Sandy. Ich kann ihn nicht anrufen.«

Genevieve erschien in der Tür, eine Ledertasche über der Schulter. »Alles in Ordnung hier drin?«, fragte sie. »Ich habe noch nie im Leben zwei so trübsinnige Gesichter gesehen. Was habt ihr da?«

»Nichts«, sagte Nina und steckte das Mikro in ihre Tasche. Sie stand auf und klopfte sich den Staub von den Händen. Sie musste nachdenken. Es hatte keinen Sinn, noch jemanden hineinzuziehen.

»Also, meine Damen«, sagte Genevieve und sah ein wenig traurig aus, »der lang erwartete, schreckliche Augenblick ist gekommen. Genevieve Suchat verlässt das Haus.«

Sie verabschiedeten sich. »Lass dich nicht von ihr unterkriegen, Sandy«, sagte Genevieve. »Und du Nina, lass dich von Sandy nicht vorzeitig ins Grab bringen. Oh, ich werde euch zwei vermissen.«

Als sie weg war, legte sich Trübsinn über die beiden wie eine dicke Staubschicht.

35

»Nina, wo ist Paul?«, fragte Sandy, als sie in Ninas Büro schlenderten.

»Nach Washington gefahren. Für immer.«

Sandy schürzte die Lippen. »Also dieser kleine … Wo ist er jetzt im Moment?«

»Vielleicht ist er noch bei Sato's. Er wollte dort noch was essen.«

»Ruf ihn an. Er wird wissen, was wir mit dem Ding machen sollen. Er hat bestimmt eine Idee.«

»Nein.«

»Dann rufe ich ihn eben an. Wir brauchen ihn. So einfach kommt er mir nicht davon.«

»Nein. Ich zieh das allein durch.« Nina ging in ihr Büro, schloss die Tür, legte die Hände auf den Tisch und den Kopf darauf. So verharrte sie fünf Minuten, dann rief sie Paul an.

Er ging nicht ans Handy. Nina hörte einen Teil von »Meldung eins. Ihr Anruf kann zurzeit nicht durchgestellt werden. Der Mobilfunkkunde, den Sie angerufen haben, hat sein Ziel erreicht oder …« und legte dann auf. »So geht das nicht«, sagte sie. Das Mikro in ihrer Tasche fühlte sich an wie eine scharfe Handgranate.

Bei Sato's war besetzt. Sie versuchte es immer wieder, fast fünfundvierzig Minuten lang, doch das Telefon piepste weiterhin im Eiltempo. Paul würde das Restaurant jeden Moment verlassen. Nina traf eine Entscheidung. Sie schnappte sich ihre Jacke und ging ins Empfangszimmer. »Sandy, halt du heute Nachmittag die Stellung hier. Ich muss nicht ins Gericht, und morgen ist Samstag. Ich versuche, ihn noch zu erwischen.«

»Mach das.«

»Versuch du bitte, das Restaurant anzurufen, vielleicht kommst du durch. Sag ihm, er soll dort auf mich warten. Du kannst mich jederzeit erreichen.«

Zum Glück war der Bronco voll getankt. Als sie vor dem Restaurant ankam und gerade die Handbremse anziehen wollte, entdeckte sie Paul, der auf seinen Van einen Block hinter ihr auf der anderen Straßenseite zuging. Sie legte rasch den Rückwärtsgang ein, wendete und fuhr an seinem Van vorbei, dann parkte sie elegant in der Lücke hinter ihm ein.

»Nina?« Er stieg aus und kam zu ihrem Auto.

»Wer sonst, Paul?«, fragte sie, übermannt von den Gefühlen, die sie vorher nicht hatte ausdrücken können. Und sie war erleichtert, ihn zu sehen.

»Zu sagen, dass ich dich nicht erwartet habe, wäre untertrieben … außer du hast einem plötzlichen unbezwingbaren Drang nach Sushi nachgegeben.«

»Hör zu, Paul«, sagte Nina und schloss die Fahrertür. Sie traten auf den Gehweg vor dem Restaurant, und sie lieferte ihm eine verkürzte Version dessen, was am Morgen geschehen war. Dann gab sie ihm den Sly Boy, damit er ihn untersuchen konnte. »Ich will wissen, ob es verrückt ist, etwas dahinter zu vermuten. Ich mag Winston. Ich will nicht, dass er der Böse ist.«

»Warum rufst du ihn nicht einfach an und bittest um eine Erklärung?«, fragte er. »Vertraust du ihm nicht?«

»Es ist heikel«, sagte sie. »Ich kann ihn ja schlecht fragen, ob er im Geschworenenzimmer eine Wanze versteckt hat. Ob er die Beratungen abgehört hat. Natürlich sagt er Nein, denn es wäre illegal. Er muss die Informationen auch nicht notwendigerweise benutzt haben, um unseren Prozess zu gewinnen. Vielleicht hat er nur zugehört. Vielleicht hat er es überhaupt nicht dafür benutzt. Ich kann nicht glauben, dass er mich so verletzen, mich zerstören würde ...«

Paul überlegte. »Was hast du jetzt vor?«, fragte er schließlich. »Wenn er das Geschworenenzimmer verwanzt hat, geht das vermutlich über eine Beeinflussung der Geschworenen hinaus. Er hätte dann auch gewusst, dass Wright Lindy Markov praktisch sabotiert hat. Das sind doch keine Peanuts, oder?«

Das war beinahe lustig. Dann fiel ihr ein, was es bedeuten könnte. »Falls er Wright etwas angetan hat, bringe ich ihn um! Der Fall ... mein Gott, Lindys Urteil wird in Frage gestellt. Die ganze höllische Arbeit an diesem Prozess ... Riesner! Er wird triumphieren! Und, oh, Paul ...«

»Das Geld«, sagte er.

»Mein Geld!«

»Wenn es dir nichts ausmacht«, sagte Paul, »reden wir zusammen mit Winston. In Ordnung?«

Sie nickte. »Danke. Ich dachte, ich hätte nicht das Recht, dich darum zu bitten. Aber ... sagtest du nicht, du müsstest nach Carmel?«

»Ich kann auch morgen von Sacramento aus nach Washington fliegen. Und Carmel einfach überspringen. Wo ist Winston?«

»Irgendwo draußen auf dem See, glaube ich.« Sie rief Sandy übers Autotelefon an. »Ich habe Paul getroffen.« Sie hängte ein.

»Weiß Genevieve davon?«, fragte Paul.

»Keine Ahnung«, sagte Nina. »Sie kam rein und sah, dass ich das Mikrofon in der Hand hielt. Ich habe nicht auf sie geachtet, weil ich so ungeheuer wütend war. Winston wäre zu klug und zu stolz, um ihr so etwas zu erzählen.«

Da kam ihr ein neuer Gedanke. Sie seufzte unglücklich. »Vielleicht hatte sie einen Verdacht. Womöglich hat sie das Mikrofon erkannt. Sie wirkte verstört, als sie hereinkam, um sich zu verabschieden. Ich dachte, es läge daran, dass es ihr letzter Tag war.«

Paul spielte mit dem Plastikdeckel eines Styroporbechers, während er die Informationen verdaute. »Wo ist Genevieve jetzt?«

»Kommt es dir ebenso logisch vor wie mir, dass Genevieve losgefahren sein könnte, um Winston zu warnen, dass du das Mikro gefunden hast? Was ist, wenn sie es erkannt hat, Nina?«

»Denkbar.«

»Und wie reagiert Winston wohl, wenn sie ihm davon erzählt?«

»Sauer?«, fragte Nina, und allmählich begriff sie. »Er fühlt sich bedroht!«

»So bedroht, dass er sie zum Schweigen bringen will? Vermutlich denkt er, er könnte dich von allem überzeugen. Er weiß, dass du dich förmlich danach sehnst, überzeugt zu werden. Für dich geht es um ein Vermögen. Aber ihm ist klar, dass Genevieve ihn festnageln kann. Sie weiß wahrscheinlich mehr, als ihr klar ist, und das wird sie auch noch begreifen.«

»Aber einmal angenommen, Winston ist nicht derjenige, für den ich ihn gehalten habe, angenommen, er ist gefährlich«, dachte Nina laut, »wie sollte sie zu ihm gelangen, wenn er auf einer Insel mitten in der Emerald Bay hockt?«

»Genau wie wir«, sagte er, nahm ihre Sonnenbrille vom Rücksitz, zog Nina an der Hand zur Beifahrertür seines Vans und schob sie hinein. »Motorboot, Motorboot, der Fahrer ist in Not ...«

Nina führte noch schnell ein paar Telefonate. »Okay, fahr nach Meek's Bay. Ich habe Richardson's Resort angerufen. Sie haben sich geweigert, uns ein Boot zu vermieten. Es ist schon zu spät, und es kommt Wind auf, hieß es. Schlimm ist, dass sie Genevieve das letzte Boot des Tages vermietet haben, also ist sie wohl hinter Winston her. O Gott, Paul. Sie hat jetzt schon eine Stunde Vorsprung.«

»Warum sollen wir nach Meek's Bay fahren?«

»Matt hat uns sein Boot angeboten, es liegt dort.«

»Du hast ein paar sehr unschöne Dinge über dieses Boot gesagt.«

»Als es vor einiger Zeit mitten auf dem See den Geist aufgab, habe ich mir geschworen, nie wieder einen Fuß darauf zu setzen, aber es ist unsere einzige Chance. Er hat mir ein paar Tipps gegeben, wie man es zum Laufen bekommt.« Sie fuhren auf den Parkplatz. »Halt Ausschau nach der *Andreadore*.«

»Toller Name. Wurde das Schiff nicht von einem anderen gerammt?«

»Das war die *Andrea Doria*.«

»Dein Bruder hat einen seltsamen Sinn für Humor.«

»Das kannst du laut sagen. Meist liegt es unten in Heavenly, aber wir haben Glück, ein Freund von ihm macht das Boot für die Sommersaison klar. Irgendein Deal. Meek's ist näher an der Emerald Bay.«

Sie fanden das verbeulte, fast sieben Meter lange Boot ohne Probleme. »Nina«, sagte Paul und löste die Taue, mit denen es am Steg befestigt war. »Ich weiß, du glaubst nicht, dass Winston Clifford Wright getötet hat … Du solltest dir eingestehen, dass es immerhin möglich ist.« Er sprang ins Boot, fummelte an der Zündung herum und ließ den Motor an.

»Das kann ich einfach nicht.«

»Wenn er es war … dann ist er nicht nur eine Gefahr für Genevieve.«

»Es gibt eine Erklärung. Es muss eine geben.«

»Lass dich nicht von deiner Freundschaft blenden. Pass auf dich auf, okay?«

Seine Worte lösten sich im Scheppern und Dröhnen der *Andreadore* auf, während sie in die Emerald Bay hinausfuhren.

Paul ließ den Motor ungefähr zehn Minuten mit Vollgas laufen. Sofort drang der kühle Maiwind durch Ninas Kleidung, und ihre Arme und Beine wurden kalt.

Vom See spritzte die Gischt empor. »Würde er bei diesem Wetter bis Fannette schwimmen?«, fragte sie.

466

»Ich glaube, Matt hat mal erzählt, man könnte mit einem Kajak bis zu den Felsen fahren«, sagte Paul. »Womöglich kommt man auf die Insel, ohne auch nur nasse Füße zu bekommen.«

»Ich wünschte, wir wären woanders«, sagte Nina. »Ich friere jetzt schon. Der See sieht richtig wild aus. Und schau dir die Wolken an.«

Paul antwortete nicht, schien in Gedanken versunken.

Der Wind jagte über den See. Unzählige weiße Käppchen bedeckten die weite Wasserfläche. »Und ich habe Angst«, rief sie über Motor und Wind. »Fahr langsamer.«

»Vergiss nicht, wir haben es eilig.«

Sie vergaß es nicht. Sie vergaß auch nicht, dass sie eigentlich an einem sicheren Schreibtisch sitzen sollte, in einem warmen Zimmer, wo sie alles unter Kontrolle hatte, und nicht hier draußen auf dem See bei aufkommendem Nachmittagswind, wo sie nichts unter Kontrolle hatte, mit Paul, der eigentlich gar nicht mehr da sein sollte …

»Was ist das?«, fragte sie und fischte nach einem Lederetui, das über das Deck rutschte. »Oh, super, Matts Fernglas.«

»Hier«, sagte Paul, »wickel dich in die Decke ein.« Er warf ihr eine Picknickdecke zu.

Sie holte das Fernglas heraus und stellte es scharf. Mehrere Minuten lang suchte sie den Lake Tahoe ab, schaute fast bis zum zwanzig Kilometer entfernten östlichen Ufer. »Alle, die heute hier draußen waren, waren wohl schlau genug, um irgendwo anzulegen. Hier draußen ist nichts, nicht mal der Geist eines toten Seemanns.«

»Welcher tote Seemann?«

Sie erzählte Paul die Geschichte von dem Seemann, der auf dem Grund des Lake Tahoe gelandet war und nicht in der Grabstätte, die er sich auf der Insel erbaut hatte.

Etwas, das sie gesagt hatte, musste ihn in seinen Vermutungen bestätigt haben. »Dieser verdammte See. Dieser ganze Ort. An der Oberfläche sieht er so schön aus.« Er schaute auf die unregelmäßigen Wellen und klammerte sich so fest ans Steuer, dass seine Finger weiß wurden. »Aber darunter ...« Der Motor stotterte, als wollte er ihm beipflichten, fing sich aber wieder.

Bevor Nina fragen konnte, ob sich hinter seinen Worten ein tieferer Sinn verbarg, sagte er: »Wir sind fast am Eingang zur Bucht. Sieh sie dir mal durchs Fernglas an.«

Und da war es, ein Boot mit einer Frau am Steuer. »Es ist Genevieve«, sagte sie und gab Paul das Fernglas.

»Was macht sie da? Das ist doch nicht der Weg zur Emerald Bay«, sagte er, und erst jetzt begriff Nina, dass die Gereiztheit in seiner Stimme und seine Geistesabwesenheit vermutlich seine Angst verbargen. Auch Paul hatte nicht viel Ahnung von Booten, und seine nautischen Kenntnisse beschränkten sich wahrscheinlich auf etwas Ähnliches wie ihre Fünf-Minuten-Unterweisung durch Matt.

Er hatte sie doch noch nie im Stich gelassen, oder?

Sie versuchten, Genevieve zu rufen, doch bei dem Wind konnte sie sie nicht hören.

»Verdammt!«, sagte Paul. »Sie hat nicht mal zu uns hergeschaut. Sie fährt mitten auf den See hinaus. Will sie ans andere Ufer? Wohin, um Himmels willen, fährt sie so schnell?«

»Wir können sie jetzt nicht einholen. Ihr Boot ist einfach schneller als die alte Kiste hier. Außerdem ist sie allein, Paul. Alles okay. Von Winston ist nichts zu sehen.«

»Mach Matts Boot nicht schlecht. Wir wollen es nicht beleidigen. Außerdem haben wir einen langen Weg vor uns. Und wir wissen nicht, was hier vorgeht. Womöglich ist Winston irgendwo in dem Boot. Wir geben nur ein bisschen Gas« – er betätigte den Gashebel –, »und dann sehen wir mal, wer hier eine alte Kiste ist.«

Er brachte das Boot auf Höchstgeschwindigkeit, was nicht ausreichte, um Genevieve zu überholen, Nina aber dennoch sehr schnell vorkam. Sie hielt sich mit einer Hand an der Windschutzscheibe fest. Genevieves Boot raste entschlossen vorwärts, sprang auf den Wellen. Wenn es sich ab und an zur Seite neigte, wirkte es gefährlich instabil. Einmal drehte sie den Kopf, und Nina sah, wie sich ihre Lippen bewegten, als würde sie etwas sagen, doch sie fuhr mit vollem Tempo weiter, blind entschlossen. Ungefähr sechs Kilometer vom Ufer entfernt stellte sie plötzlich den Motor ab und bückte sich.

»Was macht sie da?«, fragte Paul und drosselte den Motor. Er wollte das andere Boot einholen, ohne es zu rammen.

»Ich kann sie nicht sehen.«

Als sie näher herangekommen waren, drosselte er den Motor. Anscheinend war wegen des Windes nichts zu hören, denn sie erlebten, dass eine völlig überraschte Genevieve bei ihrem Anblick beinahe umfiel.

»Teufel noch mal!«, schrie sie. »Wo kommt ihr denn her?« Sie hielt einen schlaftrunkenen Winston am Arm und lehnte ihn gerade gegen einen Sitz. Er saß mit geschlossenen Augen auf dem Deck.

Sie steuerten ihr Boot neben Genevieves, und Paul ließ den Motor laufen, damit er schnell wegfahren konnte, falls der Wind sie zu nah herantrieb.

»Wir müssen mir dir reden, Genevieve«, sagte Nina.

»Seid ihr mir etwa hierher gefolgt, um mit mir zu reden? Muss ja furchtbar wichtig sein. Worum geht's denn?«

»Was ist mit Winston los?«, wollte Paul wissen.

»O Mann«, sagte Genevieve. »Winston. Er ist betrunken. Gott, er wurde total wild. Setzte sich in den Kopf, dieses verdammte Boot über den ganzen See zu steuern! Ich hab ihm gesagt, es sei schon zu spät, doch er hat überhaupt nicht mehr zugehört.«

»Aber du fährst doch«, sagte Nina.

»Erst seit ein paar Minuten. Er war so entschlossen. Hat mich angebrüllt. Himmel, so habe ich ihn noch nie erlebt«, sagte sie. »Dann ist er einfach umgekippt.«

»Was machst du überhaupt hier?«

»Als ich mit der Arbeit fertig war, hab ich gemerkt, dass ich noch ein wenig Zeit hatte. Du hast vermutlich gemerkt, dass Winston und ich …« Sie errötete. »Nun, was unsere Beziehung angeht, waren wir unterschiedlicher Meinung. Ich wollte ihn weiterhin treffen … während er dachte, wir müssten einen klaren Schnitt machen. Daher wollte ich mit ihm reden. Es schien eine perfekte, intime Gelegenheit zu sein. Ich wusste, dass er mit dem Kajak fahren wollte. Also habe ich das Boot gemietet und ihn auf der Insel mit einem Picknick überrascht, das ich unterwegs bei Cecil's gekauft hatte.

Wir haben eine Decke auf der Insel ausgebreitet und mit Champagner gefeiert, doch ich habe kaum etwas getrunken. Wie sich herausgestellt hat, wird er unangenehm, wenn er was trinkt«, sagte Genevieve und betupfte ihr Gesicht mit dem Ärmel. Ihr helles Haar flatterte ihr in langen Strähnen um den Kopf. »So jemandem kann man nicht sagen, was er tun soll. Ich glaube, er hatte schon getrunken, bevor ich kam. Das bisschen Champagner hat ihm den Rest gegeben. Dann hat er mich praktisch gezwungen. Wir sind ins Boot gestiegen. Ich wollte zurück, aber er hatte diese verrückte Idee … es war einfacher, nachzugeben. Und eben hat er dann schlappgemacht. Ich wollte ihn hinsetzen, damit er sich nicht übergibt und daran erstickt oder so. Dann habe ich mir überlegt, dass ich am besten zurückfahre.«

»Genevieve«, sagte Paul. »Würdest du bitte die Fender außen am Boot festmachen? Du weißt schon, die Dinger, mit denen man das Boot beim Anlegen schützt.«

»Wieso?«

»Hat Winston gesagt, weshalb er auf den See rauswollte?«, fragte Nina. Winston war völlig weggetreten und stellte momentan keine Gefahr dar.

»Nein«, sagte Genevieve, »mit ihm war nicht mehr zu reden, er stellte bloß noch Forderungen. Ich hatte Angst …« Sie brüllte beinahe gegen den Wind an.

»Hör zu, Genevieve«, sagte Nina. So rasch wie möglich erklärte sie, was das Mikrofon, das sie in Winstons Büro gefunden hatten, wahrscheinlich zu bedeuten hatte. »Es ist durchaus möglich, dass er dich hier draußen haben wollte, wo dich keiner findet. Falls es einen Unfall geben sollte.« Die *Andreadore* neigte sich, und Nina klammerte sich an die Windschutzscheibe.

»Das ist doch lächerlich!«, meinte Genevieve. »Ihr habt den Verstand verloren! Wie könnt ihr so etwas von ihm denken?«

»Vielleicht gibt es ja eine andere Erklärung. Aber du musst den Tatsachen ins Auge sehen. Falls Winston die Geschworenen belauscht hat, ist es auch möglich … könnte es möglich sein, dass er etwas mit dem Tod von Clifford Wright zu tun hat.«

»Ich … ich weiß nicht, was ich dazu sagen soll. Ich bin baff. Nach allem, was er für dich getan hat! Er würde mir nie absichtlich wehtun. Er hat mich gern.«

»Trotzdem«, sagte Paul ungerührt, »du fährst besser mit Nina zurück. Ich kümmere mich um Winston.«

»Nein«, sagte Genevieve. »Ich bringe ihn zurück. Er ist völlig hinüber. Wenn es stimmt, was ihr sagt, was ich im Übrigen für den größten Müll halte, den ich je gehört habe, dann besteht keine Gefahr für mich. Ich sag euch was. Ich fahr zum Anleger. Ihr könnt mir helfen, indem ihr seinen Kajak holt.«

»Vergiss den Kajak!«, explodierte Paul.

Sie stritten noch, während der Himmel sich herabzusenken schien und die Wolken beinahe Ninas Schultern berührten. Der Nachmittag wurde immer dunkler.

Schließlich hatte Genevieve genug. »Und was wollt ihr ihm sagen, wenn er aufwacht? Er wird eine vollkommen vernünftige Erklärung für alles haben und euch den Kopf abreißen, weil ihr seinen Kajak im Stich gelassen habt!« Sie war sehr wütend und verfiel in ihren breitesten Südstaatenakzent.

»Paul, die Insel bedeutet nur einen Umweg von wenigen Minuten. Wir könnten den Kajak holen«, meinte Nina.

Paul gab es auf. Er steuerte die *Andreadore* geschickt neben Genevieves Rennboot, wies Nina an, das Steuer zu übernehmen, hockte sich auf die Reling, sprang, bevor Genevieve reagieren konnte, die anderthalb Meter über das Wasser und landete fluchend in dem anderen Boot. Er stand auf und packte Genevieves Arm. »Sei brav, und verschwinde, verdammt noch mal, aus diesem Boot«, sagte er und half ihr hinüber. »Nina, komm näher ran.«

Nina gehorchte und fuhr zaghaft näher. Ohne auf Genevieves lautstarken Protest zu achten, hob Paul sie geschickt in die *Andreadore*.

»Ich hole den Kajak. Wir treffen uns in zwanzig Minuten bei Richardson's Anlegesteg. Fahrt schon mal vor. Genevieve, hast du irgendwo auf dem Boot ein Seil?«

Genevieve stand neben Nina und sah zu, wie Nina Matts Boot von dem anderen weglenkte. »Willst du ihn fesseln?«

»Damit er friedlich bleibt«, sagte Paul. »Du hast gesagt, er sei aufgebracht.«

»Das glaube ich einfach nicht.«

»Sag mir, wo das gottverdammte Seil ist«, sagte Paul streng.

Genevieve wirkte unglücklich oder unsicher oder beides und sagte schließlich: »Ich glaube, es ist eines unter der Luke, auf der Win liegt.«

»Sei vorsichtig, Paul«, sagte Nina, winkte und steuerte die *Andreadore* nach Südwesten. Sie beschleunigte erst, als sie sich ein Stück entfernt hatten, um das andere Boot nicht mit ihrer Bugwelle zum Schaukeln zu bringen.

Sie sah, dass Paul versuchte, Winston, der schwer war wie ein Mehlsack, auf die Seite zu drehen, doch der große Mann rutschte umher wie ein unhandlicher Speerfisch.

Nina und Genevieve legten schweigend einige Kilometer zurück. Nina freute sich darauf, nach Hause zu kommen, und war ungeheuer erleichtert. Sie hatten Winston gefunden. Jetzt konnte er alles erklären und den Schatten des Zweifels ausräumen, der über ihrem Fall lag. Sie hatten die Hälfte des Wegs zur Ferienanlage zurückgelegt, als Genevieve sagte: »So ein Mist. Mist, Mist, Mist!«

»Was ist denn?«

»Ich habe vergessen, ihm zu sagen, er soll den Picknickkorb mitbringen«, sagte sie.

»Kein Problem«, sagte Nina. »Ich verspreche dir, mein Bruder holt ihn morgen ab.«

»Das verstehst du nicht!«, schrie sie. »Ich habe meine Ringe abgelegt und hineingetan. Der Trauring meiner Mutter ist da drin. Den kann ich nicht zurücklassen, sonst nimmt ihn jemand weg!«

Und wenn schon, sie war ohnehin lieber in Pauls Nähe. Paul hatte Winston, darüber brauchten sie sich keine Sorgen zu machen, und die Insel lag nicht weit abseits ihres Wegs.

»Ganz ruhig«, sagte Nina. »Wir holen ihn.« Sie lenkte die *Andreadore* nach Norden und steuerte den schmalen Streifen grünen Wassers an, der in der Ferne die Einfahrt zur Emerald Bay markierte.

36

Fanette Island erhob sich fast fünfzig Meter über dem See. Die Insel lag wie das größte Juwel in einem edlen Collier mitten in der Emerald Bay. Am nordöstlichen Zipfel, dem Teil der Insel, der als Erstes zu sehen war, überragte das Teehaus die Granitfelsen. Die tief hängenden Wolken ließen die Kiefern farblos erscheinen. Die schroffe, zerklüftete Landschaft, die normalerweise durch das Sonnenlicht und das glitzernde Wasser sanfter wirkte, war in den Blau- und Grautönen des späten Nachmittags von einer eigenartigen Schönheit, vertieft in ihre Einsamkeit inmitten des wirbelnden Wassers.

Nina hatte beschlossen, sich zu entspannen und den Dingen ihren Lauf zu lassen. Sie hatten nichts zu befürchten, außer vielleicht die Unzuverlässigkeit von Matts Boot, das sich bislang vortrefflich geschlagen hatte, und die Unberechenbarkeit des Wetters, das ein Gewitter verhieß. Die Insel muss magnetische Kräfte haben, dachte sie, denn selbst jetzt, in der angespannten Atmosphäre, spürte sie ihre Anziehung. Am liebsten wäre sie aus dem Boot gesprungen und den kleinen Hügel hinaufgeklettert, um im Teehaus zu sitzen und den Ausblick zu genießen. Der tiefe, vom Schmelzwasser eiskalte See schreckte sie jedoch ein wenig ab. An einem sonnigen Tag irgendwann im Sommer, wenn der See sich erwärmt hatte, würde sie mit Matt und Andrea und den Kindern wiederkommen. Bob würde es bestimmt Spaß machen, den Weg hinauf zum Teehaus zu suchen.

»Wir müssen auf die andere Seite rüber«, sagte Genevieve. »In die Bucht. Warum lässt du mich nicht ans Steuer? Ich kenne den Weg besser.«

»Nein, danke«, sagte Nina. Sie fühlte sich für Matts Boot verantwortlich, und sie wusste, wenn sie bei diesem Wind in der Bucht zu nah an die Felsen fuhren, konnte das ziemlich unangenehm werden.

Von den Wellen des aufgewühlten Sees hin und her geworfen, hatte die *Andreadore* einiges auszuhalten. Genevieve hörte nicht auf zu reden, und dieses unaufhörliches Geplapper machte Nina ziemlich nervös.

Einen Moment später kam die winzige Bucht in Sicht, der einzig sichere Hafen für ein Boot.

»Wir können nicht rein«, sagte Nina. »Siehst du das?« Sie zeigte auf den windschiefen Baum, der den südlichsten Punkt der Insel markierte. »Ich bin mir sicher, dass da unter dem Wasser Felsen vorspringen. Der Wind ist zu stark, der See ist zu unruhig geworden.«

»Fahr einfach noch ein bisschen näher ran«, sagte Genevieve, die vor Ungeduld auf und ab hüpfte. »Ich spring rein und schwimm rüber. Das habe ich schon mal gemacht.«

Nina starrte sie an. »Aber das Wetter wird jetzt immer schlechter. Nein, die Sache ist es nicht wert, Matts Boot aufs Spiel zu setzen.« Sie suchte die Bucht ab. »Wo, zum Teufel, ist Paul?«

Heftige Böen traktierten das kleine Boot. Wie Kinder auf einem Schaukelpferd hielten sie sich überall fest, wo es nur ging.

Nebel hatte sich über die Insel und die beiden Frauen gelegt, und das permanente Dröhnen des Motors hatte Nina inzwischen halb betäubt, sodass sie Genevieve kaum noch hörte, auch wenn diese schrie.

»Wenn du so nervös bist, dann lass mich das Boot näher ranbringen«, sagte Genevieve. Je schwächer Ninas Nerven wurden, desto lauter wurden ihre Stimmen. Genevieve griff nach dem Steuer und stieß Nina mit einem kräftigen Hüftschwung zur Seite. »Ich bin mit Booten groß geworden.«

Nina, von Genevieves Grobheit überrascht, trat vom Steuer zurück. Die Dinge gerieten außer Kontrolle, und sie wusste nicht, wie sie die Ordnung wiederherstellen sollte. »Du bringst uns noch zum Kentern«, sagte Nina. Das Boot driftete mit wilden Bewegungen auf die Felsen zu. »Pass da links auf! Ah …!«

Keine drei Meter vom Ufer der Insel entfernt, nicht weit von der Stelle, wo der gelbe Kajak über die Felsen an den Strand gezogen worden war, drosselte Genevieve den Motor und drehte sich zu Nina um.

»Beruhige dich«, sagte sie. Sie musste schreien, um eine plötzlich aufheulende Windböe zu übertönen. »Es läuft doch alles prima.«

Nina stürzte sich aufs Steuerrad. Ihre Beherrschung war längst über Bord gegangen. »Ich bring uns hier raus.«

Genevieve ließ das Steuer nicht los. »Nein, das tust du nicht. Sei nicht so feige. Wir machen's wie besprochen. Ich geh rein.« Sie steuerte mit einer Hand. »Ich erfriere, wenn ich nichts Trockenes anziehen kann«, sagte sie, und Nina sah zu, wie sie einen Pullover und ein Handtuch zu einem Bündel zusammenknotete und mit Schwung auf den Strand warf. Sie trug ein T-Shirt und Shorts und absolut nichts darunter.

»Da ist noch was«, sagte Genevieve.

Aber zuerst hatte Nina eine Frage. »Genevieve?«, fragte sie. Der Wind ließ einen kurzen Moment nach, und Nina schaffte es, sich zu konzentrieren. »Genevieve, wo ist dein Hörgerät?«

Das Seil war nicht in der Luke unter Winston gewesen. Nach gründlicher Suche entdeckte Paul es zusammengerollt zwischen den Schwimmwesten unter den Plastikkissen auf den Sitzen vorne im Boot.

Er kam sich ein ganz klein wenig dämlich vor, als er Winstons schlaffe Hände vor dessen Körper fesselte. Dann band er ihm die Füße so fest an einem der Sitze fest, dass er sicher sein konnte, Winston würde ohne seine Hilfe nirgendwo hingehen. Der große Kerl tat nicht nur so, er war wirklich bewusstlos.

Paul erinnerte sich flüchtig an seine Zeit als Polizist, als es für ihn ganz alltäglich war, Menschen zu verhaften, und jeder bis zum Beweis des Gegenteils als gefährlich galt. Er tastete nach dem Anlasser. Wo war der Schlüssel? Er brauchte nicht lange, um sich daran zu erinnern, wie eilig er es gehabt hatte, Genevieve vom Boot zu kriegen. Sie musste den Schlüssel in der Hand oder in einer Tasche gehabt haben.

Ich kann telefonisch Hilfe herbeirufen, dachte er, doch sofort stellte sich vor seinem inneren Auge das Bild ein von seinen und Ninas Mobiltelefonen, die fein säuberlich im Handschuhfach seines Autos lagen. Fluchend suchte er nach einem Handbuch. Klar doch, Mietboote hatten Funk. Aber das wäre wohl zu einfach gewesen. Das Funkgerät stotterte, spuckte einen kurzen pessimistischen Wetterbericht aus und verstummte mit einem Wimmern, noch bevor Paul herausgefunden hatte, wie man eine Verbindung herstellte.

Also, wenn du ein Auto kurzschließen kannst, dachte er, dann sollte das bei einem Boot ein Kinderspiel sein. Die Jahre als Polizist in San Francisco waren doch nicht ganz vergeudet gewesen. Er machte sich an die Arbeit.

Keine fünf Minuten später waren sie auf dem Weg, gerade rechtzeitig, denn der Himmel hatte sich bereits verdunkelt. Wir hätten zusehen sollen, dass wir gleich vom See runterkommen, ärgerte er sich insgeheim. Am liebsten hätte er den schlafenden, unbeteiligt aussehenden Mann kräftig gegen die Füße getreten, aber dazu war er zu gut erzogen.

Er ging's langsam an, da er seine Energie auf der hektischen Fahrt fast verbraucht hatte. Nina draußen vor dem Restaurant zu sehen hatte ihm einen Stich versetzt, und es hatte etwas gedauert, bevor er sich davon erholt hatte. Er hatte sich kaum von ihr verabschiedet, da war sie schon wieder da, um ihn zu quälen und ihm seinen Schmerz erneut vor Augen zu führen.

Aber es änderte nichts, außer dass es ihm seinen sauberen Abgang vermasselt hatte. Er würde am Montag fahren, wie geplant. Sie noch einmal zu sehen hatte gereicht, um ihn zu überzeugen, falls er in dieser Hinsicht überhaupt irgendwelche Zweifel gehabt hatte. Er war Wachs in ihren Händen, und er konnte es einfach nicht ertragen, wenn sie auch nur der kleinsten Gefahr ausgesetzt war. Sie waren zu eng verbunden, aber ihre Beziehung machte keine Fortschritte.

Er gab ein wenig mehr Gas. Er mochte Geschwindigkeit, aber Winston würde hin und her geworfen werden. Auch Paul würde hin und her geworfen werden, also drosselte er das Tempo wieder. Den Kajak ans Boot zu binden würde nicht lange dauern, sie würden ohne übertriebene Eile vor Einbruch der Dunkelheit wieder an Land sein.

Sie brauchten noch gut zehn Minuten bis zur Einfahrt in die Bucht. Kurz nachdem sie gestartet waren, kam eine der Fähren vorbei, die auf diesem Gewässer verkehrten. Die Passagiere winkten fröhlich, und Paul winkte zurück. Als er wieder allein war, versuchte er's mit Singen, aber in der windigen Dämmerung hing selbst die flotteste Melodie so lange in der Luft, dass sie sich nach Totenklage anhörte. Da pfiff er lieber durch die Zähne.

»Heiliger Jesus«, meldete sich eine belegte Stimme zu seinen Füßen. »›Dixie‹? Bitte erzähl mir nicht, dass du einen ›Dixie‹ pfeifst.«

Paul schwieg.

»Könntest du«, sagte Winston sehr langsam, und obwohl er sorgfältig artikulierte, war er kaum zu verstehen, »mir sagen, was dieser Strick soll? Zusammen mit deiner Musikwahl ...« Es entstand eine längere Pause, in der Winston mit seinen Lippen, die ihm einfach nicht gehorchen wollten, mühselig die Worte »lässt das Übles vermuten« formte. Er versuchte, sich aufzurichten. Paul griff hinüber und zog ihn auf den Sitz.

»Also, mein lieber Freund«, sagte Paul, der fand, er könnte genauso gut gleich für Klarheit sorgen. »Du hast mir einiges zu erklären.« Sie hatten die schmale Fahrrinne zwischen zwei vorspringenden Halbinseln erreicht, die zur Emerald Bay führte. Paul steuerte die Mitte an und fuhr hinein.

»Wenn keine Geschworenen draußen sind, die meiner Aufmerksamkeit bedürfen, höre ich ganz gut«, sagte Genevieve. Offensichtlich war sie nicht geneigt, ihr wie durch ein Wunder wiederhergestelltes Hörvermögen zu besprechen. Sie war hager, aber muskulös. Sie ballte eine Hand zur Faust und schlug Nina ins Gesicht.

Nina fiel zu Boden. Sie wollte sich an einem Sitz festhalten, verfehlte ihn aber. Sie hörte mehr, als dass sie es spürte, wie ihr Handgelenk brach. Sie versuchte, sich an irgendwelche Tricks aus ihren Selbstverteidigungskursen zu erinnern, aber in ihrem Kopf wuchs die Dunkelheit. Sie konnte sich nur noch über Genevieves Verwandlung von einer Kollegin in eine tödliche Feindin wundern. Sie sprang so rasch wie möglich auf und versuchte, auf dem glatten Deck Halt zu finden, aber Genevieve wartete schon auf sie. Mit einer einzigen schnellen Bewegung – die Nina gespenstisch vertraut war und sie an den Abend erinnerte, an dem Rachel und Mike auf der *Dixie Queen* im Wasser gelandet waren – packte sie Ninas Fußgelenke und hob sie über Bord.

»Du hättest dich von mir k.o. schlagen lassen sollen«, sagte sie, während sie unerklärlicherweise immer noch Ninas Fußgelenke festhielt. »Aber das ist nicht so einfach, weißt du. Verdammt. Ich wusste, dass mir das Mikro irgendwo in Winstons Büro runtergefallen sein musste, als wir bei unserem letzten, denkwürdigen Mittagessen meine Handtasche umstießen. Zu dumm, dass du es vor mir gefunden hast.«

Ninas Kopf landete im eiskalten Wasser. Der Schock … Sie bog den Kopf in den Nacken, um ihn aus dem Wasser zu ziehen, drückte sich mit der unverletzten Hand mit aller Kraft seitlich am Bootsrumpf ab und versuchte, sich wieder ins Boot zu hangeln, aber das machte ihr Rücken nicht mit. Kurze Wellen kamen angerollt, griffen nach ihr, schwappten ihr in Augen, Mund und Nase. »Genevieve, lass los!«, sagte sie spuckend.

Nina kämpfte, doch Genevieve hielt sie eisern fest. »Wenn du nur zehn Minuten später gekommen wärst und mir Zeit gelassen hättest, Winston zu ertränken, würdest du jetzt in dem anderen Boot mit deinem Freund über den See kreuzen und dich amüsieren. Ist das nicht beschissen, Nina! Verdammt! Ich wollte dich nicht umbringen. Es ist echt zum Kotzen.« Außer Atem von der Anstrengung, ließ sie Nina noch ein Stück tiefer ins Wasser, bis Nina dachte, ihr würde der Rücken brechen. Nina wurde klar, dass Genevieve sie ertränken wollte. Sie war starr vor Kälte und schon völlig erschöpft. Paul würde nur noch Genevieve vorfinden, die ihm eine hübsche Erklärung für Ninas Verschwinden präsentieren würde. Bis Paul ihre Geschichte überprüft hatte, wäre Nina tot und ihre Leiche auf dem Weg zu dem ertrunkenen Seemann.

»Das ist genau das, was passiert, wenn man nicht im Voraus planen kann. Sonst hätte ich es dir leichter gemacht«, sagte Genevieve. Mit nahezu übermenschlicher Entschlossenheit stieß sie Nina fest nach unten. Nina klammerte sich seitlich ans Boot, und als Genevieve klar wurde, dass sie sie nicht ertränken konnte, indem sie sie einfach aus dem Boot hängte, versuchte sie, Ninas kraftlosen Körper hochzuziehen und gegen das Boot zu schlagen, um sie außer Gefecht zu setzen. Wellen von Bewusstlosigkeit schlugen über Nina zusammen. Sie wurde zusehends müder …

»Bei Winston war's ganz einfach«, fuhr Genevieve fort, und es war sehr merkwürdig, dass sie es zu erklären versuchte, als hielte sie Nina immer noch für eine Freundin. Noch merkwürdiger war, dass Nina in ihrem Zustand weiterhin so viele Sinne beisammenhatte, dass sie ihren Worten folgen konnte. »Nicht dass ich ihn verletzten wollte. Ich hatte echt Spaß mit Winston«, sagte sie wehmütig. »Ich liebe diesen großen Kerl. Und er war großartig zu mir. Aber nachdem du unglücklicherweise das Mikro gefunden hattest, war Winston leider eine zu große Bedrohung. Er liebt Champagner, und, was soll's, es schien zu passen, also hab ich ihm was reingetan. Wir haben ein paar Mal angestoßen …«

Sie war in Gedanken. »Sogar der andere Kerl ist ziemlich schnell gestorben. Im Flur vor den Büros der Justizbeamten stand das Mittagessen und wartete auf ein bisschen Südstaatenfeuer, eine Portion Erdnüsse für sein ganz besonderes Mahl, bevor es ins Geschworenenzimmer gebracht wurde. Auf seinem klebte sogar ein Etikett, ›vegetarisch‹. Und ich kam gerade mit meinem Kalorienbomber vorbei, einem Erdnussbutter-Sandwich. Es war wie maßgeschneidert. Findest du Menschen, die sich so anstellen, nicht auch unausstehlich?«, fragte sie. »Verachtest du sie nicht auch?«

»Hattest du denn keine Angst, dass dich jemand sieht?«, keuchte Nina.

»Während des Prozesses bin ich oft durch diesen Flur gegangen, um den Journalisten aus dem Weg zu gehen oder um mich mit Winston zu verdrücken. Auf mich hat überhaupt niemand geachtet.«

Nina hatte jegliches Zeitgefühl verloren. Noch so ein Stoß gegen die Bootswand, und sie war am Ende. Als Genevieve sie wieder hochzog, griff Nina mit beiden Händen nach ihr, sogar mit der, die wahrscheinlich gebrochen war. Sie heulte auf vor Schmerz, stieß sich vom Boot ab und ließ sich in den See fallen. Genevieve, die über der Reling hing und von Ninas Aktion völlig überrumpelt war, verlor den Halt und stürzte direkt hinter Nina ins Wasser.

Nina öffnete die Augen und bemerkte, dass sie wie ein Stein in den schwarzen Tiefen des Lake Tahoe versank. Der See wartete vielleicht schon seit der Zeit, als sie hierher gezogen war, darauf, sie zu holen, so wie er andere geholt hatte, diesen Seemann und das Opfer in ihrem ersten Mordprozess. Sie strampelte kräftig gegen den Sog an, überlegte, wie tief sie wohl war und wie lange ihre Lungen es noch aushielten, bevor sie die Luft ausstießen und Wasser in sich hineinsogen. Erschöpft, durchdrungen von dem Schmerz in ihrem Arm, ohne eine Ahnung zu haben, wie weit es noch war, fing sie an, wie wild zu paddeln, bis sie gegen etwas stieß. Ein Fels. Sie tastete sich nach oben und durchbrach die Wasseroberfläche. Obwohl der Fels völlig unter Wasser lag, konnte sie darauf stehen und wenigstens einen Teil ihres Körpers über Wasser halten.

Der Wind schmerzte noch schlimmer als das Wasser. Sie musste zurück an Land, unbedingt. Die Insel war keine dreißig Meter weit weg. Das sollte sie in ein paar Minuten schwimmen können … Ihr Körper konnte die stechende Kälte nicht ertragen.

Zitternd und keuchend suchte sie die Bucht nach Genevieve ab und entdeckte sie am Strand, halb hinter einem Strauch verborgen. Genevieve wollte zum Kajak. Sie würde das Boot nehmen und verschwinden. Nina atmete keuchend die dünne, kalte Luft ein und sah ohnmächtig zu, wie Genevieve sich vorbeugte, um den gelben Kajak loszubinden, ihn ins Wasser zog, hineinsprang und sich mit einem Paddel losstieß. Plötzlich begann Nina mit der Verfolgung.

Sie schwamm lautlos knapp unter der Wasseroberfläche, zog den einen Arm hinter sich her und versuchte, möglichst oft zu tauchen. So kam sie längsseits des Boots und brachte es mit beiden Armen, auch dem verletzten, zum Schaukeln, wobei sie vor Schmerz laut aufschrie. Genevieve ging über Bord. Ohne auf Genevieves impulsiven Einfall zu warten, riss Nina sie vom Kajak los. Als sie gleichzeitig nach oben kamen, ballte sie ihre Hand fest zur Faust, wie Genevieve zuvor, und gab Genevieve einen wuchtigen Schlag gegen das Kinn.

Genevieve schloss die Augen und sank, aber Nina packte sie am Haar und zog sie wieder nach oben. Nina hatte es getan. Ein K.-o.-Schlag, auf den sogar Mike Markov stolz gewesen wäre ...

Nina versuchte, sich am Kajak festzuhalten und ihn als Floß zu benutzen, aber es war unmöglich, Genevieve und den Kajak gleichzeitig zu halten. Einen langen Augenblick erlaubte sie sich, darüber nachzudenken, Genevieve loszulassen, aber sie konnte es nicht. Sie konnte es einfach nicht. Mit einem resignierten Stöhnen ließ sie das Boot davontreiben.

Sie beide zurück zur Insel zu bringen, ohne den verletzten Arm einsetzen zu können, stellte sich als schwierig, aber nicht unmöglich heraus. Als sie Genevieve in der Bucht auf die Felsen zog, tanzten sowohl Matts Boot als auch der gelbe Kajak weit draußen auf dem See, unerreichbar. Sie warf sich neben Genevieve in den Sand, halb tot vor Kälte, streckte sich aus und sank in eine erschöpfte Benommenheit.

Es vergingen nur ein paar Augenblicke, bis sie sich zwang, sich zu rühren und wenigstens ein Auge zu öffnen. Aber ihre Vorsicht kam zu spät. In dem leichten Nieselregen, der jetzt eingesetzt hatte, zeichnete sich über ihr ein Schatten ab, der eine lange, scharfe Klinge schwang.

Genevieve hatte ihren Picknickkorb gefunden.

482

37

Als der Abend hereinbrach, verwandelte sich der See in ein samtiges Mitternachtsblau. Die Bergkette umgab die Bucht – schattenhafte Umrisse, die einander in blassgrauen Schichten überlagerten. Der Wind, der aufkam, bewegte die Wellen und ließ sie geräuschvoll ans Ufer klatschen. Paul fuhr rasch in die Bucht hinaus, in der tiefer werdenden Dunkelheit, so vorsichtig wie möglich.

Winstons wacher Moment war vorbei, er hatte sich zurückgelehnt und schnarchte laut, was nicht gesund klang, doch darüber konnte Paul sich jetzt keine Gedanken machen.

Er fuhr auf das leer dahintreibende Rennboot zu, griff hinüber und erwischte die Schleppleine. Es gelang ihm, das Boot hinter sich herzuziehen. Der leichtere Kajak trieb weiter draußen weg von der Insel. Doch es gab eine dringlichere Frage. Wo waren die Frauen?

Die Antwort darauf duldete keinen Aufschub. Er steuerte auf Fannette zu, vielleicht waren sie dort, um etwas zu holen, was Genevieve vergessen hatte. Vielleicht hatte sich das Boot einfach gelöst und der Kajak auch. Da er sich kein anderes Szenario ausmalen wollte, ließ er sich von dieser Erklärung trösten, bis er die Bucht erreichte.

Niemand zu sehen.

»Verdammt«, sagte Winston deutlich. »Was war das denn für ein Champagner?« Vergeblich versuchte er, die Hände zum Kopf zu heben.

Paul drehte ab und machte sich daran, die Insel, an der südwestlichen Spitze beginnend, zu umrunden.

»Genny?«, fragte Winston, sein Kopf rollte hin und her, die Augen waren völlig verdreht. »Ich weiß, du wolltest mir nicht wehtun. Lass uns doch reden, Schatz ...«

»Winston!«, sagte Paul streng. »Was redest du da?«

Doch der andere Mann schloss die Augen und ließ den Kopf nach hinten sinken.

Nina schlug mit dem rechten Arm unvermittelt nach oben und traf Genevieves Handgelenk, doch weiter kam sie nicht. Genevieve überwältigte sie und setzte sich auf sie.

»Lass das!«, schrie Nina. »Ich werde von einer Anzeige absehen!«

Genevieve kicherte über diese seltsame Äußerung und drückte die wild zappelnde Nina mit ihrem Gewicht nieder. »Jesus, Nina, du sinkst noch mit diesem Anwaltsgelaber ins Grab.« Sie hatte Nina festgenagelt, hob das Messer und wollte es ihr in die Kehle rammen, doch da ergriff Nina ihr Handgelenk und nutzte die Kraft des Stoßes, um das Messer wegzudrücken, während sie die Zähne in Genevieves Hand schlug.

»Au!«, kreischte Genevieve und ließ das Messer fallen.

Nina rollte zur Seite und sprang auf.

»Wo willst du hin?«, hörte sie Genevieve hinter sich fragen. »Auf diesem Inselchen kann man sich nirgendwo verstecken.«

Nina fand die Steintreppe, die zu dem kleinen, im Gebüsch verborgenen Teehaus führte. Sie achtete nicht auf die dornigen Sträucher, die ihre Haut zerkratzten, nicht auf ihre verletzten Füße und den scharfen Schmerz im Handgelenk, sondern rannte hoch, hoch, hoch – wo konnte sie abbiegen, davonlaufen, Zeit gewinnen …

»Nina?«

Die Stimme hinter ihr war zu nah. Die Angst, die Nina in diesem Augenblick verspürte, war ebenso groß wie das Entsetzen beim Anblick des Messers, ein eisiges, hohles Gefühl, als wären Geister in sie eingedrungen und wollten sie von innen erfrieren lassen.

»Lass uns drüber reden, okay?«, keuchte Genevieve. »Du willst doch dein Geld haben, oder?«

Da es keine andere Möglichkeit zu geben schien, rannte Nina

den ganzen Hügel hinauf zum Teehaus, zu verängstigt, um zu überlegen oder auch nur ans Atmen zu denken. Drinnen würgte sie ihre Angst hinunter, rannte über den Steinboden zu dem offenen Fenster, das am höchsten Punkt der Insel nach Nordwesten hinausging, und stieß den höchsten, durchdringendsten, furchtbarsten Schrei aus, dessen sie fähig war. »Hilfe! Hilfe! Hilfe!« Drei Schreie, wie das dreimalige Auftauchen, das einem Ertrinkenden vor dem Sterben bleibt. Sie wusste, dass auch Genevieve sie hören konnte.

Weit unter sich erspähte sie Matts Boot. Sie sprang in die Höhe, schrie und winkte.

Paul winkte zurück.

»Weißt du, für mich war das auch nicht leicht. Ich hätte nicht gedacht, dass es so schlimm kommen würde«, sagte Genevieve, bückte sich in der Tür und kaum auf sie zu.

Paul fuhr um die Nordostspitze von Fannette und in Richtung Bucht, die Sorgen um den Kajak waren vergessen, er war fest entschlossen, auf die Insel zu gelangen, und wenn er hinschwimmen musste.

In der kleinen Bucht gelandet, band er ein weiteres Seil ans Boot, nahm das Ende zwischen die Zähne, glitt ins schwarze Wasser und schwamm wie der Teufel. Schon bald geriet er außer Atem. Er trat Wasser, holte Luft, schwamm mit kraftvollen, leichten Zügen weiter, zählte im Rhythmus, während sich ihm das Bild von Nina am Fenster unauslöschlich einprägte; ihr Anblick vor dem schwarzen Himmel, ihre zerfetzte Kleidung, die im Wind wehte.

Nina sprang aus dem Fenster des Teehauses, landete hart auf den Felsen darunter und konnte sich gerade noch fangen, sonst wäre sie einen Felshang hinuntergestürzt, der ihren Tagen als labernde Anwältin ein Ende gesetzt hätte.

Sie stolperte nach links, begriff aber, dass Genevieve überall auf sie warten konnte. Also kletterte sie die Felsen hinunter und horchte auf die andere Frau, konnte aber nichts hören. Als sie in einen dornigen Busch fiel, nahm sie das als Botschaft des Geistes, der sie bisher am Leben erhalten hatte. Sie löste sich von den hartnäckigen Dornen und kletterte weiter einen felsigen Abhang aus riesigen, von der Witterung geborstenen Steinblöcken und großen, rauen Steinplatten hinunter.

Irgendwo musste es hier doch ein Versteck geben. Irgendwo.

Und das gab es auch. Nina stützte sich gegen einen besonders robust wirkenden Busch und fiel geradewegs hinein.

Sie fand sich inmitten eines Steinhaufens wieder, hinter dem sich eine kleine, trockene, viereckige Höhle verbarg, die kaum groß genug war für sie, dafür aber guten Schutz vor neugierigen Blicken bot. Sie keuchte, war vor Erleichterung den Tränen nahe, versuchte aber jeden Laut zu unterdrücken. Sie setzte sich, schlang zitternd die Arme um die Knie und vergrub das Gesicht in den Armen.

Ihre Augen gewöhnten sich langsam an die Dunkelheit. Als sie sich schließlich umschaute, merkte sie, dass diese Höhle nicht natürlich war, denn die Wände waren gleichmäßig gehauen, unten große Felsblöcke, die sich nach oben hin verjüngten. Die Decke bestand aus einer einzigen Felsplatte, und ein mittlerweile eingestürzter Eingang, der noch zu erkennen war, hatte einmal einen kunstvoll gestalteten Bogen gebildet.

Nina war in das ehemalige Seemannsgrab gefallen.

»Komm raus, Nina«, sagte Genevieve irgendwo über ihr. »Zwing mich nicht, dir nachzukommen …«

Nina bemühte sich verzweifelt, leise zu sein. Sie lehnte sich an die von Spinnen bevölkerte Wand der Höhle und lauschte auf Geräusche.

Wind. Regen.

Und dann Schritte.

Sie kniete sich hin, tastete nach etwas, das sie als Waffe benutzen könnte. Ihre Hand landete auf einem losen Steinbrocken, schwer, gezackt. Sie hob ihn hoch.

Nur wenige Schritte entfernt. Die Geräusche kamen näher, näher …

Und dann bewegten sie sich rasch, geräuschvoll und nicht mehr vorsichtig weiter.

Nina atmete schluchzend aus. Als Nächstes hörte sie Pauls Stimme.

»Nina!« Sie klang grollend, tief und verzweifelt, überbrückte die Entfernung wie das Gebrüll eines Löwen. »Nina!«

»Hier!«, sagte sie, wollte aufstehen und stieß sich den Kopf an. »Ich bin genau hier!«

Sie hörte Steine herabregnen, dann das Rumpeln schwerer Schritte.

»Wo?«

Pauls Stimme war genau neben ihr. Sie schob einen lockeren Steinhaufen weg und landete in seinen Armen, von Kopf bis Fuß mit Schmutz und Staub bedeckt. Nach einem kurzen, allzu kurzen Moment trat er zurück.

»Was, zum Teufel, geht hier vor?«, fragte er.

»Wo ist Genevieve?«

»Ich glaube, ich habe da hinten ein Platschen gehört. Irgendjemand ist in der Nähe der Bucht von einem Felsen gesprungen«, sagte er.

»Ihr Hörgerät. Es war nicht echt.«

Paul verstand sie sofort.

»Wo sind die Boote?«

»In der Bucht aneinander gebunden.«

»Sie wird beide nehmen.«

»Lass sie, Nina«, sagte Paul und schob ihr das Haar aus den Augen. »Wir können hier warten. Wir wärmen einander. Ich habe Matt gesagt, wohin wir fahren. Er wird uns finden.«

»Was ist mit Winston?«

»O Scheiße!«

»War er noch gefesselt?«

Sein Gesichtsausdruck war Antwort genug.

»Sie wird ihn töten!«, sagte Nina.

»Warum sollte sie Winston töten?«

»Er weiß mehr über sie als wir. Vielleicht war ihr klar, dass er sie mit Wrights Tod in Verbindung bringen würde, nachdem wir das Mikro gefunden hatten.«

Sie eilten über den Hügel zum Pfad hinunter und rannten in die Bucht.

Als sie den kleinen Sandstrand erreichten, hatte Genevieve bereits das Mietboot vom Felsen gelöst und kletterte gerade hinein. Hinter ihr tanzte die *Andreadore* auf den Wellen und rumpelte gegen die Felsen. Der Kajak war nur noch ein kleiner gelber Streifen am Horizont, der sich nach Osten auf den weiten See hinausbewegte.

»Wo ist Winston?«, brüllte Paul.

»Da!«, rief Nina. »Sie hat ihn ins Wasser geworfen! Er muss versucht haben wegzuschwimmen und ist in die Strömung geraten.« Sie sahen ihn jenseits der Bucht im Wasser zappeln, sein dunkler Kopf tauchte unter.

»Ich kümmere mich um sie«, sagte sie zu Paul. »Ich bin nicht stark genug, um Winston zu retten. Hol du ihn.« Sie wollte ins Wasser springen, doch er hielt sie zurück.

»Lass sie«, sagte er.

Nina schaute zu Genevieve im Boot hinüber, dann wieder zu Paul. »Wir können Winston nicht da draußen lassen.«

»Ich hole ihn.« Er hielt sie fest.

»Was habe ich davon, wenn du tot bist!«, schrie Nina. »Wenn ich sie nicht aufhalte, bringt sie euch beide um!«

Mit einem unentschlossenen, gequälten Blick ließ er sie los.

Nina sprang ins Wasser und schwamm die wenigen Meter zum Rennboot, so schnell sie konnte. Trotz der Schmerzen im Handgelenk zwang sie sich zu schwimmen, trat wie wild, um ihre schwachen Armbewegungen wettzumachen. Hinter ihr hörte sie ein undeutliches Platschen, als Paul sich auf den Weg zu Winston machte.

Regen prasselte herunter, doch Nina bemerkte es kaum. In wenigen Sekunden hatte sie das Boot erreicht. Genevieve suchte wie wild nach etwas. Sie trat, fluchte und schrie das Boot an, während sie hin und her kroch. Kurz darauf stand sie triumphierend auf, den Schlüssel in der Hand.

Unterdessen hatte Nina die Leiter an der Reling heruntergeholt und sich hochgezogen. Sie ließ sich triefend nass ins Boot fallen. Die Luft war so nass wie der See, ihre Verletzungen waren vergessen, und sie kam sich vor wie ein Seeungeheuer, größer und mächtiger als die zerzauste Frau, die ihr nun gegenüberstand. In den wenigen Sekunden, in denen sie einander musterten, konnte Nina keine Spur mehr von der Jugend, dem Charme und der Persönlichkeit entdecken, die Genevieve ausgezeichnet hatten. Sie stand einer Fremden gegenüber.

»Warum, Genevieve?«, fragte sie. Der Regen lief ihr übers Gesicht, aber sie wollte die Situation in Ruhe beurteilen, überlegen, was zu tun war, um Genevieve in Schach zu halten und Paul genügend Zeit zu verschaffen, damit er Winston in Sicherheit bringen konnte. »Der Stress. Dir geht es nicht gut …«

»Erinnerst du dich an das kleine private Treffen, das wir damals hatten? Sie versprach mir drei Millionen Dollar«, sagte Genevieve und drehte heftig den Zündschlüssel.

»Wer?«, fragte Nina, sah sich nach einer Waffe um und entdeckte in Genevieves anderer Hand das Messer.

»Lindy.«

»Lindy hat dich bestochen, damit du das Geschworenenzimmer verwanzt?«

»Natürlich nicht. Sie bot mir einen Bonus an, wenn wir gewinnen. In der Geschäftswelt ein absolut legitimer Anreiz. Schade, dass ich meinen Mund nicht halten konnte und Winston gegenüber damit prahlen musste, bevor mir klar wurde, dass Wright uns Schwierigkeiten machen würde. Doch Winston hätte nie kapiert, was ich getan habe, wenn du nicht die verdammte Wanze gefunden hättest.«

»Lindy wusste über Wright Bescheid?«

»Sie wollte keine Einzelheiten hören. Sie wollte gewinnen. Und das hat sie auch, oder? Ich habe für sie gewonnen, und bei Gott, ich werde mein Geld aus diesem Geschäft bekommen.« Der Motor sprang an. »Weißt du, ich dachte immer, ich würde wie alle anderen leben, weil ich so erzogen wurde. Aber ich bin die Tochter meines Vaters. Ich konnte einfach nicht widerstehen, als sich die Gelegenheit bot.«

Während Genevieve redete, rückte Nina näher heran. »Was hast du jetzt vor?«

»Mich zuerst um Paul und Winston kümmern, dann bist du dran.«

»Ich dachte, du hättest Winston gern. Und mich auch, ein bisschen jedenfalls.«

»Bleib stehen«, befahl Genevieve und stieß mit dem Messer in Ninas Richtung.

Nina wich rasch zurück.

»Du musst sterben, Nina. Ich war dumm und hatte das Mikrofon verloren. Aber der tragische Bootsunfall, der gleich passiert, wird alles lösen. Du hast versehentlich deine Freunde überfahren und dir daraufhin das Leben genommen. Eine schwache Geschichte, aber die einzige Zeugin wird die wesentlichen Details liefern.«

»Und der Angriff auf Rachel Pembroke?«

»Sie war Mike Markovs Muse und viel zu einflussreich. Hätte sie ihn nicht so gedrängt, gegen Lindy zu kämpfen, hätten wir viel bessere Chancen gehabt, den Prozess zu gewinnen. Außerdem war sie eine wichtige Zeugin. Ich habe mich auf dem Rücksitz des Wagens versteckt, weil ich sie allein erwischen und einen Selbstmord fingieren wollte. Doch sie hat mich entdeckt und den Wagen zu Schrott gefahren, bevor ich etwas unternehmen konnte. Dann ist Lindy wie aus dem Nichts aufgetaucht, sodass ich die Sache nicht zu Ende bringen konnte und beschloss, auf meine übliche Recherchemethode zu vertrauen und die Geschworenen zu belauschen. Es war das erste Mal, dass ich so einschreiten musste. Ich mache meinen Job gewöhnlich sehr gut. Niemand hätte vorhersehen können, dass Wright umschwenken würde. Es war nicht meine Schuld.«

Sie wich Ninas Blick aus, obwohl sie das Messer noch in der Hand hielt. Das helle Haar klebte ihr am Kopf, Wasser strömte über ihr Gesicht, sodass sie gleichzeitig wie eine Ertrunkene und wie ein übernatürliches Wesen wirkte. Sie hielt Ausschau nach Paul und Winston.

Nina konnte sie nirgendwo entdecken. Wo waren sie nur?

»Weißt du, hier unten liegen alle möglichen Wracks«, sagte Genevieve. »Ein bisschen Treibgut aus Vikingsholm, tief auf dem Grund der Bucht.«

»Bitte, Genevieve«, sagte Nina, die angestrengt in den Regen sah.

»Wenn du bis dahin nicht ertrunken bist, kannst du vielleicht etwas auf dem Grund entdecken.« Als Genevieve das Ende der Bucht und damit das offene Wasser erreichte, sagte sie beinahe zu sich selbst: »Wie konnte alles nur so schief laufen?«

Nina stürzte los und rief insgeheim Gott, die Geister des Sees und alle anderen an, die ihr dabei helfen konnten, Genevieve vom Steuer wegzustoßen. Genevieve widerstand dem Angriff wie hartes Holz und rührte sich nicht von der Stelle. Ein geschickter Hieb, und das Messer schnitt tief in Ninas Arm. »Bleib mir vom Leib«, sagte Genevieve und steuerte das Boot aus der Bucht, »sonst schneide ich dir die Kehle durch. Da unten ist der perfekte Friedhof, der seine Geheimnisse niemals preisgibt.«

Nina kämpfte mit den Tränen, drehte Genevieve den Rücken zu und griff nach dem Seil, an dem noch Matts Boot angebunden war. Die *Andreadore* hüpfte hinter ihnen her wie ein Kinderschlitten, der mit tödlicher Geschwindigkeit einen Berg hinunterrast. Sie löste das Seil ungeschickt mit der verletzten rechten Hand, der linke Arm war praktisch unbrauchbar. Dann kletterte sie auf die Sitze und sprang. Sie stieß mit einem Knie gegen die Bank, das andere gab unter ihr nach, als sie aufkam.

Genevieve schrie vor Wut, als sie Ninas Flucht bemerkte.

Wie durch ein Wunder steckte der Schlüssel noch im Zündschloss. Nina kämpfte den Schmerz nieder, der ihren Arm durchzuckte, drehte den Zündschlüssel um und ergriff das Steuer.

Nichts geschah. Die *Andreadore* war ohne das übliche Rumpeln und den Geruch von Benzin abgesoffen. Matts Boot trieb nach Osten, folgte dem Kajak, hinaus auf den großen See.

Vielleicht ist es gut so, dachte Nina. Vielleicht vergisst Genevieve, dass sie uns was antun wollte, vielleicht geht sie bei Vikingsholm an Land und läuft zum Highway. Womöglich hat sie ihren Wagen dort abgestellt. Bis zum Abend kann sie in L.A. sein, für immer aus unserem Leben verschwunden, begraben in der Anonymität der Millionenstadt.

Obwohl sie sich die Geschichte mit Happy End ausmalte, glaubte Nina nicht daran. Genevieve war zu weit gegangen. Sie hatte die Geschworenen belauscht, hatte getötet. Und jetzt wollte sie ihren Lohn.

Genevieve musste das Gleiche gedacht haben, denn sie wendete das Boot und fuhr zurück zur Insel.

Paul sah, wie Nina sich ins Boot hievte, und hörte Stimmen, konnte sich aber nicht darum kümmern. Die Bucht war winzig, doch als er auf das tiefere Wasser zuschwamm, in dem er Winston gesehen hatte, musste er sich darauf konzentrieren, den Kopf zu entdecken, der noch einmal aufgetaucht war. Zug um Zug, schön regelmäßig.

Als er Winston schließlich erreichte, war Paul außer Atem und so durchgefroren, dass er sich zum Weiterschwimmen zwingen musste.

Er packte Winston an den Haaren, dann am Hemd und zog ihn hinter sich her. »Winston«, sagte er keuchend. »Kannst du mithelfen?«

Ein Gurgeln, dann eine erstickte Stimme: »Mir sind buchstäblich die Hände gebunden, Mann!«

Genevieve hatte zwar die Fesseln an Winstons Knöcheln gelöst, nicht aber die Seile, die Paul um seine Handgelenke geschnürt hatte. Paul versuchte vergeblich, sie zu entfernen, er hatte ganze Arbeit geleistet. »Dann muss ich dich eben ziehen«, sagte er.

»Mach die Seile ab!«, flehte Winston panisch. »Ich ertrinke! Mach sie los!«

»Moment«, sagte Paul. Er hatte keine Kraft mehr zum Streiten und erst recht nicht, um einen Footballspieler durch dieses eiskalte Wasser in Sicherheit zu schleppen. Er trat mit den Füßen, wollte mit einem Arm paddeln.

»Du bringst mich um!«, sprudelte Winston, als sein Kopf in den schäumenden See tauchte.

Sie hatten noch keine fünfzehn Meter geschafft, als Paul es hörte: Das Motorboot kam zurück.

Dunkel oder nicht, Genevieve würde sie mühelos entdecken. Der Mond war aufgegangen, und vor dem silbrigen Wasser und den Regentropfen würden sich ihre Köpfe abheben wie die helle von der dunklen Seite des Mondes.

»Wir gehen runter«, sagte er, »wir tauchen weg.«

Winston wehrte sich heftig, bis er sich aus Pauls Griff befreit hatte. Schiere Willenskraft hielt ihn oben, er konnte nicht einmal paddeln, sah aber dem Boot entgegen, das auf sie zukam. »Hey! Hey! Halt an, Genevieve!«, rief er. »Nein!«

Schnell wie eine Lokomotive und groß wie ein Ozeanriese verdunkelte die Ungeheuerlichkeit des nahenden Todes ihren kleinen Horizont.

Nina sah entsetzt zu, wie Genevieve geradewegs auf Paul und Winston zupflügte. Sie war so schockiert, als hätte das Boot sie selbst getroffen, drehte am Anlasser wie eine Verrückte, die von einer Aufgabe besessen ist, die sie nicht bewältigen kann.

Nachdem sie die Wasseroberfläche nach Paul und Winston abgesucht hatte, wendete Genevieve geschickt und fuhr wieder auf Nina zu. Sie hatte vor, ihr Rennboot in die *Andreadore* zu bohren.

»Komm schon, verdammt noch mal!« Nina drehte den Schlüssel immer wieder im Zündschloss, doch der Motor sprang nicht an.

Was hatte Matt doch gleich bei ihrer letzten Fahrt gesagt, als sie jammerte und sich fluchend beschwerte, sie würden es nie schaffen? Nicht Technik, Vertrauen startet ein Boot. Ich vertraue dir, kapiert? Der schwarze Hebel rechts vom Lenkrad. Jetzt nimm dein ganzes Vertrauen zusammen. Ein bisschen Gas. Hier herüber … Sie bewegte den Gashebel, drehte mit der anderen Hand den Schlüssel hin und her. Nichts. So, etwas mehr zur Mitte des Schlitzes …

Genevieve war so nah, dass Nina ihr in die Augen blicken konnte, und was sie sah, ließ sie erzittern. Sie sah die Konzentration und Brutalität auf sich zukommen. Erbarmungslose Augen, in denen der Hass glitzerte …

Der Motor sprang an.

Nina drehte das Steuer wild nach links, glaubte fast, Genevieves kalten Atem zu spüren, als diese an ihr vorbeiraste und die *Andreadore* nur knapp verpasste.

Nach ein paar Sekunden drehte Nina sich zur Bucht um. Ganz am Ende sah sie zwei Köpfe auftauchen. Paul und Winston. Irgendwie war es ihnen gelungen, unter dem Boot hindurchzutauchen. Sie waren noch am Leben.

Nina schrie vor Schmerz auf, als sie das Boot in den Wind drehte, sodass es sich nach rechts neigte und fast umkippte. Sie konnte sogar die Schaumblasen sehen, die sich auf der Wasseroberfläche um die Regentropfen bildeten. Sie würde als Erste bei ihnen sein. Sie würde alle irgendwie retten.

Genevieve kam von hinten näher.

»Das ist Nina!«, schrie Paul. »Sie kommt auf uns zu.«

»Nina?«, hustete Winston. »Ist sie auch hinter uns her?«

»Nein!«, meinte Paul. »Sie will Genevieve von uns weglocken.« Seine Armmuskeln waren von der Anstrengung, sich selbst und Winston über Wasser zu halten, derart angespannt, dass er fürchtete, sie könnten reißen. »Genevieve schluckt den Köder nicht. Wir sind erledigt«, sagte Paul. »Herr im Himmel, nun strample doch, Winston. Hilf mir!«

Doch Winston, der beim letzten Untertauchen literweise Wasser geschluckt hatte, war zu sehr damit beschäftigt, es wieder loszuwerden, und konnte nicht antworten.

»Wir müssen runter!«, sagte Paul schnell. »Bist du bereit?«

»Ich kann nicht!«, japste Winston. »Nein!« In seiner Panik gelang es ihm, sich von Paul loszureißen. Er ging unter.

Genevieve hielt auf sie zu.

Paul tastete hilflos nach Winstons Hemd, bekam es zu fassen und strebte ans Ufer, zappelnd wie ein sterbender Fisch am Haken. Er zog und tat sein Bestes, um Winston über Wasser zu halten, doch eigentlich konzentrierte er sich nur auf die Motorgeräusche, die immer lauter wurden …

Die *Andreadore* fuhr in weitem Bogen um sie herum. Er sah Nina, die konzentriert am Steuer stand, ihr langes Haar flatterte im Wind, eine Flagge der Zuversicht. Doch Genevieve wollte sie töten. Sie würde zuerst die beiden überfahren und dann Nina verfolgen. Sie war nah, verdammt nah …

Er stieß mit dem Zeh an einen Felsen unter Wasser und schob Winston heftig zur Seite. Seine letzte Hoffnung setzte er auf den Felsvorsprung, der am linken Ende in die Bucht ragte. Dorthin bewegte er sich und zog Winstons trägen, durchnässten Körper hinter sich her.

Genevieves Boot sauste pfeifend an ihnen vorbei, und eine wahre Flutwelle schlug über ihnen zusammen. Dann ging es wieder in Position wie ein Roboter, der sich in dem Versuch, sie zu töten, von einem kleinen Fehlschlag nicht entmutigen ließ, und Genevieve begann erneut ihre unmenschliche Verfolgung von Nina.

Genevieve wusste, dass sie auf der Insel gefangen waren. Paul sah hilflos zu, wie Nina zum Strand bei Vikingsholm fuhr. Sie hatte an die hundert Meter Vorsprung, konnte nah heranfahren, herausspringen und sich im Wald verstecken oder den Hang bis zur Straße hinaufklettern. Sie konnte Hilfe holen …

Doch noch während er zusah, wurde die *Andreadore* langsamer, schwang herum und fuhr wieder auf die Insel zu.

Was hatte Nina vor? Sie kann uns doch nicht retten, oder?, dachte er verwirrt. Warum kommt sie zurück? Sie fährt auf die Felsen zu, dachte er. Blendet der Regen sie, bemerkt sie die Felsen und die Untiefen nicht? Sie würde sterben! Er packte Winston fester. Sollte er sie wegwinken?

Vielleicht würde sie in letzter Sekunde kehrtmachen. Doch dann sah er, wie Genevieves Boot den gleichen weiten Bogen beschrieb. Nun, da sie nicht mehr von Paul und Winston abgelenkt wurde, holte Genevieve rasch auf.

Dreißig Meter, zwanzig, zehn. Nina näherte sich der felsigen Halbinsel, auf der Paul und Winston lagen; die *Andreadore* knatterte stetig dahin.

Paul riss den todmüden Rechtsanwalt auf die Füße – stieß, zerrte und schrie –, schleppte ihn über die felsige Spitze zum Strand am anderen Ende der Bucht, wo er ihn unsanft fallen ließ. Er kletterte auf einen steilen Felsen und schirmte mit der Hand die Augen ab, damit ihm der Regen nicht ins Gesicht lief.

Er wollte sich in Nina hineinversetzen, wie sie durch den Wind auf ihn zugeflogen kam, doch sie war so auf ihr Ziel fixiert, dass für nichts anderes Raum blieb.

Der Regen prasselte jetzt so stark vom Himmel, dass Paul kaum noch etwas erkennen konnte.

Er glaubte, Ninas kleine Gestalt aufrecht an der Reling der *Andreadore* zu sehen, woraufhin sie wie ein Engel ins tiefe Wasser glitt, gerade als Genevieves Boot sie von hinten rammte.

Er glaubte, Genevieves entsetztes Gesicht zu sehen.

Er spürte das ungeheure Krachen mehr, als dass er etwas sah. Der Aufprall war so heftig, dass die Zeit stehen zu bleiben schien.

Und dann beobachtete er ganz langsam, beinahe in Zeitlupe, Bild für Bild: Genevieves Boot kippte um und prallte kieloben quer auf die *Andreadore*. Unzählige Holzstücke flogen durch die Luft. Feuer, wo vorher Boote gewesen waren. Hitze und Licht, wo es dunkel gewesen war.

Inmitten der Splitter, im gleißenden Licht des brennenden Benzins, fand die glühende Silhouette einer Frau, knochenlos wie eine Stoffpuppe, im See ihre Ruhestätte, lag einen Moment reglos auf dem Wasser und sank dann hinab in die Tiefe.

38

Sommer in Tahoe. Alles war grün. Das helle Grün der Wiesen mischte sich mit dem dunkleren Grün der Wälder, die das Schmelzwasser von den Bergen aufgesogen hatten. Der Memorial Day stand bevor. Die Touristen trafen ein, um ihren Urlaub zu genießen, und blieben.

Nina bekam von all dem nichts mit. Sie kam an diesem Dienstagmorgen im Juni ins Büro und machte die Tür hinter sich zu, schloss die Welt aus. Sie ging nicht ans Telefon. Sie rührte die Papiere nicht an, die schon einen Hauch von Staub ansetzten, wie etwas aus ihrer Vergangenheit. Sie trug Jeans und ein Sweatshirt, legte die nackten Füße auf den Tisch und sah aus dem Fenster auf den See, aber das Panoramafenster kam ihr nur wie eine Projektionswand vor, auf der die Ereignisse der vergangenen sieben Monate wie ein Film vor ihr abliefen.

Sandy, die an ihrem Schreibtisch im vorderen Büro saß, störte sie nicht. Sie wusste, dass man auch an einem Sommermorgen eine finstere Nacht durchleben konnte.

Genevieve hatte sich durch ihr Leben geschoben wie ein Erdrutsch, der alles zerstört.

Paul hatte Nina geholfen, aus dem Wasser zu kommen und auf die kleine Insel zu klettern. Dort hatten sie zugesehen, wie die Schnellboote brannten, und abgewartet. Winston wachte rechtzeitig auf, um mit ihnen zu beobachten, wie die Funken der brennenden Boote im Regen zischten und in der unheimlichen Stille des Sees versanken. Der Kajak war davongetrieben. Es vergingen Stunden, bis Matt die Küstenwache benachrichtigte und sie gerettet wurden.

Paul und Winston waren mit ihren Geschichten zur Polizei gegangen. Jeffrey Riesner hatte das Gericht ersucht, das Urteil zu Gunsten von Lindy auf Grund von »Verfahrensmängeln« aufzuheben, und Richter Milne hatte dem Antrag stattgegeben und einen neuen Prozess anberaumt. Er hatte Jim Colby als Zwangsverwalter abgesetzt und das Vermögen und die Leitung der Firma wieder in Mike Markovs Hände gelegt.

Der katastrophale Ausgang des Prozesses brachte, da er durch ein Mitglied von Lindys Anwaltsteam zu Stande gekommen war, für Nina rechtliche Sanktionen mit sich. Sie hätte zumindest verpflichtet werden müssen, Mikes Anwaltskosten zu übernehmen. Stattdessen hielt Richter Milne Nina öffentlich vor Gericht einen anschließend in allen Medien ausführlich zitierten demütigenden Vortrag, bei dem sie bis zu den Haarwurzeln rot anlief, der Jeffrey Riesner einen Höhenflug bescherte und Nina den letzten Rest Selbstvertrauen raubte.

Mike hatte den größten Teil seines Geldes gerettet. Lindy hatte nichts.

Nina hatte weniger als nichts.

Ein Jahr ihres Lebens war zusammen mit Genevieves Boot in Rauch aufgegangen.

Was von Markov Enterprises noch übrig war, nachdem Mike

die Zügel so lange hatte schleifen lassen, war jetzt wieder seiner Führung überlassen, bis ein neuer Prozess eine Entscheidung in die eine oder andere Richtung brachte.

Egal, was geschah, Nina war draußen. Ihre Kanzlei war durch den Markov-Fall ruiniert. Mandanten waren abgewandert zu Anwälten, die mehr Zeit hatten, ihre Anrufe zu beantworten. Ihre Kontoauszüge zeigten rote Zahlen. Sie konnte es sich nicht leisten, Lindy in einem Wiederaufnahmeverfahren zu vertreten. Sie konnte nicht mal ihre Miete zahlen. Gemäß ihrem Vertrag mit Lindy hatte Lindy sich verpflichtet, zumindest ihre Anwaltsgebühren und -auslagen zu zahlen. Selbst wenn Nina ihr einen Sonderpreis machte, belief sich das insgesamt auf über hunderttausend Dollar. Vielleicht war Lindy eines Tages in der Lage, die Rechnung zu bezahlen, aber es sah nicht so aus, als wäre das in naher Zukunft der Fall.

Vielleicht würde Lindy auch einfach Bankrott machen und wegziehen.

Nina nahm noch ein Darlehen auf, um Matt ein neues Boot zu kaufen, da Matt die *Andreadore* nicht versichert hatte. Sie nahm, um Winstons Arbeitszeit in den letzten Monaten zu zahlen, ein weiteres Darlehen auf. Es war jedoch nicht genug Geld, um Winston zu retten, hinter dem das Finanzamt wegen Steuerhinterziehung her war. Er versuchte zwar, sich mit einer Gegenklage wegen Schikane zu wehren, aber jeder wusste, wie schwierig es war, mit heiler Haut davonzukommen, wenn man einmal in die Fänge dieser Behörde geraten war.

Nina würde ihr Büro nicht vergrößern. Sie würde keine neuen Leute einstellen. Sie hatte alle ihr zur Verfügung stehenden, finanziellen Mittel ausgeschöpft, um diesen Fall durchzustehen und es hatte sie vernichtet. Das Darlehen für das Boot war das letzte, das die Bank ihr gewähren würde. Sie musste allmählich anfangen, regelmäßige Zahlungen für ihre gewaltigen Außenstände zu leisten.

Ohne das Honorar von Lindy konnte sie das nicht. Sie stapelte die Rechnungen in einer Ecke des Büros und sah zu, wie der Stapel jeden Tag höher wurde.

Genevieve war verschwunden, entweder im See, wie Paul zu glauben schien, oder in den Weiten Kaliforniens. Die Geschichte ihres Verschwindens und ihrer Angriffe auf Paul, Winston und Nina war landesweit auf den Titelseiten aller Zeitungen gewesen. Für den Fall, dass sie die Explosion auf geheimnisvolle Weise überlebt hatte, beschuldigte die Polizei sie in Abwesenheit der fahrlässigen Tötung an Clifford Wright und dazu des dreifachen versuchten Mordes an Paul, Winston und Nina.

Nina wollte nicht mehr über Genevieve nachdenken. Sie war fertig mit ihr, wie mit allem anderen auch.

Paul verschob seine Fahrt nach Washington um eine Woche, aber sie war zu niedergeschlagen, um mit ihm zu reden. Schließlich verließ er die Stadt, ohne sich noch einmal bei ihr zu melden.

Nina hatte alles aufs Spiel gesetzt und alles verloren.

Lindy ließ Comanche im Stall bei Freunden außerhalb Renos und zog vorübergehend in die Stadt zurück, um ein paar letzte Kleinigkeiten zu erledigen. Sie hatte beschlossen, die Stadt zu verlassen. Ein paar alte Freunde hatten in Idaho eine Goldmine. Sie wollte zu ihnen fahren und alles in Erfahrung bringen, was sie wussten, außerdem musste sie weg von Tahoe. Idaho schien ihr im Augenblick die perfekte Fluchtmöglichkeit zu sein.

Die Neuigkeiten über Genevieve hatten sie umgehauen. Sie hatte mehrere Tage gebraucht, um sich von dem Schock zu erholen. Sie hatte sie mit Geld gelockt, und das hatte irgendwie zu dem Mord an einem Geschworenen und den Angriffen auf ihre Anwälte geführt. Sie war geradezu kriminell blauäugig gewesen und konnte von Glück sagen, dass man sie nicht wegen Anstiftung zu einer Straftat anklagte. Sie wurde von Schuldgefühlen gequält.

Zusammen mit den Neuigkeiten über Genevieve erhielt sie die Nachricht, dass ein neuer Prozess anberaumt worden war.

Und so hatte Lindy beschlossen, der Sache den Rücken zu-zukehren, obwohl Nina ihr davon abgeraten hatte, weil Lindy dann möglicherweise auf Mikes Gerichtskosten sitzen blieb. Lindy fühlte sich schrecklich wegen dem, was Nina ihretwegen durchgemacht hatte, dazu noch völlig umsonst, aber sie fühlte sich nicht stark genug, um weiter gegen Mike zu kämpfen.

Sie wünschte, sie könnte Nina bezahlen, aber Anwälte schienen immer jede Menge Geld zu haben. Nina hatte wahrscheinlich irgendwo noch ziemlich viel versteckt. Sie hätte den Fall ja gar nicht übernommen, wenn sie keine Finanzdecke gehabt hätte, denn das wäre ziemlich dumm gewesen. Nina würde es bald wieder gut gehen, und Winston würde seinen Verlust in einem Jahr wettgemacht haben.

Ihre Gedanken wanderten zurück zu diesem armen Mann. Die ganze Welt schien zu glauben, dass Cliff Wright ihretwegen gestorben war, und vielleicht hatten alle Recht. Sie wollte das Geld, die Firma oder irgendetwas anderes nicht mehr. Sie hatte von Alice erfahren, dass Rachel zu Mike zurückgegangen war und ihn um Verzeihung gebeten hatte. Also würde es auch Mike gut gehen.

Und sie selbst – sie hatte schließlich akzeptiert, dass ihr Leben hier, das Leben, das sie zwanzig Jahre lang geführt hatte, zu Ende war. Sie war nicht gerade jung, aber sie war zäh wie Schuhleder.

In der zweiten Juniwoche rief sie Mikes Sekretärin an und verabredete, dass sie im Haus vorbeikommen und ihre restlichen Sachen abholen würde. Sie wollte ihn rechtzeitig warnen. Und sie bat ihn, ihr einen letzten Gefallen zu tun und dafür zu sorgen, dass Rachel nur für ein paar Stunden nicht im Haus war. Dann würde sie gehen, und sie würden nie mehr miteinander sprechen müssen.

Sie steuerte den Jeep die vertraute staubige Straße am See-ufer entlang zum Haus. Das Tor stand offen. Er erwartete sie.

Ihre Blumenbeete, die in voller Blüte standen, waren völlig vernachlässigt. Mindestens die Hälfte der Blüten war verblüht und nicht abgezupft. Sie hätte gerne geglaubt, dass Rachel ebenso viel Vergnügen daran hatte wie sie und bald wieder alles in Ordnung bringen würde.

Sammy sprang an ihr hoch, und sie streichelte ihn ein paar Minuten und sagte ihm all die Koseworte, die er gerne hörte. Aus ihrer Tasche zog sie einen Streifen getrocknetes Rindfleisch, das er so liebte, dann ließ sie ihn auf dem kiesbestreuten Weg zurück, damit er es in Ruhe fressen konnte.

Mike stand in der Tür, die Hände in den Taschen. »Hi«, sagte er.

»Hi.« Sie ging die Stufen hoch, und er ließ sie vorbei. »Hast du ein paar Kartons für mich?«

Florencia hatte oben und im Erdgeschoss etliche bereitgestellt, dazu jeweils dicke Packen Papier zum Einpacken.

»Die brauche ich nicht alle.« Sie wollte nur wenige Dinge holen, die ihr besonders am Herzen lagen, wie die geschnitzte Holztruhe, die ihr Vater ihr hinterlassen hatte, und einen Briefbeschwerer aus blauem Glas, der ihrer Mutter gehört hatte. Die Fotos würde sie in einen Karton packen, um sie sich irgendwann einmal anzuschauen.

Sie fing im ersten Stock an. Mike stand auf dem Treppenabsatz und lehnte, die Hände immer noch in den Taschen, am Treppengeländer, während sie von einem Zimmer ins andere ging. Als sie keine Kartons mehr hatte, half er ihr, noch ein paar zu falten und zuzukleben. Er protestierte nicht einmal, obwohl er sie die ganze Zeit aufmerksam beobachtete.

Der einzige Ort, wo sie nicht hinging, war der Wandschrank im Schlafzimmer. Sie ertrug es nicht, Rachels Sachen dort hängen zu sehen. Sie würde Florencia bitten, ihr die Sachen zu schicken, falls sie dort etwas Wichtiges vergessen hatte.

Als es an der Zeit war, nach unten zu gehen, war sie ziemlich müde, aber unten gab es nicht mehr viel zu tun. Diese Räume dienten der Repräsentation, und außer ihrem Schreibtisch würde sie dort nicht viel finden.

»Willst du was trinken?«, fragte Mike, als er ihr die Treppe hinunter folgte.

Sie fuhr ein letztes Mal mit der Hand über das Geländer. »Nein, danke. Ich will zusehen, dass ich fertig werde.« Merkwürdig. Zum ersten Mal, seit sie ihn kennen gelernt hatte, konnte sie seinen Blick nicht deuten. Er hatte sich verändert. Sie wünschte sich fast, er würde sich beschweren oder wütend werden, irgendetwas tun, was die Spannung zwischen ihnen auflöste.

Mit ihrem Schreibtisch machte sie kurzen Prozess, schob ihren Papierkram in zwei Kartons und klebte sie schnell mit Klebeband zu. Mike half ihr, die Kartons an der Haustür zu stapeln.

Sie nahm sich einen Moment, um durchzuatmen, und schaute sich ein letztes Mal um. Dann machte sie die Haustür auf und sah Mike an. Sie wischte sich die Hände an einem Stück Einwickelpapier ab und streckte ihm die rechte Hand hin. »Wir hatten eine schöne, lange Zeit«, sagte sie. »Man sieht sich.«

Er zögerte, als ginge ihm etwas durch den Kopf, das er aber nicht über die Lippen brächte. Sie hätte es gerne gehört, hätte ihn gerne etwas sagen hören, was sie mit auf den Weg nehmen konnte und was ihr zeigte, dass er verstand, dass es wirklich eine gute Zeit gewesen war.

Eigentlich hätte sie sich mit möglichst viel Würde umdrehen und gehen sollen. Stattdessen stand sie da wie ein Narr und hielt ihm die Hand hin. Die Spannung wurde unerträglich.

Er nahm ihre Hand. Und dann zog er sie an sich und küsste sie auf den Mund.

Sie wich zurück. »Was soll das?«, schrie sie.

»Ich versuche dich zu küssen, um es einfacher zu machen.«

»Du machst es nur schwerer!«

Sie wollte an ihm vorbeigehen, aber er stellte sich ihr in den

Weg. »Würdest du mir bitte zuhören?«, fragte er. »Rachel ist weg«, sagte er und sah plötzlich wie der alte Mike aus, ein wenig verschämt, aber insgeheim zufrieden mit sich.

»Lüg nicht! Ich weiß, dass sie zu dir zurückgekommen ist.«

»Das ist sie auch, und ich bin ein großer dummer Ochse, aber ich bin nicht so dumm wie früher.« Er schenkte ihr ein vorsichtiges Grinsen.

»Sie kommt nicht zurück?«

»Ich musste ihr einen Riesenscheck schreiben«, sagte er. »Bei ihr ging's immer nur ums Geschäft. Und ich war eitel und durcheinander, ein leichtes Opfer. Sie ist weg, Lindy. Und ich …«

Sie schüttelte den Kopf. »Mike, nicht.«

»Wir könnten … komm, wir setzen uns hier auf die Treppe und reden.«

»Nach allem, was passiert ist? Ich halte das für keine gute Idee.«

»Dann gib mir nur eine Minute, und ich rede. Obwohl ich darin genauso miserabel bin wie bei allem, was dich betrifft.«

In der Ferne schimmerten die Lichter von Tahoe.

»Lass uns das letzte Jahr im See versenken«, sagte Mike.

Sandy brachte das Mittagessen rein, zwei Salate, und stellte sie auf Ninas Schreibtisch.

»Ich habe keinen Hunger«, sagte Nina.

»Schön. Dann lass es stehen«, meinte Sandy. »Und jetzt?«, fragte sie, nahm den Plastikdeckel ab und goss Salatsoße darüber.

»Und nichts«, sagte Nina.

»Wird sie uns irgendwas zahlen?«

»Nein, und ich habe nicht mal das Geld, diesen Monat die Büromiete zu zahlen. Wir können von Glück sagen, dass der Richter nicht angeordnet hat, dass Lindy Mikes Anwaltskosten übernimmt. Sie muss sehen, wie sie dreißigtausend aufbringt, um Mikes Gerichtskosten zu zahlen, damit die Klage fallen gelassen wird. Sie kann uns nicht helfen.«

»Der Vermieter wird uns ein paar Monate mit durchziehen. Du hast das Starlake Building berühmt gemacht. Er hat eine Warteliste von Mietern. Hier.« Sie reichte Nina einen Scheck.

Sandys Scheck war auf Nina ausgestellt und belief sich auf zehntausend Dollar. Nina hatte keine Ahnung, wie sie so viel Geld zusammenbekommen hatte. Und da saß sie und bot es ihrer Chefin an.

»Du bist die Beste«, sagte Nina und versuchte, ihre Gefühle zu verbergen. »Ausgeschlossen. Aber danke für das Angebot.« Sie gab Sandy den Scheck zurück.

»Wir fangen von vorne an. Arbeiten doppelt so hart«, sagte Sandy. »Du kannst das Geld nehmen, um uns aus dem Gröbsten rauszubekommen.« Wie um ihre Entschlossenheit zu demonstrieren, biss sie energisch auf einen Croûton.

»Vergiss es!«

»Willst du behaupten, ich arbeite für eine, die gleich aufgibt? Du hast immer noch eine Decke, die dich nachts wärmt, oder?« Sandy sah Nina mit großen Augen an.

Nina schaute in die dunklen Augen, als könnte sie dort die geheimnisvolle Quelle von Sandys Kraft finden. Sie sah nur eine dunkelhaarige Amerikanerin indianischer Abstammung, deren Blick unbegreiflich war wie seit eh und je.

Und in diesem Augenblick, als sie Sandy in die Augen schaute, traf sie mit voller Wucht die Erkenntnis, welchen Preis ihr Spiel gekostet hatte. Sie hatte Sandys Job aufs Spiel gesetzt, Bobs Zukunft, ihr Zuhause, die Arbeit, die ihr Lebensinhalt war. Sie hatte Paul verloren …

Weil Lindy sich weigerte, nach oben ins Bett zu gehen, in das Bett, in dem sie ihn mit Rachel erwischt hatte, waren sie zum Boot gegangen, wo sie das Bett frisch bezogen hatten. Sonnenlicht drang durch das Dachfenster in die Kabine.

Später fanden sie Bierdosen und Kräcker in der Kombüse. Sie trugen das Tablett an Deck, setzten sich in die Sonne und genossen den warmen Nachmittag. Ein paar Boote zogen in der Ferne vorbei, schaukelten wie Liebende im Rhythmus des Sees. Von weitem drang Musik zu ihnen herüber.

»Ich gehe morgen zu Riesner«, sagte Mike, »und sag ihm, er soll sich damit abfinden, dass ich ihm das Mandat entzogen habe.«

Er war vollkommen ernst und klang wie ein Mann, der um sein Leben kämpfte. Er wollte sie wiederhaben. Aber sie glaubte nicht an Wunder. Sie würde ihm nie mehr so vertrauen können wie früher. »Ich liebe dich, Mike, aber ich mache nicht so weiter wie vorher.«

»Ich weiß«, sagte Mike. »Das tun wir auch nicht. Wir heiraten am Sonntag.«

Schweigen breitete sich aus.

»Lindy. Heirate mich. Bitte«, sagte Mike drängend. »An jedem beliebigen Tag, falls dir Sonntag nicht passt.«

Wieder Schweigen.

»Lindy?«, fragte er sehr besorgt.

»Oh, klar doch, Mike.«

»Bitte?«

»Warum sollte ich dir das glauben?«

»Ich meine es ernst. Ich liebe dich mehr denn je. Ich brauche dich. Diesmal für immer, Lindy.«

Sie schaute eine ganze Weile hinaus aufs Wasser und erinnerte sich an das letzte Mal, als sie auf einem Boot auf diesem See gewesen waren. Der Frühlingswind fuhr ihm durchs Haar, während er darauf wartete, dass sie etwas sagte, ganz anders als in jener Nacht, ein anderer Mensch, wie auch sie eine andere war.

Er wollte sie endlich heiraten. Hier war es, groß wie der Lake Tahoe und ebenso voller Geheimnisse, das Happy End, genau wie sie es sich immer vorgestellt hatte. Unter der lächerlichen, hartnäckig aufflammenden Hoffnung, dass es diesmal für immer und ewig sein würde, waren an die Stelle von Vertrauen Zweifel und Angst getreten. Sie hatte nie geahnt, wie zerbrechlich das alles war. Sie hatte keine Ahnung gehabt, dass Hoffnungen über einem zusammenbrechen und einen zerstören konnten. Es war schwer, trotz dieses Wissens weiterzumachen.

»Ich verspreche dir, dich zu heiraten …«, setzte sie an.

»Ach, Lindy.« Er verzog das Gesicht zu einem breiten Lächeln.

»… wenn du mir versprichst, dich diesmal nicht wieder herauszuwinden«, beendete sie ihren Satz.

»Kein Herauswinden mehr.«

»Ich glaube es erst, wenn ich den Pfarrer am Sonntag hier sehe«, sagte sie.

Sie küssten sich, und dann setzten sie sich Schulter an Schulter auf die eingebaute Bank, die am Heck entlanglief. »Ich fahre mit dir in die Flitterwochen«, sagte Mike. »Ich weiß auch schon, wohin.«

»Du willst jetzt wegfahren? Wo die Firma in so großen Schwierigkeiten steckt?«

»Die Frage ist doch, was *wir* möchten? Ich habe einen Vorschlag. Wir könnten alles verkaufen und irgendwo ganz neu anfangen. Ich hab gehört, in Australien ist eine große Opalmine zu kaufen …«

»Ein Neuanfang«, sagte sie. Sie fuhr mit dem Finger über sein Kinn, frischte die Erinnerung an dessen Form wieder auf.

»Einfach verkaufen und verschwinden.«

»Ich habe schon gepackt«, sagte sie, und während sie es sagte, kamen ihr ein paar Zeilen aus den Briefen an die Korinther in den Sinn, die ihr Vater immer zitiert hatte: »Die Liebe ist langmütig, die Liebe ist gütig; sie neidet nicht; die Liebe tut nicht groß, sie bläht sich nicht auf, sie benimmt sich nicht unanständig, sie sucht nicht das ihre, sie lässt sich nicht erbittern, sie rechnet Böses nicht zu.«

Ihr wurde klar, dass sie nie begreifen würde, warum das alles passiert war, warum er sich in Rachel verliebt hatte oder warum sie ihm verzieh. Warum sie am Ende vor Gericht gelandet waren. Sie hatte keine Ahnung. Man wusste nie, woran man mit einem Menschen war. Die ganze Zeit geschahen so viele Dinge in ihnen, Erinnerungen und Ereignisse, Einflüsse, die man niemals ergründen konnte. Wieder dachte sie traurig an Clifford Wright.

»Wo wir gerade übers Geschäft sprechen«, sagte sie. »Ich werde Nina bitten, ein paar Papiere zu entwerfen, die wir beide dann unterschreiben, Mike. Die Dinge zwischen uns werden anders laufen, Heirat hin oder her.«

»Klar«, sagte er. »Lass es uns klar und eindeutig machen, schriftlich. Das sollte sogar den alten Jeff Riesner zufrieden stellen.«

Ein Schnellboot fuhr vorbei, und die Yacht hüpfte und schaukelte in seinem Kielwasser. »Übrigens«, sagte er und hielt sie fest im Arm, »wie groß ist der bisherige Schaden in der juristischen Abteilung?«

»Hoch. Aber Nina hat sehr hart für mich gearbeitet. Ich wünschte, ich könnte ihr etwas Persönliches geben, etwas wirklich Besonderes, abgesehen von ihrem Honorar«, sagte sie und dachte an Genevieve. »Ich würde ihr gerne zeigen, wie sehr ich schätze, dass … Oh, ich weiß. Wie wär's damit als Bonus? Ich vermache ihr den Claim meines Vaters? Er ist nichts wert, aber es ist ein Ort, an den sie gehen könnte, neben dem Büro. Vielleicht würde ihr das gefallen. Ich glaube nicht, dass ich noch mal hinfahre. Zu viele Erinnerungen.«

»Tolle Idee.«

»Ihre Kosten und Stundenhonorare belaufen sich etwa auf hunderttausend. Ist das nicht schrecklich? Was für eine teure Lektion. Den Gewinnanteil bekommt sie natürlich nicht.«

Er drehte sie so, dass die Sonne ihr den Rücken wärmte, und machte sich daran, sie zu massieren. Als Exboxer wusste er genau, was sich gut anfühlte. »Deine Anwaltskosten belaufen sich auf hundert Riesen?«, fragte er und bewegte seine Finger wohltuend über die Knoten zwischen ihren Schulterblättern. Er tastete sich langsam vor und knetete die verspannten Stellen, die ihm so vertraut waren.

Mit der zärtlichsten Berührung, die seine schwieligen Hände zuließen, versuchte er auf die Art, auf die er sich am besten verstand, einige der Verletzungen des vergangenen Jahres zu lindern.

»Da hast du ein gutes Geschäft gemacht«, sagte er und lachte. »Mein Anwalt war doppelt so teuer.«

»Heute kannst du den ganzen Tag jammern und weinen«, sagte Sandy am anderen Ende der Stadt zu Nina, »aber mehr Zeit gebe ich dir nicht. Morgen um zehn hast du einen Termin.«

»Ja?« Nina hatte angefangen, in ihrem Salat zu stochern. Die Nachmittagssonne spiegelte sich im See, schien ins Büro und wärmte ihr das Gesicht. Sie versuchte zu gähnen, wünschte sich, sie könnte ein kleines Nickerchen machen, ein paar Minuten nur, und die Berge von finanziellen Problemen, die sich vor ihr auftürmten, vergessen, aber erschöpft und müde waren zweierlei. Sie war erschöpft, aber aufgedreht.

»Neues Geschäft«, sagte Sandy.

»Sandy, nicht …«

»Etwas Großes.« Sandy saß sehr still und machte ein möglichst ausdrucksloses Gesicht.

Sie führte etwas im Schilde.

»Sandy, morgen ist von heute aus gesehen noch ganz schön weit weg. Ich habe ziemlich viele Entscheidungen zu treffen. Selbst wenn ich es mir leisten könnte, kann ich überhaupt nicht darüber nachdenken, mich schon wieder in einen schrecklichen Fall zu stürzen …«

»Es wird dir gefallen«, sagte Sandy.

Als Sandy dies sagte, rührte sich etwas in Nina, ein vertrautes Gefühl, ein leises Prickeln.

Ach, zum Teufel, dachte sie.

Sie nahm die Füße vom Tisch, richtete sich auf und griff nach einem Notizblock.

»Na, dann schieß mal los, Sandy.«

Dank

Unser Dank geht vor allem:

An Nancy Yost für ihr langjähriges Vertrauen in uns und für ihre unermüdlich gute Laune; Maggie Crawford für ihre Hilfe, die Geschichte auf den Punkt zu bringen und die Verfolgungsjagd abzukürzen; an Patrick O'Shaughnessy für seine pointierten Einblicke in männliches Verhalten; Carole Baron für all ihre Unterstützung und Begeisterung.

An die Ehrenwerte Suzanne N. Kingsbury, Richterin am Obersten Gericht, und den Ehrenwerten Jerald Lasarow, Richter am Bezirksgericht, und ihre Mitarbeiterinnen und Mitarbeiter im Gerichtsgebäude des El Dorado County in South Lake Tahoe für ihre Großzügigkeit und ihre Zeit.

An Stephen J. Adler, Autor von *The Jury – Disorder in the Court*, 1994 bei Doubleday erschienen, für den echten Durchblick bei der amerikanischen Geschworenen-Maschinerie; an Helen Henry Smith, Autorin von *Vikingsholm, Tahoe's Hidden Castle*, 1973 veröffentlicht, für ihre persönlichen Erinnerungen an die faszinierende Geschichte der Emerald Bay; an Leonore M. Bravo, Autorin von *Rabbit Skin Blanket*, 1991 publiziert, für ihren ganz besonderen Blick auf die Washoe-Indianer des zwanzigsten Jahrhunderts; an Marc McLaughlin, Autor von *Sierra Stories*, 1997 bei Mic Mac Publishing erschienen, für die Volksmärchen dieser herrlichen Gegend.

Ein verspätetes Dankeschön an Pell Osborn, unseren ersten Kritiker.

Dank an Brad Snedecor für alles.

Für alle Fehler und Freiheiten der Interpretation sind wir verantwortlich.